VENT AFRICAIN

DU MÊME AUTEUR

Autobiographies

J'AI QUINZE ANS ET JE NE VEUX PAS MOURIR (Grand Prix Vérité, 1954), suivi de : IL N'EST PAS SI FACILE DE VIVRE, Fayard.
JEUX DE MÉMOIRE, Fayard.

Romans

LE CARDINAL PRISONNIER, Julliard.
LA SAISON DES AMÉRICAINS, Julliard.
LE JARDIN NOIR (Prix des Quatre-Jurys), Julliard.
JOUER A L'ÉTÉ, Julliard.
AVIVA, Flammarion.
CHICHE!, Flammarion.
UN TYPE MERVEILLEUX, Flammarion.
J'AIME LA VIE, Grasset.
LE BONHEUR D'UNE MANIÈRE OU D'UNE AUTRE, Grasset.
TOUTES LES CHANCES PLUS UNE (Prix Interallié), Grasset.
UN PARADIS SUR MESURE, Grasset.
L'AMI DE LA FAMILLE, Grasset.
LES TROUBLE-FÊTE, Grasset.

Recueil de nouvelles

LE CAVALIER MONGOL (Grand Prix de la Nouvelle de l'Académie française), Flammarion.

Lettre ouverte

LETTRE OUVERTE AUX ROIS NUS, Albin Michel.

CHRISTINE ARNOTHY

VENT AFRICAIN

roman

BERNARD GRASSET
PARIS

Pour Claude,
pour mon fils François.

Au peuple kenyan dont la terre – berceau de l'humanité – est devenue le dernier refuge des animaux, l'Arche de Noé d'un siècle fou.

Les personnages de ce roman, comme leur nom ou leur caractère, sont purement imaginaires et leur identité ou leur ressemblance avec tout être réel, vivant ou mort, ne pourrait être qu'une coïncidence non voulue ni envisagée par l'auteur.

Chapitre premier

Sandy, ma secrétaire, entre dans mon bureau, sanctuaire ouaté, préservé du monde extérieur dès que je coupe les circuits d'appel.

– Pardonnez-moi, mais, maintenant, l'individu débite des menaces. Si vous ne l'écoutez pas, il va convoquer une conférence de presse devant la grille de votre propriété...

– Il se lassera, Sandy.

– Je ne pense pas. Si les appels étaient localisés, on pourrait l'identifier, le faire arrêter...

Ce n'est pas forcément mon intérêt. L'individu qui m'appelle sait quelque chose d'important. Mais plutôt crever que d'être livré à un chantage.

– Dites-lui que vous ne me trouvez pas. D'ailleurs je m'en irai plus tôt...

Elle me regarde :

– Vous permettez une remarque?

– Si elle est agréable.

– Vous êtes courageux...

Mes secrétaires m'aiment, elles ont raison, je suis le veuf de leur ex-patronne. L'histoire d'amour entre l'ingénieur français et l'héritière de l'empire Ferguson, interrompue de manière tragique, les passionne. J'ai trente-sept ans, je suis plutôt grand, légèrement bronzé, un bourreau de travail et d'une fidélité exemplaire au souvenir de ma femme, arrachée si brutalement à ce bas monde. Encore trois jours d'attente et j'entrerai – moi, le légataire universel d'Angie – en possession de l'une des grandes fortunes des USA.

– Comment vous aider? demande-t-elle.

Ses yeux verts aux reflets jaunes sont tristes.

– Je me bagarre avec mon chagrin, Sandy. Un jour, ce chagrin mourra aussi... Je dois être plus tenace que lui.

– Vous êtes quelqu'un d'exceptionnel, dit-elle.

Si elle savait comme elle a raison!

Je range mes dossiers qui traînent sur le bureau dominant le 38e étage d'une tour de verre et d'acier, je regarde à travers l'une des baies vitrées, l'air mauve de Los Angeles est crémeux de crasse. Dans trois jours, le conseil d'administration me nommera président de la Compagnie, j'occuperai, l'après-midi même, le bureau de ma femme morte.

Je prends ma serviette et je traverse la pièce voisine : celle de mes secrétaires, je sens le poids de leur regard. A peine sorti de la tour, la Cadillac s'avance très lentement et s'arrête. Le chauffeur, un type de la côte Est, quitte le véhicule et m'accueille avec un zeste de solennité de trop. Avant d'être engagé chez nous, pendant des années il a été au service d'un armateur et de sa maîtresse.

Nous quittons le centre d'affaires de Los Angeles, et nous roulons vers Beverly Hills. Je fais semblant d'étudier un dossier, mais l'angoisse m'étouffe. Tout peut encore m'échapper, la fortune et l'extrême volupté du pouvoir. Je suis sûr que l'homme qui me poursuit au téléphone est un maître chanteur, mais pourquoi a-t-il attendu si longtemps? Ou alors à quel moment a-t-il pu découvrir, et découvrir quoi, pendant cette année d'immobilisme imposé?

Un relent d'after-shave m'écœure. Mais le prolo de Paris, l'arriviste arrivé, n'a pas le droit de demander à son chauffeur de ne pas se parfumer. Avec moins de chance, je serais à sa place. Alors?

Une fois de plus, les images se bousculent : une femme inerte dans mes bras... Mes vêtements maculés de sang. La lutte avec des rochers. Et puis, le Kenya. Je traîne un cadavre dans la conscience et l'Afrique dans la tête. J'ai l'air fort, mais je ne suis qu'habile, mon orgueil et ma sensibilité me rendent vulnérable. Je sens le vent qui catapulte les vagues géantes de l'océan Indien vers la barrière de corail, elles s'y écrasent et se répandent aussitôt en une étincelante poussière d'eau. Je vois la savane à l'infini, ponctuée d'acacias solitaires. Je vois un lion grandir, s'allonger sur l'horizon et devenir nuage.

Le chauffeur me guette dans le rétroviseur. Et si c'était lui qui voulait me faire chanter? Ridicule. Nous approchons de Beverly Hills. La maison d'Angie se trouve sur la colline, à un demi-*mile* au nord de Sunset Boulevard. La rue n'est pas large, le portail, dont le code change tous les jours, s'ouvre par télécommande. A peine entré, dès le pavillon du gardien qui me salue de sa cage de verre je quitte la Cadillac. En alternance avec un policier à la retraite, il surveille sur quatre écrans le parc et les différents accès de la maison.

Je traverse les clairières entourées d'arbres séculaires, je frôle de mes chaussures la bordure des parterres de fleurs, aucun de mes mouvements n'échappe aux écrans. Du bout affiné d'une de mes godasses, chef-d'œuvre du « hand made » italien, je réajuste un caillou, comme si l'harmonie des gravillons était importante, « il n'y a qu'un homme dont l'âme est tranquille pour s'occuper de ces détails », pourrait déclarer le gardien, convoqué par l'avocat de l'accusation. « Pas de commentaires, des faits », dirait le juge.

J'aperçois le court de tennis à l'abandon et, plus loin, le bord de la piscine, vide depuis des mois. Au début de mon veuvage, de temps à autre je nageais, mais j'avais l'impression que j'allais me heurter à un corps flottant. Angie remontait des profondeurs et me souriait, ses cheveux mouillés plaqués sur son front.

Je passe près de la haie naturelle, haute et abondante, qui nous sépare de la propriété voisine. D'ici, on peut, d'un côté à l'autre, se saluer. A cause de ce détour, je passe près de la cuisine-atelier du rez-de-chaussée, où l'on utilise un équipement digne d'une fusée pour me préparer des petits plats. J'aperçois la roseraie de Staroff, un comédien célèbre des années soixante. Selon les ragots, il a le sida. Je me fous de Staroff, mais la bonté sied au veuf. Il est debout parmi ses fleurs, je lui fais un petit signe. Lui aussi lève le bras, mais à peine. Maigre et diaphane, c'est plus une ombre chinoise qu'un homme.

Depuis un an, j'ai appris que le remords, allié à l'angoisse, ronge comme la pire des maladies. Pour le monde qui m'entoure, j'apparais serein. Pourtant j'ai parfois envie de hurler de peur, oui, de peur. J'ai essayé d'évoquer les symptômes de cette intolérable douleur intérieure dans une conversation avec un ami psychiatre. « Il faut trois ans pour se remettre d'une perte de ce genre, a-t-il dit. Plus on a aimé, plus on souffre. Peu à peu, Angie va s'effacer. Commencez à sortir avec de vrais amis, essayez de parler d'elle en étranglant votre émotion à la source, et, si tout cela ne s'améliore pas, venez me voir, nous bavarderons. » Il me regarde d'un œil gourmand : à cent cinquante dollars de l'heure, il pourrait me soulager... Malgré l'argent dont je dispose, mes réactions sont celles d'un ancien pauvre d'Europe, je compte, j'additionne, je calcule. Je n'ai pas encore appris à dépenser. Les riches de naissance sont, eux aussi, économes, mais d'une autre manière – au lieu d'avoir la peur ancestrale de la misère, ils ne veulent pas qu'on les prenne pour des cons.

J'arrive devant la bâtisse baroque, rose bonbon ; sur le perron à colonnes, le maître d'hôtel m'attend. J'aurais aimé ne pas être accueilli, mais Sandy a dû le prévenir. Philip, d'origine anglaise, est un seigneur dans son métier. Il saisit presque de force ma serviette :

– Quelqu'un vous a appelé, Monsieur.

– Ici aussi ? Depuis quelque temps, un type obsédé me prend comme cible...

Philip a l'air soucieux :

– J'ai voulu vous épargner, je ne vous en ai pas parlé, mais il vous poursuit...

– Il s'en lassera.

– Je ne crois pas. A quelle heure désirez-vous dîner ?

– Je ne veux rien. J'aimerais marcher.

– Vous pourriez reprendre votre jogging.

J'ai abandonné à cause du chien d'Angie ; quand je parcourais les allées bordées de buissons de jasmin, il apparaissait et, quand je m'arrêtais, il me montrait les crocs. Il avait envie de me mordre. Il avait raison.

– Monsieur... A propos des appels...

Je regarde ses cheveux gris, ses lunettes, j'admire ses manières, c'est lui le gentleman, moi, le parvenu.

– Oui ?

– A votre place...

Il n'est pas à ma place. Dans l'immense hall flanqué de copies de statues grecques et de fresques, je réussis enfin à m'éclipser en direction des toilettes. Je me trouve dans l'étroite pièce en marbre noir, l'air y est étouffant, le déodorant, une agressive odeur de sapin, m'écœure. Je me soulage en contemplant, sur le mur en face de la cuvette, la silhouette d'un samouraï en nacre incrustée. Le décorateur vicieux a placé partout des Japonais qui brandissent leur sabre.

Je me lave les mains, le miroir est tenu par deux geishas : l'une qui se couvre la moitié du visage avec un éventail, l'autre effleurant de ses doigts fins le cadre de la glace, elles ont de petits yeux stupides et la face blanche, une fresque ridicule. Je me contemple, je n'ai même pas mauvaise mine, j'ai l'air tendu mais plutôt aimable, je camoufle bien l'enfer que je porte. Soudain, j'aperçois dans mon iris encadré de noir le visage d'Angie. Je baisse les paupières, je vois des cercles de lumière. Angie passe de l'un à l'autre, comme au cirque.

Je quitte ces toilettes délirantes et, suivant le rituel du passé, je me dirige vers mon fauteuil, face à la cheminée gothique, au salon. Plus loin, près du bar, dans l'obscurité tiède, Philip me prépare un whisky, je sens qu'il désire m'aider. Il m'a déjà suggéré d'accepter l'idée d'une petite liaison qu'il jugeait utile pour mon équilibre. « Un homme est un homme », me disait-il. En effet, depuis un an, je vis en huis clos avec mes remords, assommé de somnifères, je ne m'intéresse qu'au pouvoir. A l'obtenir. Enfin.

Tout allait très bien jusqu'à avant-hier : la chance – ma complice – m'épaulait. Français surgi du néant, j'avais réussi l'impossible : devenir riche en peu de temps, et bientôt américain ; et même, luxe suprême, être respecté. Depuis mon adolescence, j'inspire confiance, j'ai le regard honnête, l'expression franche, la main fraîche et solide ; et pourtant je suis dangereux ; malgré moi, je porte la poisse comme d'autres des bouquets de fleurs.

J'entends Philip :

– J'ai commandé un soufflé au homard pour huit heures.

– Je n'ai pas faim.

– Vous devez vous nourrir, répond l'écho.

Puis, légèrement peiné par mon mutisme, il repart vers l'office. A ma demande expresse, il m'isole des domestiques. Parfois, au tournant d'un couloir, la femme de chambre portoricaine me salue. Le cuisinier? Je l'ai rencontré plusieurs fois, mais je ne le reconnaîtrais pas dans une foule. Le jardinier n'est qu'une silhouette aperçue d'une fenêtre, le son grêle et lancinant du râteau sur les gravillons me parvient ou, de temps à autre, le bruit du sécateur.

Ce soir, plus que jamais, je suis malade de peur, je m'agrippe à mon verre en cristal épais. A cette heure-ci, souvent j'imagine entendre des sons délicats. Parfois, une mélodie esquissée... Alors je m'aventure vers le coin sombre de l'immense salon où végète le Steinway et je découvre sur la surface brillante des taches qui ressembleraient à des empreintes. Il m'arrive aussi de crier : entrez! Quelqu'un a frappé à la porte. Non. Personne ne vient, c'est le sang qui tambourine sur mes tympans. Bientôt, je vais bazarder cette bâtisse hantée.

– Monsieur est servi, annonce Philip.

Je ne puis échapper au dîner solitaire, assis à la table ovale prévue pour douze personnes, surveillé par le père d'Angie – son portrait occupe une paroi entière, Mr. Ferguson sourit avec une politesse d'outre-tombe. Philip, les mains gantées de blanc, me sert quelques cuillerées de mousse de ceci ou de cela sur l'assiette en porcelaine fine. Lorsque ma fourchette s'y frotte avec un bruit vulgaire, les initiales A.F. apparaissent sous le caviar, sous les épinards, sous n'importe quoi. Avec quel bon plaisir rustique je me goinfrerais de spaghettis arrosés de sauce tomate – ce qu'oncle Jean me préparait – ou d'une pizza dont je cracherais les noyaux d'olives dans ma main.

En montant au premier étage, je passe devant Angie, sa robe, dont les bretelles scintillent, peut-être de l'éclat de vrais brillants, est blanche; à ses pieds, Niel, le chien Husky qui me poursuit même ici de son sale regard bleu. Le portrait est l'œuvre d'un artiste à la mode. Il me l'avait emprunté pour une exposition de « visages de femmes célèbres », hélas il me l'a rendu.

Cette richesse ne cesse de m'étonner. Le jour où j'ai aperçu pour la première fois cette maison hybride, un mélange de demeure coloniale et de temple grec, j'avais souri, poli. Je connaissais déjà son histoire. Angie l'avait achetée à une vedette d'Hollywood qui s'était, peu de temps après la vente, suicidée au cours d'une de ses fameuses crises d'éthylisme. « C'est laid », avait dit Angie, enjouée. Mais le site est unique, et l'intérieur est luxueux. « J'ai voulu évacuer les statues, a-t-elle continué, mais je me suis rendu compte que, si on touchait à quoi que ce fût, l'équilibre serait dérangé et que je devrais vider la maison comme un poulet. Ici, le mauvais goût est hissé au niveau d'une œuvre d'art. Vous verrez, Éric, vous allez vous habituer. » Dès que j'en aurai juridiquement le droit, je vendrai ce poulet qui vaut de cinq à huit millions de dollars.

J'ai usé mes fonds de culottes sur les trottoirs de Paris, quand ceux que j'agaçais m'attaquaient, je me retrouvais sur le cul, et souvent roué de coups. Dans cette maison, où le décorateur, goguenard, a accumulé les coups tordus avec un souci méticuleux du détail, je peaufine depuis un an l'image de l'homme anéanti de chagrin, mais combatif dans son travail. Si un jour j'étais inculpé, l'avocat de la défense évoquerait, aussi, pour mieux disposer les jurés à mon égard, ma fidélité aux lieux. « La demeure cossue comporte huit chambres à coucher, Mr. Landler n'avait que l'embarras du choix pour aller dormir dans une autre pièce, c'est à cause de son amour pour la défunte qu'il n'a jamais quitté le lit conjugal. »

En me dirigeant vers la chambre, lieu de ma pénitence quotidienne, l'idée du suicide revient et se précise. Il est difficile de mourir.

Je dois affronter la chambre aux murs couverts de soie blanche. J'y entre, et l'ordre sublime, l'harmonie vengeresse de la pièce me mettent en rage. Qu'est-ce que je fous ici? Je ne suis qu'un intrus. Je vais dans le dressing-room, je jette mes vêtements par terre, j'enfile un pyjama, je me console : les tiroirs sont bourrés de somnifères. Comme une grande mouche, je me cogne contre les murs; pas d'ouverture pour m'envoler. En bas, Los Angeles bouillonne, les gangs s'entre-tuent, mon seul privilège est de décider le moment de ma mort. Je ne veux pas être tenu en laisse, plutôt crever! J'avale deux calmants, je bois au goulot, l'eau dégouline sur mon menton. Je m'assois au bord du lit et je regarde le téléphone, hypnotisé. Je sais qu'il va m'appeler et que je décrocherai : devant Philip, j'aurais honte d'avoir peur et, de plus je veux connaître l'erreur que j'ai commise. La faille.

Et puis, voici, le signal de l'interphone, des à-coups fluets, une sonnerie antistress qui imite un pépiement d'oiseau. Je décroche.

– Oui?

– C'est lui, dit Philip. Qu'est-ce que je fais? Je vous le passe?

Je joue l'offusqué courageux :

– Qu'on en finisse. Allez-y...

Je m'allonge sur le lit, l'oreiller glisse, je le rattrape et je le bourre sous ma tête. J'entends la respiration de Philip, sa discrétion habituelle est vaincue par sa curiosité.

– Raccrochez, Philip, merci.

Il m'abandonne à regret, j'entends le déclic, j'écoute le silence. L'autre veut que je cède, que je quémande.

– Alors? Vous n'avez rien à dire? Vous vous dégonflez... Vous emmerdez tout le monde, et, quand vous arrivez à moi, vous comprenez que vous n'êtes qu'un misérable.

J'entends rire. Je suis perdu. Il rit encore.

– Je vous veux du mal.

La voix est neutre, filtrée, déformée. Mes doigts sont engourdis, rigides.

– De quoi s'agit-il?

– Vous en doutiez? Allons... D'Angie, Mr. Landler.

Je me mords la lèvre, mon sang a le goût du métal tiède.

– Vous avez connu ma femme?

– Très bien.

– Qui êtes-vous?

– Vous le verrez demain.

Je dois gagner du temps : dans trois jours, enfin au pouvoir, il me sera plus facile d'écraser cette vermine. Je tente le coup :

– Plutôt dans une semaine.

– Mr. Landler... Vous continuez à sous-estimer les gens? Vous n'êtes ni plus intelligent ni plus futé qu'un autre, vous êtes juste un veinard habile. Voulez-vous que je vienne chez vous?

– Non. Demain matin, à dix heures, au Temple chinois...

Le salaud me provoque :

– Vous voulez y laisser vos empreintes, vous aussi? Pourquoi pas? Vous serez peut-être bientôt la vedette de l'un des plus grands scandales criminels de ces dernières années.

– Vous divaguez...

– Vous fatiguez pas, Landler. Si vous essayez de fuir, si vous n'êtes pas au rendez-vous, je m'adresserai sur l'heure au District Attorney. Votre belle carrière touche à sa fin. Il vous reste à casquer et à débarquer. Ou à crever en prison.

Un déclic, il vient de raccrocher. J'ai envie de balancer le téléphone contre le mur. Il faudrait bien viser pour passer entre le Picasso et le Van Gogh : *L'homme au chapeau haut de forme*; il est de profil, je ne l'aime pas, il me gênait quand nous faisions l'amour. Quitte à être livré aux voyeurs, j'aurais préféré un autre public. Je m'acharne sur le fil et, peu à peu, sans avoir rien pu démolir, je me rassure. Je me débarrasserai de l'inconnu. Sinon je me supprimerai.

Ragaillardi, je contemple la chambre. De son mur, *L'homme au chapeau haut de forme* me nargue. Dès que j'aurai vendu la maison, il ira dans un musée. Là-bas, il pourra reluquer les amateurs d'art. Je louerai un appartement quelque part dans un secteur pourri de Los Angeles, pour respirer un peu de smog parmi les paumés. Je veux me replonger dans la boue pour retrouver mon bon sens. Le luxe tue par les habitudes qu'il crée. J'irais en vacances en enfer pour redevenir un battant.

Assis au bord du lit, je contemple les boîtes et les flacons jetés en vrac sur ma table de chevet, calmants, somnifères, et, derrière la lampe, une bouteille d'eau minérale et un verre. L'homme au téléphone m'a dit que je ne pouvais pas fuir, mais si j'ai le courage de me bourrer de capsules, comme de pop-corn au cinéma, et de m'enfoncer dans le coma, il sera refait, lui aussi. J'ai envie de hurler : pourquoi l'obscur ingénieur français qui a voulu vaincre les riches devrait-il mourir et s'envoler en fumée, comme son fabuleux héritage? Je suis habitué aux hypnotiques, même si j'avale trois ou quatre gélules d'un seul coup je vais flotter en attendant l'inconscience. Entre la prison et la laisse à perpétuité je préférerais encore faire la nique à ce vorace, et je me suiciderais.

Le téléphone grésille, c'est la ligne intérieure. Je décroche.

– Une seconde, Philip. Ne quittez pas...

Je verse dans ma paume quatre gélules de merde rose. J'en avale deux, l'eau coule sur mon menton, puis encore une... La salope colle à mon palais, je la détache du bout de la langue, elle descend rugueusement dans l'œsophage.

Je reprends l'écouteur.

– Oui, Philip...

– J'appelle juste pour demander si vous avez besoin de quelque chose.

– Non merci.

– Je ne veux pas être indiscret... Que voulait ce type?

Je lui raconte un bobard plausible :

– Un emploi.

– Un emploi?

– Oui. Il a connu Angie, il se recommande d'elle, au bureau il n'a pas réussi à franchir la barrière du secrétariat.

– Il vous a dit son nom?
– Oui.
– Vous le connaissez?
– Vaguement.
– Les gens sont étranges, dit Philip. Si Monsieur veut que je lui monte un tord-boyaux, à l'usage des militaires... Nous l'appelions le D Day cocktail. Miss Angie en avait goûté une fois. Elle s'en est souvenue longtemps après...

Philip avait participé au débarquement. Je n'ai jamais pu savoir pourquoi il s'était engagé comme domestique chez les Ferguson, mon passé trop chargé m'a empêché de rechercher celui des autres.

– Racontez-moi votre cocktail...
– Du gin, de la vodka, de l'eau-de-vie de framboises, allongés avec du jus d'oranges fraîchement pressées, saupoudré de poivre noir broyé, de sucre. Un quart d'eau gazeuse. Le tout sorti d'un shaker et servi sur glaçons.
– Une grenade dégoupillée...
– Mais efficace en cas de tension.
– Je ne suis pas tendu.
– Tant mieux, Monsieur a toujours su garder son sang-froid... Pourtant, que d'épreuves depuis le retour du Kenya!
– Mais oui, c'est la vie.

Je n'ajoute pas que c'est aussi la mort.

– Réveillez-moi demain matin au plus tard à sept heures. Je voudrais une voiture. Pas de chauffeur.
– La Cadillac est partie ce soir en révision. La Rolls ou la Jaguar?
– Qu'importe...
– Parfait, Monsieur. Je vous souhaite une bonne nuit.

A peine m'abandonne-t-il que je tâtonne entre les hypothèses. L'unique personne qui pourrait m'incriminer – si elle existe encore – n'a aucune preuve. Ce serait sa parole contre la mienne. Et encore, ce genre de chantage ne serait pas son style. Pas son style? Je ne sais rien de l'être humain, moi-même, je me surprends tous les jours.

L'effet des somnifères se fait attendre, je cherche un autre flacon, un hypnotique plus fort, et j'écoute affolé. Je ne me trompe pas, quelque part en moi un enfant pleure, il m'émeut tellement, mes larmes coulent aussi, j'aimerais m'essuyer le visage, mais mes bras sont de plus en plus lourds et j'entends ces pleurs... Un petit gosse français erre dans mon âme. Je l'interpelle : « Tais-toi, tout n'est pas encore perdu. Tais-toi. » Et il pleure, il pleure, ces gélules n'agissent pas assez rapidement, j'en avale encore.

L'eau tiède mouille mon cou. Je m'allonge, je glisse. Que d'images... Paris ensoleillé, des feuilles vertes éclaboussées de jaune. J'arrive à pied à l'hôtel Crillon. J'ai trente-cinq ans, l'âge des combats...

Comme un objet lâché par une main indifférente, je tombe dans le passé.

Chapitre 2

Je me trouvais ce jour-là à l'hôtel Crillon pour représenter ma firme. J'en avais bavé pour arracher cette faveur; depuis des semaines, j'enrageais à l'idée qu'on y envoie quelqu'un d'autre. J'espérais attirer sur moi l'attention de l'un de ces patrons américains dont j'enviais l'existence.

La réception se déroulait dans une salle somptueuse de l'hôtel. J'évoluais parmi les super-cracks, les patrons et leurs assistants, les *coming men* qui traînent dans leur sillage. Pour être délégué ici, j'avais dû soudoyer mon directeur, qui régentait mon existence professionnelle, je lui avais promis des plans de réorganisation des services exportation de la société, il les présenterait comme siens. J'avais des diplômes internationaux, je parlais trois langues et je troquais mes connaissances contre des avantages minables. On m'avait toujours remis à ma place : « Vous en faites trop, Landler, vous savez, chez nous en France, il ne faut pas vouloir aller trop vite... » Ce « chez nous » était une allusion à ma mère allemande, qui figurait dans mon curriculum vitae. J'aurais donc dû, résigné et éteint, me restreindre à corriger les fautes d'anglais des lettres que je dictais à une secrétaire théoriquement qualifiée et concevoir des projets qui terminaient leur carrière classés dans des armoires métalliques dont on égarait les clefs.

Mais aujourd'hui, ici, fiévreux et impatient, enfin proche des papes de la chimie internationale, je guettais l'occasion. Au bout d'un repérage minutieux, je choisis l'un des plus connus, Roy Hart, une des vedettes de l'industrie chimique aux USA. J'en bousculai plus d'un pour arriver près de lui, qui avait tout : l'argent, le pouvoir et l'Amérique. Grâce à un insistant jeu de coudes, je réussis à m'infiltrer dans le cercle qui l'entourait et à me présenter. Il me jeta un regard indifférent et un « Hello ! »

puis il se tourna vers des Hollandais. Je ne voulais pas le lâcher, je le suivais. Nous avions le même âge. Si je pouvais apparaître comme un Français intéressant, capable de le conseiller pour ses projets d'investissements en Europe... J'avais des atouts : un physique plutôt germanique, un léger bronzage, un anglais d'Oxford et un costume coupé à merveille. Mes collègues plaisantaient souvent en disant que je ressemblais plus à un joueur de rugby qu'à un cadre d'entreprise.

Les vagues de la foule rapprochaient et éloignaient Roy. Je réussis enfin à m'incruster dans son champ de vision. Après une phrase que j'avais traduite pour pallier les défaillances de vocabulaire d'un ingénieur parisien, Roy loua mon anglais. Aussitôt je débitai en vrac mes références professionnelles, et je fis même allusion au Country Club de San Diego, histoire de me situer sur le plan social.

Il me regarda, plutôt étonné :

– Vous connaissez la Californie ?

– Bien sûr.

Je déversai sur la côte Ouest des louanges en or massif.

Il est difficile de capter longtemps l'attention des gens riches. Même quand on parle d'eux, ils se lassent. Roy Hart s'éloignait déjà, je le retins par le bras en l'invitant à déjeuner le lendemain chez Lenôtre. Il hésita et se dégagea en souriant.

– Vous êtes bien aimable, mais demain c'est ma journée libre. Je m'en réserve toujours une lors de mes déplacements. Pourtant, c'est l'un des rares restaurants célèbres que je ne connaisse pas.

– Venez, alors... C'est si près de l'hôtel.

Étonné par l'attention que je lui portais, presque gêné par mon insistance, il accepta le repas chez Lenôtre qui, au premier étage, allait faire virer mon compte au rouge. Ma banque en avait l'habitude, on savait que je vivais au-dessus de mes moyens et que je payais scrupuleusement mes dettes.

En bavardant avec Roy Hart, je rapetissais, ce genre de types détestent ceux qui, même d'un centimètre, les dépassent. Il avait un corps mince, aux épaules étroites, ses cheveux coupés court viraient au châtain clair et ses yeux gris scrutaient sans cesse la foule. Dès que je m'attardais sur un sujet, il se vidait littéralement d'intérêt. Il n'avait pas le droit d'être aussi snob, lui qui avait tout, sans effort. Moi, je n'avais pu arriver dans l'antichambre de mes rêves qu'en rançonnant mon oncle rapace, le vieux Jean, à qui, pour chaque emprunt destiné à financer mes études, je signais une reconnaissance de dette. Seules ces transactions m'avaient permis de suivre des années d'université, complétées par des bourses modestes. La base de mon anglais – mon salut, ma prière, ma vocation, mon amour linguistique, mon idée fixe –, je l'avais acquise au lycée; ensuite, quand j'avais enfin eu l'âge de m'échapper de France, j'étais parti pour Londres, où j'avais travaillé – selon l'occasion qui se présentait – comme garçon au pair, travailleur au noir, commis dans une librairie, livreur. J'aurais même ciré des chaussures, mais le métier avait disparu. Pour arriver ensuite à Oxford, j'avais dû m'acharner sur le vieux Jean qui me chargeait de ses conseils; selon lui, j'aurais dû me calmer, me préparer un avenir qui m'assurerait la sécurité de l'emploi et l'avancement. Pendant dix ans, il avait puisé dans sa petite fortune : il misait sur moi pour avoir, plus tard, une retraite dorée sur la Côte d'Azur. J'étais devenu un cheval prometteur qui signait des traites.

Lors de cette réception, j'étais souriant, « le gars sympa », le type qu'on a envie d'avoir comme frère. Hart m'avait dit un au revoir si neutre que j'avais eu envie de hurler. Viendra-t-il ? Oui ou non ?

En sortant du Crillon, je passai chez Lenôtre pour choisir une table située près des baies vitrées ouvrant sur le jardin. J'y repérai un endroit propice à une conversation en tête à tête, que je voulais intense. Le soir, chez moi, je me rongeai d'inquiétude, je dormis peu, la nuit je me perdis dans d'interminables monologues : j'allais essayer de me faire inviter sous prétexte de stage, de temps d'essai, j'aurais même accepté de balayer les bureaux pour arriver à m'installer aux USA.

Le lendemain, Roy arriva. Il était maussade. Un léger tic agitait son visage. Il regrettait le temps à perdre en compagnie d'un Français sans intérêt. L'absence de contact, l'atmosphère presque hostile me désorientaient. Je supportais mal sa nervosité et, dans une poussée de violence gratuite, j'avais envie de le virer, lui dire qu'il pouvait s'en aller s'il souffrait à ce point. Il but un jus de tomates rapidement servi, puis, respectant quelques règles de politesse, se déclara ravi d'être là, mais hélas, pressé aussi. Je le haïssais en pensant au prix de ce déjeuner – une fortune pour moi – jeté par la fenêtre. Mais notre table d'une élégance efficace et aussi l'atmosphère ouatée avaient calmé l'impatience de Hart. Il contempla la verdure printanière épanouie qui envahissait l'horizon et nous isolait de la circulation des Champs-Elysées.

– Ah ! Le mois de mai à Paris... Si j'avais pu rester pour Roland-Garros.

Je proposai un champagne rose.

– Idée amusante, dit-il, le champagne va avec tout.

Il composa un repas insolite : un foie de canard tiède suivi d'un steak tartare. Le maître d'hôtel fit signe à l'un des garçons qui nous présenta, sur un plateau d'argent, un saumon frais, entier, flanqué de bouquets de persil. Roy n'en voulait pas.

J'avais une heure et demie pour créer des liens. Je cherchais désespérément à rattraper l'Amérique que j'avais perdue à vingt ans. J'étais trop lâche pour devenir illégal et un jour clochard.

– Je suis très touché par votre invitation, mais je ne vois pas très bien la raison de cette faveur, dit-il en savourant le foie tiède, dont il posait de petits morceaux sur un toast.

Je marmonnai de belles choses, la sympathie, l'amour des États-Unis...

– Si j'ai bien compris, vous-même, vous avez une formation d'ingénieur chimiste, continua-t-il. Vos usines se trouvent exclusivement en France?

Désolante et flatteuse erreur, il me prenait pour un patron. Je lui avouai prudemment que je n'avais qu'un poste à haute responsabilité, et je justifiai mon invitation une fois de plus par la vive et cordiale attirance que j'éprouvais à son égard. « Un coup de foudre d'amitié », avais-je dit. Il me fallait un frein : s'il me prenait pour un homosexuel? Je réussis à énumérer tous mes diplômes; dans mon curriculum vitae, la liste en occupait presque une page. Roy écoutait, distrait, en préparant des tartines de pain complet, dont il engloutissait une grande quantité. Il avait une petite tête, Roy, et un air de gamin gâté, ses mains étaient soignées, mais ses doigts courts et terminés par des phalanges légèrement courbes trahissaient un avare. Du moins n'était-ce qu'une supposition. Il me gratifia de quelques compliments pour le champagne et étouffa, à la hauteur de sa glotte, un bâillement. Je lui racontai l'une des versions inventées de ma vie, dont j'adaptais l'histoire selon le goût présumé de mes interlocuteurs. Je lui servis une légende assortie aux couverts, en argent massif. Issu de la vieille noblesse française du côté de ma grand-mère paternelle, j'étais doté d'un arbre généalogique plutôt brillant.

– Landler n'est pas un nom tellement français...

– Mon père était strasbourgeois, et ma grand-mère de la vallée de la Loire.

– Les châteaux de la Loire sont magnifiques, je n'ai pas encore eu le temps de les visiter.

– Ma grand-mère paternelle possédait une gentilhommière près d'Orléans.

– Ah? dit-il. Et votre mère? Parlez-moi d'elle...

– Elle était allemande. Son père avait des usines de produits chimiques.

– Quelles usines?

J'esquivai :

– Je vous en parlerai plus tard, peut-être. Les histoires de guerre sont pénibles. La plupart des industriels allemands, à l'époque de la guerre, ont eu des difficultés... C'est le passé.

Je me penchai vers lui :

– J'étais adolescent quand mes parents sont morts. J'ai été élevé par un oncle, lui-même industriel, installé dans le Nord de la France. Je suis sa seule famille, son seul héritier.

Je mentais comme on gonfle un bateau de sauvetage, avec une force désespérée. Ce type était né riche, à quoi bon lui expliquer mes misères de jadis? Un self-made man à l'européenne, quel intérêt? Je devais me doter de références sociales, inventer un milieu chic, une enfance aisée. En décryptant son regard, je dosai mes effets, un peu de famille, un peu de métier, l'ingénieur chimiste, économiste aussi, mais oui, spécialisé dans le commerce extérieur, doté d'une profonde connaissance des droits anglo-saxons dans le domaine des brevets, une année d'école des managers en Suisse... Ça l'intéressait. Mais, lorsque je lui dis que je travaillais sur un spray désinfectant qu'on pourrait utiliser à la fois sur l'épiderme et sur des objets, il intervint, maussade :

– C'est trop tard. Pas la peine d'insister. Prochainement, on va en sortir plusieurs sur le marché américain.

Ma licence de droit commercial international l'irritait presque :

– Il ne faut pas tout mélanger. Chez nous, il existe des avocats d'affaires spécialisés... Vous savez, aux USA...

Je le savais. Il avala en une fois ce qui restait du foie de canard.

Oxford ne l'impressionnait pas, le salaud. Il dégustait, distrait, les dents-de-lion servies en salade.

– Pourquoi pas Harvard?

Harvard? Une fortune en dollars par année universitaire, du fric pour sortir les filles et acheter une voiture. A ce rythme, le vieux Jean aurait terminé sa carrière dans un asile, aux frais de l'État. Je me décourageais. Hart se fichait de moi, élégamment mais fermement, et il devinait que je voulais quelque chose. L'incertitude l'énervait. Nous attendions en silence, le temps que le garçon changeât les assiettes.

– Ce restaurant est remarquable. Je vous remercie de m'avoir invité ici... Je serais ravi...

Il se tut. « Mais vas-y, mon gaillard, invite-moi à déjeuner au Beverly Hills Hotel et je viendrai pour un seul repas, mais oui, même s'il faut étrangler le vieux Jean pour acheter un billet en classe économique Los Angeles-Paris aller-retour. »

Ce petit silence nous fit du bien.

– Éric... Votre prénom est Éric, n'est-ce pas?

– Oui.

– Dites-moi, pourquoi m'avez-vous invité?

Je souris :

– Pour mieux vous connaître. Votre société, très cotée, tient une place considérable dans le monde de la chimie. Vous m'avez semblé sympa, au Crillon.

– Ça me rassure, dit-il.

Il se fit confidentiel :

– Tout le monde me demande des tas de choses, tout le temps.

Condescendant, je m'adoucis :

– Vous devez être surmené. Quelle vie!

– Il est plus difficile qu'on ne le croirait de préserver un héritage, me dit-il. Mon père a fondé la société il y a quarante ans et implanté nos usines sur les terrains que mon grand-père avait achetés près de Los Angeles. Je suis Hart *the Third**.

La jalousie me dévorait. Je n'acceptais pas de dénigrer la France ni de désavouer l'Allemagne, mais je me sentais, en tant qu'Européen, rapetissé. A ses yeux, je n'étais qu'une fourmi. Une fourmi arriviste n'intéresse personne.

– Voyez-vous, j'adore mes deux pays d'origine, dis-je, la France et l'Allemagne, mais je suis découragé par le vieillissement de l'Europe.

– Selon certaines théories, ça ira mieux en 1992, dit-il.

J'avais envie de clamer que je voulais m'échapper d'ici et recommencer ma vie ailleurs, chez lui! J'affirmai, avec l'amour-propre affiché d'un parent pauvre :

– En 1992, nous serons une puissance économique.

Distrait, il regardait la salle :

– Tout est possible. L'Europe unie pourrait être une puissance, si elle ne se déchire pas sur les problèmes de langues... Je cherche quelqu'un pour diriger notre filiale à Hambourg et...

Je l'interrompis :

– Ah bon? Intéressant! Vous ai-je dit que je suis trilingue?

– Vous parlez l'allemand comme l'anglais?

– Exactement.

Il se rétracta aussitôt :

– Ils sont assez spéciaux, à la fois très rapides et très lents, il me semble qu'il vaut mieux engager là-bas un Allemand de naissance. Avec les immigrés sur le dos, ils n'ont pas un amour fou pour les étrangers. La France est plus difficile, vous semblez tous harcelés quand on s'adresse à vous, sauf quelques exceptions. On vous y envoie souvent « sur les roses », l'expression m'a frappé.

* Hart le troisième.

Je voulais atténuer la tension naissante et surtout, ne pas être englobé dans le « vous », « vous tous ».

– Je crois que ce n'est qu'une question d'attitude, une vieille tendance à se croire en autarcie et à se perdre dans des crises d'autosatisfaction. Mais ça change...

– Ah! fit-il. Je suis ravi pour vous.

Il posa une ration de steak tartare au milieu d'un petit pain. Il venait de se confectionner un hamburger cru.

– Je suis content pour vous, reprit-il. Un Français qui a autant de qualifications en anglais, des diplômes d'Oxford cotés... et la ville est jolie, *old style*.

J'avais envie de chialer comme un gosse. Je ne faisais même plus le beau, j'étais perdu, je l'avais invité pour rien.

Je m'alignai sur lui et choisis le même dessert, une charlotte au chocolat. La cuillère de Roy tintait sur l'assiette. Il leva son verre et me souhaita bonne chance. L'Amérique s'éloignait à la vitesse du son. Une petite heure et demie, café compris, et j'allais replonger dans l'obscurité de ma vie quotidienne. « Mon cher, rien ne remplace le bon sens français, vos diplômes d'Oxford sont précieux, mais... l'instinct est plus important, le flair, le nez... » Je n'avais qu'à me torcher avec mon parchemin. Le déjeuner terminé, Hart allait partir, mais tant que je pouvais, je m'y accrochais, comme une pute en lisière du bois de Boulogne qui, à la lumière des phares, se propose nue sous son manteau.

Je fis un ultime effort pour éveiller l'intérêt de Roy. Je me hasardai sur le terrain du mensonge à l'état pur.

– Je vais bientôt entamer mon année sabbatique. Je vais voyager.

Il fit une grimace polie :

– Vous n'allez pas manquer à votre société?

– Personne n'est indispensable, et l'entreprise, par contrat, garantit ma situation. Je leur suis plutôt utile.

Soudain, j'eus envie de me moquer de moi-même et d'en rajouter encore :

– Je m'accorde une année de réflexion et de tennis.

– De tennis?

Son visage s'illumina, il sourit et se frotta le nez.

– Vous avez dit tennis?

– Mais oui.

– Vous êtes bon joueur?

– J'étais champion junior. Je suis devenu champion senior.

Gosse, j'étais ramasseur de balles... Plutôt costaud, je me rendais utile, un entraîneur sur la touche s'était intéressé à moi, il m'avait donné des leçons gratuites. Pour garder la main. La sienne. « Tu as quelque chose dans le ventre, répétait-il. Si on était en Amérique ou en Allemagne, tu serais sponsorisé, mon petit gars. »

A l'époque, on m'expliquait déjà que le tennis se joue jusqu'à trente ans; après, pauvre ou riche, on ferme la boutique. Tout au long de mes études, j'avais parfois sacrifié même l'essentiel pour ne pas lâcher le tennis.

Roy me contemplait comme un collectionneur qui découvre, chez un antiquaire paumé, un tableau de maître. Je me concentrai sur ma charlotte dégoulinante, je pouvais tout bouffer, pas une once de graisse sur le ventre, tout en muscles, mesdames et messieurs... En ce qui concerne mes beaux diplômes, aucun intérêt, c'étaient plutôt mes revers qui intéressaient Hart *the Third*. Muet, je faisais semblant d'être perdu dans mes pensées. Pour gagner mes vacances, je m'étais souvent proposé comme professeur de tennis au Club Méditerranée, G.O. parfait face aux rires aigus et aux cuisses lourdes. J'avais pratiqué quelques autres sports. Pas le golf. Il me répugnait de commencer comme caddy : servir un connard né dans le bon berceau m'aurait transformé en révolutionnaire.

Roy prononça enfin la phrase salvatrice :

– Venez me rendre visite en Californie. J'ai fondé un club privé, les membres sont tous des amis. Tous les deux ans, nous organisons une compétition, après quinze jours d'entraînement en commun.

Mes tempes éclataient. Club de tennis? Donc un groupe d'hommes et femmes du même milieu, des industriels, des femmes, des femmes libres aussi... Essayer d'épouser une Américaine... La *green-card* *, l'emploi et, un jour, le pouvoir de décision dans une entreprise vraie, internationale, le sommet du fantasme!

– Alors? Que pensez-vous de ma proposition?

Il était anxieux, le petit, mais oui. Ma chance avait la forme d'une raquette, il ne fallait surtout pas laisser apparaître le moindre enthousiasme, me méfier des effusions.

– Charmante idée...

– Avez-vous des projets précis, pour le mois prochain? insista-t-il.

– Non. J'aime improviser... Je ne vous cache pas que j'ai songé à me rendre aux USA, histoire de me promener, voir des amis, me remplir de l'atmosphère de ce continent qui m'attire depuis toujours...

– Vous avez des amis en Californie?

* Aux États-Unis, un permis de séjour.

– La plupart de mes relations se trouvent sur la côte Est. Mais j'ai quelques bons souvenirs de l'Ouest, de Carmel...

– Venez donc, dit-il. Si vous aimez les Américains, je suis sûr que vous serez content de l'expérience.

Me prenait-il pour un plouc ébloui? J'adoptai un ton hautain :

– Expérience? Pas besoin d'expérience, j'ai vécu des mois et des mois aux USA. Et j'ai souvent invité chez moi, ici en France, mes amis américains.

Je l'empêchai de voir en moi un néophyte snob qui tremble de plaisir d'être reçu parmi eux. Je n'allais pas lui dire non plus que son milieu, je le connaissais comme serveur. J'esquissai une moue :

– Croyez-vous que l'idée de lier votre invitation au tennis est bonne? Je ne suis pas un entraîneur, je n'ai pas envie de jouer des heures.

Il se confondit aussitôt en excuses :

– Surtout n'interprétez pas de travers mon enthousiasme. Je me suis mal exprimé, mais vous devez savoir par expérience qu'il est agréable de jouer avec un partenaire qu'on ne connaît pas – sur le terrain, je veux dire. Les membres de notre club sont tous amis. A force de nous côtoyer depuis des années, nous ne nous réservons plus aucune surprise les uns aux autres. Tandis que vous, vous pourriez me tendre des pièges, m'obliger à mieux me défendre, à me montrer plus souple, plus rapide. Ma propriété se trouve à environ deux cents *miles** de Los Angeles et ma piscine est agréable. Si votre emploi du temps le permet, si vous avez envie de vous retrouver parmi des personnes sympathiques, je serais ravi de votre visite.

J'avais envie de bondir, de sauter sur l'occasion, de me congratuler pour le succès obtenu. Je déposai délicatement ma cuillère à dessert barbouillée de chocolat.

– Je suis tenté, mais je n'ai pas joué depuis des semaines.

– Vous récupérerez très vite, dit *the Third.* Alors, Éric, vous venez?

Persuadé que, grâce à moi, il pourrait surpasser les autres, il espérait, de plus en plus excité, une réponse positive. La porte s'ouvrait enfin sur l'un des milieux les plus fermés.

Je prononçai, comme à contrecœur :

– Si cela vous fait tellement plaisir, alors pourquoi pas?

– Ah, c'est bien! s'exclama-t-il. C'est bien...

Aussitôt déferlèrent les conseils.

– Prenez vos raquettes préférées, apportez même les vieilles

* Environ 350 kilomètres.

crapules. On revient parfois à une raquette qu'on a maudite pour se réconcilier avec elle.

Le bruit doux de la conversation des clients nous effleurait, quelqu'un riait, le parc entrait par les baies vitrées. Il fallait que j'obtienne du vieux Jean l'argent de l'escapade coûteuse.

– Je vais vous faire admirer ma collection de raquettes... Vous essaierez... même celles qui... lesquelles...

Comme un ordinateur branché, mon cerveau énumérait dans une colonne les arguments favorables à ce déplacement, et dans une autre les arguments dissuasifs. Et si, en demandant un mois de congé sans salaire, j'ébranlais ma situation? On ne m'aimait pas dans la boîte, mais j'étais utile. Allait-on se précipiter sur l'occasion pour se débarrasser de moi? Si je ne pouvais pas rester aux USA, je risquais, au retour, de me retrouver au chômage. Les explications à fournir dans la recherche d'un autre emploi seraient épuisantes et humiliantes. Le voyage lui-même allait être cher. En compagnie des millionnaires de Californie, on ne porte pas de vêtements au rabais. Je devrais acheter des raquettes de luxe et deux belles valises. Je devrais saigner une fois de plus le vieux Jean. S'il refusait d'allonger le fric, je devrais emprunter à ma banque. En revanche, aux USA, je pourrais peut-être tenter ma chance. J'épouserais n'importe qui, à condition qu'elle soit américaine. Même une fille pauvre, si elle m'assurait grâce au mariage le permis de séjour. Au bout de cinq ans, je pourrais demander la naturalisation. Debout, la main droite sur le cœur, je chanterais *America America* comme les immigrés dans les films d'Elia Kazan. Adieu, Paris. Adieu, l'Europe.

– Plus tôt vous viendrez, mieux ça vaudra pour la compétition, dit Roy. Mes amis seront vraiment très heureux de vous connaître.

Si je pouvais séduire Hart, devenir l'ami européen, le confident, le chic type dont on ne veut plus se séparer, à qui on offre une situation, même temporaire, pour qui un avocat arrache un permis de séjour, ne fût-ce que pour six mois...

– Vous allez connaître mon amie Katharine, dit-il. Elle est folle. Mais une gentille folle.

Un souci de moins : il aimait les femmes. C'était son droit. Moi aussi, j'aimais les femmes quand elles étaient riches, soignées, sophistiquées, aussi raffinées que leur lingerie. J'allais me démener pour plaire à tout le monde. Réussir... quel que soit le prix à payer!

Chapitre 3

On m'apporta l'addition sur un plateau d'argent, je remplis le chèque. Mon voyage commençait. Nous échangeâmes nos cartes de visite et, après une hésitation, il reprit la sienne pour y griffonner quelques détails qui complétaient l'adresse de sa propriété.

– Vous connaissez la presqu'île de Monterey? Ma maison se trouve dans le secteur de Hearst Castle. Chez moi, c'est quand même moins somptueux.

Il plaisantait, donc tout allait bien. Je souriais, complice. Nous quittâmes le restaurant et nous nous attardâmes, sous l'œil bienveillant du portier, pour bavarder. Roy savourait le printemps parisien. Il leva la tête et huma l'air : il allait rentrer à pied à l'hôtel Crillon.

– Merci Éric, j'ai été ravi de votre compagnie. Et l'endroit est digne de sa réputation. A très bientôt alors...

– Voulez-vous que je vous accompagne?

– Non. Le Crillon est à quelques pas d'ici et j'aime marcher un peu seul dans les grandes villes, le premier soleil adoucit le béton... Alors, Éric, au revoir et à bientôt!

Il esquissa un mouvement de danse dans le style de Gene Kelly, à l'époque où il était « Un Américain à Paris » mais, ayant raté le pas, il partit presque fâché. C'est ce que je croyais.

La brièveté de nos adieux m'inquiétait. Soudain, il semblait attacher peu d'importance à notre rencontre, à son invitation. Et s'il m'oubliait? Ou s'il décommandait l'invitation dès demain? A la fois inquiet et heureux, je le vis faire demi-tour et revenir sur ses pas.

– J'ai failli oublier, Éric. Il faut réserver une voiture à l'aéroport de Los Angeles et m'appeler pour me préciser l'heure de votre arrivée à la propriété. Comptez trois bonnes heures et demie de route jusqu'à San Simeon. La sortie de Los Angeles prend un temps fou.

Il me regarda, les yeux plissés :

– Encore un mot. J'étais distrait, je pensais au tennis et je ne vous ai peut-être pas assez remercié pour votre invitation. On va vous gâter chez nous... Mon amie Kathy sera folle de votre accent anglais. Merci. Éric...

Nous nous séparâmes. En flottant, je traversai et remontai de l'autre côté les Champs-Elysées d'un pas léger, je me dirigeai vers l'avenue George-V. Cette invitation était essentielle, vraisemblablement ma dernière chance. Encore fallait-il trouver l'argent pour couvrir les frais. Quand, quelques minutes plus tard, je me retrouvai devant l'agence de la TWA, j'hésitai, mais j'entrai car je voulais rendre mon déplacement crédible à moi-même, plus proche qu'un rêve. Arrivé dans un moment d'accalmie, je n'attendis pas et passai aussitôt vers la salle où, installée derrière son comptoir, une jeune femme attentive m'écouta.

– Je voudrais connaître le prix d'un aller-retour pour Los Angeles...

– Quelle classe?

– Touriste.

– Quand voulez-vous partir?

– Dans une dizaine de jours. Le 15 mai, par exemple...

– Je vais voir ce que nous avons comme places disponibles.

Elle interrogea l'ordinateur.

– Voulez-vous faire la réservation maintenant?

– Oui, avec un retour « open »...

Il me resterait à retirer mon billet et à payer la veille du départ. Sorti sur les Champs-Elysées, grisé par mon audace, je pensai maintenant à obtenir l'accord pour ce congé. Le directeur de ma boîte, un nommé Garrot – je ne plaisantais même plus avec son nom –, me tenait en laisse. Depuis bientôt deux ans, je rédigeais ses rapports, il prenait et utilisait mes idées, mes connaissances, et pour mieux m'exploiter il avait créé un barrage entre la haute direction et moi. Je rédigeais aussi certains discours et je mâchais – sur papier – les phrases en anglais et en allemand du grand patron, Dupuis. Il me récitait lors de ses visites à l'étranger.

Arrivé à mon bureau, je fus si aimable avec ma secrétaire qu'elle me crut souffrant. Pour aborder Garrot, je comptais sur le hasard. En aucun cas il ne devait connaître mes soucis ni l'importance que j'attachais à mon voyage. L'occasion se présenta devant la machine à café. Je lui dis que je voulais l'entretenir d'un projet, il m'invita dans son bureau. Je lui annonçai que je désirais me rendre aux USA pour des raisons personnelles. J'évoquai aussi les possibilités éventuelles de marchés à obtenir grâce à mes relations.

– Je ne vois pas d'obstacle majeur, dit-il, doucereux, nous approchons de la période des vacances... Au fond, vous les prendrez plus tôt. Le moment n'arrange pas forcément l'entreprise, mais je réfléchissais pendant que vous me parliez : je vous propose un marché. Voudriez-vous prendre à votre charge, sans augmentation de votre salaire dans l'immédiat, le développement du secteur outre-Atlantique?

Il baissa la voix :

– Nous n'y croyons pas tellement, mais à notre époque il faut se lancer dans des opérations de prestige, même s'il est pratiquement impossible de s'implanter en Amérique... où il faut être largement plus riche que ne l'est notre société. Vous semblez bien les connaître, ces gens-là, aidez-nous et Garrot vous aidera.

Il souriait.

– Un peu de travail supplémentaire ne doit pas vous faire peur. Vous êtes un ambitieux, vous. Un petit malin...

Il avait prononcé le mot « ambition » comme s'il évoquait une maladie sexuellement transmissible. Il n'avait pas le dixième de mes qualifications, mais pour une raison obscure il était choyé par la direction, considéré peut-être comme le label indiscutable d'une paisible et rassurante médiocrité. Depuis que nous nous connaissions, il me suçait le sang. Je me consolais comme je pouvais : l'exploitation de mes connaissances le reléguait, lui aussi, dans un état de dépendance. S'il ne voulait pas perdre la face, il devait me préserver et, surtout, me garder.

– Vous avez pu mesurer mon dévouement pour l'entreprise...

– Mais oui, dit-il d'un air gourmand. Mais oui. Allez, Landler, allez vers l'étranger si le cœur vous en dit. Un jour, vous comprendrez que rien n'égale la beauté de notre pays. A quoi bon courir ailleurs? Voyez-vous, Landler, moi, je ne pars presque jamais à l'étranger. J'ai une vieille maison dans la Creuse.

Je sortis de son bureau, content d'avoir affiché une grande sérénité. Dans mon silence souriant, je le traitais de tous les noms. J'avais un répertoire d'injures pour Garrot. Bref, je ne ruminais plus, j'étais satisfait de mon congé exceptionnel assuré, et de ma place réservée pour Los Angeles. Il me restait à convaincre le vieux Jean. Je quittai le bureau à 18 h 45, pris un taxi et me fis déposer au début de la rue des Acacias. J'allais retrouver ma bagnole et ma seule famille, le roi des crapules, à peine aimable : mon oncle. Il habitait, dans un immeuble 1880, sans ascenseur, un trou à rats perché au cinquième étage. L'odeur de sa cuisine m'était familière depuis mon enfance : un relent de frites cuites dans de la graisse rance. Le vieux Jean me menaçait parfois de vendre ses biens en viager. « Je claquerai l'argent pour que tu n'aies rien. » Son appartement, même dans son état de crasse, valait largement le million.

Vêtu d'un peignoir douteux, le vieux Jean passait son temps à observer les forêts d'antennes plantées sur les toits voisins et calculait les plus-values de ses murs.

Je montai lentement, je sonnai et je perçus le bruit de frottement de ses pantoufles sur le parquet qui craquait comme une biscotte. Je lui parlai, il ouvrit la porte. Ratatiné, les cheveux blancs et rares plaqués sur le crâne, il me fixait avec de petits yeux : une gueule de rapace.

– Je ne t'attendais pas, dit-il.

– Je dois vous parler. Au téléphone, ç'aurait été compliqué.

– Tu aurais pu t'annoncer.

– Voulez-vous que je reparte?

Il m'observait.

– Tu vas pas m'énerver?

– J'espère que non.

– Entre!

Je le suivis. Au salon, assis sur le poussiéreux canapé Napoléon III, je lui débitai une histoire qui tenait à peu près debout. Le récit d'une rencontre, des mois plus tôt, avec une Américaine de passage à Paris. Je devais avoir l'air franc et optimiste.

– Voyez-vous comment c'est, la vie... Elle est tombée amoureuse et m'invite aux USA pour me présenter à ses parents.

– Ça se fait encore?

– Quoi?

– Présenter aux parents?

– Un Français avec une situation modeste, un ingénieur sans espoir de prix Nobel, c'est pire pour les Américains qu'un extraterrestre. Je dois les séduire et les convaincre que je pourrai m'installer sans problème de langue aux USA.

L'oncle plissa les yeux.

– Pourquoi voudrait-elle de toi?

– Vous le lui demanderez... Elle est plutôt jolie et elle a de l'argent...

J'étais légèrement dégoûté de mon récit, mais, pour le vieux, l'affaire devait paraître simple, et surtout crédible.

– Tu lui as dit que ta mère était allemande?

– Quel intérêt? On n'en est pas encore aux recherches généalogiques, d'ailleurs ce genre de chose ne les intéresse pas. Il y a un tel mélange de populations...

– N'empêche, remarqua-t-il avec une méchante grimace, si ton pauvre père avait réfléchi, il n'aurait pas ramené une Allemande...

– C'est une vieille histoire, mon oncle.

– Vieille ou pas, tu es bien là... Alors que veux-tu? De l'argent?

– Oui.

– Tu engloutis mes économies, c'est une histoire sans fin. Veux-tu me faire croire que je dois continuer à me ruiner pour rentrer enfin dans mes frais?

Je bluffai.

– Si l'affaire se termine par un mariage, je vous rembourse aussitôt en une seule fois, plus les intérêts.

Le blanc de ses yeux était parcouru de veinules éclatées.

– Il faut m'écrire tout cela, tu pourrais disparaître dans la nature sans laisser de traces...

– Mon oncle, la somme que je vous dois est une goutte d'eau dans sa fortune...

Je rendais l'inconnue riche et généreuse.

– Elle a tant d'argent?

– Elle en a beaucoup...

Il sourit :

– Tout peut arriver dans la vie, et tu es plutôt beau garçon... Si tu promets de m'inviter à ton mariage, j'allonge encore quelques sous. J'aimerais voir ce que c'est, l'Amérique.

– Je vous le promets.

– Écris-le... Attention, signe ce que tu écris, parfois tu oublies, peut-être exprès.

Il partit en trottinant chercher une feuille dans une pile en désordre sur son petit bureau. Je griffonnai sur un bloc grand format des phrases imbéciles : « En cas de mariage avec une Américaine, je te promets solennellement une invitation aux USA. »

– Pourquoi n'as-tu pas mentionné le nom de la jeune fille?

– Je suis superstitieux, mon oncle...

Je négociai ensuite le prix du billet d'avion, le coût présumé des vêtements à acheter. Il inscrivit les dépenses approximatives, se pencha sur la colonne de chiffres, additionna longuement.

– As-tu une petite idée de la somme que tu veux?

– A peu près, oui.

– Tu as un de ces culots... Ton équipement de chasseur de dot, la réserve de mille dollars que tu demandes en traveller's et ton billet plein tarif... on frôle les soixante mille francs. Ils ne peuvent pas te prêter des raquettes, là-bas? Tu n'en as plus, toi?

J'avais des reliques, il m'en fallait des neuves, de marque connue. Tout en observant le vieux Jean, je m'interrogeais. Si j'étais assuré de l'impunité, aurais-je assez de courage, et surtout de sang-froid, pour le supprimer? Je pensais vaguement à Raskolnikov, mais on n'étrangle personne avec des références littéraires. Toute réflexion faite, je n'aurais pas touché, même avec des pincettes, le cou de poulet de mon oncle. Nous avons transigé à quarante-cinq mille francs. Je savais qu'en cas de besoin, je pourrais faire appel à mes deux anciennes liaisons, Patricia et Yvonne. Braves, sentimentales et crédules, elles étaient généreuses. Je les rembourserais rubis sur l'ongle. Depuis mes vingt-deux ans, la fascination rapide que je suscitais chez certaines femmes m'épargnait les travaux d'approche et, surtout, les explications.

Je pris congé de l'oncle Jean, étant entendu que je lui présenterais dans les quarante-huit heures mon budget prévisionnel, le total de la somme dont j'avais besoin.

Je rentrai chez moi satisfait. Après avoir pris une longue douche – l'eau tiède sentait le désinfectant –, je me couchai et m'endormis comme une masse.

Le lendemain matin, à la première heure, j'appelai Roy. D'une voix suave, la standardiste m'annonça que Mr. Hart était parti faire du jogging au jardin des Tuileries, qu'il serait de retour à l'hôtel vers 10 heures. Je l'appelai de mon bureau à 10 h 15.

– Ne quittez pas...

La sonnerie intérieure retentit plusieurs fois. Enfin il décrocha, donc il existait. Je lui annonçai le jour et l'heure de mon arrivée à Los Angeles.

– Le 15, c'est parfait. Notre compétition amicale débute juste autour de cette date. Je vais vous envoyer un plan des lieux pour que vous puissiez trouver sans trop de difficulté ma maison, perdue dans la nature. J'ai appelé mon amie Katharine et je lui ai raconté notre rencontre. Elle est heureuse à l'avance de vous connaître! Ah! Avant que j'oublie... Chez moi, on improvise d'une heure à l'autre. Il faut de tout, du pull-over au smoking blanc. Voilà, je suis ravi de vous recevoir bientôt chez moi.

La porte du paradis était entrouverte, il fallait juste pousser le battant pour y pénétrer et ajouter aux frais l'achat d'un smoking blanc. Je ne pourrais pas le faire payer par le vieux Jean.

J'appelai les copines, Patricia et Yvonne; depuis les ruptures à l'amiable, elles se rencontraient au drugstore et échangeaient, en engloutissant des glaces géantes, leurs confidences à mon sujet. Je racontai d'abord à Patricia, ensuite à Yvonne, une belle histoire de carrière qui s'ouvrait devant moi à l'étranger. Je les prévins, ce n'était pas sûr que je puisse les rembourser dans un délai rapide, mais elles ne perdraient rien à attendre. Je ne lésinerais pas sur les intérêts.

Quelques jours plus tard, la première me donna un chèque, la deuxième des espèces. J'achetai un équipement de tennis sophistiqué, des raquettes chères, deux valises élégantes et un sac de voyage. Le smoking blanc, le dernier qui restait dans une boutique chic, je l'eus avec réduction, plus les retouches.

A la date prévue, je me trouvais dans le vol direct de Paris-Los Angeles. Les hôtesses douces ponctuaient le voyage avec les plateaux-repas. Je prêtais le flanc aux caresses de la vie comme un chat, je savourais chaque minute. Au-dessus de mon siège, dans le porte-bagages, j'avais posé la serviette qui contenait mes diplômes, preuves tangibles d'un travail fou. Si ma mère, Hilde, m'avait emmené avec elle lors de son départ définitif de France, j'aurais eu un autre destin. Hilde, ma chère mère, dénuée d'instinct maternel, pourquoi diable t'es-tu débarrassée du petit garçon qui ne demandait qu'une seule chose, vivre avec toi? Terrible et mauvaise Hilde, tu as fait de moi, à dix ans, un adulte.

Après quatorze heures de vol, débarqué à Los Angeles, je me trouvai au milieu d'une foule compacte. Les voyageurs serraient les coudes et se bousculaient au bord des tapis roulants qui véhiculaient lentement des bagages. Encombré de mon sac chic et de mes raquettes dont les housses portaient le nom de leur fabricant célèbre, de mes valises qui pesaient lourd, j'aurais eu besoin de bras de secours. Je repérai un porteur, un Noir corpulent qui, derrière son grand chariot de fer, était à la recherche d'un groupe en retard. Je lui tendis cinq dollars pour qu'il me conduise au bureau de location de voitures. Inquiet et impatient, il accepta à condition qu'on se dépêche. Nous sortîmes, ayant passé des contrôles précis – les bagages ne quittaient pas cet espace sans les tickets qu'on devait présenter aux femmes sévères qui surveillaient les sorties. A l'extérieur, sur le trottoir encombré, le trajet était pénible, le porteur avait peur d'être pris en défaut, il poussait le chariot en ronchonnant. Puis, avant que je puisse protester, il refila mes affaires au chauffeur d'une camionnette Hertz qui collectait les arrivants à la recherche d'une voiture à louer. La prise de possession des véhicules était précédée par une inscription et une feuille à remplir au comptoir. Une fille impassible vêtue de jaune réclama ma carte de crédit, elle l'imprima et je signai le reçu à l'avance. On m'avait réservé une Oldsmobile, elle coûtait cher, l'argent allait ici filer à toute vitesse.

Enfin installé dans le carrosse américain chauffé au soleil et qui sentait l'essence, je tournai la clef de contact, crispé. J'avais conduit divers engins partout dans le monde, même des camions quand j'étais livreur à Londres, mais ici, mon plexus solaire se contracta dès que je me trouvai sur l'une des autoroutes de sortie de l'aéroport. J'étais une maille qui filait dans un tricot d'acier. A Los Angeles, quand on s'engage dans les voies express, la moindre erreur peut envoyer le novice en direction de Seattle au lieu de San Diego. Malgré mes fréquents séjours aux USA, j'étais plus que jamais désorienté par les dimensions et les distances à parcourir. Il fallait naître ici pour ne pas être assommé par le gigantisme.

Trois quarts d'heure pour quitter la zone de l'aéroport! L'opaque fatigue du décalage horaire m'alourdissait les paupières. En écoutant la radio, je songeais à l'époque où, lors de mes séjours aux USA, j'avais été travailleur au noir dans un hôtel de San Diego, puis engagé comme serveur au Yacht-Club. Alors, quand je dépassais la durée du visa qui m'était accordé, j'obtenais des certificats de complaisance de médecins indulgents, je leur racontais des légendes, j'inventais des maîtresses généreuses qui m'avaient hébergé lors de mes maladies variées. J'étais venu souvent en Amérique, je manquais d'argent, je menais une vie de chien errant, j'avais travaillé parmi les clandestins mexicains et failli succomber pour la vie aux charmes d'une Haïtienne. Je m'étais sauvé à temps.

Nous avions vécu une aventure épidermique inoubliable, mais je m'étais arraché à ma statuette d'ébène, j'avais fui le piège, affolé à l'idée de me retrouver quelques années plus tard prisonnier d'une grosse femme et d'une marmaille métisse. L'affaire sublime de notre rencontre se serait terminée parmi les casseroles et les couches.

Je voulais devenir un patron, présider des conseils d'administration et exercer librement un pouvoir étendu. A l'époque où je travaillais à San Diego, j'étais infiniment jaloux des membres, triés sur le volet, du célèbre et sélect Yacht-Club. Eux étaient nés dans le berceau capitonné. Ils n'étaient ni arrogants, ni agressifs, tout simplement ils ne me voyaient pas, je me sentais transparent. Je n'avais aucune chance d'être repéré par l'une de ces filles si riches. Les chauffeurs, les serveurs et les professeurs de tennis séduisants ne réussissent leurs conquêtes que dans les feuilletons. On prenait des verres sur les plateaux que je présentais sans même jeter un coup d'œil sur moi. Parfois, je m'attardais auprès d'un groupe; les hommes, râblés et musclés, les filles, un bandeau dans les cheveux, élégamment vêtus, ne m'accordaient pas la moindre attention. Je les étudiais avec le souci d'un ethnologue, j'observais les gestes, je répertoriais les tics, j'enregistrais leur manière de s'interpeller. J'avais beau posséder un curriculum vitæ de plus en plus chargé de certificats, des débuts glorieux et un profil qui aurait pu plaire à Aaron Spelling, pour eux j'étais moins que le vent. L'image de cette vie était limpide : les hommes et les femmes qui n'épousent que des grandes fortunes suivent un itinéraire qui traverse le même milieu. Une fois entrés dans ce cercle, les milliardaires ne se rencontrent qu'entre eux. Moi, j'aurais pu faire mon choix parmi les serveuses.

Mes doigts se crispaient sur le volant de l'Oldsmobile. J'étais obnubilé par mon désir : il fallait absolument quitter la France! Si une seule chance se présentait, je la saisirais. En cas d'échec, je serais obligé de retourner à Paris et peut-être n'en sortirais-je plus jamais. Mais surmonterais-je le handicap de ne pas être américain de naissance? Comment réussir ici, quand on veut posséder plus qu'une laverie automatique?

Chapitre 4

Je roulais sur le highway 101. Selon le plan, près de San Simeon, avant d'arriver à l'entrée de Hearst Castle, je devais prendre à droite une route secondaire. Une montée raide débouchait quelques miles plus loin sur un plateau désert, d'où j'aperçus plusieurs vallées déjà voilées par l'obscurité nacrée. De loin, des montagnes chauves légèrement jaunies semblaient avoir été dévastées par un incendie. Je cherchai le chemin indiqué en rouge, qui devait conduire vers un bois. J'arrêtai l'Oldsmobile, je descendis, je trouvai sur le sol un bout de métal tordu; en l'examinant de près, j'y lus, à moitié effacé, le nom de la propriété de Roy. Je repris le volant et m'engageai dans un labyrinthe de grands buissons et d'arbustes sauvages sur un chemin bordé d'arbres aux branches et aux troncs abîmés par les intempéries. D'ici il me semblait qu'au-delà des feuillages foncés le ciel était plus lumineux. Une clairière traversée, j'aperçus un haut mur et un portail à double vantail fermé, relié par des initiales en fer forgé, un R et un H entrelacés. J'attendis en vain qu'un dispositif électronique m'ouvre le passage. Je dus descendre de la voiture et je découvris, dans une boîte métallique fixée au mur, un téléphone. Je décrochai le combiné, j'entendis des sonneries, puis une voix d'homme au fort accent espagnol se renseigna : mon nom, le but de ma visite et le nombre de personnes qui m'accompagnaient? Je déclinai mon identité et j'ajoutai que Mr. Roy Hart m'attendait.

– Je vous demande un peu de patience, monsieur...

Quelques secondes plus tard, la même voix m'invita à entrer dans la propriété. Je repris ma place au volant et attendis l'ouverture de la grille. Alors que je voyais dans le rétroviseur les vantaux se refermer, j'avançai dans une allée bordée d'arbres séculaires et j'aboutis enfin à l'orée d'une cour qu'entourait, en demi-cercle, une maison large et basse, aux fenêtres éclairées. Deux voitures étaient arrêtées en désordre devant la porte d'entrée : une Jaguar et une Cadillac. J'étouffai un petit sifflement, je devais m'abstenir de ce genre de réactions, l'indifférence élégante était de mise. Ne pas m'enthousiasmer facilement, garder l'air détaché, comme si j'avais autant de fric qu'eux, augmenter ma capacité d'adaptation et, avant de prononcer un compliment, le passer à la loupe. Trop de sobriété de langage pourrait nuire, il faudrait sans doute consentir quelques phrases flatteuses sur la situation géographique de la propriété.

Avant de quitter la voiture, j'hésitai. Fallait-il prendre mes bagages ou attendre que le personnel s'en occupe? Le moindre faux pas trahirait le novice. Ce décor, je ne l'avais vu qu'au cinéma et quand j'étais serveur, époque où je n'avais appris que les habitudes des cuisines. J'avais fait un extra à La Jolla, banlieue chic de San Diego, dans une villa somptueuse où je devais présenter, en tournant autour de la piscine, un plateau sans cesse rechargé de verres pleins.

J'abandonnai la clef de contact sur le tableau de bord et je sonnai à la porte.

Un gros Mexicain, qui devait me guetter de l'autre côté, l'ouvrit aussitôt.

– Monsieur Landler? Bonsoir, *Sir.*

– Bonsoir.

– Mr. Hart vous attend. Si vous voulez me suivre...

– Ma voiture n'est pas bien rangée.

– Je m'en occuperai, *Sir.* Je dois garer les autres aussi...

– J'ai laissé les clefs.

– Merci, dit-il. Vos bagages sont dans le coffre?

– Oui.

– Je les porterai dans votre chambre.

Il m'aidait, Zappata. J'étais soulagé. Je gagnais le premier round, je n'arrivais pas chez eux comme un plouc ployé sous les bagages.

L'entrée se prolongeait par une pièce qui me semblait immense. Vers le milieu, à droite, devant une large et haute cheminée, étaient groupés des canapés et des fauteuils. Plus loin, un comptoir de bar et une table imposante. Un verre à la main, Roy se dirigeait vers moi. Il était si différent du Roy de Paris que, dans une foule, j'aurais eu de la peine à le reconnaître. Je pris la voix et les gestes d'un homme rompu au luxe et aux déplacements.

– Bonjour, Roy. Bel endroit. Bravo...

– Hy! Demain vous verrez mieux le décor. Vous voilà comme prévu, juste à l'heure du repas. Parfait, nous craignions que vous ayez des difficultés à nous trouver, la flèche qui indique la propriété a été arrachée.

– Je l'ai vue par terre... De toute façon, grâce à votre plan, il était facile de s'orienter.

Il me tapait amicalement dans le dos. Mes muscles se crispèrent.

– Nous sommes cachés du monde ici. C'est ce que j'ai voulu. J'ai acheté ce terrain au bon moment. Excellente affaire.

Ses traits étaient marqués et ses yeux cernés, il semblait harassé.

– Venez, Katharine vous attend. Vous n'êtes pas trop fatigué du voyage?

Je souris.

– Du tout. J'ai l'habitude.

Il s'exclama:

– Veinard! Moi, de retour d'Europe, j'ai besoin de deux jours pour récupérer et d'une semaine pour me débarrasser du poids supplémentaire. On mange sans cesse dans un avion. Je grossis pour un rien, la seule vue d'une paella me fait engraisser.

Comme tous les gens gâtés par la vie, il avait une forte tendance à se plaindre, de tout, de rien.

– Venez...

Assise dans un fauteuil devant la cheminée, une jeune femme rousse me tendit la main.

– Hello, Éric! Je suis Kathy. Depuis quinze jours, je n'entends parler que de vous... Même pour Redford, Roy n'aurait pas fait autant de publicité.

Le visage de Roy se tordit dans une grimace:

– Il a assez de publicité, Redford, il n'a pas besoin de moi. Vous verrez, Kathy exagère toujours, c'est sa nature. Elle parle trop...

Je regardai Katharine. Elle était presque belle, les yeux gris, une crinière rousse ramassée en un chignon improvisé au moyen de pinces d'un vert criard. Ces gadgets de foire lui prêtaient l'aspect d'un clown. Roy me versa du whisky.

– Alors, vous n'êtes pas éreinté? Quel est votre secret? demanda-t-il, presque agacé. Je vous envie.

Il se tourna vers Katharine:

– Toi, toujours fatiguée, prends exemple sur Éric.

J'avais l'impression qu'ils venaient de se disputer. Je débitai des banalités.

– Le vol a été magnifique, et la route entre Los Angeles et San Simeon fort encombrée.

– Il connaît la Californie, précisa Roy.

Il parlait de moi comme si je n'étais pas là.

– J'ai compris! s'exclama la fille. Tu me le répètes tout le temps...

Elle se leva et s'étira, histoire de montrer son corps. Son pantalon, comme un deuxième épiderme, était plaqué sur ses fesses, le tee-shirt décolleté dévoilait une partie de ses épaules fragiles et la naissance de sa poitrine, sa peau parsemée de taches de rousseur. Elle me contemplait avec une franche curiosité, sa mâchoire carrée se détendait en un large sourire. Elle me tendit une coupe :

– Des amandes. Vous en voulez?

– Non, merci.

Elle tâta le terrain :

– Roy a dû vous dire que j'étais un vrai monstre...

– Mais non. Pourquoi?

– C'est son habitude, il me dénigre.

Fallait-il la suivre dans cette plaisanterie?

– J'ai plutôt l'impression qu'il vous... qu'il vous est attaché.

– Ah bon? Alors lorsqu'il est loin, il m'apprécie?

La tension latente m'énervait.

Elle insista :

– Roy, tu as dit des choses gentilles de moi à Paris? Merci! Une fois n'est pas coutume...

Roy haussa les épaules :

– Laisse tomber tes idées de persécution.

Le Mexicain nous proposa des petits fours chauds sur un plat d'argent. Katharine en prit deux.

– J'aime les Français, dit-elle, la bouche pleine, ils sont marrants. Ils s'étonnent de tout et ils comparent tout à la France. Les hommes sont agréables chez vous, plus attentifs au confort physique et intellectuel d'une femme.

Roy s'esclaffa :

– Parce que tu sais comment ils se comportent avec les « intellectuelles »?

J'essayai de les calmer :

– Je suis heureux que vous ayez eu des expériences agréables...

Elle prit un air maussade :

– Expériences, c'est beaucoup dire!

Elle désigna Roy :

– Je suis passée à côté de quelques conquêtes à cause de lui.

– Je ne t'ai jamais rien interdit, répondit Roy. Tu es libre. Prends l'avion et va à Paris. Je ne te retiens pas. Vas-y, cours!

Elle eut peur.

– Tu dis ça, mais si je voulais partir, vraiment?

– Prends la porte.

– A quoi bon? dit-elle, perfide. Tu as invité la France ici, un vrai Français.

Je n'aimais pas me sentir un spécimen ni l'objet d'un quelconque intérêt ethnologique.

– Tu te trompes, Éric n'est pas tout à fait français, dit Roy.

Je fis un petit geste.

– Ma mère était allemande.

– Ah bon! s'exclama-t-elle, mise en appétit, voilà pourquoi vous êtes si beau... C'est-à-dire grand et plutôt blond.

Ma chère mère dénuée d'instinct maternel, merci. Futile et cruelle, tu m'as arraché le cœur, je te renie donc en t'inventant selon les besoins du moment. Tu es tantôt comtesse, tantôt héritière malheureuse d'un industriel compromis par le régime nazi. Ton passé dépend de l'endroit où je me trouve et des gens à qui je te raconte. Tu m'as plaqué parce que j'étais « encombrant », mais, grâce à toi, j'ai un physique qui plaît. Merci, maman.

– Allemande, répéta Katharine.

– Nous sommes tous des mélanges, déclara Roy en grignotant des cacahuètes. Du moins ici, aux USA. Tenez!

Il me tendit la coupe.

– Non, merci. Je viens d'avaler le petit truc chaud par gourmandise. On est bourré de nourriture dans l'avion.

– N'est-ce pas?

Roy se renfrogna :

– Et malgré la concurrence déchaînée entre les compagnies, le trajet entre l'Europe et l'Amérique augmente de plus en plus!

J'affichai une mine de circonstance et susurrai, avec l'intonation d'un riche, et soucieux de le rester :

– Tout est cher. J'ai vu un document confidentiel sur les problèmes de votre balance du commerce extérieur. Il n'était pas réjouissant, l'inflation va repartir en flèche.

– Pas besoin d'avoir des rapports d'espion pour ça! Ça va et ça vient. Le reaganisme est bien fini, ne vous en faites pas pour nous, nous nous en sortirons toujours. Pas la peine de pleurer sur l'Amérique.

Prudemment, je voulais battre en retraite mais, comme il attendait une réponse, je fis remarquer que le monde entier dépendait d'une manière ou d'une autre des États-Unis. Il acquiesça, plutôt content, mais l'atmosphère me semblait empoisonnée. M'en voulaient-ils? Et, si oui, pourquoi?

Katharine ramassa une grosse veste en laine rustique tombée à côté de son fauteuil, à terre.

– Il fait frais ici, le soir. Voulez-vous voir votre chambre? Je vous accompagne.

Roy s'énerva :

– Reste avec moi. Alfonso va le conduire.

« Le », c'était moi.

– Comme tu veux.

Poupée téléguidée, elle demeura sur le canapé près de lui.

Alfonso, qui avait dû guetter l'appel de Roy, vint aussitôt :

– Si Monsieur veut me suivre...

Je me levai. Le living-room, bordé d'une cuisine séparée par un comptoir de bois et des tabourets de bar, s'étendait sur une centaine de mètres carrés. Je passai à côté de la table, dressée pour trois personnes.

– Vous avez le temps de prendre une douche. Nous dînons dans vingt minutes, dit Roy.

Je n'avais pas envie d'une rasade d'eau sur la tête, mais d'un bain chaud et d'un temps de réflexion. Je ne me sentais pas plus à mon aise qu'un paquet cadeau livré après les fêtes. Quelle était la raison de la mauvaise humeur de Roy? Était-elle dirigée contre moi ou contre son amie? Moi, il ne pouvait pas m'en vouloir, il n'avait pas la moindre idée du vrai but de cette visite.

Je suivis le Mexicain dans un couloir aboutissant à un patio, occupé en grande partie par une piscine vide éclairée de spots. Sur le fond gris, une mosaïque représentait un affrontement de barracudas.

– Le nettoyage est terminé, on commence à la remplir ce soir, dit Alfonso, mais d'ici que l'eau soit vraiment chaude... Il faut attendre. Miss Katharine n'y entre pas au-dessous de vingt-huit degrés...

J'aperçus plus loin des cabines et des chaises longues pliées et entassées, de grands fauteuils blancs alignés. De l'autre côté de la piscine, nous abordâmes l'aile des appartements. Les dimensions de la demeure étaient impressionnantes. Un long couloir desservait des chambres. Vers le milieu du parcours, Alfonso s'arrêta, ouvrit une porte et me précéda pour allumer les lampes de l'entrée, dont les murs étaient tous occupés par des armoires intégrées. Je découvris une grande pièce, occupée en son milieu par un lit à baldaquin. Alfonso alluma tout de suite la TV. Popeye courait après Olive, qui fuyait un méchant géant barbu. J'avais dans la poche droite un dollar et dans celle de gauche un billet de cinq. C'est celui-ci que je tendis. Alfonso esquissa un léger sourire.

– Merci, señor!

Il allait sortir.

– S'il vous plaît?

Il se retourna :

– Oui.

– On s'habille pour le dîner?

Je fixai ses moustaches noires.

– Non, pas ce soir, c'est un dîner intime. Les amis arriveront demain, ce sera plus habillé... On vous le dira.

Il y avait quelque chose de hautain dans l'expression « on vous le dira », mais je m'interdis d'être trop susceptible. Alfonso parti, j'examinai les lieux. En me moquant de mes manies, je montai sur le lit pour jeter un coup d'œil au ciel du baldaquin. J'avais horreur des araignées, de n'importe quel insecte, une seule mouche tenace m'horripilait. Pas un grain de poussière, impeccable, le décor! J'ouvris mes valises, je libérai mes vêtements compressés, les secouai, puis les rangeai dans les spacieuses penderies de l'entrée.

Je m'imaginais déjà sur le court, après avoir arraché une balle de match, en sueur, les cheveux ébouriffés, une serviette éponge autour du cou. Pour leur plaire je devrais avoir l'air d'une vedette qui, en manque de fric, se vendrait à une marque d'after-shave. Je serais le fauve à l'haleine fraîche, la bête qui fascine. Je pris un bain rapide, je me rasai. Entre Paris et Los Angeles, je n'avais cessé de me laver les dents, de me ratisser les joues. Un tel souci d'hygiène n'était-il pas dû à des complexes? Je choisis un pantalon de sport en flanelle légère, au pli increvable, une chemise à col ouvert et un pull italien, modèle « couture » avait dit le vendeur : sur un fond vert, des losanges et des triangles. Je me brossai les cheveux. Par chance, j'avais une vraie tignasse! Peut-être grâce à ma mère. Je gardais le souvenir de ses magnifiques cheveux blonds, qui, dans ma mémoire, ne blanchiraient jamais.

Le téléphone grésilla, Roy m'appelait :

– Nous vous attendons... Prenez une veste chaude.

– J'arrive.

– Pendant ce temps-là, on va se saouler, ajouta-t-il, morne.

Plaisantait-il? Par chance, dans une maison qui habillait « anglais », j'avais, la veille de mon départ, acheté un superbe gilet à manches longues en poil de chameau, quelque chose d'épais, de doux, de cher. On me l'avait soldé. Je le déboutonnai fébrilement, je l'enfilai, puis je me précipitai dans le couloir. J'avais peur, en les faisant attendre, de les agacer. Je contournai la piscine, me dirigeai vers les voix que j'entendais sur la grande terrasse; installés dans des fauteuils d'osier, Katharine et Roy bavardaient. Je devinais, d'un côté, la masse noire des forêts et de l'autre, les lumières fébriles et vacillantes des nombreux bateaux sur l'océan Pacifique.

– Bienvenue, Éric. D'ici, quand le temps est clair, on voit la mer, déclara Roy.

Je le félicitai, il sourit et nous pria de prendre place. L'atmosphère était plus légère, ils avaient dû conclure un armistice. Je remarquai, amusé, la lampe baroque placée au milieu de la table, un ange en faïence épaisse tenant dans ses mains dodues deux boules éclairées. J'aperçus un plateau chargé de petites bouchées de charcuterie piquées sur des cure-dents et, dans de grands verres, une boisson sombre et épaisse préparée à l'avance.

– Ça va, Éric? demanda Katharine emmitouflée dans un poncho. Avant votre arrivée il m'engueulait, c'est passé maintenant. Vous verrez, on n'est pas des sauvages.

Je jouai le distrait :

– Franchement, je n'ai pas fait attention, mes pensées étaient ailleurs...

– Tu entends son anglais? dit Roy.

Katharine s'exclama :

– Et il continue! Il m'a rebattu les oreilles avec votre anglais, il m'a énuméré vos diplômes; il y a de quoi avoir des complexes quand on se compare à vous.

Je chassai les compliments d'un geste que j'espérais désinvolte, haussai les épaules et marmonnai : « Mais vous, vous avez vécu, tandis que moi... » Pour les déculpabiliser – évidemment ce n'était qu'un jeu – je m'accusai d'un manque de savoir-vivre.

– Tu entends, Roy? Selon Éric, nous avons fait un meilleur choix que lui.

Elle pointa son index sur Roy :

– Lui, c'est une machine à angoisses. La principale, c'est de se trouver piégé par le mariage! Il est si méfiant qu'au début de notre liaison, j'ai dû le violer...

– Tu es embêtante, Katharine! Tu racontes n'importe quoi! s'écria Roy.

– Nie-le! Tu avais tellement peur de moi que tu as failli rompre au bout de deux mois d'idylle platonique! Ç'aurait été dommage! Les Français sont plus téméraires, n'est-ce pas, Éric?

Que répondre à ces cinglés de luxe? Je pris un verre et goûtai le liquide fort, épaissi par les morceaux de fruits.

– Ça dépend des gens. Nous ne sommes pas des prototypes.

– Buvons, plutôt que d'écouter les conneries de Katharine, conclut Roy. Alfonso a trop chargé d'alcool ce cocktail de fruits. Quand c'est son bon jour, il est parfait, mais s'il est énervé, il fait n'importe quoi... Éric, vous pouvez le laisser si vous ne l'aimez pas. Aucune importance.

– Voilà, dit Katharine, un indiscutable gaspillage.

– Fous-moi la paix, rétorqua Roy.

Enfin sur la terre promise, le verre à la main, je regardais la nuit en pêchant à l'aide d'un cure-dents des cerises confites. Si je voulais amortir mes frais et justifier le total accru de ma dette, je devais réussir en Californie, plus, en prime, me considérer comme heureux. Nous passâmes à table. Un cocktail de crevettes présenté dans des coupes était placé devant chaque couvert. Roy, qui changeait sans cesse de sujet, se renseignait sur l'équivalence de mes diplômes français avec ceux des universités étrangères. Alfonso déposa au milieu de la table un poulet froid découpé, sur des feuilles géantes de laitue.

– Vous êtes sans doute au courant, continua Roy, que nous avons dans la région deux prix Nobel d'origine française, sinon trois, je ne sais pas exactement. De plus en plus de savants français s'installent ici.

J'acquiesçai, sans savoir s'il fallait me montrer reconnaissant ou fier. Moi, je ne demandais pas mieux que de devenir à mon tour un incompris et d'être invité à rester ici.

– Chez vous, continua-t-il, on ne veut pas admettre la nécessité absolue de liens commerciaux avec l'étranger. Vous avez les Allemands dans le dos, sur le plan économique aussi, vous devriez vous réveiller.

J'étais agacé d'être chargé, moi, des fautes attribuées à la douce France. On me prenait pour un Latin inadapté à son siècle. Ce « chez vous » m'exaspérait. D'abord, il n'avait pas entièrement raison, ensuite je voulais justement en sortir.

– Plusieurs fois, au cours de projets d'investissement, je me suis heurté à des problèmes. Chez vous, peu de gens parlent l'anglais.

Il transformait le dîner en règlement de comptes avec le Vieux Continent.

– Chaque patron a ses qualités et ses défauts, dis-je en luttant avec une cuisse de poulet. En tout cas, personnellement, je ne me sens pas concerné par le bilan que vous présentez.

– Vous pouvez laisser la cuisse, intervint Katharine. Ce n'est pas son bon jour, décidément. Alfonso a préparé un repas trop copieux et des boissons trop fortes. Si je n'étais pas là, ce serait pire. J'essaye de freiner, d'organiser un peu. Quand les domestiques servent un célibataire, ils font n'importe quoi. Je ne sais pas où il a déniché ce poulet, une véritable autruche...

Je les observais, soucieux. De quel côté fallait-il me ranger? Quel que soit le pays, il est difficile de s'accorder à un faux couple où l'un fuit quand l'autre s'accroche. Chacun désire rallier l'invité à sa cause. Je devais plaire à Roy, en espérant que son discours sur les Français qui s'installent aux USA se terminerait par les mots magiques: « Et vous, vous ne voudriez pas rester ici? Je pourrais vous offrir un poste dans ma société. » Hélas, il ne prononça pas la phrase rêvée. Je devais soutenir le rythme, camoufler la fatigue et, malgré ma vision brouillée par le décalage horaire, me montrer alerte. Ils voulaient se divertir en m'interrogeant. Je modelai ma mère à leur mesure : la comtesse issue d'une famille ruinée, la fille d'un industriel allemand connu... Selon ma description discrète et presque peinée, ma mère aurait hérité à la fois d'une malédiction politique et d'argent gardé en Suisse.

– Vous lui ressemblez? demanda Roy.

– Sur quel plan?

– Sur tous les plans...

– Je crois, oui.

– Où se trouve actuellement votre maman? demanda Katharine en roulant entre deux doigts une feuille de salade; quand elle la mâchait, ses narines se contractaient comme celles d'un lapin.

– Ma mère est morte...

– Oh! dit-elle gênée. Je ne voulais pas vous chagriner.

Je pardonnai, douloureux :

– Vous ne pouviez pas savoir...

– Elle pose toujours trop de questions, dit Roy, pas par curiosité, par besoin de parler, de dire n'importe quoi.

– Tu exagères.

Katharine riait, nerveuse. Une fois de plus, elle remplit mon verre d'un vin corsé de Napa Valley. Il était impertinent, ce vin, gratte-gorge et piège d'esprit, chaleureux, fruité, facile à boire, dangereux. Le cocktail d'Alfonso et ce vin augmentaient mon flou et m'incitaient à la prudence. Je voulais raconter une anecdote, mais je l'abandonnai au milieu d'une phrase, et je bus un grand verre d'eau glacée.

– Voyons maintenant les détails pratiques, enchaîna Roy. Demain, la piscine sera remplie. Dans l'après-midi, vous pourrez nager. Quant à votre breakfast, Alfonso vous le servira à partir de 7 heures. Si vous avez envie de prendre un café plus tôt, utilisez l'appareil de votre chambre. Il y a aussi une machine à glaçons dans le couloir, pour l'eau. Quand vous serez remis du voyage, on pourra songer au tennis.

– Je vais m'échauffer les muscles dès demain.

– C'est formidable, intervint Katharine. Vous êtes si disponible, si souple...

Roy hocha la tête :

– Éric te plaît?

– Oui.

Ses yeux étaient voilés. Elle avait beaucoup bu. Roy m'attaqua, il fallait que je m'habitue à ses coq-à-l'âne.

– Me direz-vous le nom de jeune fille de votre mère? Le passé est loin, je n'étais même pas né à l'époque, vous non plus, mais je sais que les grands industriels étaient souvent obligés de servir le pouvoir. Ne s'appelait-elle pas par hasard Miss Krupp ou Miss Messerschmitt?

– Non, dis-je. Quand même pas. Si on laissait les morts tranquilles?

Il me présenta ses excuses et Katharine ajouta que Roy avait souvent l'humour macabre. Je ne touchai pas à la glace aux ananas d'Alfonso. Kathy l'entama et l'abandonna, Roy en mangea quelques cuillerées, puis nous passâmes au salon. Les bûches flambaient dans la cheminée, je me calai dans un fauteuil que je dus reculer un peu : il valait mieux m'éloigner de la chaleur, j'aurais pu m'endormir. Katharine proposa un alcool blanc, de la gentiane au goût d'herbes sauvages.

– Excellent pour la digestion, dit-elle. C'est ce qu'on dit quand on veut trouver un alibi aux excès de boisson.

Elle se pencha vers moi :

– Et votre père? Comment va-t-il?

– Pousse-toi, Katharine, je ne vois plus Éric. Viens! Viens t'asseoir près de moi, dit Roy, installé sur un large canapé en cuir.

Kathy s'assit à côté de lui et mit sa main sur la cuisse de l'Américain. Il apprécia le geste.

– Vous avez encore votre père? insista-t-elle.

J'annonçai que mon père était mort.

– *Poor darling!* s'écria Katharine, vous êtes un véritable orphelin. Vous n'avez personne au monde?

– Juste un oncle, n'est-ce pas? ajouta Roy.

– Exactement. Il est comme un deuxième père, j'ai été élevé par lui.

– Je te l'ai dit, fit Roy. Il m'a raconté ça chez Lenôtre. Tu as oublié.

Ils me regardaient, la main dans la main, avec condescendance, comme s'ils voulaient partager ma solitude et ma tristesse. Ils faisaient partie des humains épargnés par les drames, ils se délectaient dans les malheurs par ouï-dire. La gentiane me saoulait, je m'offrais en pâture, je leur présentais des douleurs embellies, le souvenir de mes parents et de mes deuils distingués. Katharine demanda si j'avais une femme dans ma vie, une compagne.

– Une? dis-je avec grossièreté. Une? Une, c'est trop, il en faut plusieurs si on veut rester libre.

Roy m'applaudissait :
– Tu vois, tu vois, répétait-il à Kathy qui boudait.
Elle ne devait être que de passage dans la vie de Roy. De gentiane en gentiane, nous nous égarions sur le terrain piégé des relations entre hommes et femmes. Les propos de mes hôtes étaient chargés d'allusions personnelles, ils gloussaient, les sous-entendus me désorientaient. Je déclarai que les couples étaient tous, sans exception, des énigmes. Roy ronchonna, mais admit que j'avais raison. Kathy lui envoyait des flèches : il allait devenir un vieux célibataire, rester seul. Lui, il évoquait les dompteuses agressives qu'il faut fuir. Comme ils avaient envie de se réconcilier, il leur était indispensable de s'acharner ou de s'apitoyer sur quelqu'un, il leur fallait un bouc émissaire.
– Tout cela n'est rien – mais rien – à côté des drames d'Angie, marmonna Kathy. On dirait qu'elle les provoque, les drames.
Le mot « drame » prit dans sa bouche une résonance porno, elle se délectait.
– Angie ? Qui est Angie ?
Roy émit un petit sifflement, puis il esquissa le plus mercantile des gestes, frottant les doigts comme s'il comptait de l'argent.
– Angie ? Elle représente beaucoup d'argent, mais ce n'est pas tout, l'argent...
Je m'épanouissais, j'aimais, moi aussi, écouter les souffrances des gens. Plus ils étaient riches, plus leurs malheurs m'amusaient.
– Qui est le mari de cette dame malheureuse ?
Je voulais être mondain, mais ma phrase se brisa comme un œuf. Roy et Kathy se regardaient, muets.
– Elle n'est plus mariée, prononça enfin Roy qui allongea ses jambes.
Kathy tapotait à côté d'elle un coussin en cuir léger, comme si elle appelait un chien.
– Viens plus près. Viens...
Roy bâilla :
– Pas envie de bouger.
Kathy se colla contre lui et commença de lui mordiller le lobe de l'oreille droite.
– Assez, dit Roy. Tu me fais mal.
Captifs de ces heures sournoises, nous restions comme égarés dans le vide. Eux, ils avaient besoin d'amour physique et moi, d'un emploi.
– Vous la verrez, Angie, peut-être demain ou après-demain... Elle a bien promis de venir. Mais c'est du vent, ses promesses, déclara Roy. Depuis qu'elle a traversé un drame horrible, elle est devenue versatile, lunatique. Elle annonce « j'arrive demain »,

puis on reçoit, des semaines plus tard, une carte postale des îles Fidji ou de Sydney, toujours avec la même phrase : « *Don't forget me**. »

Kathy jouait avec une des pinces de clown qu'elle n'arrêtait pas d'enlever et de remettre dans sa crinière.

– Angie croit que personne ne l'aime. S'il y avait un phénomène intellectuel qui ressemble à la déshydratation, elle en souffrirait. Son âme est déshydratée.

– Bravo, Kathy. Il suffit de t'écouter patiemment pour constater que tu es une intellectuelle, lança Roy pour l'agacer.

– Vous voyez comme il me traite! dit-elle maussade. J'ai derrière moi deux années de Berkeley.

– Il te manque la troisième.

Roy soufflait sur le feu. J'étais vaguement intéressé par leur Angie, parce qu'elle n'était pas mariée! Dans ma situation, on ne néglige pas les potins concernant une femme légalement libre.

– Elle a divorcé?

– Non. Elle a eu les pires malheurs. Je vous l'ai dit, l'argent ne fait pas le bonheur. Elle vaut au bas mot quatre cents millions de dollars.

– Ou six cents, dit Kathy, sinon le double... Tu n'en sais rien.

J'avais huit cents dollars en traveller's et je le savais. Je voulais connaître l'histoire d'Angie, obtenir des renseignements. Évidemment, si elle avait soixante-dix ans, j'hésiterais peut-être à panser ses plaies.

– Quel âge elle a, votre amie Angie?

– Trente ans, dit Roy.

– Trente-deux, rectifia Kathy qui entortillait une longue mèche rousse sur sa main droite.

– Avec tes vingt-huit ans, tu as la partie belle, constata Roy.

Il enviait visiblement la jeunesse de son amie.

– Vingt-sept seulement, le corrigea Kathy.

Leur différence d'âge était sa seule supériorité. Elle se remua, elle remplit les verres, elle leva le sien. « Tchin-tchin », dit-elle. Je souris. La soirée se prolongeait, le living-room tanguait comme un bateau par gros temps. Et si Angie était la femme à prendre? Trente-deux ans, malheureuse, seule, il y avait certainement un os quelque part...

– Pourquoi personne ne veut d'Angie? Elle est malade?

Kathy se mit à débiter un torrent de paroles :

– Oh les hommes, qu'ils sont bêtes! C'est tout de suite ceci ou

* « Ne m'oubliez pas. »

cela... Elle est comme toutes les femmes, elle peut être laide ou belle, selon les jours, elle est blonde, une vraie blonde, elle a les yeux foncés – gris, je crois –, non, Roy?

– Marron.

– Non, gris.

– Si tu es si sûre de toi, pourquoi tu me le demandes...

Kathy m'interpella :

– Vous voyez, il me contredit toujours!

J'insistai, intrigué :

– Elle est riche, jolie et elle n'a personne. C'est suspect.

– Elle fuit les gens, elle a subi un choc terrible.

Roy la calma :

– Tu y vas fort... C'est vrai, elle a été très secouée, mais n'oublie pas le fameux jour où elle a demandé à l'inspecteur si son chien avait été épargné. C'est Angie tout craché. Elle n'a jamais vraiment aimé que les animaux et préfère la compagnie de ceux qui les défendent. Si vous étiez un militant de la défense des rhinocéros au Kenya, vous pourriez l'intéresser...

Une cinglée de plus, pensai-je. A l'avance, j'étais dégoûté à l'idée de servir la soupe à une représentante des grandes idées écologistes.

– On le lui dit? demanda Roy.

Kathy avala une rasade d'alcool.

– On peut lui dire. Éric ne la connaîtra peut-être jamais. Si vous promettez de vous taire, de ne pas faire la moindre allusion...

– Mais à quoi? Inutile de prendre tant de précautions... Je suis muet comme une tombe...

– Plaisanterie peu délicate! s'exclama Roy. Ne dites jamais une chose pareille devant elle.

Kathy bâilla :

– Roy, mon chéri, pourquoi hésiter? Les journaux en étaient pleins, de cette histoire, ils en parlent encore...

– Oui, mais Éric, venant de Paris, peut l'ignorer. Si jamais Angie vient nous voir, elle sera ravie de rencontrer un Français qui ne sait rien d'elle. Elle se sentira protégée, ne fût-ce que par la distance.

Je fis mine de bouder.

– Si vous ne me faites pas confiance... Je n'ai pas connu Angie jusqu'à ce jour, elle ne m'a pas manqué. Je me fiche d'Angie, laissez tomber...

Ils étaient échauffés, excités et éprouvaient le besoin sensuel de raconter.

– Voilà, commença Roy : le deuxième mari d'Angie était psychiatre. Elle l'avait connu à l'époque où, mariée encore avec un champion de tennis, incomprise et malheureuse, elle avait dû se faire analyser. Lors des séances – comme ça arrive souvent –, elle s'est attachée au docteur Howard. Elle s'était tellement habituée à lui parler qu'elle le souhaitait disponible pour elle, tout le temps. Elle a divorcé du champion et elle a épousé Howard, pour qui cette union était une manne. Ce mariage présentait un avantage incomparable pour la clinique de repos qu'il avait fait construire, comptant sur une clientèle riche que le nom d'Angie aurait attirée. Du bénéfice assuré... Angie ne connaissait pas les problèmes financiers de Howard, elle ne savait pas qu'il était endetté ni qu'il se bagarrait avec son associé. Tout le gratin de Los Angeles assista au mariage, Angie était une fiancée ravissante.

Kathy ajouta :

– Dans une robe en dentelle rose vif.

Je me délectais dans ma mauvaise foi :

– Attendez une minute, j'aimerais savoir... Qu'a-t-il fait, le premier type, le champion, pour qu'Angie ait besoin d'une analyse?

– Lui, il était innocent comme un agneau, c'est elle qui a cristallisé ses problèmes sur lui.

Ce genre de gonzesse me tape sur le système. J'en avais connu quelques-unes, spécialistes des bobos en tout genre, des chiantes, des gueulardes, des pleureuses, des « mal au ventre », des « mal à l'âme », mais elles n'avaient pas la fortune d'Angie.

Roy prit un air de professeur patient :

– Il faut la comprendre, Angie a eu beaucoup de mal à assumer son passé. Sa mère est morte très tôt et son père ne s'est jamais remarié, Angie a dû répondre aux ambitions et aux fantasmes de son père, elle n'a jamais osé le contrarier. Elle a fait des études brillantes, y compris deux ans de chimie; son père voulait en faire une femme autonome, il la voyait un jour à la présidence de la Chimie Ferguson. Il a réussi à la former, mais, simultanément, à la dénaturer. Elle devait réunir en elle tous les éléments que son père considérait comme essentiels. Il fallait qu'elle soit rusée, combative, experte en plusieurs secteurs, et féminine quand même. Il lui a légué son conseiller, un ami de collège, avocat d'affaires, nommé après sa mort administrateur de la société. Mais le père, avant de mourir, a constitué un conseil des sages qui devait superviser et analyser les décisions et les suggestions de ce Sanders, ainsi que d'Angie. Ce conseil ne pourrait être dissous qu'en commun accord entre l'héritière et l'administrateur. Il a pourtant prévu l'hypothèse qu'Angie se sépare de Sanders, mais le problème ne s'est jamais posé.

Je chavirais, cette femme à la tête d'une compagnie pourrait, d'une seule phrase, m'ouvrir la porte du paradis et m'employer dans sa société.

– Et alors? dis-je.

– Depuis le drame, elle est devenue asociale, irritable, on n'a plus le même plaisir qu'avant d'être avec elle...

– Tu n'es pas juste. Tu la présentes comme une coupable, s'exclama Kathy.

J'étais aux aguets, avide de renseignements, chauffé d'espoirs. Je voulais me sentir l'égal de mes hôtes et je pris un ton que je croyais bien adapté au leur :

– Racontez votre histoire, et ensuite je me tire, j'ai sommeil.

Roy sourit.

– Vous voyez? Quand même, la fatigue est là! Bien, je résume rapidement le drame. Angie a failli y passer, elle aussi. A la suite de la tragédie, elle a vendu sa maison bien en dessous de sa valeur.

Kathy haussa les épaules :

– Elle en a acheté une autre dans le même coin. Plus belle et pas chère! Elle ne fait jamais une mauvaise affaire, même en pleurant, elle compte...

– Tu es jalouse, dit Roy. Il est minuit, tu es saoule et jalouse...

Il me fit un clin d'œil :

– Toutes les femmes sont jalouses d'Angie. On l'envie. Elle aime d'amour la liberté et elle peut se l'offrir.

Ils voulaient prolonger la soirée, ils imposaient une certaine lenteur au bavardage. L'alcool aidant, je sentais qu'ils avaient de plus en plus envie de faire l'amour. J'imaginais Kathy, jument rousse, chevauchée par Roy qui se cramponnait à sa crinière flamboyante et la sodomisait. L'évocation de la personnalité d'Angie et ses malheurs les faisaient frissonner de délice et d'horreur.

– Raconte, toi! proposa Roy.

Kathy glissa la masse rousse de ses cheveux sur la poitrine de Roy. Il chassa les mèches qui lui chatouillaient le nez.

– Non, tu racontes mieux que moi, insista-t-elle comme s'il s'agissait d'un numéro de music-hall à présenter à un imprésario.

Elle déboutonna la chemise de Roy, inondant sa poitrine de sa chevelure rousse. La température montait.

Roy se décida.

– Howard avait donc de graves difficultés financières. Angie, méfiante, le traitait d'une manière assez dure et l'accusait d'avoir fait un mariage d'intérêt.

Kathy ronronnait dans son cou.

– Dis, Roy, avoue, tu as eu aussi envie d'elle? Hein?

Sa tête avançait en direction du nombril de Roy, il la repoussa.

– Attends un peu...

Je me demandais ce que j'allais faire si elle se mettait à le sucer... Voulaient-ils improviser une partouze rapide? Dans l'état où j'étais, décalé et saoul, je n'aurais pas fait de prouesses. Si Roy était un voyeur et s'imaginait que j'allais me vautrer sur Kathy, il se trompait, je risquais plutôt de m'endormir sur la plate poitrine de la fille.

– Donc, continua Roy en éloignant de sa braguette la tête de Kathy, au bout de deux ans de mariage, lors d'une belle journée d'été, elle est partie pour sa maison du lac Tahoe; en rentrant le soir, elle trouva le portail du parc ouvert, le gardien absent. Elle quitta la voiture à l'endroit habituel, avança dans l'allée et se trouva soudain entourée de policiers, de photographes. Aveuglée par les flashes, elle criait (il imita une voix de femme):

« Mais qu'est-ce qui se passe? Que voulez-vous? Qu'est-ce qui arrive? »

Kathy hocha la tête:

– Tu vas trop vite, ménage tes effets... Pense un peu à ce qu'elle a vécu...

Roy reprit le rôle du récitant:

– Un inspecteur ou quelque chose dans ce genre est venu vers elle: « Mrs. Howard?

« – Qui êtes-vous? Que faites-vous ici? Où est mon mari? Où est le personnel, qu'est-ce qui se passe? »

Roy donna un coup d'épaule à Kathy:

– Tu es contente... Ça va?

– Tu racontes bien, chuchota la fille, j'ai l'impression de vivre l'histoire.

– « Mrs. Howard, vous devez être très courageuse...

« – Qu'est-ce qui se passe?

« – Le docteur Howard a été assassiné, vos domestiques, le couple mexicain, abattus, le chien massacré. Il ne faut plus avancer, Mrs. Howard. Restez ici, s'il vous plaît. Le temps qu'on les couvre et qu'on les emporte. » Elle était hagarde...

– Ne commente pas, imite!

Roy reprit une voix de femme:

– « Qui? Qui a fait ça? Quand cela s'est-il passé? Pourquoi?

« – Tout est clair, Mrs. Howard. L'assassin nous a attendus au bord de la piscine. Il avait encore le téléphone dans sa main quand nous sommes arrivés. Il ne faut pas que vous avanciez, Mrs. Howard. »

– Tu continues, demanda Kathy, ou c'est moi?

– Non. C'est moi...

– « Qui? demanda Angie. Et pourquoi?

« – L'ancien propriétaire de la clinique. Il déclare avoir été ruiné par le docteur Howard qui n'a pu acquérir la majorité des actions qu'au prix de diverses escroqueries internes. »

J'intervins dans le psychodrame :

– Il a raconté ça auprès des cadavres?

– Non, dit Roy, je résume. Grâce à une clause qu'on pouvait interpréter de plusieurs manières, le fondateur de la clinique était exclu de tous les profits de son produit révolutionnaire. Quand il s'est découvert littéralement sur la paille, il est devenu fou. Il exigeait de Howard qu'il lui restitue ses biens. Howard a refusé. Eh bien, quelques heures plus tard, il a été abattu! L'assassin, un nommé Wolf, avait déclaré que, s'il avait trouvé Angie à la maison, il l'aurait supprimée aussi. « Arrivée plus tôt dans l'après-midi, vous seriez morte, Mrs. Howard. »

– Il y a de quoi avoir un choc, dis-je.

– Oui. Depuis, Angie a changé. Elle est distante, agressive et profondément pessimiste. Un jour, elle quittera Beverly Hills pour s'installer au Kenya, où elle voudrait créer une réserve. « Seule la présence des animaux me rassure », répète-t-elle. Elle serait capable de tout liquider pour mieux préserver l'avenir des éléphants...

C'était bien ma chance! L'unique femme riche et seule que j'allais connaître était une obsédée de la défense des animaux sauvages. J'en avais assez pour ce soir. Je me levai et pris congé. Kathy, comme un poulain qui se hisse sur ses pattes, s'ébroua et me suivit.

– Je vous accompagne, sinon vous allez vous perdre.

– Reposez-vous, dit Roy.

Je voulais m'effondrer sur mon lit et dormir. Sortis de la salle à manger, nous passâmes à côté de la piscine qui se remplissait.

– Vous imaginez l'eau teintée de sang?

– Non. Je ne veux pas l'imaginer.

Elle était vicieuse, mais pas stupide. Elle luttait désespérément pour son avenir, elle voulait que Roy l'épouse, mais je l'intéressais. D'un côté, la grosse galette, de l'autre, un Français en visite. Elle s'arrêta au bout du patio.

– Vous avez vraiment envie de dormir? demanda-t-elle.

– Oui. Vous êtes originaire de l'Est?

Elle me prit par le bras :

– Ça s'entend, non? Je suis venue de New York à Berkeley, histoire de changer d'air. J'ai rencontré Roy qui a voulu que je reste avec lui. Il a un côté enfant gâté, vous le découvrirez vous-même quand vous le connaîtrez mieux...

Elle se fit confidentielle :

– Il veut tout. Une femme qui soit occupée quand il l'est aussi, et disponible lorsqu'il le désire...

Je réfléchissais; il valait mieux avoir Kathy comme alliée. Pour m'assurer sa bienveillance, je déclarai qu'ils étaient « bien assortis ».

– Vous trouvez? Oh, dites-le-lui! Ça me ferait plaisir. Vous comprenez, il a toujours été choyé par sa famille, par sa mère, tout lui est dû... mais quand il veut, il est charmant.

Cette complicité trop rapide me gênait. Si elle allait lui rapporter : « Éric a dit que... Éric pense que... », Roy pourrait me prendre en grippe. J'interrompis Kathy, je m'engageai dans le couloir et, par distraction, parce que j'étais pressé d'en finir avec la soirée, je passai devant elle. Elle me retint par le bras.

– Attendez, ne bougez pas!

– Qu'est-ce qu'il y a?

– Une seconde! Comme ils sont tous impatients, ces hommes...

Je sentis qu'elle grattait quelque chose sur mon cardigan.

– Là, dit-elle. Ça y est... Une petite étiquette. Je l'ai décollée. Le prix. En dessous de votre col.

Elle me tendit sur le bout d'un doigt un papier collant. Je m'étranglai littéralement.

– Ma femme de ménage n'a pas dû la voir quand elle a fait mes valises. Merci.

J'étais meurtri. Une étiquette! Enfin seul dans ma chambre, j'examinai le bout de papier; un crétin zélé avait réussi à marquer les deux prix, le premier, deux mille cinq cents francs, était barré et remplacé par le deuxième : neuf cents. Oh, le bon achat! Toute ma vie s'était rétrécie à la dimension de ce bout de papier. Je jetai mes vêtements sur un fauteuil et, dans la salle de bains, désespéré, je regardai ma gueule défraîchie. La vieille ennemie, l'angoisse, me prenait à la gorge. Je mesurai le risque que j'avais pris en quittant mon travail. Si Garrot en avait soudain assez de moi? S'il découvrait un esclave plus docile? Je me voyais de retour à Paris, revendant d'occasion mes raquettes coûteuses et pointant au chômage. Au bureau, il ne manquait pas de jaloux qui auraient aimé m'évincer, on me détestait. L'ambition était un affront à leur égard.

Je parlais l'anglais avec l'accent de Stratford on Avon, je l'avais payé cher. J'avais lavé des grabataires dans une maison pour vieux à Birmingham, j'avais même trimé dans un asile. Puis, j'avais réussi à me faire engager comme homme à tout faire chez un couple de professeurs de littérature anglaise, ils me payaient avec des leçons. Je dormais quatre à cinq heures par nuit, parfois même moins, j'acceptais les boulots les plus dégueulasses, je voulais apprendre la langue, la faire couler dans mes veines. Le *funeral home* *, dans la banlieue de Boston, n'était pas un cadeau non plus. Je regardais maquiller les macchabées et les expédiais ensuite dans le feu. Les bonnes manières? J'avais dû les piquer, les voler, les mimer.

Ce soir, je n'avais pas cessé de jouer la comédie, mais le résultat ne valait pas l'endettement moral et matériel. Des histoires macabres racontées par un faux couple, au sujet d'un escroc assassiné qui avait aussi causé quelques malheurs à une « pauvre petite fille riche », c'est pour ça que j'étais là? En cherchant des étiquettes éventuellement restées collées sur mes vêtements, je disais merde dans différentes langues. En anglais, ça claquait comme une pierre ricochante, en allemand, c'était répugnant, on avait envie de se laver la bouche, en espagnol le mot empruntait la sonorité d'un nom de confiture. Il fallait que je sache ce qu'était « merde » en swahili, si jamais je rencontrais la folle des animaux, Angie, la détraquée de luxe. Oui, je lui dirais merde en swahili. Le swahili, c'est tout ce que je savais du Kenya : le nom de la langue que parle la population. Et même ce mot, je ne l'avais appris que par hasard.

Sorti de la douche, en m'essuyant le dos, je décidai de rester exquis jusqu'au moment où je perdrais un set. Je n'allais même pas songer à Angie. Elle était maculée de sang et de fric. Il lui fallait un gros morceau. Moi, j'étais à peine suffisant pour être dégusté avec l'apéritif.

Je me brossai longuement les dents, des dents pas du tout carnassières, honnêtes et blanches. A la place des bouquets de fleurs, j'envoyais souvent des sourires, c'était moins cher. J'avais un sourire de riche, surtout quand mes lunettes foncées cachaient l'inquiétude de mon regard. Je faisais illusion face aux gens simples, mais je ne tiendrais pas cinq minutes devant une femme rodée à la vie. Et à quel niveau... Je me couchai et sombrai dans un sommeil agité. Je rêve en relief, mon subconscient sait que je peux me réveiller quand je le veux. Une femme courait au bord de la piscine, je la suivais, je voulais lui parler. Lorsque je réussis à la prendre par les épaules et à la retourner, je me mis à hurler. Elle était morte, je voyais un crâne aux orbites vides. Alors je fuyais, elle me suivait, elle franchissait la distance en touchant à peine le sol, elle allait me saisir.

Un coup violent me réveilla. Je venais de me cogner contre

* Dépôt mortuaire.

l'angle de la table de chevet. J'allais avoir une bosse au milieu du front. Je me levai, je sortis dans le couloir en quête de la machine à fabriquer les glaçons, j'ouvris le tiroir du bas, dans lequel dégringolaient les cubes de glace, comme les jackpots dans les cupules des machines à sous. Je plongeai la pelle dans le bac à glaçons et j'emportai dans ma chambre le seau rempli, pour me confectionner une compresse. Je me relevai une fois de plus, j'entrebâillai la fenêtre du côté des montagnes, l'air frais était apaisant. Je me recouchai et remis la pochette de glaçons sur mon front. J'étais seul : ni mère, ni père, ni ami, ni allié. Personne... C'était ma faute ! J'en avais tellement bavé pour réussir, j'avais tellement travaillé que je n'avais pas eu le temps d'avoir des amis.

L'aube se levait, grise et rose. J'écoutais, dans un demi-sommeil, des pépiements d'oiseaux et de lointains bruits d'avion... Dans l'air se transmettaient des messages. Je respirais profondément, la fraîcheur me calmait, mon oreiller était doux. J'entendis, surpris, ma voix qui venait de prononcer son nom : Angie.

Chapitre 5

Le bruit lointain du choc des balles sur les raquettes me réveilla tout à fait. J'avais mal à la tête, je cherchai des aspirines. Un coup d'œil sur ma montre : 10 heures. J'appelai par le téléphone intérieur, j'entendis Alfonso susurrer :

– Bonjour, Monsieur. Le petit déjeuner, le voulez-vous dans votre chambre ou à la salle à manger ?

– Ici. Juste un café, un grand café, et si possible, fort.

Je me méfiais du café américain. Pendant mes pérégrinations, j'ajoutais de pleines cuillerées de Nescafé à leur breuvage.

Je me levai, mes articulations craquaient, j'étais rouillé comme une bagnole au cimetière des voitures. Le fauve *made in Paris* n'était pas prêt à attaquer. Devant la fenêtre de la salle de bains, des arbres faisaient écran. Je me rasai dans une lumière verte. J'avalai deux comprimés en buvant l'eau au creux de ma paume. Le verre à dents, en opaline vraie ou imitée, me dégoûtait, même ici. J'étais le pauvre le plus difficile au monde et j'ai vu dans certains hôtels essuyer les verres avec des serviettes ramassées par terre.

Installé sous la douche, je me laissai submerger d'eau dans la cabine aux parois opaques. J'en sortis revigoré, j'enfilai le peignoir chaud et doux comme la langue d'une femme experte. J'entendis frapper à la porte. Je n'avais pas envie d'être aimable, mon âme avait une gueule de bois. Mais oui, c'est possible d'être saoul de jalousie !

– Entrez !

Alfonso poussa devant lui une table roulante chargée de nourritures.

– J'espère que vous avez bien dormi, dit-il.

Puis il souleva le couvercle d'un plat en lourd argent.

– Une omelette. Si vous voulez des œufs préparés d'une manière différente, dites-le...

– J'ai juste demandé un café.

– Vous auriez pu avoir des envies, dit-il.

J'étais sûr qu'il se payait ma tête.

– Des œufs encore, répéta-t-il en désignant un petit baluchon.

J'aperçus, à travers les ouvertures ménagées par les nœuds, des œufs à la coque. Il y avait sur la table des pots de confiture, une cafetière et du lait, une corbeille de fruits frais et des jus dans des cruches en cristal, suffisamment pour abreuver un chameau égaré depuis un mois dans le désert. J'attendais qu'il parte pour me jeter sur la cafetière. Je bus plusieurs tasses de café, puis, pour protester contre sa manière, que je jugeai légèrement hautaine, je piquai ma fourchette dans l'omelette chaude et baveuse. Ensuite, je salis une assiette en y étalant un peu de jaune crémeux. Si Alfonso découvrait que je n'étais pas bien éduqué, je n'aurais plus du tout la cote. Les serviteurs détestent les arrivistes dénués de manières. Après m'être habillé, je pris mes deux raquettes et je quittai ma chambre. Je longeai le couloir, éclairé par les petites fenêtres placées au ras du plafond. La piscine était presque pleine, en passant je m'y penchai pour tâter l'eau.

– Le thermomètre est près de l'échelle, à droite...

Alfonso m'appelait par la fenêtre de la cuisine, ouverte sur le patio.

Je ne savais donc pas, moi, prolo d'origine, que les piscines sont munies de thermomètres? Quel con! Je rougis de rage, je devais me méfier, les vrais serviteurs dépistent rapidement les faux maîtres. Je contournai le patio, j'arrivai sur la terrasse située en face des montagnes baignées dans une lumière teintée de jaune par un soleil distrait qui se promenait sur un ciel d'un bleu délavé. Guidé par le bruit des balles et des exclamations, je me dirigeai, par un sentier bordé d'arbres, vers les joueurs. Je découvris deux courts. Sur le premier jouait un couple qui s'interpellait en prononçant des mots complices, la chaise d'arbitre était occupée par une femme au visage à moitié masqué par ses lunettes foncées. Sur l'autre, deux hommes échangeaient des balles et commentaient les coups. A l'extérieur des grilles, trois hommes et deux femmes, assis sur les bancs, bavardaient. Mes vêtements étaient élégants, mes chaussures de tennis payées cher, mon corps à peu près souple. Pourtant j'avais peur d'eux, de leur regard, de leur appréciation instantanée. Pour afficher une certaine nonchalance, je m'attardai en contemplant l'horizon : d'un côté, des montagnes voilées par une brume scintillante, de l'autre, au loin, comme un mirage, un bleu piqueté de blanc. Des bateaux à voile sur la mer.

Je devais foncer. J'esquissai un salut et poussai un tonitruant

« *Hy!* ». Roy jouait sur le premier court avec une jolie fille aux cheveux noirs. J'observais mon hôte, en six minutes il avait smashé deux fois. Sa partenaire se démenait. Roy montait au filet; il y attirait sa partenaire puis il rabattait la balle, il jouait futé. L'air était lourd de l'émanation d'herbes sauvages, de poussière, de plastique et de fer chauffé. Les deux femmes et l'homme assis sur le premier banc me saluèrent et se serrèrent pour me faire de la place. Je m'assis auprès d'eux en marmonnant des *sorry*. Le set terminé, Roy se dirigea vers nous et commença les présentations. Les prénoms pleuvaient. J'étais l'invité à découvrir. « Le Français bilingue, extra, non? » « Son accent anglais est si raffiné...! » Les femmes me regardaient, souriantes, les hommes ne m'accordaient qu'un intérêt modéré. Roy énumérait mes diplômes, il en faisait trop, autant distribuer mon curriculum vitæ, j'étais gêné par l'étalage de mon bagage universitaire. Mais vraisemblablement, parce que je n'étais pas « Landler *the Third* », il fallait justifier ma présence par mes mérites. Roy annonça que j'avais été champion junior et qu'il espérait que, comme senior, je jouerais aussi bien, digne de mon ancienne gloire. « Et il parle l'allemand comme l'anglais », déclara-t-il.

Il répétait à qui voulait l'entendre qu'il m'avait invité pour quinze jours, la durée de l'entrainement et de la compétition. Pour ne pas perdre une seconde de ce temps qui m'était accordé, j'essayai de situer les femmes dans leur contexte familial. Y avait-il parmi elles une « libre » qui voudrait d'un Français de passage? Et, surtout, une qui voudrait le garder ici? J'essayai de répertorier et de mémoriser les prénoms, Mildred, Judy, Joan et les autres...

– Maintenant que tout le monde connaît Éric, proclama Roy, je vais affronter le champion. A propos, quel est actuellement le joueur français le mieux classé?

– Je ne connais pas le classement récent.

– Nous, on a toujours Connors, dit-il.

J'arrivai sur le court comme un taureau dans l'arène. Heureusement, c'était de la terre battue. Je m'accordai dix minutes pour m'échauffer, je me laissai découvrir gaucher, je smashai. J'avais opté pour une attitude de force, je devais vaincre d'abord et me soumettre ensuite. Il valait mieux, pour Roy et son prestige, dominer un bon joueur. Je me démenais, mon service était abrupt et méchant, je me déplaçais silencieux, mes cris ne résonnaient que dans ma cage thoracique. Il fallait que je plaise, qu'il me redoute, sa victoire n'en serait que plus appréciée. J'ai réussi à battre Roy, il souriait jaune en me serrant la main.

Pour le déjeuner, près des courts, un buffet froid était servi.

Deux Mexicaines trapues, aux cheveux lisses, aux yeux brillants, circulaient et s'occupaient de la mise en place. Tout le monde se précipitait vers les chambres, nous nous dépassions dans le couloir, les *sorry* pleuvaient.

En ouvrant l'armoire, je contemplai avec satisfaction mes pantalons blancs et mes élégantes chemises de sport. Je repris une douche et je me changeai. Au lunch devait débuter ma conquête de l'Amérique.

Je me retrouvai près du buffet, une assiette à la main. J'essayais de me reconnaître dans la petite foule. Étions-nous plus nombreux que ce matin? Des prénoms entendus résonnaient dans mon esprit, j'attendais celui d'Angie... J'espérais faire sa connaissance, j'étais curieux. Après une première vague d'antipathie que je ressentis à son égard, elle m'intriguait. Avait-elle été suffisamment malmenée par le destin pour remarquer la présence d'un inconnu au bataillon du jet set, Européen sans fortune et sans trop d'illusions? Je me promenais en tenant une assiette garnie d'une épaisse tranche de bœuf posée sur deux feuilles de salade, Roy me rejoignit et m'invita à le suivre; nous allions d'un groupe à l'autre, il vantait mes qualités, son invité ne pouvait être qu'un crack. Il faisait chaud au soleil, mais de méchantes brises parcouraient l'ombre. J'étais submergé par des questions que m'adressaient des femmes douces et maniérées. Elles étaient vêtues de blanc et avaient des cheveux courts et plutôt foncés. J'étais sympathique, le type franc, souriant, il me semblait que quelqu'un manquait au tableau. Je me tournai vers Roy :

– Mais elle a disparu!...

– Qui?

– Kathy.

– Elle a trop bu hier soir, dit Roy, penaud. Elle était malade ce matin. Elle ne supporte pas l'alcool blanc et elle en raffole... Éric, je suis heureux que vous soyez là. J'aime votre manière de jouer, vos astuces, tout cela est instructif.

– Vous n'avez rien à apprendre! Vous êtes un superbe joueur, Roy. Mon seul intérêt consiste à vous surprendre avec mes manières, qui vous sont inconnues. Et vos amis sont si sympathiques.

– C'est vrai, dit-il, presque attendri, j'ai le privilège de n'inviter que les gens que j'aime. Les désagréables, je les côtoie dans les affaires. Ne croyez pas que je néglige les affaires, je règle chaque matin les problèmes. Mon bureau de Los Angeles me trouve où que je sois, toujours disponible. Je ne suis jamais vraiment en vacances. Je voudrais que vous vous sentiez bien.

Il soupira :

– J'aurais aimé vous présenter à Angie. Hélas, elle n'est pas venue.

Je me gardai bien de manifester ma déception. Je me permis une remarque :

– Vous avez si bien raconté son histoire ! Quel talent ! Vous auriez été un comédien remarquable.

– Vous trouvez ? Mais l'affaire n'est pas vraiment originale. Les crimes ne sont pas l'exclusivité de la Californie. Il y a peut-être deux ans, dans une petite ville, un Anglais apparemment paisible s'est déguisé en Rambo et a massacré vingt-quatre personnes. L'être humain est surprenant, partout. C'est le monde actuel.

J'acquiesçai, ce genre de faits divers, je ne les connaissais que par les journaux : des titres, pas plus.

Il continua :

– Bref, si jamais elle venait, vous êtes muet, vous avez tout oublié !

– Je vous l'ai promis, Roy.

Il enchaîna :

– Ce qui m'épate, c'est votre résistance... Vous n'êtes pas fatigué.

– Fatigué, non, mais préoccupé par mes affaires personnelles.

– Quelles affaires ?

– Avant mon départ, j'ai reçu une proposition. On m'offre un poste important dans une multinationale.

– Ah, bravo ! dit-il. Il y a une participation américaine ?

– Pour le moment, des Allemands, des Anglais, des Hollandais...

Je ne pouvais pas impliquer les USA. Je pouvais inventer une entreprise fantôme européenne, mais il aurait été imprudent d'empiéter sur le terrain américain. Il aurait pu vérifier, n'importe qui pouvait « vérifier ». Pourquoi étais-je hanté par la « vérification » ?

Kathy se joignit à nous. Elle avait les yeux cernés, elle tenait par la main l'une des femmes dont j'avais fait la connaissance le matin.

– Salut, Éric. Bonne soirée hier, hein ? J'ai un peu exagéré avec l'alcool, mais ça va maintenant. Je vous présente ma copine Judy, on était ensemble à Berkeley.

Je m'inclinai légèrement devant la jolie brune.

– Nous nous sommes déjà vus.

– Mais pas assez, dit Kathy. Elle dit que vous ne la voyez même pas. Non, ce n'est pas vrai, c'est une blague. Pourtant, il vaut mieux que vous soyez au courant, Judy est un trésor à ne pas ignorer quand on est beau et libre, comme vous.

Je protestai pour la forme : libre oui, beau, certes pas. Nous nous approchions d'une table, j'y posai mon assiette et je me tournai vers Judy :

– Je suis flatté de l'intérêt que vous me portez!

Elle rit.

– Kathy exagère, je lui ai juste dit que vous étiez très entouré, et que je vous trouvais sympa.

– Judy vient de San Francisco, expliqua Kathy, elle est séparée de son mari. Elle a un chouette appartement, avec vue sur la baie.

– Oui, j'ai un joli appartement, répéta-t-elle en levant sur moi son regard limpide.

Et si c'était elle, la femme dont j'avais besoin? Je pourrais prolonger mon séjour dans son appartement à San Francisco, ville que j'aimais passionnément, il ne fallait pas négliger cette hypothèse. Judy et Kathy échangeaient des commentaires sur les hommes et les femmes qui circulaient avec des assiettes, les abandonnant ici et là – le personnel les ramassait aussitôt –, puis s'installaient sur des fauteuils et des chaises longues, une tasse à la main.

Judy me fixait.

– Ils sont magnifiques, ses yeux, n'est-ce pas? constata Kathy, résignée.

Magnifique. Le mot traînait dans l'air. Il y eut une accalmie, les invités lézardaient au soleil, Roy allait d'un groupe à l'autre, il s'occupait de chacun, il s'inquiétait de leur bien-être. De retour vers moi, il me tapa sur l'épaule.

– Éric, mon ami Rony voudrait connaître le nom de la multinationale qui vous a fait une proposition. Il a des affaires en Europe, Rony, une usine de produits chimiques implantée près de Hambourg, pas loin de la mienne. Il connaît Angie aussi. Il sait beaucoup de choses. Hé, Rony!

Un homme de grande taille, aux cheveux roux et à la peau parsemée de points pigmentés, s'approcha de nous. Il prit ma main dans la sienne, large comme une batte de base-ball.

– Hello, Éric! Content de vous rendre service, si je peux vous donner des détails. Parlez-moi de la société qui se bat pour vous avoir.

Je devais aussitôt réduire la présentation exagérée de Roy à des dimensions plus modestes :

– Se battre, c'est beaucoup dire... J'ai eu une proposition, et je réfléchis.

– Pour un dirigeant de valeur, on se bat avec des chiffres, déclara Rony. Combien, et pour quel poste?

– J'ai promis le secret...

– Avec moi, vous n'avez rien à craindre, dit Rony froissé. D'ailleurs, je n'ai aucun intérêt personnel à connaître le nom de la firme.

– Laissez-moi quelques jours...

Rony se tourna vers Roy :

– Ton ami est cachottier, comme tous les Français.

Il ajouta :

– Chez nous, on a l'habitude de mettre cartes sur table.

– Sur le plan européen, tout est tellement plus fragile. La vérité, je vous la dis : je troquerais volontiers mes espoirs internationaux contre un emploi, même tout à fait secondaire, aux USA.

– Ah, la bonne surprise ! dit Roy. Une raison de plus de séduire Rony qui est très puissant. N'est-ce pas, Rony ?

– C'est vrai, ma compagnie tient le terrain dans pas mal d'endroits, confirma Rony.

– Et il est modeste.

Roy insista :

– Ne le nie pas, tu as des pouvoirs occultes, des intérêts, partout. Ton mot à dire... Et tu es parent avec Angie.

– Nous sommes des cousins éloignés...

Il se tourna vers moi :

– Je suspecte Roy d'être amoureux d'Angie.

Kathy revenait, toute rousse, décolletée et sensuelle. Elle semblait humide et chaude à la fois. Roy avait raison de la garder. Elle avait entendu la phrase qui concernait Angie, et elle en fut agacée. Elle se plaqua contre Roy, elle posa sa tête sur l'épaule de l'industriel et pointa son index sur la poitrine de l'homme rendu ainsi captif :

– *He's mine!*

– N'exagère pas ! dit Roy, flatté et irrité. Je ne suis à personne, sauf à Dieu, lors de l'office du dimanche.

Kathy susurra :

– Si Angie voulait t'épouser, tu courrais à perdre haleine.

– Peut-être, dit Roy. Ce serait une expérience, mais le problème du mariage, c'est la durée, il est difficile d'en sortir.

– On ne divorce pas facilement, à Reno ?

Roy pointa l'index de la main droite sur sa tempe :

– C'est dans la tête que c'est compliqué ! Changer de femme, de lit, de tout. Je ne suis pas très souple dans ma vie privée. Je mène mieux les affaires.

Alfonso arriva près de lui et chuchota quelque chose. Hart s'exclama :

– Sans blague ! Eh bien, mes enfants, la nouvelle est considérable, Angie est là !... Mais avant de nous rejoindre, elle veut me parler.

Kathy s'inquiétait :

– Qu'est-ce qu'elle te veut?

Judy l'apaisa :

– Parler à Roy, ne t'en fais pas. Juste parler.

Hart était déjà loin. Kathy me raconta qu'Angie connaissait bien les lieux ici, qu'elle avait même « sa » chambre. J'étais impatient, le bavardage de Kathy et Judy m'ennuyait. Enfin Roy revint, il levait les deux bras, les mains jointes, et venait d'esquisser le salut du vainqueur, pour attirer l'attention des invités. Peu à peu, les gens se turent pour l'écouter.

– Un moment de silence, s'il vous plaît. Angie est là, elle me fait dire qu'elle vous aime! Elle vous prie de rester neutres et de ne pas manifester à son égard un intérêt particulier. OK?

Il y eut comme un murmure en guise de réponse.

– Elle est compliquée, votre Angie, dis-je.

– Sa vie l'est aussi... dit Judy.

– Quand reprend-on le jeu? demandai-je.

– C'est le premier jour, répondit Roy. On se laisse vivre.

– Parfait. Alors je me retire un peu chez moi.

– Fatigué?

Dès que je sortais du rythme accéléré, il me demandait si j'étais fatigué. Non, je ne devais pas m'énerver. J'avais envie de m'allonger cinq minutes et de réfléchir. Faire le bilan et la synthèse de mes mensonges compliqués, dont la complexité m'épuisait. Je m'éloignai, je traversai le patio, mais, avant que j'arrive au couloir, Roy m'avait rejoint.

– Je voulais vous dire que j'ai des chevaux dans un ranch situé à dix minutes d'ici, si vous vouliez sortir...

Je m'esquivai avec prudence : les canassons et moi, on faisait mauvais ménage. A l'époque de mes vingt ans, j'avais promené jadis des vacanciers sur la grande plage de Deauville. Je nettoyais les chevaux, je sentais l'écurie. J'ai été l'écuyer des écoliers, ça m'a suffi.

– Merci. Je préfère me concentrer sur le tennis.

Les Mexicaines disposaient des chaises longues autour du bassin, installaient des matelas de plage et déposaient ici et là des piles de serviettes épaisses.

– Vous pourrez bientôt vous baigner. A tout à l'heure, dit Roy.

J'avançai dans le couloir clair-obscur. J'étais bien accueilli, mais je n'apercevais pour le moment aucune ouverture; l'idée de partir d'ici et de retomber rue des Acacias me décourageait. A quelques pas de moi, une porte s'ouvrit et une jeune femme apparut. Elle avait une silhouette fine et musclée, des cheveux bouclés, très blonds. Nous allions passer l'un à côté de l'autre, elle s'arrêta, moi aussi.

– Hello! dit-elle.

– Hello...

Vêtue d'un chemisier et d'un pantalon blancs, une grosse jaquette en laine blanche sur les épaules, elle avait la classe inimitable de celles qui font leurs premiers pas sur des tapis d'Orient. Ses grands yeux sombres dominaient son visage régulier, son front était lumineux d'intelligence, ses cheveux très clairs. En me parlant, elle levait légèrement la tête. Je sentais son parfum, je cherchais si c'était du jasmin ou du muguet. Dès ce moment, j'aurais dû fuir.

– Vous êtes Angie, n'est-ce pas?

– Et vous, Éric, l'ami français de Roy...

– Mais oui...

Elle souriait.

– Il m'a parlé de vous.

Je haussai les épaules :

– Je ne mérite pas tant d'intérêt. Vous êtes aussi une fan de tennis, Angie?

– Non, du tout. J'ai les ligaments en loques, au moindre faux pas mes chevilles m'abandonnent. Si j'étais un cheval de course, on m'aurait déjà abattue.

Elle me parlait comme si on se connaissait depuis des années, avec douceur et naturel. Je l'admirais. C'était donc ça, « être à son aise »... Elle l'était. Je demandai moi aussi, d'un ton confidentiel, l'origine de la faiblesse de ses ligaments.

– Les autres ont des taches sur l'épiderme, les yeux fragiles ou je ne sais quoi, moi, j'ai des ligaments faibles. Je tombe facilement. Au tennis, je ne suis qu'une spectatrice, mais je connais les règles. J'ai même été une fois arbitre, cela peut se reproduire. Vous avez intérêt à être gentil avec moi.

Elle plaisantait, mais son regard était grave. Je n'avais plus envie de la quitter : elle était belle, aimable et elle possédait une compagnie. Une seule femme réunissait tout ce dont je pouvais rêver...

– Alors, dit-elle, à tout à l'heure. Au bord de la piscine, peut-être.

– Certainement. A tout à l'heure...

Je la regardai s'éloigner. Elle passait des zones d'ombre aux secteurs inondés de lumière. J'arrivai survolté dans ma chambre, l'impatience me gagnait, je n'avais plus envie de rester enfermé chez moi. Je voulais retrouver Angie. Au fond, depuis le moment où j'avais entendu pour la première fois parler d'elle, j'espérais la rencontrer. Oui, je l'attendais. Elle était la femme à conquérir, l'Américaine de mes rêves, habituée aux mariages et aux divorces rapides, veuve célèbre des rubriques de faits divers et des mondanités scabreuses. Pourrait-elle encore avoir envie de quelqu'un, d'une présence, d'un homme à la situation plus que modeste? J'étais un étranger, je ne faisais pas partie de son cercle d'amis, mais j'avais peut-être une chance.

Une heure plus tard, je m'aventurai vers la piscine. Alfonso, secondé par les deux Mexicaines, servait des jus de fruits renforcés de gin. J'attendais, Angie ne vint pas.

J'étais malade d'impatience. Je traversai deux fois la piscine, puis je m'allongeai sur une chaise longue, simulant un sommeil léger. Je sentis une présence, Katharine était là.

– Vous dormez?

Je m'assis et chaussai mes lunettes de soleil.

– Non. Tenez-moi compagnie.

– Vous êtes sûr que je ne vous dérange pas?

– Tout à fait sûr.

Elle posa ses longues mains sur mes épaules.

– Vous êtes musclé. C'est bien! Je crois que, même en Europe, il est important d'être sportif, surtout à l'université. N'est-ce pas?

Elle battit des cils, passa la pointe de sa langue sur sa lèvre inférieure.

– On fait une petite sauterie ce soir, on va dîner et se retrouver ensuite dans un endroit qui était, avant le sida, fréquenté par des couples échangistes. J'ai dit à Roy que nous devrions vous trouver une partenaire pour ce soir... Que pensez-vous de Judy?

Pourquoi pas Angie? Mais il me semblait évident que ce genre d'amusement imbécile n'était pas de son goût. Il aurait été imprudent de rejeter Judy.

– Comme vous voulez... Vous êtes toutes charmantes, Judy, vous, Angie.

Elle soupira :

– Ah, que j'aime ces manières françaises... Vouloir plaire à toutes les femmes, faire croire à chacune qu'elle est unique!...

Elle me jetait un regard pesant de sous-entendus. Voulait-elle me taquiner, me mener en bateau, et tout cela derrière le dos de Roy? Je me méfiais. Je ne devais pas m'y frotter, Roy se vengerait, ne fût-ce que pour défendre son amour-propre. La reconnaissance du terrain était difficile, je n'avais aucune idée des règles des jeux mondains, de leur rythme, de leurs plaisanteries, de leurs accords tacites. Pour éviter les avances de Kathy, je choisis la fuite, sous prétexte d'un appel que je ne pouvais pas manquer à propos d'une affaire. Je repartis dans ma chambre, je m'allongeai et, sous le baldaquin ridicule, je contemplai le ciel de lit en soie rose. De ma vie je n'avais été aussi pressé. Chaque minute comptait, pourtant je devais paraître détendu. J'ai dû m'endormir, quelqu'un touchait mes paupières, je sursautai. Kathy me regardait. Je détestais être surpris de cette manière-là.

– Je vous ai fait peur?

– Non. Mais je n'aime pas ce genre de réveil.

Elle minauda :

– La tentation était trop grande, votre porte n'était pas fermée. Je voulais vous parler, je vous ai trouvé endormi, alors je me suis contentée de vous regarder.

Elle se pencha sur moi et m'effleura de sa chevelure flamboyante.

– La vérité? J'avais envie de bavarder avec vous.

– Roy ne serait pas content...

– Je ne suis pas sa femme, je suis libre; il craint même un pacte de fidélité, il croit qu'à terme, ça l'obligerait à se marier.

Kathy promenait sa main sur ma poitrine.

– Vous avez peur aussi de vous lier? Je veux dire, pour la vie...

– Cela n'a jamais été mon premier souci.

– Tant mieux, dit-elle. C'est le signe que vous n'en avez pas peur.

– Tout simplement, le problème ne me concerne pas...

Elle passa ses doigts sur mes lèvres.

– Elles sont belles, vous devez avoir beaucoup de succès.

– Si on parlait de tennis?

Elle poussa un petit soupir :

– De tennis? C'est l'amour qui m'intéresse. Je voudrais un homme qui se batte pour moi. Avec lui c'est difficile, je n'ai même pas réussi à tomber enceinte et à le coincer. Il sait se protéger mieux qu'une femme.

– L'homme moderne n'est plus la victime de ces pièges de femmes, lui dis-je. Plus personne n'encaisse les paternités, en France, les grands mélos de ce genre, c'est fini. Tout le monde est adulte, les femmes, les hommes...

J'ajoutai :

– Si vous l'aimez vraiment, vous arriverez à le convaincre.

J'arrêtai la main de Kathy sur mon nombril, maintenant elle caressait mon ventre.

– Vous avez un corps beau, musclé. Ça ne vous fait rien de n'avoir personne dans votre lit?

– Non, le sport a la priorité pendant ce séjour.

Elle expliqua :

– Je vous assure, je tiens à Roy, il est gentil. Il a beaucoup de qualités, il est aussi un homme d'affaires hors pair. Je vous jure, s'il m'épousait, je n'entraverais pas sa liberté, je serais juste Mrs. Hart et... fidèle. Mais il résiste, il a la tête dure, alors je me sens sans engagement.

Sa main arriva avec une rare précision de geste vers mon sexe qui, énervé, se redressa.

– Vous me provoquez, Kathy.

– Vous me plaisez, dit-elle, et je me trouve désespérément fidèle. J'ai envie d'une revanche.

J'arrêtai sa main.

– Kathy, je suis l'invité de Roy et je le respecte.

– J'ai déjà perdu quatre ans avec lui. Je veux me marier. Je veux qu'on sache qu'un homme a voulu de moi légalement. Le mariage est mon idée fixe.

Elle réussit à prendre mon sexe dans sa grande main lisse et musclée. Elle était ravie.

– Que pensez-vous de moi?

– Au bout de vingt-quatre heures?

– Une impression...

– Vous êtes entreprenante, habile, trop pressée.

Je tentai de me dégager.

– Vous ne voulez pas que je vous caresse?

– Non. Pas ici.

Ses lèvres étaient proches des miennes, je sentais son haleine. Elle ne portait pas de soutien-gorge, ses petits seins m'agaçaient. Voulait-elle être prise à la sauvette, entre deux portes, entre deux vies, je me serais déversé en elle sans transition... Elle méritait mieux, moi aussi.

– Soyez sage, ou partez.

Elle se redressa avec une petite grimace :

– Comme vous voulez... Avez-vous un grand appartement, à Paris? Avec vue sur la tour Eiffel, ou peut-être même sur l'Arc de triomphe...

– Non. Juste un pied-à-terre confortable.

– Il paraît que même à Paris il y a des problèmes de circulation, constata-t-elle, distraite.

Je savais qu'elle allait rapporter chaque mot à Roy, je me sentais obligé d'improviser un mensonge :

– Je me contente d'un trois pièces au centre, mais à une cinquantaine de kilomètres de Paris, dans la région du Mesnil-le-Roi, j'ai une propriété.

– Répétez...

– Le Mesnil-le-Roi.

– Oh! s'exclama-t-elle. C'est beau! Le Mesnil... le... Roi. Vous y avez des chevaux et des chiens aussi?

J'avais envie d'ajouter: « Et des poissons rouges. Trois poissons célibataires dans le même bocal. » Je gardai un ton sérieux:

– Des chevaux? Non. La nature paisible. Vous allez sourire, mais j'aime m'occuper des fleurs.

Il y avait une parcelle de vérité dans tout cela. Je pensai à mes deux pots de géraniums sur la fenêtre de ma cuisine. Avant de prendre sa retraite en Bretagne, la concierge me les avait donnés.

– Il y a de plus en plus d'hommes qui aiment les fleurs, dit-elle tristement.

Puis ajouta:

– Vous ne voulez pas qu'on essaye?

– Quoi?

– L'amour, susurra-t-elle. Vous n'êtes pas malade, je l'espère?

– Non.

– Moi non plus.

– Vous n'avez pas honte de vouloir m'embarquer dans la maison de Roy?

Elle rejeta ses cheveux en arrière:

– Et s'il était d'accord?

– Il ne semble pas être un homme de partage.

– Et l'échange? demanda-t-elle.

– Je n'ai personne à lui proposer.

La situation devenait scabreuse. Si je continuais à la refuser, j'aurais l'air d'un ballot et, si je la prenais, d'un salaud. Je la repoussai doucement, je quittai le lit, j'enfilai le peignoir.

– Comment s'habille-t-on pour le soir?

– Normal, dit-elle, morne, normal.

Elle m'en voulait. Même sur ce continent prude, les femmes supportent mal d'être respectées à ce point. Je n'avais pas le choix. Je la mis à la porte.

Chapitre 6

Impatient, j'attendais la soirée. Enfin j'allais faire partie d'une « bande d'amis », et pas n'importe quelle bande, celle des millionnaires en dollars ! Même sans le sou, je n'ai jamais eu le temps de m'amuser, j'ai passé mon existence à bosser. Cette fois-ci, ça y était : enfin admis dans un cercle fermé, j'afficherais un air de copain-complice. Je savais que, quelles que soient les circonstances, je ne m'enverrais pas une fille rapidement consentante, je ne voulais courir aucun risque, jamais je ne m'exposerais au danger pour le sexe.

Sur l'autoroute de Carmel, nous roulions à cinquante-cinq *miles* à l'heure. J'étais auprès de Roy dans sa Jaguar. Kathy, à moitié allongée, bâillait sur la banquette arrière. Après avoir suivi une voie secondaire, nous continuâmes au long d'une route qui serpentait sur une colline dénudée. Arrivé, je fus déçu : l'hôtel était un de ces trous chics haut perchés dans les collines de l'Ouest dont raffolent les Américains. Je connaissais ce style, pour snobs argentés. Un groupement de bungalows sur le flanc de la montagne, un étroit parking où l'on peut caser les voitures et un espace central : l'accès aux marches reliant la petite cour aux bâtisses en bois.

Au rez-de-chaussée, le restaurant célèbre dans la région était complet et notre dîner fut précédé par un interminable cocktail à subir debout. J'errais d'un groupe à l'autre. J'aurais eu intérêt à m'incruster dans les conversations où des inconnus parlaient de gens que je ne connaîtrais jamais. Pas la peine, j'attendais la fin de l'épreuve. Dans la salle à manger aux dominantes orange, or et marron, nous prîmes enfin place autour de trois grandes tables éclairées par des bougies ocre.

J'espérais apercevoir Angie, elle n'était pas là. Je n'osais pas me renseigner auprès de Roy, ni froisser Judy aux yeux d'algues.

Roy leva son verre et me souhaita une fois de plus une cordiale « bienvenue », je lui renvoyai un compliment massue, je comparai son vin à un chambertin. Judy répétait : chambertin. Son accent était séduisant et soudain, soulagé de la pression intérieure, je me laissai croire que le bilan des premières vingt-quatre heures était satisfaisant. Je plaisais à Kathy et à Judy, mais la seule femme qui m'intéressait, Angie, était absente. J'interpellai Hart au-dessus de la nappe orange :

– Votre amie a disparu?

Roy s'exclama, s'adressant à la compagnie :

– Quelle amie?

– Angie.

– Hé, vous l'avez entendu? Éric cherche Angie... Piégé, notre ami français, s'il s'intéresse à Angie...

Les autres riaient, hochaient la tête, l'un d'eux me menaça de son index levé.

– Vous cherchez Angie? Attention!

J'étais gêné que ma question ait suscité une telle réaction.

Joan se pencha vers moi :

– Un jour peut-être, intégré dans notre groupe, vous saurez qu'il ne faut jamais s'inquiéter pour Angie ni la chercher. Ses allées et venues sont imprévisibles, comme ses décisions.

Je ne retins que la remarque : peut-être, intégré dans notre groupe.

– Je plaisantais. Je me demandais si nous ne l'avions pas perdue en route, Angie.

Kathy, vaseuse, hocha la tête.

– Il n'y a qu'elle qu'on réclame tout le temps. Et moi?

Je l'avais vue avant le repas vider les verres et en reprendre d'autres. Elle résistait à l'alcool, mais sa peau épaisse, ses yeux gonflés, ses paupières lourdes trahissaient une certaine usure. Elle se pencha vers moi en bousculant légèrement Joan, la femme aux cheveux grisonnants, réservée comme une Anglaise égarée à Boston, qui recula sa chaise. Kathy me fixait avec la rancune inexplicable qu'éprouvent à mon égard les buveurs, d'instinct ils savent que je ne suis pas des leurs.

– Angie est lunatique. Vous connaissez son...

– Tais-toi! lui rétorqua Roy. Tu as trop bu.

Kathy insistait :

– Son drame...

Roy la fit taire. J'intervins :

– Une raison de plus de se replonger dans la vie normale. Cette excursion aurait pu la distraire.

Judy se plaignit :

– Vous avez tort de vous en faire, occupez-vous du présent, je suis là, moi!

– Je ne m'en fais pas, je me renseigne.

Et, parce que dans toute femme se cache une salope qui s'ignore, qu'elle cache, elle réussit à placer une vacherie concernant Angie :

– Elle a l'air si vulnérable ! Mais, quand on s'y attache, elle vous rejette. Elle est d'un égoïsme forcené.

Joan fronça les sourcils :

– Éric, ne les écoutez pas. Dès qu'on parle d'elle, les passions se déchaînent. Elle n'est pas si compliquée que ça.

– Dangereuse, insista Judy.

Kathy émergeait de ses vapeurs d'alcool :

– Tu n'as pas le droit de dire qu'elle est dangereuse ! cria-t-elle. Hein, Roy ?

– Dangereuse ? répéta Roy, le regard méchant. Séduisante. Dès qu'elle arrive, on ne voit qu'elle. Elle a une personnalité que tout le monde lui envie.

– Personnalité ? répéta Kathy – elle frottait ses doigts comme si elle comptait des billets de banque –, elle a une personnalité cotée en Bourse.

J'étais ennuyé d'être à l'origine de ce déferlement d'opinions. Rony, roux, carré et velu, nous écoutait attentivement. Il avait l'air d'un boxeur qui vient d'emporter la victoire et attend l'offre d'un manager. Il s'accouda lourdement sur la table.

– Éric...

Je me tournai vers lui, disponible, heureux de m'arracher à la tempête qu'avait suscitée Angie.

– Je vais vous expliquer, Éric, continua-t-il. Ce qui l'embête, notre chère Judy, c'est qu'Angie a en elle un magnétisme qui saisit les hommes. On ne voit qu'elle, elle neutralise les autres femmes... Vous me comprenez ?

– Tout à fait, dis-je, mais je ne suis pour rien dans cette discussion. Je l'ai aperçue une fois, une charmante femme... C'est tout.

Il émit un petit rire :

– Elle est bien plus... Ma femme pourrait vous en raconter, des histoires concernant Angie.

Sa femme était la discrète Joan, ma voisine de table.

Elle l'interrompit, agacée :

– Je ne dirai rien du tout...

Judy leva son verre :

– Éric, il faut me regarder, moi ! Je suis moins compliquée qu'Angie. Et moi, je suis là ! A votre santé !

Son sourire découvrait ses petites dents, blanches et voraces. Je levai poliment mon verre :

– Tchin, tchin.

A la fin du repas, nos groupes dispersés se réunirent. J'apercevais des gens que je ne connaissais pas, qui avaient dû se joindre à nous pendant le cocktail, des relations de Roy.

– Et si on y allait? dit une femme.

Ce matin, elle était chez Roy, elle s'appelait Mildred, je crois. Elle avait la quarantaine marquée, la peau tannée de soleil et des pattes-d'oie profondes. Un petit gros chauve, apparemment son mari, la rappela à l'ordre :

– Te presse pas. Laisse-nous respirer.

Nous devions nous attarder au salon de l'établissement en attendant le café. Judy me demanda à l'oreille :

– Éric, vous faites des sauteries dans les saunas, en France?

– Aucune idée, ai-je répondu. Quitte à paraître blanc-bec, je vais vous dire une chose simple : on n'éprouve pas forcément le besoin de suer avant de faire l'amour. En France, nous sommes à la fois plus simples et plus rapides.

J'étais content de placer enfin un « nous, en France ». Je connaissais ce genre d'amusement – aujourd'hui bien démodé – de l'époque où l'on n'attrapait encore que la syphilis. J'étais arrivé, il y avait quinze ans déjà, à la fin de l'invasion des jacuzzis et des motels porno. Un Portoricain m'avait raconté que, dans les années soixante, c'était l'aventure des films X à la disposition des clients de l'établissement. J'avais travaillé quelques semaines dans un motel spécialisé, je portais dans les chambres le champagne californien, parfois on me disait d'entrer et le spectacle sur le lit était plus corsé que sur l'écran. Je me souviendrai toujours de deux superbes femmes noires, venues pour se divertir dans ce motel perdu dans une sorte d'agglomération plate entre Santa Cruz et San Diego. Elles voulaient m'attirer au lit et me prendre en sandwich entre elles. J'étais blond, jeune, plus du tout innocent, mais prudent. « Un vrai ange », répétait l'une d'elles, lesbienne hétéro. Je devais avoir vingt-deux ans et un trac fou. Je m'étais enfui, la chemise déboutonnée et une chaussure à la main; si j'avais manqué à l'appel dans l'office, on m'aurait vidé, et, à vrai dire, ces lutteuses tout en dents m'avaient terrifié.

Roy déclara :

– Il ne s'agit pas de suer, comme vous dites – il y avait dans sa voix une légère réprobation –, la promiscuité dans la chaleur est excitante.

Kathy gesticulait :

– Pourquoi insistez-vous? Éric n'a jamais participé à ce genre de distractions, il vient de le dire.

Pour ne pas être classé d'office parmi les prudes et hypocrites à la fois, je me rabattis du côté romantique.

– A vrai dire, l'amour que j'éprouve éventuellement pour une jolie femme m'excite davantage qu'un sauna...

– On ne peut pas aimer chaque fois, dit Roy.

Kathy passa sa main sur la mienne.

– Vous avez le temps d'avoir des sentiments, je vous envie.

J'en avais marre d'être considéré comme un timide. J'attaquai carrément :

– Et le sida? Chez nous en Europe, ça nous flanque la panique, la Californie a une réputation exécrable, pire que New York.

– Il ne faut pas charrier, déclara Roy. On ne fait pas de sauterie avec des inconnus. Mais je comprends, si vous n'avez pas confiance, restez, personne ne vous oblige à venir. On peut même vous prêter une de nos voitures et vous rentrez...

J'avais peur que cette stupide diversion sur le sexe m'éloigne d'eux.

– Je vous suis, ai-je dit... de loin.

– Allons déjà visiter les lieux, réclama Kathy.

Elle s'agrippa au bras de Roy :

– Je te suis fidèle.

– Malheureusement! répliqua celui-ci. (Il alluma un cigare en me contemplant :) Voyez-vous, je fume et je bois, je ne devrais pas le faire, et j'avoue que si nous étions de vrais sportifs, nous n'aurions pas dîné comme ce soir. Mais je refuse d'être trop sobre, je veux garder sa place au plaisir de la table.

Il pointa son index sur moi :

– Pourtant, je devrais faire attention, vous m'avez battu. C'est une fois de trop.

Il n'était ni aimable ni menaçant. Il constatait le fait que je l'avais battu. Il était clair que dorénavant, je devrais le laisser gagner.

J'avais « oublié » mon verre de cognac. Ma forme physique était une partie de mon capital. Lassé enfin par la conversation languissante, Roy se leva et donna le signal. Sortis du bâtiment principal, nous partîmes sur des sentiers et descendîmes les marches creusées dans la paroi rocheuse, vers les saunas. Près de la piscine, quelques moustiques irrévérencieux, empoisonnés par les émanations du chlore, nous frôlaient.

– Ta piscine est plus grande... Tout est plus beau chez toi, dit Kathy.

Roy aimait les compliments, il écoutait, content; le groupe se dispersait, certains s'asseyaient sur des chaises longues.

– Où sont les clients de l'hôtel? demandai-je.

– Au lit, ou ailleurs. On est hors saison et les gens viennent actuellement surtout au restaurant. On va explorer les lieux, venez.

Judy me tenait par la main, j'aimais ce petit contact amical. Nous nous dirigions vers le premier bâtiment, qui abritait les saunas. Dès l'entrée, je sentis une odeur de bois chauffé. La porte lourde s'ouvrait sur deux couloirs étroits, d'un côté se trouvait une salle de repos, de l'autre, les douches.

– On se déshabille? demanda Mildred, la bronzée effervescente.

– Ça va pas? dit Kathy. Que veux-tu faire ici?

– Me réchauffer.

En manque d'homme, elle riait fort et souvent, l'appel classique des femmes frustrées. Avec son profil agressif et ses cheveux rejetés en arrière, elle ressemblait à une amazone en quête de cheval. Je jetai un coup d'œil dans l'une des cabines qui sentait le pin, deux hommes assis sur le banc situé au deuxième niveau bavardaient paisiblement. Ils nous accueillirent en s'exclamant : « Hy! Venez, il y a encore de la place... » Je refermai la lourde porte.

Kathy ronchonna :

– C'est toujours la même chose, parlons-en, de la nuit de débauche. Parlons-en. Deux mecs qui transpirent. Comme d'habitude, on va se dégonfler et rentrer à la maison. Pas la peine d'être fidèle, si l'on n'a même pas l'occasion de faire un faux pas.

– Attends! dit Roy. Attends, on va jeter un coup d'œil sur le sauna mixte.

Kathy le prit par le bras :

– Tu sais que je plaisante, il n'y a que toi qui m'intéresses.

– Je ne pourrais pas en dire autant, riposta Roy.

Nous abordions l'autre bâtiment, Roy entrouvrit la première porte. Dans l'obscurité, deux hommes et trois femmes bavardaient, ils ne tournèrent même pas la tête vers nous.

– Voilà, l'expédition se termine. On va rentrer à la maison, dit Roy.

Il se tourna vers moi :

– Au moins vous aurez vu l'un des plus célèbres hôtels de Californie. Le reste, ce n'est que des plaisanteries. On ne peut pas toujours être sérieux.

Nous partîmes en direction du parking.

– Allez devant avec Roy, dit Kathy près de la voiture. Je vais m'allonger derrière, sur la banquette. J'en ai marre de regarder la route.

Installé près de Roy, j'abandonnai l'idée de lui débiter un discours. Il n'écoutait plus, il ne s'intéressait qu'aux potins. Il m'annonça que, selon lui, je plaisais à Judy.

– Son mari a viré de bord : homosexuel, il vit avec son ami à

San Francisco. Judy se remet lentement du choc, ça va mieux, elle commence à supporter l'idée de vivre avec quelqu'un. Quand elle a appris qu'elle avait été mêlée à ce qu'on appelle une couche de la population à risques, affolée, elle s'est fait faire des tests, plusieurs fois de suite, avec chaque fois des mois d'intervalle. Elle est séronégative, aucun homme ne l'a touchée depuis un an. Elle voudrait se remarier, avoir des enfants. Si jamais vous étiez amateur... Il me semble que vous lui plaisez, le divorce est rapide ici.

– Merci Roy, mais je n'ai pas envie de coucher avec une femme qui tient un certificat médical à la main. Ça viendra peut-être, mais l'amour est le cadet de mes soucis.

– On ne vit qu'une fois, remarqua Roy.

Il était jaloux de mon détachement.

Quelques invités revenaient passer la nuit chez Roy, entre autres Rony et Joan. Les voitures s'agglutinaient sur le parking, les portières claquaient, les « *see you tomorrow* * » pleuvaient. Kathy bâilla :

– C'est affreux comme le temps passe... Il est déjà demain.

Elle posa les mains sur mes épaules :

– Dormez bien. Je vous souhaite une bonne nuit.

Roy nous contemplait :

– Décidément, vous plaisez à Kathy. Si vous tombiez amoureux d'elle, il faudrait l'épouser. N'est-ce pas, Kathy? Je me proposerais comme témoin...

Voulait-il me refiler Kathy? J'aurais pu être preneur, avec des garanties. Si Roy voulait se débarrasser d'elle, je l'épouserais, Kathy, le mariage me procurerait la *green-card*, l'inaccessible *green-card*, le seul document qui permet de rester aux USA, mais Roy devrait m'assurer une situation confortable dans sa société. Donnant, donnant. Au bout de cinq ans de vie commune, devenu citoyen américain, je divorcerais, libéré à la fois du vieux continent et d'une femme qui ne boirait, hélas, pas seulement mes paroles.

Roy m'accompagna jusqu'à ma chambre et désigna une porte plus loin :

– C'est là-bas, la chambre d'Angie. Je n'ose pas aller frapper, peut-être qu'elle s'est couchée tôt. Je n'ai pas vu sa voiture. Si elle n'est pas partie, c'est qu'Alfonso a dû la ranger au garage. Bonne nuit, Éric.

– Bonne nuit, Roy.

Il me dit simplement :

– Vous plaisez à Kathy, vous lui plaisez vraiment...

* « A demain ».

Je trouvais ce marivaudage dangereux. Et s'il m'avait invité chez lui pour caser Kathy? Je refusai l'idée, à Paris, il ne m'avait même pas demandé si j'étais marié.

– Roy, je respecte les règles morales, Kathy est votre compagne. Elle me taquine un peu, juste pour vous agacer... Vous n'avez rien à craindre.

Il ajouta, à mon étonnement :

– Je tiens à Kathy.

Puis il continua :

– Il faut que j'aille dormir, ça m'arrive comme ça. La fatigue. D'un seul coup. A demain.

Rony et Joan venaient de passer à côté de nous pour rejoindre leur chambre. Après un dernier mot échangé avec Roy, enfin je pus entrer chez moi. J'ôtai mon blazer, je l'accrochai dans la penderie et j'arrivai dans ma chambre, en poussant un grand soupir, pour m'arrêter aussitôt, sidéré. Angie me souriait, confortablement installée dans l'un des fauteuils, devant la fenêtre. M'attendait-elle depuis longtemps ou juste depuis quelques minutes?

– Angie?

– Hello... dit-elle. Si je vous dérange, je peux m'en aller.

– Non, restez. Mais avouez que j'ai des raisons d'être surpris. Je peux vous offrir quelque chose à boire?

– Non, merci. N'interprétez pas mal ma visite, elle n'a rien d'équivoque, dit-elle, et elle chassa une mèche de cheveux platine de son front. Si j'ai déserté ce soir mes amis, c'est que je les connais trop, ils se racontent des histoires. De vrais gosses!... Il n'y a qu'en affaires qu'ils sont vraiment adultes. Je ne pouvais pas rester seule non plus. Alors, je suis venue ici, à la recherche d'une compagnie. J'ai des crises de solitude, et vous êtes un homme neuf dans ce milieu, ça m'attire.

Je m'assis au bord du lit qui ressemblait soudain à un carrosse. Si je pouvais ne pas le transformer en citrouille!

– Vous auriez pu venir dîner. Vos amis sont si sympathiques.

– Pour écouter les mêmes phrases, prononcées par les mêmes gens?

– J'essayerai de vous distraire...

– Il ne s'agit pas de me distraire, mais d'être différent de ces tarés qui cherchent des aventures...

– Ils ne sont pas tous tarés. Vous êtes dure avec eux.

– C'est exprès, dit-elle. Je suis injuste et cruelle, c'est ma seule défense. Je ne crois qu'aux animaux, eux, ils sont sincères.

Je tirai du mini-bar une bouteille d'eau minérale, je remplis deux verres et je lui en tendis un, qu'elle prit avec un « merci » appuyé.

– Votre prénom est Éric, n'est-ce pas?

– Oui.

– Dites-moi la vérité, Roy et Kathy vous ont parlé de moi?

– Oui, ils vous attendaient, ils espéraient que vous alliez venir.

– Mais ont-ils raconté ma vie?

– Juste un bavardage mondain, rien de précis. Je sais que vous êtes une femme d'affaires émérite, à la tête d'une compagnie... C'est tout, c'est assez.

Elle me dévisageait.

– J'ai eu des problèmes. Éric, je supporte mal les mensonges, je ne les supporte pas du tout.

– Pourquoi êtes-vous soudain agressive? Pourquoi insistez-vous?

– Je me sens aux abois. Pardon, je sais que j'ai énormément de défauts, mais aussi ces côtés sauvages m'aident à me défendre.

Il fallait apprendre à encaisser, supporter les volte-face, les douches écossaises, et surtout, ne pas hésiter à la remettre à sa place.

– J'aime votre accent, continua-t-elle. Votre mère était peut-être anglaise...

– Ma mère? Non.

Je n'avais pas encore envisagé l'hypothèse d'une mère anglaise. Cela aurait été chic, mais plus facile à vérifier que le passé de l'Allemande qui m'a mis au monde.

– En tout cas, vous n'avez pas l'accent français!

– Vous n'avez peut-être pas l'habitude d'entendre parler mes compatriotes. Je dois avoir un léger accent.

Je préférais me montrer modeste. Pourtant, que d'efforts déployés dans le passé pour me laver de mon accent! Je l'avais fait avec ma sueur.

Nous nous taisions, l'atmosphère devenait pesante. Était-elle venue chercher un ami, une distraction, un homme de compagnie?

– Si on faisait une balade, Angie? La nuit est belle.

– Bonne idée, admit-elle, docile.

Pour ne pas réveiller les autres, et, surtout, ne pas attirer l'attention des voisins, nous sommes sortis sur la pointe des pieds dans le couloir. Ayant traversé le patio et contourné la piscine, nous avons abouti dans la clairière qui précédait les courts de tennis. Le bois plus loin était noir, la lune nous aspergeait de ses reflets argentés. Angie s'arrêta et leva la tête, en fermant les yeux.

– La lune me flanque la frousse, dit-elle, depuis mon adolescence. Regardez, si j'étais une statue dans un cimetière, je vous plairais?

– Vous êtes morbide, Angie. Ouvrez les yeux, et partons marcher.

– Non. Je dois exprimer les pensées qui me font peur.

Elle était grande, fine, son profil se dessinait en filigrane sur le velours noir de la nuit. Son flirt malsain avec la lune me gênait. Je la pris par les épaules.

– Regardez-moi!

Elle ouvrit les yeux.

– Vous êtes blanc aussi... Éric.

– Pour prouver que nous sommes bien vivants, je vais vous embrasser. Je vous promets que vous n'allez plus vous croire parmi les tombes. D'accord pour le baiser?

Elle haussa légèrement les épaules et attendit, inerte. Je la serrai contre moi et je l'embrassai. Ses lèvres entrouvertes étaient indifférentes, puis soudain, avec une violence inattendue, elle me repoussa.

– Vous n'avez pas le droit de profiter de ma faiblesse.

Profiter? Je reçus le mot comme une gifle.

– Vous êtes brutale, je voulais vous consoler.

– Pourquoi diable? s'écria-t-elle. Je refuse d'être consolée!

– Je vous sentais triste et je vous désirais aussi.

– Vous n'avez pas le droit de me désirer. Ni de vouloir me « consoler ». Ni de me supposer triste. Je ne veux rien!

– Vous êtes venue dans ma chambre pour me parler. Nous nous promenons, j'ai obéi à un élan.

– Je déteste votre élan.

– Vous impressionnez peut-être les autres avec vos sautes d'humeur et vos caprices. Moi, je m'en fous. Vous n'êtes qu'une enfant gâtée, je ne vous reverrai plus jamais. Tant mieux!

Je la laissai sous la lune hilare et je revins dans ma chambre, je me déshabillai, je me couchai. J'étais humilié, cette garce avait joué avec moi, aurait-elle fait le même cirque avec Roy?

La nuit était pénible. J'allumai ma lampe de chevet, je me levai et, en errant dans ce décor somptueux, je songeai à mon appartement de la rue des Acacias que je retrouverais bientôt.

Oncle Jean me le louait aussi cher qu'à n'importe quel client envoyé par une agence. Je subsistais dans cinquante mètres carrés, ma chambre s'ouvrait sur une cour obscure. « Plains-toi, tu n'as pas de bruit », répétait l'oncle. Le soir où j'avais décidé mon escapade casse-gueule aux USA, j'avais eu envie de tout liquider. J'étais descendu à la cave, mes deux valises couvertes de poussière me dégoûtaient. La perspective du voyage me rendait ce décor bon marché difficile à supporter. J'avais envie de jeter mes affaires, tout. Quand je m'étais enfin couché, l'unique moustique du quartier m'avait poursuivi de ses assiduités. En voulant le massacrer, je m'étais envoyé une gifle solide, je l'avais raté, le ronge-nerfs me contournait, il entama le bout de mon nez. Il ne fallait pas me laisser abattre par la triste réalité qui m'attendait au tournant.

Ce soir, j'étais en Californie et je voulais y rester. La course s'annonçait dure, autant vouloir nager dans une piscine où les piranhas s'apprêtent à vous déguster...

Chapitre 7

Je ne cessais de lutter avec le temps, je subissais le poids des jours stériles. Je m'habituai rapidement au luxe, aux matins lumineux, aux réveils parfois accompagnés du bruit des balles de tennis. Je quittais un lit somptueux pour m'offrir ensuite la douche de la salle de bains en marbre beige; j'enfilais le peignoir, d'une douceur provocante. Je promenais mon regard blasé sur la table de la salle à manger; des piles de toasts, des plats remplis d'œufs brouillés, des cakes, des pains chauds et des confitures, des fruits. Je buvais du café fort qu'Alfonso me préparait, il me l'apportait accompagné d'un clin d'œil complice, j'arrivais ensuite sur le terrain où l'on me désignait un partenaire. On s'intéressait de moins en moins à moi, j'étais devenu l'invité de passage. « Charmant, n'est-ce pas, ce Français, et il est si intelligent. » Oui, comme le chien qui a appris à faire le beau.

Angie était partie, j'essayais de ne pas penser à elle. De nouveaux couples arrivaient. J'avais repéré un homme râblé, assez grand. Il me semblait avoir vu sa photo dans un magazine économique. En effet, il était à la tête d'une entreprise mondialement connue, spécialisée dans la création et la distribution de savons anti-allergiques. Jamais je ne pus réussir à engager une conversation avec lui : il m'écoutait, puis, au milieu d'une de mes phrases, s'en allait en souriant pour rejoindre les autres. Ils avaient tous un don fabuleux pour me planter au milieu d'une explication.

Les journées brillantes étaient vides d'événements, nous approchions de la date de la compétition. Y avait-il une chance que Roy m'invite à passer quelques jours chez lui à Los Angeles?

– Fabuleux, l'appartement de Roy, racontait Kathy. Une forteresse, en haut d'un building. Et quelle vue!

Roy souriait :

– J'ai mis le prix, mais il faut profiter de la vie, elle est courte.

Un couteau dans ma plaie, cette phrase. En effet, la vie est courte et pénible, quand on ne dispose que d'un budget minable. Il était de plus en plus évident que j'allais échouer. Je n'avais guère d'espoir d'avenir ici, et je m'imaginais déjà de retour à Paris, livré aux caprices de Garrot. Je me faisais des reproches, je m'accusais de faiblesse. Lors de mes fréquents séjours aux USA, j'aurais dû tenter le saut dans l'inconnu; illégal pendant des années, j'aurais pu réussir peut-être à avoir des papiers, mais jamais assez d'argent pour faire des études. A trente-cinq ans, il était trop tard pour me perdre dans l'Amérique des clandestins. Je rêvais d'être un patron, pas un clochard. J'entendais déjà Garrot : « Vous voilà, grand voyageur! A quoi bon aller ailleurs? Notre France est si belle! »

J'avais même pensé me confesser à Roy et le solliciter carrément. Après deux ou trois petites tentatives, juste des allusions, j'en avais déduit que je n'arriverais à rien. Au douzième jour de cette épreuve de force entre l'argent des autres et mes ambitions, je me trouvais près de la piscine quand Roy vint à moi :

– Je ne sais pas si je vous ai déjà dit, aussitôt après notre compétition, je pars pour Hawaii.

Je restai serein.

– Je ne m'en souviens pas...

Il s'assit près de moi, affichant un large sourire :

– Si vous n'avez pas mieux à faire, venez avec moi... Je vous présenterai là-bas à mes amis, qui ont une propriété sur une des îles, à proximité d'un hôtel de grand luxe qu'on vient d'ouvrir. Vous pourriez habiter à l'hôtel et passer quelques après-midi avec nous. Les Morris sont des relations d'affaires, je ne peux pas vous inviter chez eux.

Pour manifester mon détachement, je bâillai, la bouche fermée.

– Merci, mais franchement, je n'ai pas envie de faire d'autres connaissances. Je vis dans les rencontres. Si j'ai accepté votre invitation, c'est que moi aussi j'aime le tennis, et vous étiez si sympathique.

J'étais viré, l'invitation touchait à sa fin. J'étais venu, j'avais joué, je pouvais partir. Je devais sauver la face. Je raisonnai en économiquement faible, donc avec un orgueil infini.

Il acquiesça :

– Je vous comprends, surtout qu'à n'importe quelle période de l'année, Hawaii déborde de touristes. N'empêche, un argument en leur faveur : Mrs Morris sait préparer un excellent pâté de requin; son mari en pêche, des petits... En avez-vous déjà goûté? Ça vaut presque le déplacement.

Je frimai :

– Je n'ai pas une passion pour les pâtés de requin, et je n'aime plonger que dans la mer Rouge. Rien n'égale la limpidité de l'eau, là-bas...

Pendant quelques secondes, je l'intéressai. Je lui décrivis la mer Rouge avec les adjectifs d'une agence de voyages. Il m'écouta et me demanda ensuite si j'avais beaucoup d'amis américains et si j'allais, pendant mon année sabbatique, leur rendre visite. J'étais évasif. Avec quel malin plaisir je lui aurais lancé mes relations à la figure : serveurs, serveuses, sous-traitants de main-d'œuvre au noir, il aurait attrapé la jaunisse. Je devais garder mon sang-froid.

Il m'annonça aussi que, le jour de la finale, nous étions conviés chez ses amis qui habitaient une propriété dans le secteur préservé de Seventeen-Miles Drive, la joie des écologistes. Quelques veinards s'y étaient installés, avant l'entrée en vigueur de règlements draconiens.

Kathy vint s'asseoir près de nous. Elle craignait aussi la fin de cette période de trêve. Elle bavarda, puis se leva et commença à masser la nuque et les trapèzes de Roy.

– Je vais te détendre.

Elle s'inquiétait, elle avait peur d'être plaquée. Le voyage solitaire de Roy à Hawaii n'était pas un bon présage. Je l'observais. Et si elle était à prendre? Grâce à son désir obsessionnel de mariage, j'aurais peut-être pu réussir. Elle buvait, mais je tiendrais pendant cinq ans, et après, adieu Kathy...

– Tu restes combien de temps à Hawaii? demanda-t-elle.

– Une quinzaine de jours. Tu t'occuperas de l'appartement à Los Angeles.

Illuminée, soulagée, resplendissante d'espoir, elle me laissa tomber comme une boîte de Kleenex vide. Roy la gardait, elle allait régner chez lui, donner des ordres, diriger les femmes de ménage. De peur d'exciter Hart, elle m'ignora aussitôt. Roy était infiniment plus intéressant que moi.

– Vous vous souvenez d'Angie? me demanda Roy en s'abandonnant aux soins que lui procurait Kathy en lui massant le cou.

J'avais envie de mordre. Je répondis sèchement :

– Je ne suis pas amnésique.

– Elle est partie dès la première nuit, continua Roy. Je ne sais pas pourquoi. Elle a un comportement étrange parce qu'elle souffre. Elle n'est pas méchante et, ce qui ne gâte rien, elle est aussi une excellente femme d'affaires.

– Tant mieux pour elle.

– Il faut dire que son père a tout prévu, elle n'a jamais été l'héritière stupide à voler, à dépouiller... Et, aussi, elle a la chance d'avoir auprès d'elle l'ex-avocat de son père, Sean Sanders, un conseiller remarquable. Il se ferait tuer pour elle et pour la Compagnie.

Je les haïssais. Je devais pourtant faire semblant de m'intéresser à ces gens qui n'avaient aucun souci.

– Ce Sanders pourrait l'épouser un jour, non?

– Quelle idée! Tu entends, Kathy? Épouser Sean...

Kathy fit une grimace. Roy continua :

– Non. Il est âgé, enfin, en le comparant à Angie. Il est comme un deuxième père.

– Marié?

– Il ne l'a jamais été, je crois. Je ne sais pas. Depuis vingt ans, il consacre sa vie à la société. Une abnégation exemplaire...

J'allais pleurer! Ils m'agaçaient avec leur perfection hypocrite, leur fric. Le défenseur d'Angie, l'orpheline, m'irritait prodigieusement, il avait certainement un salaire royal. Ce genre de protecteur-conseiller devait être pire qu'un mari et veiller jalousement sur la femme à protéger.

Kathy s'étira.

– On va peut-être la revoir lors du barbecue...

La phrase s'éployait dans l'air.

– Elle est vraiment imprévisible. Vous auriez dû l'intéresser, elle aime rencontrer des gens qui ne font pas partie de son passé.

Je me taisais, mon grand verre d'orange pressée à la main, le verre aussi givré que moi.

– J'ai vu Angie juste quelques minutes. Elle est charmante, mais fébrile. Le mariage avec le psychiatre n'a pas dû l'arranger. Ce genre de relation crée une dépendance morale. Les psychiatres, je m'en méfierais.

– Vous avez les opinions d'un vieux monde! s'exclama Roy. En Europe, vous avez trente ans de retard sur ce plan-là aussi. On ne peut survivre dans le stress sans se connaître, et pour se découvrir il faut une aide, un médecin...

– Le docteur Howard aurait dû découvrir, lui aussi, sinon prévoir, que son associé floué pouvait devenir fou furieux, non?

C'en était fini pour moi, l'Amérique, alors j'égratignais avec malice le mythe national. Roy déclara :

– La psychanalyse est essentielle pour certains. Bref, tout cela n'a pas un intérêt immédiat pour moi, encore moins pour vous. Dites, lors de notre déjeuner chez Lenôtre, nous avons pris davantage de plaisir à parler de tennis que de chimie. Je n'ai pas bien saisi quelle était votre position exacte dans la hiérarchie de votre entreprise.

Je sautai sur l'occasion pour annoncer – sans l'ombre d'un fondement – ma proche nomination au poste de directeur général adjoint, mais j'ajoutai aussitôt que j'abandonnerais tout cela pour pouvoir m'installer aux USA.

Roy verrouilla aussitôt la conversation, il m'expliqua que l'époque était difficile et qu'il valait mieux préserver les avantages acquis en Europe que de courir après des mirages américains.

– N'oubliez pas, dit-il, que nous ferons de moins en moins d'affaires avec l'Europe, qui croit pouvoir se suffire à elle-même. Les grandes idées européennes, à deux heures des chars de l'armée russe, sont bien fragiles. A quoi bon investir là-bas? A quoi bon?

– Je pourrais être aussi employé dans une société américaine.

Il hocha la tête :

– C'est ce que les Français croient, et au bout de six mois, ils repartent, sauf les futurs prix Nobel et les boulangers. Entre Stockholm et les croissants, il y a peu de réelles possibilités. Les chercheurs, les savants s'adaptent, mais il faut dire qu'on respecte leur personnalité. Une entreprise d'ici ne ressemble pas aux boites européennes. Je trouve qu'il serait dommage de priver votre pays de vos qualités. Enfin un Français bilingue, et vous voulez plaquer vos compatriotes, qu'est-ce qu'il leur reste?

Pour se venger de ma sortie contre les psychiatres, il s'offrait ma tête en me couvrant de compliments assassins. Je n'étais ni futur prix Nobel, ni spécialiste des chaussons aux pommes, donc, *exit!*

Le soir, je m'attaquai à mes valises, j'avais envie de pleurer comme un gosse banni, je n'avais personne à qui parler. Depuis l'enfance, j'ai dû être l'autogestionnaire de mes problèmes. Après mon départ d'ici, ni vu ni connu, Landler à la trappe! Et si je les quittais avant la fête finale? Pourquoi subir encore le barbecue?

Pour ne pas me faire de reproches tardifs, je passai en revue les femmes; je n'avais pas la carrure d'« enlever » Judy, elle voulait un homme fort. Je ne l'étais pas et ne voulais pas le devenir. Quant à Katharine, depuis l'annonce de son installation dans l'appartement de Los Angeles, elle était soudée à Roy. Je ressentais une fois de plus des regrets violents. A l'époque de mes jeunes années, quand je parcourais les USA, j'aurais pu trouver une fille, même modeste, à épouser. J'aurais vécu une vie simple, je serais devenu un travailleur manuel. Mais en dehors de ma volonté de collectionner les diplômes, il y a dix ans, je croyais encore à la France et j'imaginais que j'allais être apprécié grâce à mon bagage international. Avais-je mal choisi l'entreprise où je travaillais, aurais-je dû frapper à d'autres portes?

Il était trop tard pour devenir plongeur parmi les Haïtiens, les Portoricains, les Mexicains, me mêler aux drogués, aux aventuriers, aux saisonniers, pour échouer sur un trottoir. J'étais trop blanc, trop *clean*, trop bien dressé, trop attaché à ma salle de bains, même vieille, et à la Sécu. J'étais un zombie hanté par le rêve américain, mais tenu en laisse par les habitudes européennes.

Le soir, nous dégustâmes des homards servis en tranches, les pinces dégagées, mais oui, la chair des pinces sur l'assiette m'agaçait. Ils avaient tout : de l'argent, des femmes, des emplois fabuleux! Je détestais les héritiers aussi, ces privilégiés des transmissions génétiques et matérielles. Ils n'ont jamais connu un risque, on leur a octroyé la fortune, le nom et l'encadrement technique en prime. Une vague idée de suicide m'effleura, presque une coquetterie mentale. Je la rejetai aussitôt, j'avais trop peur de la mort. A force de répéter mes mensonges je les avais crus et, ce soir, je tombais de haut. Que faire pour ne pas être déboussolé par la vérité que je découvrais, dégrisé? Sourire? Je souris.

Chapitre 8

L'avant-dernier jour fut consacré aux matchs, qui se déroulèrent dans une atmosphère joyeuse, la bande prenait la compétition au sérieux. Je fus même arbitre une fois. J'exerçai mon pouvoir avec dignité et un profond ennui.

Les gosses de riches s'amusaient. Le géant roux, Rony, se démenait, il avait de la ressource. Kathy tentait d'imiter Chris Evert-Lloyd – c'est elle qui l'a dit –, elle réussissait les moues de Chris, mais pas ses revers. Je n'avais plus aucune chance auprès d'eux. A la fin de la compétition – que Roy, Rony et Mildred avaient gagnée –, je me défoulai en battant Roy. Nous partîmes dans la mi-après-midi pour la région du Seventeen-Miles Drive, chez les amis de Hart.

Au pied des montagnes, le domaine était situé au milieu d'un parc classé réserve nationale. Par des jumelles installées sur un support tournant, on observait les phoques qui barbotaient dans la mer et les mouettes. L'hôte avait le teint rubicond, les cheveux grisonnants et le blanc des yeux un peu jaune; il était débordant d'amabilité et sa femme allait et venait dans la foule en égrenant des « *sorry, sorry* ». La grande clairière était investie de buffets, sur les broches des moutons entiers tournaient, de temps à autre on les arrosait, c'était le faste de la côte Ouest avec un zeste de Far West. Un orchestre composé de cinq musiciens vêtus en cow-boys jouait de la folk-music, ces airs m'attristaient. Je n'étais plus qu'un Européen paumé et jaloux, poliment rejeté. J'errais, je m'approchais des groupes. Roy ne s'occupait plus de moi, il n'énumérait plus mes diplômes, il ne me tapait plus fraternellement dans le dos, me poussant vers les autres en leur expliquant que j'étais un vrai génie, que je savais l'anglais comme un Anglais et que j'avais une carrure internationale « si rare chez les *French people* ». Il me laissait tomber. L'amitié éphémère qu'il avait éprouvée pour moi s'évaporait. L'idée du départ proche m'exaspérait. Pourquoi personne ne voulait-il de moi?

L'orchestre entamait les grands succès d'Elton John, je suffoquais, je n'aurais jamais le regard de *blues eyes* américains sur moi. Et si je m'accrochais à Judy, si j'inventais une histoire déchirante qui l'encouragerait à me persuader de m'installer chez elle? Mais elle avait eu assez de problèmes avec son mari, elle ne voulait plus ni de plaintes ni d'un homme complexé comme moi. Kathy? Elle ne me regardait même plus. Je m'approchai d'une table où abondaient sur des plateaux les petites bouchées chaudes à croquer. Je grignotai, désemparé. Dans quelques jours, j'allais retrouver le vieux Jean. Goguenard, il se moquerait de moi et de ma riche conquête, « qui a changé d'avis, n'est-ce pas? Entre nous soit dit, ça ne m'étonne pas. Tu n'es pas mal, mais si j'étais une femme, je me méfierais de toi comme de la peste ». Je resterais à Paris en août, je verrais les vieux films dans les vieux cinés de la rive gauche et je repeindrais l'appartement.

Ici on m'oubliait. Effacé déjà de l'esprit de Roy et des autres, j'étais comme transparent.

Je revoyais la cage d'escalier de l'immeuble, à Paris, la porte d'entrée n'était pas fermée la nuit, les loubards venaient s'amuser et barbouillaient le mur de graffitis. Personne ne songeait à appeler la police. Les parois étaient de plus en plus couvertes d'inscriptions du genre : « L'important c'est les fesses. » « Vive les cons, les vrais. »

Je rêvais de me déplacer dans une limousine conduite par un chauffeur, et j'allais retrouver ce cadre misérable, les embouteillages, ma voiture récemment écrabouillée par des vandales d'occasion et les sarcasmes d'oncle Jean... Il me répéterait à tue-tête qu'il ne suffisait pas de ressembler à un Américain pour le devenir. J'écouterais le discours connu : « Contente-toi du poste que tu as dans ton entreprise. Tu considères tous ceux qui t'entourent comme des imbéciles, ça se sait aussitôt, ils vont te détester! »

Je fermai les yeux une seconde.

– Hello! Je ne savais pas que vous restiez jusqu'au dernier jour...

J'ouvris les yeux et j'aperçus Angie. Je ne voyais pas son regard, ses lunettes de soleil le cachaient. Ses cheveux platine étaient bouclés et flous, l'ovale de son menton presque enfantin. Elle était plutôt belle, et pas hostile...

– Hello! Angie...

– Vous vous souvenez de mon nom...

– Vous plaisantez?

– Non. Mais je crois toujours qu'on m'oublie...

Elle voulait s'amuser avec le cobaye français.

– Vous rencontrez beaucoup d'amnésiques?

Elle haussa les épaules.

– Une manière de plaisanter.

– Ah bon, alors il faut prévenir. Voulez-vous du champagne?

Elle hésita.

– Non. Plutôt de l'eau minérale ou un jus de fruits, je suis bourrée de calmants. Une vraie loque.

– Une loque ravissante...

– Les Français sont gentils avec les femmes.

Le cliché m'agaçait, mais je m'abstins de la remarque. Un serveur en veste blanche nous tendit un plateau, je pris un verre de jus d'oranges pour elle et une coupe de champagne pour moi.

– Vous repartez bientôt? dit-elle.

– Je quitte Roy, mais pas encore l'Amérique. Je suis tout à fait heureux de vous revoir, j'avais des remords, je vous dois des excuses. Et surtout, je vous prie, ne gardez pas un mauvais souvenir de moi.

Elle ôta ses lunettes.

– Je n'étais pas vraiment fâchée, déclara-t-elle. Je vous ai sans doute provoqué. Aujourd'hui, je ne voulais même pas venir, mais Roy a tellement insisté... Il a dit que, si je m'enfermais chez moi, je m'habituerais trop à la solitude. Au fond, la vérité, c'est que je n'aime pas être seule.

– Vous permettez?

Elle ne comprit pas mon geste, elle recula.

– Je voulais toucher vos cheveux.

– Pourquoi?

– Pour le plaisir.

De la soie sous mes doigts. Elle s'offrait à mon examen-caresse avec une patience humble.

– Des cheveux d'ange.

– C'est joliment dit...

Nous gênions la circulation, autour du buffet les invités se frayaient un passage avec des «*sorry*». Nous leur laissâmes la place. J'attendais un signe du destin, si j'avais encore une chance, une toute petite chance...

– J'ai été analysée, dit Angie, son verre vide à la main.

Quelqu'un m'effleura le dos, j'avançai juste d'un pas.

– Ah bon? Pourquoi?

– Question de survie.

– Pour l'analyste, grâce à ses honoraires?

Elle fut choquée :

– Il ne faut pas plaisanter avec ça.

– Je ne peux pas tout prendre au sérieux...

Elle hésita et déclara :

– Vous avez raison. Je suis sûre que c'est vous qui avez raison.

Un dernier rayon de soleil parcourut en zigzag le paysage.

– Vous n'êtes pas curieux, continua-t-elle. Pas une question personnelle, rien.

J'attendais. Elle m'accorda un bon point en chassant une frange rebelle de son front.

– C'est parfait. Éric?

– Oui.

– J'ai un passé lourd.

– Angie, je n'aurai même pas le temps de découvrir votre présent, alors, le passé...

– Vous êtes sûr qu'on ne se reverra plus?

– De quoi peut-on être sûr?

Je me trouvais bien, parfait même. Bronzé, élégant, détaché, un nostalgique *soft*.

– Le seul problème, Angie, c'est que la vie passe trop rapidement. Je suis un homme très occupé, le travail est un engrenage.

– Mais vous prenez le temps d'être gentil avec une femme. Vous êtes certainement un bon fils...

– Je n'ai plus de parents.

– *Sorry*, dit-elle en me regardant, presque attendrie.

J'inspirais confiance, et plus je peaufinais mes mensonges, plus je soutenais les regards, les yeux dans les yeux, question d'entraînement.

– Vous avez déjà été amoureux, vraiment amoureux? demanda-t-elle. Je vous crois romantique.

Une femme tentait d'attraper un petit sandwich en tendant le bras entre nous. Nous nous écartâmes de la table.

– Non. Des liaisons, c'est tout. Je suis sportif, réaliste, ambitieux. La romance peut attendre.

– Ah bon? dit-elle. Vous voyez, je me trompe facilement. Mais vous avez raison, on souffre moins quand on est rationnel.

Nous cherchâmes un endroit où nous asseoir, il y avait des chaises vides autour des tables encombrées d'assiettes. Les invités déambulaient, quelque part une femme riait. J'aurais dû pressentir qu'Angie allait devenir mon enfer, j'aurais dû prendre la fuite. Mes instincts m'abandonnaient, je déconnectais, j'avais envie de son monde, mystique pour moi.

Nous traversions la pelouse en direction d'une table isolée.

– Je suis une âme errante, dit-elle, et à tort, sans doute, je crois aux signes, aux présages, même aux envoûtements. Notre rencontre est peut-être voulue par une force qui nous dépasse...

Elle se tourna vers moi :

– Vous ne posez jamais de questions? Les vies parallèles, les esprits qui nous entourent vous influencent-ils?

– Pas ce soir. Vous dominez mes pensées.

– Moi, à votre place, continua-t-elle...

– Vous n'êtes pas à ma place.

– Éric?

– Je vous écoute.

Ce style de dompteur élégant semblait lui plaire, le macho tendre dans ses moments perdus. Je me trouvais abominablement courtisan, mais je me cramponnais à ce que je pouvais, à l'occasion à saisir. J'aperçus de loin le reflet de ma silhouette dans l'une des portes-fenêtres de la maison.

– J'ai plusieurs domiciles, Éric. Je vais de l'un à l'autre. Plus j'ai de clefs, moins de temps je passe dans chaque endroit. Des domestiques m'abandonnent périodiquement. Ils sont bien payés, mais ils s'ennuient.

– Pourquoi me raconter tout cela?

Nous arrivions à une table entourée de chaises.

– Pour que vous me connaissiez mieux...

– Je n'ai plus le temps de vous connaître.

– On s'assoit?

Il y avait des miettes éparpillées sur la table. L'atmosphère ouatée, presque intime, m'était propice. Si je pouvais...

– Quand repartez-vous pour l'Europe?

– Je ne sais pas... Je vais me promener un peu en Californie et méditer.

– Méditer?

– Oui, sur la vie, la mort, l'existence. Il faut laisser un peu de place aux réflexions. J'ai aussi mes moments privilégiés où le surnaturel me préoccupe.

J'attendais paisiblement une tirade sur Dieu. Elle se pencha vers moi :

– Éric?

– Oui.

– Aimez-vous les animaux?

– Quels animaux?

Je tombai des nues, puis heureusement, je me souvins de son idée fixe : l'Afrique.

– Oh oui, dis-je avec une attention douloureuse, je les aime. Plus ils semblent robustes et sauvages, plus je les trouve vulnérables. Les fauves sont les vraies victimes de notre siècle fou...

– Éric, vous venez de dire quelque chose d'important!

– Ce ne sont que des pensées très quotidiennes, de quelqu'un qui ne peut hélas rien contre le désastre...

– On peut lutter contre les assassins, dit-elle. Je vous expliquerai... Nous devrions nous revoir!

Mon cœur bondit. Je souris:

– Pourquoi pas?

– Oh! Éric! Il faut que je sache, que je sois certaine que vous aussi, vous avez envie de me revoir. Dites la vérité.

Grands dieux, jouait-elle la comédie ou doutait-elle vraiment? Je pris le ton d'un homme sûr de lui-même, un tantinet désabusé, mais indulgent avec une femme faible:

– Vous êtes attachante, Angie, mais fatigante. Vous avez tout pour vous et vous attendez de moi des encouragements. Vous pourriez vous construire une vie magnifique.

Son visage s'illumina:

– Vous croyez, vraiment?

Moi, l'arriviste paumé, avec mes traveller's modestes et le billet de retour en classe économique dans ma poche, je devais expliquer à cette femme, riche à faire crever d'envie n'importe qui, qu'il lui fallait être confiante en l'avenir. Le comble, c'est que j'allais réussir, foutaise de vie. J'allais la rendre heureuse, ne fût-ce que pour quelques minutes. Elle devrait me payer des honoraires! J'ajoutai, lyrique:

– Vous êtes comme un enfant qui tend la main, qui a peur de se perdre dans la foule.

Je craignis d'être allé trop loin. Mais non, ça prenait.

– J'adore l'image! dit-elle émue.

Je souris doucement, très doucement, je ris avec respect.

– Venez à la maison à Beverly Hills, le seul endroit où j'ai du personnel toute l'année. Dites que vous venez...

Je commençais à me traiter d'imbécile en me laissant supplier de la sorte. Elle me contemplait d'un regard doux.

– Actuellement je m'isole du monde, un peu trop. Mon seul compagnon est Niel, un chien du Grand Nord. L'été dernier, je suis partie avec lui en Alaska pour qu'il puisse courir dans la toundra.

Elle m'énervait. Je me fichais des animaux, et encore davantage des bonnes femmes qui en avaient. Pour l'ex-prolo que j'étais, les bêtes représentaient une dépense, un luxe inutile. Je n'acceptais que les chats, l'animal le plus démocratique du monde. Et cette folle était partie pour l'Alaska, pour les vacances de son chien!...

– Éric, vous ne m'avez pas répondu, avez-vous envie de passer quelques jours chez moi à Beverly Hills?

– Il faut que je revoie mon emploi du temps, mais à priori oui. S'il n'y a pas trop de mondanités.

Je me laissais désirer. Elle frissonna.

– Il fait frais, comme le soir au mont Kenya. Vous connaissez le Kenya, n'est-ce pas?

– Non.

– Mais si vous avez la passion des animaux, vous devez aimer l'Afrique! Et surtout le Kenya, un paradis.

– Le paradis existe donc? Quelle chance! L'humanité en a besoin.

Elle continua :

– J'ai acheté, au sud-ouest de Nairobi, environ mille hectares; il existe déjà une vieille maison, un jour je m'y installerai et je créerai tout un village.

J'écoutais, prêt à tout.

– Je possède un ranch à trente minutes de vol de Las Vegas. Si vous vouliez plutôt venir au ranch et pas à Beverly Hills? Vous pouvez choisir. A propos de Las Vegas, êtes-vous joueur?

Lui expliquer, à cette petite, que, pour jouer, il faut avoir les moyens de perdre? Non.

– J'ai d'autres défauts. Je suis têtu, volontaire, égoïste.

– Il y a pire, susurra-t-elle.

Tout lui plaisait.

– Éric, de quoi rêvez-vous?

– De faire partie d'une entreprise américaine, d'avoir un poste important; en France, je ne suis qu'un rouage.

Elle abandonna aussitôt son attitude de femme-enfant et remit à sa place le quémandeur du vieux continent :

– Il est à peu près impossible de s'installer aux USA, sauf si quelqu'un fonde une entreprise et crée des emplois.

– Cette triste réalité, je la connais, mais nous parlions de rêves, n'est-ce pas?

Sa supériorité m'écrasait. J'avais envie de la laisser là, sur le gazon, sans même un au revoir. De loin, Roy nous appelait avec de grands gestes.

– Venez, venez!

– Il est pressé, dit Angie. On va se revoir, Éric?

– Tout est possible.

Elle me dit :

– Mes numéros d'appel sont sur la liste rouge. Je ne veux pas être dérangée ou sollicitée. Il y a des malades, des psychopathes qui s'acharnent sur les gens connus.

Roy s'approchait, suivi de Kathy. Angie parlait maintenant très vite :

– J'ai une maison à Lake Tahoe aussi. Un vrai nid d'aigle.

J'aimerais qu'on s'y retrouve un jour. J'aimerais tellement de choses... Je crois que je vais aller là-bas pour quelques jours, marquez le numéro.

Je tâtai la poche intérieure de ma veste. Je n'avais ni stylo ni papier.

– Moi non plus, dit-elle. Je n'ai rien pour écrire.

– Je retiens de mémoire les numéros qui m'intéressent, dis-je.

Je croyais devenir fou en l'écoutant. Elle débitait des chiffres, des Sésame, décemment je ne pouvais courir à l'intérieur de la maison chercher de quoi écrire et revenir... Elle serait partie en haussant les épaules.

Je l'écoutais, tendu. J'avais une mémoire dressée, mais pas forcément pour les chiffres.

– Le numéro de la maison de Beverly Hills, vous pouvez l'avoir par les renseignements...

Tout en me martelant le cerveau avec les numéros, j'observais Angie, pur produit californien, mi-femme, mi-enfant, analysée, riche, hautaine parfois, avec quelque chose de plus, d'indéfinissable, le charme de l'argent, donc du pouvoir.

Elle continuait :

– Je répète : le lac Tahoe, le ranch... Je vous redis celui du ranch.

Imprégner mon cerveau de chiffres. Pourquoi me parle-t-elle de sa jument, Lucky Girl ? Les chiffres, encore...

– Seule à cheval dans le désert, je me sens libre. Et davantage encore en Afrique. Oh ! Éric, si je pouvais fermer les yeux, compter jusqu'à trois et me retrouver au Kenya ! La maison là-bas... Vous m'écoutez ?

– Oui.

– Elle va être entourée de bâtiments, je veux créer une crèche pour les enfants et un hôpital pour animaux.

Moi, j'étais l'animal idéal pour le Samu. J'acquiesçais, j'admirais, j'étais béat et enragé. Mon cerveau, machine fébrile, enregistrait les chiffres. Quand Roy nous eut rejoints avec Kathy, je partis à la recherche d'un crayon et d'un papier. Un seul chiffre perdu, et je ne pourrais plus retrouver Angie. Roy à Hawaii et Kathy à une adresse inconnue à Los Angeles, je n'aurais plus aucun point de repère.

Je courus dans le vestibule de la maison, il fallait trouver un bloc. Près du téléphone, rien pour écrire ! Je me précipitai d'une pièce à l'autre en répétant les numéros, je traversai le salon et butai contre les fauteuils. Pas un seul crayon, pas une seule feuille de papier. Enfin, dans un petit bureau, je découvris du papier et des stylos. Le souffle court, je marquai les deux numéros d'Angie Howard et je glissai la feuille dans ma poche.

Avec ces deux numéros, s'ils étaient exacts, je tenais une clef. Je revins vers Angie qui attendait, entourée d'amis. Quelqu'un s'exclama :

– Elle est encore là! C'est votre succès! Bravo, Éric.

Angie me sourit et posa sa main sur mon bras droit. J'aurais voulu vérifier avec elle les numéros, mais pas devant les autres. J'avais le crayon dans ma poche pour compléter ou corriger les chiffres, nous n'avions plus un seul moment en tête à tête. Nous nous attardions dans le parc voilé par les brumes grises du crépuscule, nous bavardions, elle aurait pu me délivrer en disant un : « Venez, on s'en va ensemble, le tournoi est fini. Venez. » Je souhaitais de toutes mes forces qu'elle me sorte d'ici, je l'aurais suivie les yeux fermés. Elle me souriait, j'espérais des mots libérateurs. Par malheur, une grande femme osseuse, la peau étonnamment blanche, intervint pour demander l'heure. Quand je me retournai, Angie n'était plus là. Les convives de ce cocktail avaient, eux aussi, le don particulier de se détacher les uns des autres et de se déplacer d'un groupe à l'autre, d'abandonner ou de reprendre une conversation. Les « à tout à l'heure » n'étaient plus, ce soir, que des adieux. Je cherchai Angie, des silhouettes se diluaient dans l'obscurité; le jeu d'ombres m'épuisait. Plus d'Angie.

Je voulais quitter élégamment Roy et ses amis. Je proposai à la bande : Katharine, Judy, Rony, Mildred et son mari chauve, un dîner dans un restaurant de Carmel. Ils avaient déjà un programme pour le lendemain, mais ils acceptèrent le verre d'adieu. Je sauvai la face en dépensant une petite fortune. Avec le peu d'argent qui me restait, je pouvais subsister douze jours aux USA. Je voulais m'installer au bord de la mer dans un endroit bon marché. Je décidai de retrouver un hôtel à Santa Cruz où j'avais jadis travaillé au noir; craignant un contrôle, le gérant avait dû me renvoyer. Bâti sur un petit rempart, l'hôtel était un endroit aimé et recherché par la *middle class* américaine.

Lors de la nuit qui précéda mon départ, malade d'insatisfaction, je reconstituai l'inventaire de mes erreurs. Entre mes vingt et vingt-cinq ans, je courais ici et là, j'empruntais des charters au Luxembourg, à Bruxelles, à Londres, habitué des vols *stand-by*, j'attendais des journées entières dans des aéroports, j'effectuais des traversées pour des sommes modiques. A l'époque, j'aurais dû me fondre dans la masse des illégaux et faire mon trou. J'avais été lâche, tant pis pour moi.

Alfonso chargea mes valises dans la voiture, je casquai les cinq dollars de pourboire. Roy s'était levé pour m'accompagner et

Kathy, encore en pyjama, nous rejoignit. Nous nous redîmes tout le bien que nous pensions les uns des autres, Kathy me donna l'accolade. J'allais disparaître sans laisser de trace. En m'éloignant, j'aperçus Kathy dans le rétroviseur, elle sautillait, elle me faisait des signes, elle m'envoya même un petit baiser en soufflant sur sa paume... Elle jouait à la petite fille, ça devait plaire à Roy. Je dominai ma tristesse, la route était encombrée et la mer invisible, tant le béton avait mangé la côte.

Je conduisais comme un automate. J'arrivai en fin de matinée à Santa Cruz. La ville avait changé, elle me parut hybride, la banlieue miteuse; les vieux bâtiments et les rues où de nombreux retraités avançaient à petits pas me rappelaient plus que jamais l'Europe. Je réussis à garer ma voiture et traverser le centre à pied. Devant les magasins chers et chics erraient quelques punks aux crêtes de cheveux multicolores; l'un d'eux, assis sur le trottoir, grattait une guitare, des revenants des années soixante-dix... Qu'est-ce que je foutais ici? J'accumulais les fautes, les bêtises, j'aurais dû me diriger vers Los Angeles et retourner plutôt à Paris, où m'attendaient mes copines, les yeux embués de larmes et les cuisses moites. Pourquoi m'étais-je aventuré à Santa Cruz? Pour échanger quelques mots avec la serveuse du *coffee-shop* de l'hôtel? Bon Dieu, qu'elle crève, cette vie qui me rejette! Je repris l'Oldsmobile, je m'engageai sur l'avenue qui rejoignait la mer. Ma mémoire olfactive se souvenait de l'odeur lourde des planches huileuses de la jetée.

Je retrouvai l'hôtel où, jadis, je portais les valises. Je les entassais sur un chariot brinquebalant que je forçais à entrer dans l'ascenseur, je voyageais avec les clients qui regardaient leurs bagages, et moi, leur nez. Mes emplois subalternes en Angleterre m'avaient habitué aux pourboires, mais ici les *cents* glissés dans ma paume me gênaient. Il fallait surmonter ces complexes, ces aumônes faisaient partie de mon salaire.

Chaque soir après le travail, je me réfugiais dans un des piano-bars de Santa Cruz, véritable asile pour rêveurs, drogués, paumés et indigènes souffrant de nostalgie. Le type qui jouait se prenait pour Ray Charles, il l'imitait, il le mimait, il se glissait dans l'épiderme du « Roi »... L'air était crasseux, la fumée épaisse et les chagrins pesants. Je me sentais petit, une vraie chiure de mouche. Même ici, l'Amérique m'écrasait! J'étais jeune, je me croyais éternel et j'attendais le bonheur. Dans cette boîte, au son d'un piano que même Coppola aurait fait jeter d'un décor de misère tant il était désaccordé, je défiais ma garce de mère. En m'excluant de sa vie quand j'avais dix ans, elle m'avait dressé à supporter les chocs sentimentaux, en transformant mon âme en un fjord glacé.

Je laissai ma voiture sur un petit parking à gauche de l'entrée de l'hôtel. A la réception, un homme pâle aux yeux cernés, préoccupé par un problème interne à l'établissement, me dit de m'adresser à sa collègue, qui ne fut même pas étonnée de ma précision et de ma connaissance des lieux : je demandai une chambre avec vue sur la mer et éloignée de la piscine. Si j'avais voulu louer le réduit pour les poubelles, elle m'aurait fait le même sourire. Je remplis une fiche. Elle me tendit une clef.

– Voilà...

Je pris mes valises dans l'Oldsmobile, un jeune type vint me proposer de les porter. Il avait les cheveux coupés en brosse et un accent de la côte Est. Je lui demandai des nouvelles des requins, il me conseilla de rester au bord de la plage. Personne ne s'étonnait donc de rien? Je m'énervais.

Ma chambre, au cinquième étage, me déprimait. Du vieux couvre-lit se dégageait une odeur de poussière rance, les draps de dessous étaient froissés. Je partis à la recherche d'une femme de chambre, j'en trouvai deux, elles bavardaient dans le couloir.

– Il me faut des draps propres, s'il vous plaît.

– Ils sont propres, monsieur.

– Je ne crois pas.

– Si, señor. On change automatiquement après chaque départ.

Elle devait être mexicaine. Volubile, elle m'expliquait que c'était la machine à sécher qui froissait le linge. De retour dans ma cage de béton, je brûlais d'impatience, l'Amérique s'était rétrécie à la dimension de cette chambre. En proie au trac, je contournai le téléphone, j'allais appeler Angie. Je savais par Rony qu'elle passait un temps considérable dans son bureau directorial de la tour Ferguson, où j'allais me heurter à un barrage de secrétaires, me perdre dans des explications inutiles. Je ne devais pas me montrer pressé. N'étais-je pas censé me promener en Californie? Je quittai la chambre.

Pour accéder à la plage, il fallait demander une clef à la réception, passer à côté de la piscine puante de chlore, s'engager dans un couloir souterrain. Je longeai le trou à rats qui sentait la vieille urine pour arriver sur la plage au sable foncé. J'ôtai mes chaussures et marchai dans la mer. Je contemplai la jetée. Je me souvenais d'un restaurant au bout de ce promontoire de béton et de bois, j'avais essayé de m'y faire engager, j'avais été refusé. A gauche, de l'autre côté de la jetée, le parc d'attractions existait encore. J'avais été pendant trois jours contrôleur de billets au « château hanté ».

Désœuvré, les pieds glacés, comptant les heures qui me coûtaient si cher, je décidai de commencer en fin d'après-midi l'opération d'« appels ». Dès le début, je me heurtai à un mur de silence. Comme un galérien attaché à sa rame, je composai les numéros que j'avais notés, celui du lac Tahoe et celui du ranch. Je renouvelai mes appels assez tard dans la nuit. Je demandai aux renseignements le numéro de la maison de Mrs. Howard à Beverly Hills, je l'obtins en quelques secondes et, malgré l'heure tardive, je composai le numéro. Au bout de quatre sonneries, une voix agréable annonça la demeure de Mrs. Howard. Je dis que je voulais parler à Mrs. Howard. La voix se fit douce :

– Elle n'est pas là, monsieur. Voulez-vous rappeler demain ou après-demain? Si vous me laissez votre nom et votre numéro de téléphone, je les transmettrai à Madame, si elle appelle.

– Savez-vous où elle se trouve?

– Je n'en ai aucune idée, monsieur.

– Croyez-vous qu'elle vous appellera?

– Je ne peux guère vous en assurer. Est-ce urgent?

Urgent? Qu'aurais-je dû répondre, que c'était plus urgent que la vie à conquérir? Je pris un ton léger :

– Je suis Éric Landler. J'ai fait la connaissance de Mrs. Howard chez Mr. Roy Hart. Elle voulait me rencontrer avant mon départ pour l'Europe...

– Laissez votre numéro, *Sir,* insista-t-il.

Immobilisé près de l'appareil en attendant l'appel hypothétique, je serais devenu fou. Je dis que j'étais en vacances, que je me promenais, que je n'avais pas d'adresse fixe. J'ajoutai que Mrs. Howard m'avait dicté ses numéros au milieu d'une foule, lors d'une réception, et que je désirais vérifier l'exactitude des chiffres. Le deuxième comportait une erreur, celui du ranch. Si Philip, le majordome, ne l'avait pas poliment corrigée, Angie serait encore vivante.

Je souffris pendant la nuit pénible, et à l'aube, je décidai de partir pour San Francisco. Je n'ai jamais caché mon admiration béate, ma joie sophistiquée et snob devant le Golden Gate. Dans le passé, j'avais pu voler à la vie quelques semaines à San Francisco. Je me rendais tous les jours sur la colline qui domine le port et, cinglé, délirant d'amour, je photographiais le Golden Gate. L'harmonie d'acier du pont agissant sur moi comme une musique m'hypnotisait. Dans cette chambre miteuse, je priai mon dieu d'acier : « Aide-moi à revoir Angie! »

Chapitre 9

Le lendemain, comme un forcené, l'un après l'autre, j'appelai les numéros. « Je ne sais pas où se trouve Madame », répéta le maître d'hôtel pour la troisième fois ce matin. L'hôtel allait avaler mon argent, et les échecs de mes tentatives, user mes nerfs. Vers onze heures, je descendis au *coffee-shop*, je commandai un hamburger, je dévorai tout ce qui était sur l'assiette. Dès le deuxième repas, la serveuse m'avait repéré : je m'étais à peine servi une dose de pickles qu'elle reprenait le récipient pour sauver ce qui restait des tranches de concombres à la russe et des petits oignons. Dans ma chambre, mes valises luxueuses et mes raquettes me narguaient, les heures passaient lentement, mon existence n'avait plus d'intérêt. Parfois je reposais le combiné d'un geste si brusque que je faillis casser l'appareil. Je circulais entre ma chambre et la plage, où les mouettes balayaient l'horizon de coups d'ailes énergiques. Des gosses vêtus de combinaisons en caoutchouc noir arrivaient avec leurs planches à surfer sur l'épaule, ils entraient dans l'eau par petits groupes, attendaient puis grimpaient avec de grands cris sur les vagues qui déferlaient, bordées d'écume. J'étais jaloux des enfants, ils étaient américains, ils avaient de l'avenir. Puis, obsédé, je revenais dans ma chambre pour appeler.

Je laissai sonner longtemps. Malgré mes efforts pour la rejeter de ma mémoire, je pensais à ma mère : « Je voudrais t'emmener en Allemagne avec moi. Hélas, ce n'est pas possible! Mais ne t'en fais pas, je reviendrai te chercher. » Elle n'avait plus jamais donné signe de vie. Les femmes s'échappaient et disparaissaient de ma vie, ou peut-être la faute m'en incombait-elle, je me déracinais tout seul. Abandonnant le téléphone, je ressortis de la chambre, j'allai jusqu'au parc d'attractions de l'autre côté de la jetée. J'apercevais les jeunes de Santa Cruz, des filles propres et émoustillées par la présence de garçons de leur âge, ils arrivaient sur des motos, ils bavardaient en ignorant délibérément quelques couples de hippies vieillis, comme échappés d'un livre d'histoire.

Je m'arrêtais devant les boutiques, je contemplais les objets hideux vendus comme souvenirs, je pensai acheter quelque chose à Garrot, pourquoi ne pas lui offrir une petite statue de la Liberté? La dérision dans son état absolu.

Après cette escapade, j'annonçai à la réception de l'hôtel que je partais le lendemain, puis je remontai dans ma chambre, je m'assis sur le lit et recommençai le jeu infernal du téléphone. Les numéros étaient comme tatoués sur le bout de mes doigts. J'appelai une ultime fois la maison de Beverly Hills, le majordome m'accueillit en vieille connaissance.

– Ici Éric Landler, l'ami européen de Mrs. Howard. Vous ne savez toujours pas où elle se trouve?

– Je regrette tellement, Mr. Landler, mais je n'ai pas de nouvelles d'elle.

– Je vais abandonner mes tentatives, dis-je d'un ton léger. Je repars pour l'Europe, pour Paris.

Le maître d'hôtel se fit pensif:

– Avez-vous pensé à appeler une fois de plus le ranch, *Sir*? J'ai un deuxième numéro du Golden Rain. Le ranch s'appelle *Golden Rain*... Je vous le donne.

Je griffonnai sur un papier, fiévreux, ma dernière chance. Je raccrochai et j'appelai aussitôt le Nevada. L'endroit auquel le numéro correspondait se trouvait dans la région de Carson City. Lors de mon troisième essai, quelqu'un décrocha.

– La maison de Mrs. Howard.

J'étouffai un soupir.

– Je voudrais parler à Mrs. Howard.

– Elle n'est pas dans la maison, mais quelque part dehors, peut-être aux écuries. Voulez-vous que je l'appelle?

– Oui.

– Qui dois-je annoncer?

– Son ami français.

– L'ami français? répéta la voix.

– Oui.

– Bien, ne quittez pas, s'il vous plaît.

Puis, le silence, le vide, l'air vibrait de signaux sonores, je me surpris à prier. Je n'avais pas dû prier depuis dix, quinze ou vingt ans. Il me fallait des coups de pied pour que j'aille à la messe. Ni enfant de chœur, ni apprenti sacristain, ni fervent, je n'ai jamais été un adepte de l'Église. Dans ces moments-là, je courais après Dieu, je réclamais un miracle.

– Vous attendez toujours? demanda l'opératrice.

– Oui. Surtout ne coupez pas.

– Vous ne voulez pas raccrocher et rappeler?

– Non. Je vous prie, ne coupez pas.

J'avais pris l'habitude de bavarder avec des opérateurs et des opératrices, ces gens étonnants d'efficacité, aimables. Et puis, soudain une voix de femme :

– Allô?

– Angie?

– Qui est à l'appareil?

– Éric. On ne vous a pas annoncé « l'ami français »?

– Non.

J'éprouvai, en même temps qu'un soulagement, un besoin impérieux de chaleur, de tendresse, quelque chose qui ressemblerait à une relation amicale. Je devais me freiner et ne pas l'effrayer par une précipitation qu'elle n'aurait pas comprise.

– J'ai envie d'être franc...

– Quelle vilaine phrase, répondit-elle presque en riant. D'habitude, vous mentez?

Je me rattrapai :

– Non, mais il m'est difficile d'avouer que vous me manquez.

– Manquer?

– Mais oui... Je ne voulais pas que nous nous quittions sur une mauvaise impression. Je me sentais maladroit et presque timide, chez Roy, submergé de problèmes. Vous m'avez désorienté...

Le silence. La ligne était-elle coupée?

– Allô, Angie?

– Je suis là, dit-elle. Je vous écoute. Je n'ai pas remarqué un désarroi quelconque. Vous sembliez détendu.

– Tant mieux, mais j'étais sur la défensive.

– Pourquoi?

– Pour la première fois, j'étais ému, presque bouleversé par une femme, par vous. Bref, j'ai désiré entendre encore une fois votre voix.

– Vous repartez pour Paris?

– Oui.

– Quand?

– Bientôt, je vais juste redire mon amour au Golden Gate.

– Votre amour?

– On peut l'aimer d'amour, oui.

– Un objet?

– Oui.

– Si vous étiez allé en Afrique, vous adoreriez l'Afrique, dit-elle.

– Peut-être.
– Certainement.
– On aurait eu beaucoup de choses à se dire, Angie.
– Vous appelez d'où?
– De Santa Cruz.
– Que faites-vous à Santa Cruz?
– Je vous cherche depuis quarante-huit heures.
– Pourquoi Santa Cruz?
– Les souvenirs de l'époque où je cherchais mon Amérique.
– Vous l'avez trouvée?
– Je suis passé à côté...
– Si on se voyait? dit-elle hésitante. Mais je ne veux pas insister, vous n'avez pas accueilli ma première invitation d'une manière enthousiaste.
– Je suis plutôt réservé, peu expansif.
– J'attendais votre appel, déclara-t-elle.
– Alors tout va bien.
– Éric, que décidez-vous?
– J'hésite, vous me fascinez. Jusqu'ici, je n'ai été amoureux que du Golden Gate, si j'étais attiré par vous aussi, je me sentirais plus dépaysé que jamais à mon retour en Europe.
– Je ne cherche pas une aventure, dit-elle. J'ai raté mes mariages, je suis méfiante, mais vous, vous êtes différent et une visite n'engage à rien.
– Angie, j'ai ressenti auprès de vous une sensation proche du bonheur. Et parce que je suis un sale égoïste, j'aimerais retrouver ce bonheur.
– Auprès de moi? s'écria-t-elle. Moi qui gâche tout?
– Mais oui. Je ne sais pas ce que vous gâchez, mais votre présence rassure et j'ai besoin d'être rassuré. Je suis à la dérive.
– Quel est votre problème?
– Pénible, mais à vous, je l'avoue en secret, j'ai dit à Roy que j'avais pris une année sabbatique, c'était faux. J'ai quitté mon travail en France sur un coup de tête.

Je venais de prendre un gros risque. Confronté à la patronne toute-puissante d'une compagnie américaine, à une héritière avertie, je me présentais versatile et imprudent sur le plan professionnel.

– Si vous aviez la possibilité matérielle de tout abandonner, dit-elle, vous avez sans doute bien fait. Mais j'espère que la compétition chez Roy n'a pas été à l'origine de cette décision?
– Du tout, j'ai accepté l'invitation parce que j'aime l'Amérique.
– Pourquoi? demanda-t-elle. Pourquoi?

– C'est ma Terre sainte. Depuis l'âge de vingt ans je viens ici pour me gorger d'événements, de chocs, de progrès, d'admiration, de colère parfois. Je souffre d'une attirance folle, d'une jalousie démente... Mais ici, je comprends notre siècle.

– Vous serez vite dégrisé. En Amérique, on ne survit qu'en se battant sans répit.

Je hochai la tête, je devais encaisser sa leçon, je ne devais par l'effaroucher.

– Il est 15 heures, dit-elle, vous pourriez encore arriver à temps à San José et prendre là-bas un vol pour Reno... ensuite louer une voiture et prendre la direction de Carson City, le ranch est dans le secteur. Ce serait amusant, n'est-ce pas?

Je serrai le combiné à faire craquer mes articulations.

– Oui.

– Le ranch se trouve à une vingtaine de minutes de Carson City. Sinon, dit-elle... Laissez-moi réfléchir.

J'avais peur qu'elle change d'avis.

– Sinon?

– On pourrait aussi se retrouver à Las Vegas. Je loue à l'année une suite au Caesars Palace, je vous y invite. De San José, vous avez des vols tout l'après-midi, si vous les manquez tous, louez un avion-taxi. Je vous inviterai ce soir à dîner. Aimez-vous Las Vegas?

– Je ne connais que sa légende.

– Quelle chance, dit-elle. Je pourrai vous présenter la ville, c'est un vrai plaisir que d'assister aux étonnements des Européens... Nous pourrions y passer un peu de temps, ensuite si vous n'en avez pas assez de moi, vous viendriez au Golden Rain, pour monter à cheval.

Les chevaux étaient de trop, c'est elle que je voulais. J'acceptai le rendez-vous pour le soir même à l'aéroport de Las Vegas.

– Le premier arrivé attend l'autre... à la sortie des bagages, dit-elle.

Parce qu'elle insistait, je lui ai dit dans quel hôtel j'étais à Santa Cruz, et je lui ai promis de la rappeler pour lui indiquer l'heure de mon arrivée à Las Vegas. Je raccrochai, j'appelai le standard et je demandai l'aéroport de San José. Au bout d'un quart d'heure, j'avais ma place réservée dans l'un des vols en fin d'après-midi. J'aurais juste le temps de parcourir la distance entre Santa Cruz et San José, où je devais rendre ma voiture. Je rappelai Angie pour confirmer l'heure de mon arrivée, puis j'emballai mes affaires.

Je me trouvais déjà sur le pas de la porte, quand le téléphone sonna. Si elle se décommandait? Je décrochai, inquiet.

– Éric?

– Angie?

– Juste un mot : le rendez-vous n'est plus à l'aéroport, mais au Caesars Palace. Je viens de retenir une table dans le restaurant japonais, pour 21 h 15. Je vous attends à l'hôtel, demandez qu'on vous conduise à ma suite. A tout à l'heure!

Je jetai un dernier coup d'œil par la fenêtre, j'apercevais, au-dessus de la mer bleue, le mirage d'un portail en or et en brillants qui allait s'ouvrir. Le destin venait de m'accorder une prolongation de séjour en Californie.

J'avais dépassé l'heure du départ officiel de l'hôtel, mais j'avais invoqué un événement familial qui m'obligeait à partir dès aujourd'hui. La fille du comptoir avait haussé les épaules et ne m'avait pas compté la nuit. Tout au long du trajet, sur la route large et sinueuse, je me préparai à la rencontre. Je devais obtenir un emploi, j'allais saisir l'offre, même la plus modeste.

Malgré les travaux sur la route et les embouteillages, j'arrivai à temps à l'aéroport de San José. Je rendis l'Oldsmobile à l'un des guichets de location, je payai mon billet d'avion, j'embarquai pour Las Vegas. Je contemplais par le hublot le crépuscule rose bonbon. Je regardais le désert que nous survolions. Avant d'atterrir, j'aperçus, dans les derniers rayons de clarté, une tache bleue violente, le lac Mead.

A l'aéroport de Las Vegas, je louai une Buick, on me consentit un prix pour cinq jours, mais, si je la rendais plus tôt, j'allais payer le tarif sans réduction. Ayant étudié le plan de la ville qu'on me tendait avec la clef de la voiture, je m'engageai sur une route bordée de palmiers, de plantes, de fleurs. L'obscurité douce et chaude me recouvrait comme un duvet, je longeai une route plate, bordée de motels et de panneaux publicitaires, puis j'arrivai sous une pluie de lumières dans la ville la plus sophistiquée du monde. J'ai vu des films tournés à Las Vegas, des photos, des reportages, tout semblait fade et artificiel à côté de l'éblouissement que réservait aux voyageurs ébahis cette ville dont la folie apparente n'est qu'un artifice de lumières, de scintillements, de déboulement des cascades d'ampoules et de néons qui décorent et animent les façades. Dans le flot continu des voitures, j'aperçus de loin l'immense panneau publicitaire du Caesars Palace, je tournai à gauche pour m'approcher, entre des haies de jets d'eau illuminés, de la porte principale. Des geysers de lumière grimpaient vers le ciel et retombaient en cascades, éclaboussant les environs de leurs éclats. A l'entrée principale, un portier déguisé en général m'accueillit, se pencha vers moi et demanda, par-dessus ma vitre baissée :

– Vous avez réservé, monsieur?

– Je suis attendu par Mrs. Howard.

Aussitôt on prit soin de ma voiture, de mes valises, de mes raquettes. En traversant le hall peuplé de machines à sous et de joueurs, j'appartenais déjà à un autre monde. Je demandai à la réception le numéro de la suite de Mrs. Howard, puis je l'appelai par l'un des téléphones intérieurs. A la première sonnerie, Angie décrocha.

– Bonjour, Angie.

– Hello, Éric! Bienvenue à Las Vegas!

Je vivais un fantasme : une Américaine seule, riche et libre, m'attendait dans sa suite au Caesars Palace! Sorti de l'ascenseur, j'avançai sur la moquette épaisse, je suivis les numéros et je frappai chez Angie. Elle ouvrit la porte, vêtue d'un fourreau pailleté, dont les éclats noir et argent soulignaient la clarté de ses cheveux blond platine.

– Hello, entrez.

Je me trouvai dans un petit hall qui desservait le salon et les deux chambres à coucher.

– Bonsoir, me dit-elle en français, et elle se pencha vers moi.

Je l'embrassai sur les joues.

– Vous, c'est par ici, dit-elle en me précédant dans l'une des chambres d'un luxe discret, puis elle me montra ma salle de bains, précédée d'un dressing-room.

Je me retournai vers elle, je voulais un coup d'éclat, tout en comptant ferme sur son refus :

– Si nous renversions la situation, Angie? Si je prenais la suite et si je vous invitais, moi?

– Quelle jolie idée! dit-elle. Mais ici, vous êtes sur mon territoire, c'est moi qui vous reçois. Quand je viendrai en France, les rôles seront inversés. Katharine m'a dit que vous aviez une propriété près de Paris et aussi des chevaux...

– Des chevaux? Non, pas de chevaux.

Katharine avait ajouté des chevaux à ma ferme-mensonge. Ces deux femmes avaient dû parler de moi, discuter de mes éventuelles qualités, chercher mes défauts.

– Pas de chevaux, répétai-je. Non. Je n'ai qu'un chien, que garde une vieille dame, la gouvernante que j'avais à Paris et à qui j'ai proposé de s'installer au Mesnil-le-Roi.

– Elle a sans doute été heureuse de quitter la ville pour la campagne, mais le chien doit souffrir de votre absence, Éric.

Je me moquais des problèmes du chien fantôme.

– Nous nous retrouvons pour les week-ends.

Je m'enfonçais dans les mensonges.

– Quelle race?

Je cherchai, il fallait me décider vite.

– Un cocker.

– Ils ne sont pas grands!
– C'est un grand cocker, le mien.
– Il faut prendre bien soin de ses oreilles, dit-elle.

Et mes oreilles à moi? Elles commençaient à sonner d'impatience.

Elle s'inquiétait :

– Dès que vos valises arriveront, vous pourrez vous changer.

En effet, quelques minutes plus tard, le bagagiste arriva. Je lui donnai cinq dollars.

– Vous êtes généreux, remarqua Angie. C'est bien. Ces gens-là ici le méritent.

Depuis quelque temps, infiltré comme leur égal au milieu des gens riches, j'avais découvert qu'ils étaient économes. Je me retirai dans ma chambre, j'accrochai mes vêtements, je me lavai le visage, je pris une veste foncée et une cravate italienne, je retraversai le petit hall et je frappai à la porte d'Angie.

– Je suis prêt. Nous pouvons descendre quand vous voulez.

Elle portait sur sa robe noire pailletée une veste chatoyante, et, autour du cou, un collier en brillants, juste un tour de cou, mais quel tour! Des diamants blanc pur, avec les boucles d'oreilles assorties, rendaient son visage plus lumineux, son regard semblait plus gai, elle était fine, élégante, elle avait de la classe, donc elle m'émouvait.

– J'aime votre parfum.
– Vous le reconnaissez? Du muguet...

J'aperçus dans un seau à glace une bouteille de champagne.

– Vous voulez l'ouvrir? demanda-t-elle.

Le trac me rendait maladroit, je luttai avec le bouchon, mais je réussis. Elle porta le verre à ses lèvres, je fis de même :

– Une coupe de champagne de temps à autre... La fête...

Nous avons fait « tchin-tchin ». Je la trouvais sensationnelle, dans sa robe-armure, j'admirais ses jambes moulées dans des bas noirs brodés de fleurs aux pétales scintillants, et ses chaussures ornées de motifs pailletés.

– A votre santé, répéta-t-elle.
– A la vôtre.

Elle me regardait avec un intérêt non dissimulé. Je souriais. Je frôlais la chance, il fallait la saisir, la capturer.

– Angie!
– Oui?
– Vous êtes belle.
– Merci.

Nous sommes partis de la suite, nous devions ressembler de loin à un couple habitué à marcher du même pas. Pour être sûr que je ne rêvais pas, je touchai légèrement le bras d'Angie. Elle leva la tête et me sourit.

Chapitre 10

Elle plaisantait dans l'ascenseur et s'inquiétait de savoir si j'aimais la cuisine japonaise. Elle m'expliqua que le restaurant du Caesars Palace était célèbre dans le monde entier. Ce monde n'était pas le mien.

Nous traversions la foule agglutinée devant les rangées de machines à sous, cette foire sidérale m'éblouit. Nous avancions dans la cathédrale de l'argent, le clinquant et les cliquetis, les sons et les fortunes, les futurs suicidés et les cloportes se confondaient dans des scintillements de néons fous. Quelques femmes maquillées comme dans un *funeral home*, le regard fixe ombré de faux cils. Le manche des machines à sous ne se refroidit jamais; les mains passent, chaudes.

Le restaurant, une petite pagode, dominait cette salle qui semblait s'étendre à l'infini; on y accédait par un pont miniature tendu comme un arc au-dessus d'une pièce d'eau. Sur la terrasse, des geishas au maintien militaire et au visage crayeux servaient des boissons aux clients qui attendaient leur tour. L'intérieur était luxueux, calme; sous la surveillance incessante du patron, les heureux élus, déjà assis, dégustaient les lamelles de poisson cru enroulées autour du riz cuit avec des herbes et décoré d'algues multicolores.

– Ils ont le meilleur sushi du Nevada, dit Angie.

Nous avions une table de coin; les poissons étaient présentés sur un lit d'algues. Nous étions sophistiqués, elle naturellement, moi en frimant, je tenais les baguettes d'un air entendu, mes festins dans des restos chinois de Miami m'avaient entraîné à cet exercice, là-bas, c'était les baguettes ou les doigts. J'étais désorienté face à cette veuve doublée d'une orpheline, et millionnaire de surcroît. Aucun de mes fantasmes n'avait prévu cette situation compliquée.

Elle me parla avec le plus grand naturel, comme si notre rendez-vous avait été pris depuis de longs mois. Elle racontait la mort de ses parents, et décrivait les qualités humaines et professionnelles de son conseiller, Sean Sanders, le meilleur ami de son père et administrateur de la Compagnie. Sa beauté intelligente me fascinait, sa connaissance des affaires et des chiffres m'étonnait. Le patron de la boîte vint nous saluer. Ce Japonais impassible n'avait récolté en ce qui me concerne que des bribes de renseignements : j'étais français, ingénieur et de passage. Saturé de nos compliments, il partit, l'air sévère, faire le tour des tables. Angie me demanda si j'étais déjà allé au Japon, je lui répondis que hélas, ma firme n'avait pas de relations avec l'Asie.

– Pour nous, dit-elle, ce sont les adversaires les plus redoutables. Ils veulent tout, tout acheter. Je les connais assez bien, j'ai même quelques relations de collège, surtout avec la fille d'un puissant industriel. Les collèges sont des viviers de relations... Éric, vous vous sentiez bien chez Roy?

Pourquoi me posait-elle cette question?

– Il est sympathique, et ses amis sont charmants. Mais ce n'est pas seulement à cause de Roy que je suis triste et que j'ai le cœur plus lourd de quitter les USA.

J'espérais qu'elle allait demander : « A cause de qui? » et que je répondrais « Devinez! ». Mais elle ne perdait pas son temps à ce genre de badinage.

– Vous lui avez dit que vous voudriez rester ici?

– Non. Je n'utilise jamais une relation amicale pour régler mes affaires professionnelles.

Elle m'en fit compliment :

– Si tout le monde était comme vous, la vie serait plus confortable, on ne risquerait pas d'être piégé à n'importe quel moment. Mon invitation vous a surpris?

J'avançais sur un terrain miné, je devais doser les mots et les notions. Je ne devinais même pas le rythme des conquêtes et des échecs de ce milieu. Qu'attendait-elle de moi?

– Surpris? Non. Vous m'aviez parlé de cette éventualité lors du barbecue. Je me suis embrouillé dans les numéros de téléphone, j'allais quitter les USA sans vous dire adieu.

– Vous étiez agacé ou triste?

– Plutôt triste.

– Vous êtes sincère? demanda-t-elle.

– Ce serait absurde de mentir.

Elle souriait :

– On ment souvent, par nécessité mondaine ou commerciale; ce que je trouve inadmissible, c'est de mentir à quelqu'un qui vous fait une totale confiance. J'attache plus d'intérêt à la confiance qu'à l'amour. Elle est sacrée.

J'entortillai sur mes baguettes les algues rousses et vertes. Étais-je un passe-temps pour un dîner? Qu'attendait-elle? Un mâle qui l'étreigne sur le lit, le frère qui compatit, le confident à qui l'on peut tout raconter parce qu'il est honnête et, surtout, parce qu'il s'en va? J'aurais donné quelques mois de mon existence incertaine pour savoir ce que je devais dire. Je choisis le silence, je n'osais m'aventurer sur le terrain des flagorneries du genre « vous êtes belle », je risquais à chaque seconde de me casser la figure. J'étais le prolo de Paris face à un fantasme.

– Je sais peu de chose de vous, Éric, dit-elle. Et vous ne me posez pas une seule question.

Je pris le ton d'un James Bond décrépit qui a réponse à tout :

– Vos cheveux sont bouclés naturellement?

Mais j'abandonnai rapidement la tentative, cela ne m'allait pas.

Elle riait :

– Vous êtes drôle! Heureusement, oui. Mon père était un roux bouclé, ma mère une blonde scandinave, ça donne ma couleur, plus les boucles.

– Ravissant, dis-je.

Je ne risquais rien avec ce « ravissant ».

– Merci, mais je n'y suis pour rien. C'est la nature.

Tantôt elle manifestait un intérêt intense à mon égard, tantôt elle devenait neutre et mondaine, puis soudain, presque intime. Je la désirais, la présidente de la compagnie Ferguson, je désirais cette PDG aux seins finement dressés sous la robe brodée, au regard parcouru de mille reflets dorés, aux lèvres appétissantes. La propriétaire de la compagnie Ferguson avait de longs cils recourbés. Elle suscitait une envie ample, d'une gamme étendue, psychique et physique, elle était le symbole vivant de tout ce que je voulais, la beauté en plus.

– Angie?

– Oui, Éric.

– Qu'attendez-vous de notre soirée?

Baiser ou pas baiser. C'était la vraie question. Et si oui, fallait-il être pressé?

– Vous êtes sympathique et je suis seule, répondit-elle. En venant ici, j'ai fait le bilan. Je vis dans un huis clos, les mêmes gens, les mêmes mots, les mêmes visages, c'est ce qu'on appelle : un cercle d'amis. Vous êtes un homme neuf, séduisant, très correct. Quelqu'un qui a des réactions différentes des nôtres. Vous êtes, je crois, plus vrai que nous.

Ça voulait dire quoi, « plus vrai »? Plus con, plus lent, plus difficile à la détente? Le manque d'argent rend timide. Il fallait la manipuler. Elle n'attendait que ça, sans vouloir m'aider.

Elle se pencha vers moi :

– J'aime l'Europe. J'ai souvent été en France. Si vous restiez par ici, nous pourrions avoir quelques jours agréables ensemble, on ferait le tour de mes maisons.

Me voyait-elle comme un don Juan égaré chez les Yankees ou me prenait-elle pour un cobaye? Mon orgueil, comme un vieux dragon, se réveillait. Une relation hybride, à l'avance me perdrait.

– Angie, soyez franche. Que voulez-vous? Je ne suis pas un invité très confortable. Taciturne et soucieux, je me sens encombrant. Je reconnais que vous me plaisez, mais je ne voudrais pas m'embarquer dans une histoire sans issue. L'Amérique me fait déjà assez mal.

Elle posa sa main sur la mienne, une seconde.

– J'ai une envie de présence tendre. L'amour physique me semble secondaire, c'est un aboutissement et seulement dans le mariage. Je suis vieux jeu. Le problème n'est pas le corps, mais l'âme. On a toujours besoin d'un ami.

J'allais sangloter, j'avais donc en face de moi une grande romantique?

Elle continua :

– J'aimerais mieux vous connaître, découvrir vos penchants, votre idéal.

J'avais envie de m'exclamer : « L'argent et le pouvoir! Le reste vient ensuite tout seul. »

– Mon idéal? Une existence professionnelle qui me satisferait, une compagne avec qui je partagerais tout, une vie proche de la nature.

Je soupirai :

– Une sorte de pureté, de l'air et des intentions.

Je me trouvais admirable, elle aussi.

– Ce que vous venez de dire me touche profondément. Vous saurez plus tard la raison.

Une serveuse au visage blanc, vêtue d'un kimono de soie orné d'une obi, remplit une fois encore de saké le petit bol en faïence. J'étais étonné de l'effet de ma belle définition.

– Je suis de plus en plus persuadée, dit-elle, que notre rencontre a été décidée par une force supérieure, par une attirance magnétique qui permet à certains êtres prédestinés l'un à l'autre de se rencontrer. Avant d'aller plus loin, je désire m'assurer que vous êtes un homme libre, je veux dire, d'une liaison, de tous engagements sentimentaux...

– Jusqu'à mon arrivée chez Roy, je n'étais passionné que par mon travail et, hélas, mal à l'aise dans ma vie professionnelle. Je suis comme un ancien cheval de course réduit à promener des gosses dans un manège.

Elle était infiniment attentive.

– Quelle est votre priorité, votre vie personnelle ou votre carrière?

– L'un ne va pas sans l'autre. Je suis de la pire espèce, ni génie ni fonctionnaire. Quand on se trouve entre les deux, il est difficile de s'imposer. J'aimerais créer.

Elle intervint :

– On se crée l'existence qu'on veut si on aime la vie.

J'avais vraiment envie de lui dire : « Surtout quand on a votre compte en banque. » Je me freinai prudemment, le moment était peu propice pour des plaisanteries de potache. Je pris un air condescendant en l'écoutant.

– Dès l'âge de dix ans mon père m'a préparée à assumer un jour l'héritage, la compagnie... Adolescente, je ne m'intéressais qu'aux animaux, je voulais devenir vétérinaire, ou bien apprendre le langage des dauphins. Tout ce qui concerne la nature m'intéressait bien plus qu'un traité d'économie, mais j'étais docile, je suivais la ligne tracée par mon père. Je l'aimais trop pour le décevoir, pour l'inquiéter.

J'abandonnai une seconde le pieux contrôle que j'exerçais sur moi :

– Vous auriez pu vous permettre n'importe quel fantasme bucolique...

Elle prit son verre, puis le déposa, sans y avoir touché.

– Fantasme bucolique? Votre formule est désagréable, choquante même. Il y a dans chaque être humain un terrain sacré qu'il ne faut pas piétiner.

– Je reconnais que mon humour est grinçant. Je suis dénaturé, j'imaginerais davantage une histoire d'amour avec une entreprise qu'avec une femme, alors, le monde des dauphins...

Elle me contemplait, je devenais l'objet à prendre où à jeter.

– Avez-vous des espaces intérieurs? demanda-t-elle.

Les traquenards métaphysiques d'une gonzesse en mal d'existence me hérissaient.

– Expliquez-vous, Angie.

– Rêvez-vous d'espaces à vous pour vos yeux, pour votre âme, de grandes plaines, de grands vents?

Il fallait jouer serré. Encore un peu et elle ferait danser la table.

– Qui ne rêve pas d'horizons...

Elle se pencha vers moi :

– Il y en a plus que vous croyez. Pourquoi n'êtes-vous pas resté aux USA quand vous aviez vos vingt ans?

La garce venait d'enfoncer le couteau dans la plaie.

– Je n'étais pas mûr pour une décision de ce genre, je pensais aussi à ma famille. Pour vivre, une attache professionnelle ne suffit pas, même avec un continent à conquérir.

– Et depuis que vous me connaissez? demanda-t-elle anxieuse.

– Ma vision de l'avenir est brouillée. Vous me perturbez.

– C'est tout? dit-elle. Juste « perturbé »... Vous n'êtes pas tombé amoureux de moi?

– Angie, comment pouvez-vous dire une bêtise pareille?

– Tomber amoureuse de moi, c'est une bêtise? Merci pour le compliment.

– Vous raconter une folle et soudaine passion, à vous? Votre beauté et votre argent me paralysent, et je tiens à ma dignité.

– Comme c'est précieux un homme foncièrement honnête! dit-elle doucement.

J'étais sur la bonne voie. J'avais trouvé le filon, le ton juste, je commençai à espérer. Un type aussi honnête que moi est un bienfait incontestable autant pour une femme que pour une société. Ayant réfléchi quelques secondes, je jugeai utile d'accentuer le côté austère et assez autoritaire. Un macho caressant. C'est ce qu'il fallait.

– Vous êtes belle. Pire, vous êtes redoutable. Qui oserait vous raconter des bobards? Face à votre intelligence, le menteur serait perdu.

– Vous trouvez? dit-elle flattée. Je ne me considère pas si intelligente que ça... Si c'était le cas, j'aurais moins souffert dans le passé. Hélas, j'ai trop cru aux boniments de toutes sortes.

Je hochai la tête, peiné. J'avais épuisé mes réserves de compliments. Elle me débitait alors des questions précises, elle frappait au bon endroit.

– Vous aimeriez vraiment vous installer en Californie?

– En Californie, ou sur la côte Est. Qu'importe. Mais n'y pensez plus, Angie. Je n'ai pas accepté l'invitation de Roy pour quémander un travail, et je ne suis pas venu dîner à Las Vegas pour convaincre la propriétaire d'une compagnie de m'engager. Ne gâchons pas ces moments de plaisir.

– Roy m'a parlé de vos diplômes, de vos...

Je jouai quitte ou double, et je dis :

– Si on changeait de sujet?

Pour avoir tout le temps pour m'interroger, Angie imposait une lenteur exaspérante au repas. Les gens arrivés en même temps que nous partaient déjà, d'autres, condamnés à attendre sur la terrasse, entraient et s'installaient aux tables fraîchement dressées.

– Vous avez de la famille en France, continua-t-elle, un oncle, n'est-ce pas?

Kathy avait dû lui raconter mes histoires, je devais continuer à inventer, à peaufiner.

– Oui. S'il ne perd pas ses biens en une soirée à Monte-Carlo, j'hériterai de lui une somme confortable.

– Parlez-moi de votre mère. Je crois avoir compris que ses parents avaient des usines en Allemagne, n'est-ce pas?

Roy l'avait bien renseignée. Je fis un petit geste que je considérais comme désinvolte, élégant.

– C'est fini. Il faut laisser le passé sous la cendre. Les usines ont été rasées par les bombardiers américains. C'était l'Histoire.

– Vous allez souvent en Allemagne?

– Non. Du tout.

– Vous n'avez jamais voulu retrouver vos racines allemandes? demanda-t-elle, presque irritée.

– Non. J'ai fui les survivants, les gens de la génération de ma mère. Ils ne racontaient que des histoires de guerre... Trop décourageant.

Elle avait bon dos, la guerre. Elle était utile, la guerre. Qui aurait osé mettre en doute le résultat des bombardements? J'en remis un peu :

– Le château de mes grands-parents allemands n'était plus à la fin qu'un tas de ruines. Alors moins j'entends parler de tout cela, mieux je me porte.

– Éric, ne soyez pas injuste, ne les reniez pas, ils ne sont pas responsables de la cruauté de l'Histoire.

– Je ne renie rien du tout. La preuve, j'en parle.

Comme j'en avais marre d'analyser mes états d'âme improvisés selon les besoins du moment! Le repas s'éternisait. Et si je tressais une couronne avec des algues et si je l'accrochais autour de mon cou? J'en eus assez d'elle, du restaurant chic, de la geisha imperturbable, des analyses rapides d'Angie, et de ses définitions qui me reléguaient à l'état de cochon d'Inde.

– Roy a dû vous le dire... mon premier mariage a été un échec, et le deuxième s'est terminé par un drame. Vous le savez?

J'étouffai un gros soupir. A nous maintenant, son passé à elle. J'évitai le piège de justesse :

– Roy était préoccupé par la compétition, et moi, peu curieux. La seule certitude que j'ai en ce qui vous concerne, c'est que vous êtes superbe!

Prudent, j'ajoutai :

– Je suis navré si vous avez souffert, quelle qu'en soit la raison. En tout cas, triste ou pas, vous êtes vraiment éblouissante.

Elle jouait avec son collier de diamants, ni trop large, ni trop long, un tour de cou d'un bleu-blanc à faire pleurer d'émotion un bijoutier de quartier. Il y en avait un dans ma rue à Paris, il vendait des chaînes légères comme une plume et des bagues avec de minuscules diamants. Angie rejeta la tête en arrière, puis se redressa. Elle frissonnait à l'intérieur de sa carapace, elle me désirait. Elle voulait m'avoir, je sentais le besoin qu'elle éprouvait de me posséder. Il n'y avait rien d'épidermique dans cet appel. Quelque chose d'autre, mais quoi?

– Pour ce soir, j'ai fait un effort. Depuis quelque temps, j'avais tendance à me désintéresser du monde, des sorties, des vêtements. Ah oui, j'allais oublier. Juste un détail, ne soyez surtout pas choqué : n'avez-vous pas des penchants homosexuels?

– J'aurais déjà « penché ». Je n'ai pas la carte du PC non plus et je suis séronégatif.

– Qu'appelez-vous PC?

– Parti communiste. Toujours mal vu ici, c'est normal. Les problèmes politiques Est-Ouest existent.

– Pas pour moi, j'ai écarté tout cela de ma vie. J'ai d'autres centres d'intérêt. Pourquoi dites-vous être séronégatif?

– Parce que c'est vrai. J'ai un papier qui le prouve.

– Vous avez trouvé utile l'examen?

– Cela fait partie de l'existence.

– C'est vrai, dit-elle. Resteriez-vous aux États-Unis si on vous offrait une situation équivalente à la vôtre en France?

– La mienne en France n'est pas un cadeau. Évidemment, je resterais! Mais je connais les difficultés. Il est pratiquement impossible d'obtenir un permis d'établissement pour un ingénieur chimiste moyen. Je ne suis pas un futur prix Nobel.

– Racontez-moi ce que vous savez faire, Éric.

– Je suis un bon organisateur, un manager, je connais bien le marché international, je pourrais être un conseiller fiable pour les investissements en Europe.

Ma modestie se révéla payante.

– C'est clair, dit-elle. Et, par miracle, vous avez conscience du fait qu'une entreprise américaine, expérimentée de l'intérieur, est totalement différente de ce que les Européens imaginent. Selon moi, vous pourriez vous adapter.

– Je suis tenace et humble quand il faut apprendre... Au bout de quelques mois, je pourrais former une équipe et prospecter le marché français, allemand, italien... Les Européens sont à la fois fascinés et effrayés par 1992. J'indiquerais bien avant les endroits propices à l'implantation de nouvelles usines.

– Je vous remercie pour votre précision, dit-elle.

Puis elle ajouta :

– Si je vous épousais, vous auriez facilement le permis d'établissement, la *green-card*.

La phrase tomba sur ma tête comme un pot de fleurs d'un balcon.

– Je ne suis pas sourd, mais voulez-vous répéter?

Elle articula :

– Si vous m'épousiez, vous n'auriez aucun problème pour rester aux USA.

Voilà la raison de l'invitation : elle était folle! Folle à lier. Psychopathe de charme, allumeuse intellectuelle, nympho patiente déguisée en veuve pudique. J'étais foutu. Il fallait me dégager. Les folles repoussées deviennent, à la suite de leurs échecs, les pires ennemies.

– Vous vous moquez de moi. Un mariage d'intérêt? Pour mon intérêt? Ça ne va pas, ma jolie Angie, vous vous payez ma tête. Pensez à la rigueur, si vous en avez envie, à m'engager dans votre Compagnie, mais pas à m'épouser...

Elle s'exclama :

– Pourquoi vous énerver? Je suis intéressée par ce mariage, pour différentes raisons. En m'engageant avec vous, je n'aurai pas de déception parce que je n'attends rien. Juste l'honnêteté. Vous êtes beau... Mais non, ne protestez pas, hypocrite, vous êtes séduisant et libre. Vous pourriez être le compagnon idéal, et, le jour où vous en auriez assez de Los Angeles, nous partirions vivre en Afrique.

– Angie, ne vous moquez pas de moi! Vous n'avez pas besoin d'épouser un obscur petit Français, un égaré du vieux continent, pour un apprentissage en Californie et ensuite, jouer à l'écolo en Afrique.

– Ça veut dire quoi, m'interrompit-elle, « jouer à l'écolo »?

– Rien. Bref. Épousez un type comme Roy, je suis sûr qu'il serait tenté, ou bien regardez autour de vous, il y a sans doute des gens intéressants, pionniers dans l'âme. Vous connaissez de grands patrons, des industriels. Parmi eux, il y a sans doute des « clients » pour le « retour à la nature ». Comparé à eux, je ne suis rien.

Elle avait le regard d'une élève sage.

– Calmez-vous, Éric, j'admets votre point de vue, mais je raisonne différemment. Ayant traversé l'épreuve qu'est pour un Européen l'apprentissage de la vie en Amérique,vous pourriez avoir envie de changer de vie. J'attendrai...

D'un geste impatient, je refusai une ultime ration de saké que la geisha enfarinée me proposait, j'étais humilié, les plaisanteries d'Angie me réduisaient à l'état d'homme-objet. Je la détestais. Je voulais en finir avec cette soirée.

– Angie, vous êtes une enfant gâtée et moi, un pessimiste-né. Nous nous sommes rencontrés par une pure coïncidence, je suis là par hasard, restons bons amis... Je m'en irai demain.

– Si vous vouliez m'écouter...

Ce chat de grand luxe voulait taquiner la souris. Je supportais de moins en moins sa supériorité.

– Vous n'êtes pas là par hasard, Éric. Vous avez voulu me retrouver, vous avez souvent appelé... Il y avait une raison.

– Oui. J'étais désœuvré, vous êtes belle, vous représentiez un lien de plus avec l'Amérique, c'est tout.

On lui avait apporté l'addition, elle la signa en jetant un coup d'œil sur le chiffre qui figurait au bas de la fiche. Puis elle se tourna vers moi :

– Je suis superstitieuse... Lors de la réception d'adieu, j'ai fait un pari et une promesse. Je me suis dit : s'il appelle vraiment souvent, alors je vais lui faire donner le deuxième numéro du ranch. Au premier, le mien, le personnel ne répond jamais.

Je rougis :

– Vous saviez que vous iriez au ranch...

– Oui.

– Et vous m'avez fait faire la tournée des téléphones muets?

– Je voulais une preuve...

– Quelle preuve?

– Que vous vouliez vraiment me revoir.

– Sans en chercher la raison?

– Non. Fataliste, je jouais à pile ou face. Vous sembliez détaché de mes amis, vous ne les voyiez même pas. Comme je provoque souvent le destin, je me suis dit : « Et si je pouvais être la première femme dont il tomberait amoureux? »

Le restaurant se vidait.

– Angie, vous auriez trouvé normal que l'obscur petit ingénieur chimiste parisien, à la recherche d'un travail aux USA, tombe « amoureux » de vous? Même si, par hasard, cela avait été vrai, j'aurais dû cacher ce sentiment, le nier pour ne pas apparaître comme un sale opportuniste. Je suis intéressé par mon avenir, mais pas au prix du ridicule.

Elle m'écoutait, mais, comme la plupart des gens qui ne s'intéressent vraiment qu'à eux-mêmes, elle ne retenait que les éléments qui lui étaient favorables.

– Vous aviez déjà envisagé un mariage d'intérêt. Vous venez de le dire.

– Qui ne l'a pas fait dans son existence? Mais pas avec vous! Vous, c'est trop... Je ne fais pas de rêves casse-gueule. Vous n'avez pas besoin d'une mascarade avec un inconnu sans fortune...

Je me levai.

– Partons, la prochaine fois, c'est moi qui vous invite, à condition de ne pas m'obliger à écouter des sottises.

Le patron nous accompagna jusqu'à la porte. Nous traversâmes le jardin miniature et le pont à la japonaise pour nous retrouver dans le hall du Caesars Palace. Les lumières nous fusillaient, le clignotement des machines à sous, les néons nous imprégnaient la rétine de mauve et de blanc cru. La foire riche en couleurs, l'incessant mouvement de la foule épaisse vous saoulaient. Des filles, décolletées jusqu'à la naissance des seins et les jambes provocantes, se promenaient avec des plateaux chargés de rouleaux de *cents* et de dollars. Elles étaient là pour changer l'argent des joueurs, qui ne se détachaient même pas d'un quart de fesse de leurs tabourets.

Angie avançait dans la foule hétéroclite; à un moment donné, nous fûmes séparés, je la cherchai, elle avait disparu. Puis je la retrouvai.

– Vous êtes si distrait, je vous ai fait des signes, dit-elle.

J'avais la nausée de cette église monstrueuse consacrée à l'argent, je cherchais du regard des vitraux, pourquoi pas des croix pailletées, ou l'effigie d'un dollar sur un autel. Les colonnes illuminées soutenaient la voûte, l'espace résonnait de musique et des vociférations des joueurs. Nous progressions dans un cerveau fou. Un groupe d'hommes et de femmes vêtus de toges et couronnés de laurier passa.

– Ils ont dû participer à une réception privée, dit Angie. Vous aimez vous déguiser?

Je haussai les épaules. Ce genre d'amusement de riches me révulsait; déguisé, je l'étais, mais dans un rôle que je devais jouer. Tourneboulé par la foule, livré aux sons lancinants, de plus en plus oppressé par ce cauchemar, je voulais sortir d'ici.

– Où allez-vous? demanda-t-elle.

– Je ne sais pas... Dehors.

– On peut marcher, dit Angie, ou descendre le Strip en voiture.

– Ça m'est égal...

Nous étions maintenant dans un espace exigu, une clairière dans la forêt humaine. Je désignai d'un geste ses escarpins à talons hauts.

– Vous voulez marcher avec ça?

– Prenons un taxi.

Nous nous ouvrîmes un passage vers l'entrée principale. Une violente dépression m'accablait, l'espoir d'un avenir m'échappait, l'unique et incomparable chance, même sous forme de farce bizarre, allait disparaître. J'avais sué sang et eau pour arriver dans ce monde de fantasmes bruyants. Et si je disais oui, et qu'elle éclate de rire? Je deviendrais à ses yeux, pour toujours, le plouc français dont, le temps d'un dîner, elle s'était payé la tête.

L'un des portiers héla un taxi, le chauffeur nous conduisit sur le Strip, submergé de lumières. Des deux côtés, des casinos, des salles de jeu, des gadgets démesurés et des panneaux publicitaires ruisselants de néons.

Elle se tourna vers moi :

– Si vous avez la certitude que vous ne pourrez jamais m'aimer, alors n'en parlons plus. J'imaginais un contrat qui nous aurait permis, selon mes principes, de vivre ensemble et de se découvrir. Normalement, les gens se marient et, au bout de quelques années, ils sont dégrisés et déçus. Nous aurions pu procéder à l'inverse. Etre légèrement crispés au début, incertains, puis le dégel. Ce qu'est l'usure chez les couples normaux aurait pu se transformer chez nous en amour, sinon en un divorce à l'amiable.

Sa logique était étrange, mais plausible.

– Je n'ai pas dit que je ne pourrais pas vous aimer! Je n'en sais rien. Entre aimer et désirer, il y a un abîme. Reconnaissez au moins que mon attitude est honnête. Quel crédit moral aurais-je, si je clamais à tue-tête : « Mais oui, je l'aime! »?

Elle prit un air buté :

– J'ai horreur des dialogues de sourds, Éric.

J'étais gêné :

– Un taxi n'est pas l'endroit idéal pour discuter.

Je désignai d'un mouvement de tête le chauffeur :

– Il nous écoute.

– Non, il se fiche de nous.

Elle se pencha en avant et lui tapa sur l'épaule :

– Vous vous fichez de nous, n'est-ce pas?

Le conducteur haussa les épaules :

– J'écoute pas. Où allons-nous?

– Tout droit...

Il nous observait dans le rétroviseur, il avait l'habitude des cinglés, rien ne l'étonnait, il ne craignait que les tueurs et ceux qui se suicident sur la banquette arrière à cause de leurs pertes au casino. Nous, on parlait de mariage, un suicide ne risquait pas de salir sa bagnole.

Sur le trottoir de gauche, un clown, comme découpé dans un

livre d'images, se balançait sur son socle de droite à gauche et désignait de son pouce, comme s'il faisait du stop, l'hôtel et la salle de jeu du Circus Circus. Nous continuions de rouler dans un déluge de lumières.

– Éric, voulez-vous m'écouter jusqu'au bout?

– Encore un peu. Si j'en ai marre, je descends.

– J'ai fait un mariage d'amour, c'était le premier, j'étais innocente, je croyais tout ce qu'on me disait, j'ai voulu mon champion de tennis, je l'ai eu. Il m'a quittée. Ensuite, j'ai épousé un psychiatre, on l'a assassiné.

Le chauffeur ayant entendu le mot hocha la tête, nous devenions inquiétants.

– Assassiné?

– Trois balles à bout portant. Les deux domestiques mexicains ont été massacrés eux aussi ce soir-là. Arrivée une demi-heure plus tôt, j'aurais été dans le lot.

Je me taisais, on avançait pare-chocs contre pare-chocs, les voitures s'agglutinaient sous les panneaux de publicité qui bordaient le trottoir.

– Voilà, jusqu'ici, tout ce que j'ai prémédité je l'ai raté, plus je raisonne, plus je me trompe à l'arrivée. Vous m'avez plu, l'idée d'un mariage non fondé au début sur les sentiments me séduit.

– Pas moi.

– Écoutez avant de protester et ne m'interrompez pas. Si j'épousais quelqu'un d'étranger à mon milieu comme vous, étranger au scandale qui m'a éclaboussée, pas au courant des potins et des ragots et aussi, l'élément n'est pas négligeable, quelqu'un qui est dans la branche et qui pourrait entrer dans la Compagnie, l'amour viendrait peut-être, plus tard. Vous êtes séduisant et terriblement honnête. Vous êtes célibataire, vous aimez l'Amérique, vous désirez vous installer ici... Pourquoi ne pas essayer une vie à l'envers? On a une chance sur dix de réussir. Ceux qui se marient amoureux fous n'ont pas plus de pourcentage de réussite.

– Et moi, dans tout cela? Je ne suis pas forcément un objet à prendre pour voir s'il résiste bien au chaud et au froid...

– Éric, je suis sûre qu'après avoir expérimenté Los Angeles, un séjour avec moi en Afrique vous séduirait. Si vous acceptiez de procéder par étape : Angie, la Compagnie, Los Angeles, l'Afrique.

– Quel est mon intérêt dans cette affaire, Angie?

– L'installation aux USA, un poste à responsabilités dans une firme connue, et peut-être un jour l'amour. Ce n'est pas exclu, en tout cas pas pour moi.

– On me traiterait de chasseur de dot...

– N'ayez aucune inquiétude à ce sujet, vous n'aurez aucun accès à ma fortune, dit-elle d'une voix neutre. Je vous garantirai une situation confortable, et digne de mon mari, au sein de la Compagnie. Si nous n'arrivons pas à nous aimer, nous divorcerons. Ensuite, vous serez libre... mais aux USA. Si, vraiment, c'est votre rêve!... En revanche, si par miracle notre pari réussissait, on pourrait même avoir des enfants et les élever dans un monde simple, proche de la nature. La vie à l'envers... La seule promesse que vous devriez me faire : ne jamais me rendre ridicule. Deux hommes se sont déjà moqués de moi, ça suffit.

J'étais ébranlé. Elle semblait sérieuse, j'étais disponible, désespérément libre.

– Angie, marchons un peu, voulez-vous?

Nous avons quitté le taxi, nous nous sommes mêlés à la foule qui déambulait. J'étais soudain enveloppé par un vent chaud, l'effleurement était sensuel, intime, presque indécent.

– Le vent du désert. Il ressemble au vent africain, dit Angie.

– Vent africain?...

– Très spécial. Je l'ai expérimenté au Kenya. Quand il m'a prise pour la première fois, il m'a coupé le souffle.

– Il vous a prise? Étrange définition.

– Ce vent est puissant, il souffle à vous assourdir, brutal, il se propulse par à-coups. Il véhicule la poussière, le sable, les maladies aussi. Je le redoute et je l'aime, je le désire comme je désire l'Afrique, à chaque instant.

Elle ferma les yeux.

– J'aime l'Afrique, dit-elle. Je n'aime que l'Afrique.

Je m'approchai d'elle, je la serrai dans mes bras et je l'embrassai. Elle se dégagea.

– Je vous préviens, si jamais on se marie, on attendra un peu. Mon corps ne répond pas encore...

Je la désirais parce qu'elle était Angie Ferguson. Vendeuse dans une boutique, simple employée quelque part, je l'aurais à peine remarquée. Je me remplissais les poumons de l'air chargé d'oxyde de carbone du Strip. Je la tenais par la main.

– On pourrait agir différemment, Angie, m'assurer d'abord une situation qui me permette de faire mes preuves, me tester, me faire reconnaître professionnellement et nous découvrir peu à peu moralement et sentimentalement. Quand on m'aura accepté vraiment dans la Compagnie, quand je vous aurai méritée et si vous en avez toujours l'envie, vous m'épouserez.

Las Vegas, la ville folle, turbulente, la ville mécanique, la ville de l'argent facilement perdu et de la mort rapidement gagnée déployait ses fastes. Angie me regardait comme si j'avais expliqué un projet devant un conseil d'administration.

– Non, Éric, ma Compagnie est importante, je ne peux pas épouser un de mes employés, déclara-t-elle d'une manière étonnamment sèche. Tandis qu'un ingénieur compétent, français, connaissant le marché, qui serait déjà mon mari, pourrait être nommé directeur d'un secteur et ensuite monter en grade. Mais si vous êtes vraiment trop réticent, n'en parlons plus.

Elle était à peine aimable. Je ne savais plus sur quel pied danser, je ne sentais même plus mes pieds. Des gens sortaient et entraient des établissements, ils formaient des groupes ici et là. Des touristes japonais, aux regards vidés par la fatigue, descendaient des cars qui venaient de s'arrêter. Ils devaient, arrivés de Tokyo au bout de quatorze heures de vol, débarquer directement dans les salles de jeu.

– Cette foule me fatigue, dit Angie. Rentrons à l'hôtel.

Je faisais foirer ma chance et transformais mon avenir en une source inépuisable de regrets.

– Angie, et vos amis? Que diraient-ils? Ils me prendraient pour un homme intéressé par votre fortune.

– Ma fortune? Vous ne parlez que de ça... On peut m'aimer pour autre chose que pour de l'argent, non?... Je ne suis pas bossue, je ne louche pas, merde!

– Vous avez dit : merde?

L'orchidée gueulait.

– J'en ai marre de tant de vieilleries, vos pensées sont moisies! Vous pourriez pourtant comprendre, même avec votre cerveau français qui a besoin de tant de raisonnements... Je vous assure que ce mariage ne vous rapporterait pas d'argent, je vous le garantis. Personne ne pourrait prétendre que vous étiez intéressé.

Elle me rejetait déjà. J'étais déboussolé, injurié, mais soudain fébrile et plein d'espoir, puis je rechutais dans l'angoisse. Et si tout cela n'était pas une farce? J'imaginais la tête de Garrot... on ne peut quand même pas se marier pour emmerder un chef de bureau?

Une voix intérieure fluide et claire me répondit : « Si... on peut! »

Chapitre 11

Dehors, une foule fatiguée d'hommes et de femmes avançait tels des somnambules, les lumières martelaient les rétines. A minuit sur le Strip, même les Japonais avaient un air de lapins frappés de conjonctivite. Je marchais auprès d'Angie, silencieuse, perdue dans ses pensées. Elle me désigna d'un mouvement de tête un petit bâtiment. Nous passions juste devant un décor en carton-pâte bleu ciel, comme la maquette d'une église de village.

– Une *wedding chapel**. Vous savez ce que c'est?

Elle me rejetait dans le fin fond de la vieille Europe.

– Venez... Juste un coup d'œil, vous ne risquez pas grand-chose. Si vous tombez amoureux un jour, vous saurez où vous adresser.

– Angie, n'insistez pas. La plaisanterie...

– Je ne voulais pas plaisanter. Vous ne comprenez rien, je vous proposais un essai, la vie à l'envers. Vous êtes trop compliqué pour me suivre. Entrez.

Nous entrâmes dans le bizarre bâtiment composé d'un hall aux murs ponctués de portes fermées. Dans un coin, affalés dans des fauteuils profonds, trois hommes maquillés, vêtus d'un smoking gris, œillet rouge à la boutonnière, somnolaient.

Une jeune femme assise derrière une table chargée de piles de prospectus – fraîche comme une rose sortie d'un frigo – nous accueillit.

– Bienvenue! Si vous voulez vous marier, j'ai des témoins sous la main.

– Quels témoins?

Angie voulait m'interrompre, mais la fille répondit aussitôt :

* Aux États-Unis, église réservée aux mariages.

– Nos témoins sont souvent des figurants de show. Après le spectacle, ils viennent ici et se font un peu d'argent. Vous avez votre licence? continua-t-elle.

– Non, dit Angie. Nous n'avons pas encore pris la décision. Demain matin, vous aurez beaucoup de monde?

– On ne sait jamais, j'ai quelques inscriptions, vous attendrez peut-être quelques minutes, c'est tout. Vous avez une idée de l'heure?

– On n'a pas encore notre licence, continua Angie.

– Le City Hall ouvre à huit heures, dit la fille. Le temps de remplir les papiers, vous pouvez être ici à 9 heures. Quelle cérémonie voudriez-vous? Juive, musulmane, catholique, adventiste? Ou sans religion?

Elles bavardaient comme chez le coiffeur. Je regardai les lieux, je m'éloignai et j'entrouvris l'une des portes, j'aperçus une grande pièce dont le fond était rehaussé comme une petite estrade avec, devant, quelques rangées de chaises. Ce décor soulignait l'absurdité de l'aventure qu'Angie me proposait. Je n'étais téméraire qu'en théorie, je n'ai jamais cessé d'être miné par l'angoisse, celle des pauvres qui craignent de ne servir qu'à distraire les riches. Angie n'avait peut-être pas tort, notre union pourrait réussir. Je la regardais pendant qu'elle discutait, je devais me réconforter, oui, avec elle, je banderais. Malgré mon aspect de grand sportif, pour que « ça » marche, il me fallait ma mise en scène intérieure. Si je me laissais entraîner dans cette aventure, à un moment donné, je devrais fonctionner sans faille.

Angie se tourna vers moi :

– Éric, vous êtes de quelle religion, s'il vous plaît?

L'employée attendait le renseignement.

– Catholique, par hasard.

Mon salut futur était le cadet des soucis de la belle Hilde, elle ne m'avait jamais accompagné chez la dame du catéchisme qui offrait aux enfants des petits gâteaux et Dieu en prime. Une fois, la mère d'un élève était venue me chercher à la maison. Elle me tendait une main gantée, j'étais le petit prolo dont elle « s'occupait », la BA de la semaine, mais oui! Ma mère est partie pour être photo-modèle à Munich. Elle était grande, belle, blonde, merci maman pour mon mètre soixante-dix-huit. Mon dernier souvenir d'elle, vêtue d'un tailleur élégant, avec un petit chapeau impertinent sur la tête : elle posa un baiser sur un doigt et toucha mon front. Elle considérait sans doute que ses baisers se transformaient comme l'eau bénite. Plus tard, elle m'avait envoyé une photo d'Allemagne, elle avait écrit au dos : « A mon Éric... Je viendrai te chercher dès que possible. *Mutti.* » Elle n'est jamais venue. Je l'attendais, désespéré, fou d'amour. J'étais très « famille » moi, pauvre con...

J'observais Angie. Quelle revanche ce serait de dominer une autre blonde glacée comme maman, en l'épousant dans une chapelle en carton-pâte !

– Je suis croyante, expliqua Angie, mais mes deux mariages ratés m'ont ôté le goût des sermons.

La délicieuse employée la rassura :

– Vous pouvez vous marier sans la moindre allusion à Dieu...

– Je crois qu'en ce qui me concerne, répliqua Angie, il vaut mieux le laisser tranquille, je l'ai déjà trop ennuyé.

– Inscrivez-vous à tout hasard, dit la fille, et précisez s'il vous plaît si vous voudriez un photographe et des fleurs ? Juste un bouquet ?

– Oui, ça oui. Les deux. Photos et fleurs.

– Le prix varie entre quarante-cinq et soixante dollars. Les tirages supplémentaires des photos sont comptés à part.

– Merci. On va réfléchir encore, mais peut-être à demain, dit Angie.

Sur le trottoir, le vent du désert balayait des détritus tourbillonnants et un morceau de carton dévalait en brinquebalant. Elle s'exclama :

– Un signe, Éric. Le vent ! L'Afrique nous encourage à nous jeter à corps perdu dans l'aventure.

L'Afrique était le cadet de mes soucis. Elle leva le regard sur moi, et soudain je la vis présider un conseil d'administration vêtue juste d'un slip, d'un soutien-gorge et de lunettes. Je constatai ravi que mon sexe se raidissait. Ça y était. Si je la situais dans l'univers de son entreprise géante, mon corps répondrait. Si elle voulait vraiment ce mariage, je serais un mari modèle, le meilleur qu'on eût jamais inventé.

Je pris un air solennel :

– Mais supposons que je vous épouse pour une raison que nous ignorons, et vous êtes déçue... Qu'est-ce qu'on fait ?

Elle m'interrompit :

– Aucun problème, le divorce est facile à Reno. Et nous nous marierons sous le régime de la séparation de biens, en ajoutant une clause supplémentaire qui me dégagerait, en cas de divorce, des dommages et intérêts à vous verser.

– Et si je vous quitte, moi ?

– Je vous laisserai partir sans rien réclamer.

Encore heureux pour l'oncle Jean. Je rigolais...

– Explorons l'hypothèse, Angie, si nous divorçons, si le pari du mariage à l'envers est raté, je perdrai aussi mon travail...

– Oh non, Éric, on trouvera toujours un arrangement, mais ne soyez pas si pessimiste, j'ai le sentiment que nous pourrions réussir. Vous allez me faire la cour en étant déjà mon mari et je serai l'épouse qui voudra vous séduire. Je trouve l'idée excellente!

J'imaginais Garrot, jaune de jalousie, et Dupuis, le PDG, qui voudrait me tutoyer. Je pourrais faire racheter toute la boîte par Angie, les recevoir ensuite comme patron et décider si je les garderais ou non...

– Et n'oubliez pas, dit-elle, qu'au bout de la double expérience, la conquête d'une femme et celle de Los Angeles, c'est l'Afrique qui nous attend.

Jouait-elle la comédie?

– En Afrique nous apprendrons à nous aimer très fort. Là-bas on est vrai, Los Angeles est une ville folle... La drogue, je n'en ai pris qu'une fois, une ligne, et avant, quelques cigarettes d'herbe, c'est tout, c'est rien. Mais à Los Angeles, même l'air dérègle, les bas-fonds et les ambitions sont sans cesse confrontés, un vrai enfer, cher Éric.

Elle avait quand même ajouté :

– ... pour certains.

Il fallait me décider. Si je passais à côté de cette étrange proposition, je le regretterais jusqu'à la fin de ma vie. Si je l'épousais, je me modèlerais comme un caméléon, à l'image de l'homme dont elle rêvait. Je serais sans doute nommé directeur du secteur étranger de la Compagnie, et même en cas de divorce, l'avenir serait assuré.

– Si vous me dites oui, je vais appeler Sean Sanders, mon conseiller, pour le prévenir. Il m'indiquera la nature des documents à vous faire signer et chez quel avocat; il est capable de me trouver un notaire n'importe où et à n'importe quelle heure. Je vous promets que je prendrai mes précautions pour que personne ne puisse vous reprocher d'avoir fait un mariage d'intérêt. Je ne vous épouserai pas en Californie, où les biens sont aussitôt communs aux époux. Nous sommes au Nevada... Éric, croyez-vous pouvoir m'aimer un jour?

Elle me regardait, délicieusement incertaine de ma réponse.

– Oui, Angie. Je crois, je l'espère.

Nous avancions dans la foule hagarde, les visages étaient mauves, jaunes et bleus, l'éclairage fusillait les yeux. Sous l'averse de lumières, nous nous frayions un passage dans la masse humaine. Angie débitait des tirades. Tantôt très près de moi, tantôt éloignée puis rejetée à mes côtés, elle décrivait notre future vie.

– Vous allez me comprendre, écoutez bien, avec attention. En dehors des règles morales strictes qui ne me permettent pas une aventure extra-conjugale, je désire aussi introduire un homme jeune dans la Compagnie et m'assurer du regard neuf d'un allié. Vous m'aiderez à me libérer peu à peu en douceur de mon conseil des sages; ils ont vieilli et ils n'ont d'oreille que pour Sean... Je l'aime, Sean, mais l'âge le rend péremptoire et autoritaire, il veut de plus en plus de pouvoirs. Il m'aime, oh oui, mais il est hostile à mes projets africains! J'ai le dernier mot, évidemment, mais je n'aime pas lutter quand il s'agit de mes propres biens. Si vous m'épousez, je vous présenterai lors de la prochaine réunion du Conseil en tant que spécialiste des affaires européennes. Grâce à vos connaissances et à votre passé, je pourrai vous imposer. Quant à mon cercle d'amis, ils vont être éblouis; ils sont snobs et seront sensibles au fait que vous ayez des origines intéressantes, élégantes, à la fois la vieille noblesse française et les industriels allemands... Tout cela me plaît! Éric, nous pourrions avoir une si belle vie, d'abord à Los Angeles, ensuite en Afrique!

Elle m'embrassa sur la joue.

Nous dérivions dans la nuit tiède, en essuyant des rafales de vent chaud. Nous montions vers le Caesars Palace.

– Ne changez pas d'avis, Éric. Je vous ferai nommer directeur d'un secteur important de la Compagnie, vous aurez votre permis d'établissement aux USA et l'estime de tout le monde. Quand ils seront tous conquis, nous partirons pour notre voyage de noces au Kenya, et plus tard, pour toujours.

– Angie, avant de nous promener en Afrique, j'aimerais m'affirmer en Californie...

Elle me regardait, ravie.

– Mais oui, Éric, c'est ça... Je vous laisse tout le temps que vous voudrez. Et un jour, quand vous en aurez assez de notre cher Los Angeles pourrie, polluée, pourtant indispensable au monde, je vous ferai connaître en détail mes projets africains, soumis depuis un an au président du Kenya. Je voudrais obtenir son accord pour étendre le parc national de Masaï Mara, je le persuaderai en lui offrant, c'est-à-dire au Kenya, beaucoup d'argent; je veux les aider à développer leur lutte pour la sauvegarde de la faune. Plus ils auront d'argent, plus ils pourront contingenter le nombre de touristes. Les animaux souffrent, il y a trop de visiteurs.

Elle m'agaçait.

– Angie, les humains en détresse ne vous intéressent pas?

– Je connais les phrases que vous allez prononcer, Sean m'en rebat les oreilles. Mais les humains, ils peuvent protester, parler, tandis que les animaux livrés aux chasseurs sont muets. Savez-vous qu'au parc de Tsavo, les éléphants sont en voie de disparition? Les braconniers préfèrent risquer des années de prison, mais ils les tuent pour l'ivoire, qu'ils vendent très cher.

Je devais faire connaissance avec ses idées, sans doute nobles. Soudain je tenais à ce mariage.

De retour au Caesars Palace, dans sa suite, elle m'invita au salon. Nous étions assis, immobiles et maniérés, comme dans la salle d'attente d'un dentiste chic.

– Éric, nous devrons être patients, surtout vous. Il ne faut pas me brusquer. J'ai été profondément choquée par le drame qui m'a frappée. J'espère de votre part de la tendresse, de la courtoisie, des qualités si françaises. J'aimerais être choyée, et jamais trompée. Pas de mensonges entre nous. Il faut mettre nos vies à plat, et ne rien cacher à l'autre.

Je n'avais rien à perdre et tout à gagner. Nous nous attardions au salon, un verre de champagne à la main. Était-ce le moment de lui avouer mes vérités? J'étais tenté d'être moi-même, mais si elle n'était pas une femme d'une grande qualité humaine, je courais le risque d'une rupture.

– C'est beau, la France, dit-elle. Et là-bas, nous aurons notre maison, une de plus, au Mesnil-le-Roi.

Elle comptait sur ses doigts :

– 1, Beverly Hills; 2, le ranch; 3, Palm Springs; 4, lac Tahoe; 5, Mesnil-le-Roi.

Je la regardai. Parler à cette femme d'oncle Jean, de ma vraie vie? Il lui fallait le pittoresque chic. Mon destin était scellé.

Elle se leva.

– Nous prendrons le petit déjeuner ensemble, demain matin à 7 heures. Si vous changez d'avis, glissez un message sous la porte et je resterai plus longtemps au lit. Sans message, c'est le mariage. D'accord? Au revoir, Éric. Bonne nuit.

J'hésitai entre un léger baiser sur ses lèvres entrouvertes, ou sur son front. Non, trop paternel. J'optai pour l'accolade, joue contre joue. Elle était lisse, Hollywood dans mes bras; dans les films des sixties, l'héroïne était toujours bien coiffée, même captive de la jungle et des Pygmées. Elle était comme ça, descendue de l'écran. Je me sentais plus que jamais étranger. Si elle n'était pas folle, demain je serais son mari. Je l'imaginais immobilisée dans une camisole de force en soie de parachute, emportée par des infirmiers polis. Mais si cette femme était normale et si elle m'épousait, ce serait le paradis! Soudain, j'y tenais comme à la vie!

– Bonne nuit, Angie.

La porte se referma entre le couloir et l'entrée. Je restai

longtemps sous ma douche, je réfléchissais, et, quand je me couchai, je m'endormis péniblement. J'eus une courte nuit, chargée de rêves.

Le matin, nous nous saluâmes avec une indifférence polie, nous prîmes le café au salon et nous nous rendîmes ensuite au City Hall. Une fonctionnaire examina mon passeport et le permis de conduire d'Angie. Nous remplîmes une déclaration à signer sous serment, d'être libres de tous liens conjugaux. L'employée nous délivra une licence. Angie m'expliqua qu'elle avait appelé cette nuit Sean Sanders, elle l'avait mis au courant de sa décision de se marier. Celui-ci devait faire préparer des documents chez un avocat de Las Vegas; sortis du City Hall, nous y sommes allés. Le bureau était une pièce au rez-de-chaussée avec une porte-fenêtre s'ouvrant sur le trottoir. En effet, Sanders avait dicté des textes à l'homme de loi ensommeillé, je signai toutes les attestations qu'on me présentait. Je renonçais pour toujours et d'une manière irrévocable à la fortune d'Angie Ferguson. Si elle mourait avant un divorce éventuel, je me conformerais – sans appel – aux volontés exprimées dans son testament. J'étais étrangement léger et me sentais légèrement blousé, mais je me répétais que mon comportement était élégant et qu'en tout cas je n'avais pas le choix. Ensuite, nous arrivâmes à la *wedding chapel*. Le patron nous accueillit avec un sourire de circonstance, aussi joyeux qu'une plaque de marbre.

– Nous étions là hier soir, dit Angie, nous voudrions nous marier.

– La licence, s'il vous plaît, dit-il.

Il examina le document et le trouva conforme à la loi. Il nous fit entrer dans la petite salle qu'on appelait pompeusement chapelle. Le ministre arrivait en boutonnant sa veste, nous étions les premiers clients de ce matin. Nos deux témoins – étaient-ce les mêmes qu'hier soir? – semblaient s'être tout juste échappés d'une comédie musicale. Le ministre du culte, ni prêtre ni pasteur, me demanda si je voulais prendre pour épouse Angie Ferguson : je répondis par un *oui* énergique, et il interrogea Angie. Voulait-elle prendre pour époux Éric Landler? Elle prononça un *oui* ferme.. Nous échangeâmes des bagues qu'on nous avait prêtées, et que nous avons rendues à la sortie. La lumière violente d'un flash m'imprégna la rétine de petits carrés jaunes; le photographe nous demanda l'adresse à laquelle il devait envoyer nos portraits. Ensuite, nous avons reçu notre acte de mariage, j'étais dorénavant le mari d'une riche Américaine. Dehors, hagard sur le trottoir crasseux, j'hésitai. Quelle attitude prendre? L'embrasser, la féliciter? J'optai pour un baiser sur le front. Elle recula.

– Bon, dit-elle, c'est fait. On va passer à l'hôtel et aller à l'aéroport. Je vais louer un avion-taxi et on fête notre union au ranch.

Elle m'embrassa sur la joue :

– Le début est toujours difficile, mais on va être heureux!

J'imaginais oncle Jean. S'il entendait que je me rendais en avion au ranch de ma femme...

A l'hôtel, Angie me demanda si je voulais appeler mon oncle pour lui annoncer notre mariage. J'avais le sentiment détestable qu'elle lisait dans mes pensées.

– Plus tard. Je dois l'avertir avec précaution. Pour les Français, le mariage est une affaire importante. Surtout lui, à son âge, il doit être ménagé.

Elle noua ses bras autour de mon cou :

– C'est vrai, vous avez là-bas un autre rythme. C'est charmant, la France, je la préfère à la Grèce. Essayons d'être heureux, Éric. On va bâtir notre avenir patiemment. Et si ça ne marche pas...

Elle ajouta, souriante :

– Moi, je suis confiante.

J'étais à l'essai. On pouvait me congédier, me rendre à la France, à mon ancienne vie; ne fût-ce que par défi, je décidai de m'installer pour de bon dans l'existence d'Angie. Je m'efforcerais d'être un rouage brillant dans l'entreprise et un mari à citer en exemple. Irréprochable dans la vie privée, un forcené élégant et poli au travail. Je devrais lutter, arracher un succès professionnel et personnel. Près d'un feu vert qui affichait *walk*, on pouvait traverser, je me dis : au boulot. J'embrassai l'héritière.

Nous atterrîmes au ranch, sur une piste confortable, vers midi. J'aperçus une grande maison blanche, des bâtiments qui devaient être des communs, des écuries peut-être. Des cow-boys circulaient à cheval. Pour moi, le Parisien des embouteillages, des cinémas de quartier, fan de Bogart et amateur des annonces de *Libé*, c'était du feuilleton de télé. Ici, nous nous trouvions directement dans l'atmosphère de Southfork. Je craignais pour ma raison. Je jetai un coup d'œil sur Angie. Elle me semblait plus blonde que jamais, très pâle et sur la défensive derrière ses lunettes de soleil.

L'avion freina brusquement sur le ruban de béton étincelant au soleil. Une jeep nous attendait, un employé mexicain vint à notre rencontre et se chargea des bagages, que le pilote sortait un par un de la carlingue. Nous prîmes place dans la voiture et, au bout d'une dizaine de minutes, nous arrivâmes au portail ouvert du Golden Rain. Nous roulions sur un chemin couvert de gravillons et nous arrêtâmes devant une maison trapue et aimable d'aspect. Je descendis de la jeep, les jambes et l'âme engourdis. J'hésitai devant l'entrée impressionnante : et si c'était vraiment vrai, ce qui m'arrivait...

Angie m'embrassa :

– Je suis contente. Vous allez aimer cette maison, je l'espère.

Le hall était sobre, les grandes dalles brillaient, l'escalier intérieur conduisait vers le palier du premier étage qui devait desservir les chambres. Une jeune femme vint à notre rencontre.

– C'est Carmen, la femme de chambre, dit Angie.

Puis elle se tourna vers la fille.

– Carmen, c'est mon mari, Mr. Landler.

– Bonjour, *Señor*!

Elle me dévisagea avec un vif intérêt.

– Éric, dit Angie, je vais vous montrer notre chambre à coucher, une pièce agréable. Si vous êtes effrayé de vous trouver soudain au lit avec une inconnue – même si elle est votre femme –, vous pouvez occuper la pièce à côté.

Qu'attendait-elle de moi?

La chambre d'Angie était simple et luxueuse, occupée par un grand lit en son milieu, une coiffeuse près de la fenêtre, des lampes, des fauteuils profonds et la porte de la salle de bains.

– Regardez...

Une autre porte s'ouvrait sur une pièce voisine, fort sympathique.

Elle m'attira près de la fenêtre : la plaine, flanquée ici et là d'arbustes solitaires; l'espace s'étendait jusqu'aux lointaines montagnes bleues.

– Beau, n'est-ce pas? Comme un paysage africain.

– Pensez à moi et pas à l'Afrique!

Je l'embrassai et, par acquit de conscience, je voulus glisser ma main dans son chemisier.

– Trop tôt, dit-elle en me repoussant gentiment. Vous dites : « Pensez à moi et pas à l'Afrique. » Il ne faut plus me répéter cette phrase, vous et l'Afrique, vous êtes liés dans mon esprit et dans mes projets.

Je voulais être doux et compréhensif :

– Mais, bien sûr, Angie. Bien sûr. L'Afrique, pour vous, c'est la liberté.

– Pour nous, dit-elle, pour nous deux...

Chapitre 12

Après un lunch rapide, Angie me fit visiter le ranch et ses alentours. Les hommes qui nous croisaient, à cheval ou à pied, nous saluaient en basculant légèrement leur sombrero sur le front. J'admirai les poulains qui gambadaient dans un vaste enclos et je fis la connaissance de la jument d'Angie, une furie blanche échappée d'un tableau de Géricault; dès qu'elle m'aperçut elle recula et, dressée sur ses jambes arrière comme un vrai geyser blanc, me toisa de ses yeux exorbités.

– Lucky Girl est très jalouse. Elle va s'habituer à vous... Voulez-vous que nous sortions un peu? Je peux vous faire seller Domino, un demi-sang.

La proposition était un ordre aimable. Je refusai. Je voulais bien jouer au chien savant, mais pas encore exécuter un numéro à deux avec un cheval. Je détestais l'équitation, j'avais une mauvaise position, les genoux trop serrés, le dos voûté, les muscles fessiers tendus comme des cordons. Angie regrettait mon manque d'envie, elle filait d'habitude comme une flèche, racontait-elle, et en éprouvait un plaisir intense. Je l'écoutai, résigné. Je devais éviter de sombrer à la fois dans le ridicule et dans le plâtre.

En fin d'après-midi, saturé, je ne voulais plus rien découvrir, le décor m'agaçait, le luxe me saoulait. Installé au bord de la piscine, je réfléchissais, je cherchais ce qui plairait à Angie, devrais-je jouer à l'homme impatient d'étreindre la belle mariée? Non, il valait mieux respecter à la lettre ma promesse de réserve et me calfeutrer dans une attente légèrement peinée.

Le crépuscule nous surprit au bord de l'eau. Elton John susurrait l'un de ses succès ravageurs. Avec *Blue Eyes* sur le tympan et la bouche agacée par le goût trop sucré de l'ananas, j'assistai aux conversations téléphoniques d'Angie; elle me demanda de prendre l'écouteur de l'appareil blanc posé sur la table basse à côté de ma chaise longue et me présenta à distance. Je fis la connaissance de Sean Sanders, qui me félicita et m'assura à l'avance de sa fidèle amitié, acquise d'office au nouveau mari de sa filleule. Les unes après les autres, Angie appelait ses amies pour leur annoncer la grande nouvelle. Kathy poussa un cri et me dit que j'étais un cachottier. J'essayais de badiner, oui, j'étais piégé, épris, amoureux. « Mais oui! Angie m'a plu dès notre première rencontre. »

– N'empêche, dit Kathy, vous savez bien choisir l'objet de vos passions! Mais comment avez-vous fait tout cela? Vous vous êtes vus secrètement?

Je bafouillai de belles explications, Angie me jeta de loin un petit baiser. Je regardai les alentours de la piscine, les chaises longues vides, l'eau d'une pureté étonnante, pas le moindre cadavre de moustique ni la moindre feuille flottante. Et près de moi, cette blonde, qui semblait soudain robuste, tout en rire, en chevelure, en mouvements d'épaules, qui décrivait à qui voulait l'entendre notre future vie.

Après le dîner aux chandelles, au salon, debout, le verre de cognac à la main, regardant des tableaux, de nobles croûtes de peintres qui n'ont jamais eu de talent, je cherchais à déterminer le personnage qui pouvait lui plaire. Je ne savais rien d'elle. Était-elle avant son drame une vorace du sexe? Serais-je confronté, dès qu'elle le voudrait, à une course à l'orgasme, en cas de faillite physique, allait-elle bouder? Je l'embrassai sur le front – j'avais un aspect si sportif, si musclé, si assuré, que je pouvais me permettre la manière fraternelle – et je lui dis que selon nos conventions, c'était elle qui fixerait la date et le lieu de notre premier rendez-vous amoureux.

Elle me répondit d'un ton mondain :

– Oui, mon chéri. N'oubliez pas que nous sommes susceptibles d'être amoureux un jour.

Je voulais le dernier mot :

– Je me conforme aux règles définies, mais j'affirme que vous êtes terriblement désirable.

– Je l'espère bien, répondit-elle. Ç'aurait été moins confortable de vous embarquer avec une fille moche, n'est-ce pas?

L'humour de la haute société californienne m'échappait. D'habitude, je souriais au bon moment, mais elle me désorientait. Elle avait inventé une *love story* à l'envers, nous partions d'une situation aussi insolite qu'incommode. Comment aurais-je pu délimiter la frontière entre mots drôles et éventuelles vacheries?

Le premier soir, je regagnai ma chambre, je pris dans ma valise un *thriller* acheté à Roissy. J'avais abandonné sa lecture dans l'avion, sur une exclamation de l'héroïne, dont les vêtements étaient éclaboussés de sang : « Qu'est-ce que j'ai fait? Mon Dieu, qu'est-ce que j'ai fait? » Le mec qui gisait à ses pieds ne pouvait plus répondre. Je repris ma lecture, le lit était délicieux, les draps sentaient le soleil. Peut-être une heure plus tard, la porte de communication s'ouvrit et Angie apparut.

– Je ne vous promets rien. Je voudrais juste essayer. Si je vous repousse, ne vous fâchez pas. Je viens surtout pour me réconforter auprès de vous.

Elle portait une chemise légère, retenue juste par deux bretelles fines, elle semblait plus mince et plus fragile qu'à la piscine. Surpris, étonné, flatté, je lui tendis la main :

– Bienvenue...

Elle se cala contre moi, une grande sœur sage et chaste, j'avais peur de m'endormir. Puis, au bout d'un temps qui me parut infiniment long, en se penchant au-dessus de moi vers la table de chevet, elle éteignit la lumière. Je me débarrassai de mon pyjama, elle, de sa chemise. Angie s'offrait d'une manière aimable, sans passion.

– Vous serez gentil? me demanda-t-elle avec une voix de petite fille.

Je n'étais pas le mâle sauvage qui rue, qui mord... Qu'est-ce qu'elle appelait « gentil »?

J'étreignais une vapeur dc parfum, un concentré de sels de bain, une publicité pour l'hygiène complète de la femme moderne. Je la pénétrai en oubliant mon trac. Si je pouvais la satisfaire physiquement, je n'aurais guère de problèmes, je m'attacherais à elle. Nous nous débattions dans un silence pesant. Ma verge était raide à l'idée que des vieillards concupiscents nous observaient. Je la possédais sur une immense table bordée de dossiers, pendant qu'un hélicoptère s'apprêtait à atterrir sur le toit du building; grâce à ce fantasme, je tenais bien le rythme. Quand je glissai et que j'approchai la tête de son clitoris, elle me rejeta.

– Non, jamais. J'ai horreur de ça.

Donc, pas de recours de ce côté-là. Plus tard, côte à côte, sur le dos, je lui demandai si elle n'était pas déçue.

– Pas du tout, dit-elle. Je sais que le plaisir complet est le résultat d'un entraînement. Nous ne sommes qu'à notre premier essai. Nos corps ont fait connaissance. Bonne nuit, Éric.

Je découvris, étonné, qu'elle restait près de moi. Elle dormait déjà quand je repris ma veste de pyjama et mon livre. « Qu'est-ce que j'ai fait? » se demandait l'héroïne. Elle appelait au secours, les voisins arrivaient. « Il faudrait prévenir la police », dit quelqu'un. Moi, je devais appeler oncle Jean. Demain. A côté de moi, une masse soyeuse dormait, le visage enfoui dans l'oreiller, ses bras délicats sur la couverture : cette inconnue était ma femme.

Au bout de trente-six heures passées au ranch, je tournais en rond. Le luxe inouï de l'endroit m'obligea à m'inventer une enfance dorée. Mon père, qui avait été à la tête d'une entreprise familiale, était très attaché à son manoir, hélas vendu après sa mort.

– Mon chéri, vous avez dû souffrir en perdant le décor de votre enfance. On pourrait sans doute le visiter, dit Angie. Quand on vient chercher des souvenirs, les propriétaires en titre sont souvent compréhensifs.

– Qu'en savez-vous ?

– J'ai eu quelques expériences...

De quoi parlait-elle ?

– Pourquoi pas ? dis-je. On visitera !

D'ici, la France semblait suffisamment loin pour y bâtir mes châteaux imaginaires, indispensables à la sauvegarde de mon amour-propre. La richesse extrême d'Angie réveillait mon orgueil viscéral. Passionnée par mes récits, chaque détail du passé la renforçait dans l'idée qu'elle avait eu raison de m'épouser. L'impatience me gagnait, je voulais me trouver sur le terrain, être sûr que les démarches pour mes papiers nécessaires à ma résidence aux USA allaient être engagées.

Elle répétait :

– L'enfance est déterminante, les enfants heureux deviennent des parents heureux. Les miens, que j'ai perdus trop tôt, m'ont adorée. Leur amour m'a permis de surmonter beaucoup de chocs.

Je digérais ses confessions, j'étais un boa constrictor en proie aux aigreurs d'estomac.

– Ce séjour prolongé ici, est-ce vraiment utile, Angie ? Je veux dire, faut-il rester si longtemps ?

– Quelques jours, pour mieux nous connaître...

Je persévérais en la prenant dans mes bras, je l'embrassais, je la couvrais de tendresse. C'était épuisant. Je devais inventer le passé, et simuler l'amour naissant, un boulot monstre.

Les repas traînaient en longueur, elle m'écoutait, insatiable, j'inventais un nombre considérable de détails de ma vie antérieure. Je m'enfonçais de plus en plus dans les mensonges. Je peaufinais le portrait de ma mère, de cette Allemande malmenée par l'Histoire, de cette Européenne de grande culture, qui avait dû porter pendant toute son existence le poids imaginaire de l'hérédité. Elle souffrait à l'idée de l'Holocauste, pourtant Dieu sait qu'elle n'avait pas été mêlée à tout cela... Une jeune fille, les yeux remplis de visions d'horreur, de villes rasées par les bombardements... L'intérêt passionné d'Angie m'excitait, encore un peu et j'ajoutais une tante perdue lors d'une visite à une date mal choisie à Hiroshima. Je m'en abstins, elle avait des relations avec le Japon.

– De quoi votre maman est-elle morte? demanda Angie, les yeux embués d'émotion.

J'hésitai entre un accident et une grave maladie. J'optai pour la seconde, puis je lui demandai, en manifestant une peine camouflée, de ne plus m'en parler.

– Pourquoi? dit-elle. Il faut avoir des relations simples et franches avec la mort. Il faut exprimer la peur, les mots aident à vaincre l'angoisse. Une mère est si importante, ses origines ont dû vous enrichir génétiquement. Les Allemands sont des gens sensibles, mystiques. Quel âge avait-elle quand vous l'avez perdue?

Je l'ai perdue – de vue –, ma garce de mère, quand j'avais dix ans. Ici, dans ce cadre luxueux pour milliardaire friande de belles histoires, je me sentais inspiré.

– Qu'importe l'âge... On pleure toujours une mère, et elle avait un charme indéfinissable, un rayonnement, une lumière intérieure, elle était si fragile, si vulnérable...

– Oh, mon chéri! dit Angie... Quand on aime sa mère à ce degré, on ne peut qu'être un homme foncièrement honnête. Vous serez, un jour, un magnifique patriarche entouré d'enfants, j'espère nos enfants.

Elle rêvait d'une famille nombreuse, et moi des secrétaires, du stress, d'être harcelé par les appels du monde entier...

– Oui, c'est beau la famille, répondis-je.

Je sentais mon profil de plus en plus noble.

– Moi, renchérit Angie, je voudrais être une mère comme l'était la mienne. La douceur, la tendresse, la compréhension.

C'était émouvant, j'allais sangloter!

Enfin, elle fixa le départ. Nous prîmes un avion-taxi pour Los Angeles. Une limousine nous attendait sur le terrain d'atterrissage. Le chauffeur d'Angie, à qui elle annonça que j'étais son mari, nous salua avec un grand sourire. J'appréciai la Cadillac, ses vitres fumées, son odeur de cuir. Comme les autoroutes semblaient simples à parcourir, dans la voiture d'une Américaine riche! Au bout d'un long trajet, nous arrivâmes à la maison, située dans les hauteurs de Beverly Hills. Le chauffeur fit fonctionner la télécommande: le double vantail s'ouvrit, nous pénétrâmes dans le parc. Une large allée aboutissait devant la maison. Sur le perron entouré de colonnes grecques, un maître d'hôtel en veste blanche nous attendait.

– Bonjour, Madame! J'ai l'honneur de vous saluer, *Sir.*

– Hello, Philip! dit Angie. Voilà mon mari, Mr. Landler.

Elle souriait :

– Philip, cette fois-ci, je n'ai pas fait de bêtises. Lui, il ne va pas me faire de mal. Depuis mon appel, avez-vous trouvé la solution, de quel côté allons-nous installer Mr. Landler? Que proposez-vous?

– J'imagine que Mr. Landler serait plus satisfait s'il choisissait lui-même l'endroit qui lui plaît.

Le chauffeur porta les valises à l'intérieur de la maison. La présentation officielle terminée, nous y entrâmes. Un hall en marbre rose, flanqué d'un jet d'eau au milieu. Deux statues, deux athlètes nus, serraient d'une main une feuille de vigne sur leur sexe et tenaient de l'autre un flambeau.

– Des sculptures de David... La précédente propriétaire a fait faire ces copies à Florence, les flambeaux, elle les a fait ajouter ici. Les avez-vous vues à Florence?

– Non, je ne les ai pas vues.

– Pourquoi?

– Parce que je ne suis jamais allé à Florence.

Un silence étonné suivit mon aveu. J'aurais dû mentir pour ne pas paraître un sous-développé.

Nous montions lentement sur les marches en marbre rose, une galerie desservait les chambres de l'étage.

– Philip, avant tout, je montre à mon mari notre chambre.

Je la suivis et, entré dans une pièce immense, je découvris un univers fascinant. Les murs, tendus de tissu blanc, ornés de tableaux de maîtres, les rideaux blancs en satin lourd, la moquette épaisse et blanche, un vrai écrin. J'étais littéralement envoûté. De la fenêtre, j'aperçus le parc, les arbres encadraient la terrasse qui le dominait, au-dessus d'une forêt d'azalées, de jasmins et d'arbustes flamboyants.

– Que c'est beau!

J'adorais l'endroit, sa futilité divine, son luxe à la fois péremptoire et enfantin, son atmosphère paisible et ses tableaux de maîtres, de très grands maîtres. Avais-je le droit d'avoir la gorge serrée d'émotion, fallait-il faire semblant de n'être surpris de rien? J'avais vécu, moi, entouré de murs couverts de posters, les tournesols de Gauguin payés trente francs français...

– Comment trouvez-vous mon Picasso? demanda-t-elle.

Ni plouc, ni blasé, ni amateur raffiné, que devais-je dire pour être à peu près dans le ton?

– Angie, j'aime votre chambre...

– Vous me faites plaisir.

Philip revint :

– J'ai fait déposer les valises de Mr. Landler, pour le moment, dans la chambre verte. Quant à son installation personnelle, puis-je me permettre une suggestion ?

– Je n'attends que ça, répliqua Angie. Je vous l'ai demandé.

Philip se tourna vers moi :

– Au bout du couloir, il y a une suite qui n'a jamais été habitée, une grande pièce avec un bureau contigu, vide. Si vous vous donniez la peine de la visiter ? Ce serait peut-être l'endroit que vous pourriez meubler à votre goût.

Non, ce n'était pas une hallucination. On me parlait ainsi, à moi, à Éric Landler, ex-ramasseur de balles de tennis, serveur dans le Yacht-Club de San Diego, menteur pour assurer sa survie morale. Même pas un génie méconnu, cet Éric, juste un travailleur acharné qui n'avait pas forcément les qualités de ses ambitions. Si j'avais pu être un inventeur de génie, et pas simplement un homme doué ! Oui, moi, ce Landler en question, j'avançais sur un tapis de dollars. Oui, moi. Je ressentais jusqu'au tréfonds de mon être l'ivresse de ma réussite, une sensation physique de puissance, je me jurais que je ferais tout pour mériter ma chance, j'allais la soigner, la cultiver, l'aimer passionnément, être digne d'elle.

Nous visitions la suite et sa salle de bains en marbre noir, dont l'éclairage simulait la lumière du jour, grâce à un double plafond transparent.

– En verre de Murano, dit Angie.

Puis elle ajouta :

– Quelle bonne idée vous avez eue, Philip. C'est formidable ! Personne n'a jamais habité ici.

Elle se tourna vers moi :

– Je vais choisir vos meubles et tout décorer...

Philip intervint :

– Si Mr. Landler préférait choisir lui-même ?

Je ressentais une vive reconnaissance. Il m'aidait à ne pas être trop rapidement émasculé par l'argent d'Angie.

– Désirez-vous le déjeuner à la salle à manger ou au jardin ?

– Au jardin, dit Angie. Nous sommes dans l'un des rares endroits de Los Angeles où l'on respire...

Elle avait raison. *Downtown* on sniffait, on se bourrait, on suffoquait, on se tapissait les poumons d'air crémeux de crasse, on ne respirait pas. Non, je n'avais pas le droit de haïr l'argent dont je profitais.

Ayant fait le tour de la maison qui comportait huit chambres, des salons, une bibliothèque, deux salles à manger, nous sortîmes dans le parc. Les allées s'entrecroisaient, la verdure admirablement entretenue abondait, les arrosages automatiques dispersaient l'eau, dont les gouttelettes étincelantes et colorées par le soleil retombaient en voile fluide. Un grand chien déboula de quelque part, il fêta Angie et me jeta des regards furtifs.

Angie, tout en le flattant, se dégageait.

– C'est Niel, un chien de traîneau, un husky. Voulez-vous le caresser? Il est méfiant, mais il va s'habituer à vous...

Il me répugnait de le toucher. Je n'aimais pas ce genre de bêtes, je les agaçais, je leur donnais une envie irréversible de me mordre. Elles avaient peut-être raison.

– Posez votre main sur sa tête, il comprendra que vous êtes son nouveau maître.

– Qui était le précédent?

– Le docteur Howard.

Niel me contemplait avec la même antipathie que la jument m'avait manifestée au ranch.

– Il ne m'aime pas.

Angie haussa les épaules.

– Oh si. Touchez-le!

Elle tenait Niel par le collier, j'esquissai une caresse. Il n'aimait pas mon contact, mais se plia à la volonté d'Angie.

Elle répétait :

– Tu es beau, Niel. Beau, très beau.

Silencieux, en me regardant, le chien montra ses crocs.

En fin d'après-midi, nous attendions dans la bibliothèque la visite de Sean Sanders. Dès le moment où il apparut dans l'embrasure de la porte, je fus rassuré. Il était jovial et rayonnait de bonté. Il serra Angie dans ses bras.

– Ma petite Angie...

– Sean, cette fois-ci, j'ai réussi. Il est formidable!

Sanders se tourna vers moi en souriant. La scène touchante avec ma femme m'avait permis de l'observer à mon aise. Vêtu d'un costume foncé, de taille moyenne, les cheveux très blancs et le regard gris-bleu derrière les verres épais de ses lunettes à la monture en or fin, il respirait l'hygiène de l'âme et du corps, il m'impressionnait; j'avais besoin de m'attacher à quelqu'un dans ce nouvel univers, il ressemblait à un père qui comprend tout, une sorte de Dieu en civil. Angie était émue, elle le tira vers moi par le bras :

– Sean, je te présente Éric.

– Hello, dit-il en me tendant la main et en me regardant avec l'attention d'un vieux médecin de famille. Je vous félicite. Vous êtes jeune, séduisant, et vous respirez l'honnêteté. C'est ma première impression. Je me trompe rarement. J'ai appris que vous aviez un poste important à Paris, j'ai pris connaissance de vos qualifications, Angie se plaint même de votre impatience, vous voulez commencer à travailler pour la société très rapidement, n'est-ce pas?

Je lui aurais baisé la main! Enfin quelqu'un qui me parlait de travail. Je débitai quelques banalités sur les jours heureux passés avec Angie au ranch, et j'avouai que, oui, je voudrais m'initier le plus rapidement possible! Sean Sanders me tapa sur l'épaule, je méritais un bravo pour : ma passion de l'Amérique, l'amour que je portais à Angie et la ferveur que je manifestais pour le travail.

– Vous aurez quand même besoin d'un peu de patience, dit-il. Nous allons avoir une longue conversation. Je dois vous situer très clairement dans mon esprit, et définir où je peux vous placer, sans choquer les autres, dans la pyramide hiérarchique de la Compagnie.

– Je suis à votre disposition. Vous aurez tous les renseignements que vous désirez... Je crois posséder des atouts pour les contacts avec l'Europe, mais je sais que j'ai besoin d'apprendre, de me modeler au rythme et à la manière américaine de travailler.

Il me contemplait, bienveillant, en sirotant le whisky qu'Angie venait de lui servir :

– Si j'ai bien compris votre personnalité – surtout intervenez si je me trompe –, vous ne prétendez pas pouvoir innover, c'est déjà méritoire. Ceux qui arrivent d'Europe sont souvent encombrés d'un double complexe de supériorité et d'infériorité. Ils deviennent des touche-à-tout. Vous vous sentez donc capable de discuter avec nos partenaires européens. Vous pourriez être aussi – en quelque sorte – un trait d'union avec la France.

– Exactement. Je crois posséder quelques connaissances utiles.

– Bien sûr, dit-il. Mais voyez-vous, il vous reste à découvrir l'Amérique. La théorie est différente de la pratique, on rêve l'Amérique, puis, quand on la rencontre, il faut supporter le choc.

Je mesurais déjà les difficultés à affronter. Le regard laser de Sanders me faisait abandonner la moindre velléité de me mettre en valeur.

– Mr. Sanders...

– Appelez-moi Sean.

– Sean, oubliez que je suis le mari d'Angie.

– Je vous comprends, dit-il. Il s'agit de ménager votre amour-propre et d'utiliser vos connaissances au mieux de nos intérêts à tous. La France est un pays difficile sur le plan des affaires. Vous êtes là-bas des gens extraordinaires, mais un peu trop compliqués pour nous.

– Je ne suis pas un néophyte ici, j'ai des années d'Amérique derrière moi. Si j'additionne les mois passés, ça fait presque deux ans.

– C'est bien, dit-il, un peu ennuyé, mais vous n'avez pas l'expérience d'une société.

– Non.

– Vous savez, l'Amérique, de l'extérieur, n'a rien à voir avec l'Amérique du travail. Au début, vous pourriez être utile pour renforcer nos liens avec l'étranger. La France, l'Allemagne et le Luxembourg, si l'on veut. Croyez-moi, il n'est pas aisé d'installer un Européen, si qualifié soit-il, dans l'appareil technique d'une société. Quand il s'agit d'un savant, c'est plus aisé, il vit dans un huis clos, il sert et il est servi. Vous aurez des contacts inattendus avec un environnement qui n'a rien de commun avec ce que vous pouvez imaginer. Votre anglais parfait va nous aider.

– J'espère qu'un jour je pourrai prendre la nationalité américaine.

– Espérons-le, dit Sanders.

J'ai eu peur. Il a ajouté :

– Si vous ne changez pas d'avis.

– Éric parle l'allemand comme l'anglais, sa mère était allemande, fille de grands industriels...

Angie vantait mes mérites.

Sanders était serein.

– Laissez-moi un peu de temps, je dois me préparer et réunir les arguments qui me permettront de vous présenter au Conseil. Vous pourriez ce jour-là leur proposer une analyse détaillée de la situation de l'industrie chimique européenne et signaler vos idées sur les ouvertures éventuelles de ce marché.

Angie intervint :

– Il va le faire ! Mais, Sean darling, les formalités à accomplir sont aussi importantes. Nous devons faire inscrire notre mariage au consulat de France et entreprendre le plus rapidement possible les démarches pour la *green-card* d'Éric.

Peu à peu, l'atmosphère s'allégeait, j'étais pris en charge. Pour la première fois de mon existence, je n'avais pas à lutter pour chaque détail, chaque élément de ce puzzle qu'était ma vie.

Après le départ de Sean, d'un petit bureau dont le moindre objet, cendrier ou vase garni de fleurs solitaires, avait sa place immuable, j'appelai Paris. Au bout de trois sonneries, oncle Jean décrocha.

– Allô?

– C'est Éric. Bonjour, oncle Jean. Il est quelle heure chez toi?

– Tu m'appelles pour me demander l'heure?

– Non. Mais j'ai oublié de la calculer, j'ai des choses excellentes à t'annoncer.

Il grommela :

– Je l'espère. Tu m'as laissé sans nouvelles depuis vingt-six jours.

Seulement vingt-six jours? Ç'aurait pu être dix ans, vingt ans.

– Que deviens-tu?

– Oncle Jean, je me suis marié.

Il croassait, heureux :

– Ah bon? Quand même? Fantastique! Avec la fille dont tu m'as parlé?

– Oui, je te parle de sa maison de Beverly Hills.

– Beverly chose... attends, il y avait un film, le flic de là-bas... C'est un endroit pour acteurs, tu as épousé une vedette?

– Presque.

– Ne me fais pas languir, le téléphone coûte cher, et je suis curieux...

Soudain, il boudait :

– Tu n'es pas gentil, tu aurais pu m'inviter à ton mariage.

– Il a été très rapide, les Américains ne font pas un cas aussi énorme que nous du mariage. En tout cas, pas à Las Vegas.

– Les étrangers sont des gens bizarres, c'est vrai, admit-il. Vous avez eu un bon repas, après?

– Ça n'a pas d'importance non plus.

– Mais alors, qu'est-ce qui est important?

– Elle.

– Tu es amoureux?

– Oui.

Je le voyais, à vingt mille kilomètres, hocher la tête.

– Toi, amoureux? Elle a un métier, ou juste l'argent pour ne rien faire?

– Elle est dans l'industrie chimique.

– Quoi? Une femme?

– Elle est à la tête d'une société multinationale.

– Pharmaceutique? dit-il. Ça rapporte, surtout les calmants. J'ai lu que chez nous on en prend des kilos, c'est fou! Dis donc, tu commences à me rembourser bientôt?

– Dès que j'aurai mon premier salaire... Tu peux louer mon appartement et donner ou jeter ce qui est dedans.

– Et si tu reviens à Paris avec elle, tu vas habiter où?

– A l'hôtel.

– Ah bon, dit-il, dépassé par les événements. Éric, tu ne me fais pas marcher, non? C'est vrai ce que tu me racontes? Comment elle s'appelle?

– Angie.

– C'est un nom étranger.

– Elle est américaine...

– Ça s'écrit comment?

J'épelai :

– A.N.G.I.E.

– Je vais m'y habituer, dit-il.

– Oncle Jean, un peu de patience, tu auras l'argent d'ici peu, et tu vas faire sa connaissance.

– Tu sais, Éric, si je pense à tout ce que j'ai fait pour toi... Alors, je ramasserais volontiers mes vieux os pour vous rendre visite, si vous avez une chambre où me caser...

Je fixai devant moi le cendrier en jade, grand comme une assiette creuse, j'effleurai du regard les tableaux présentés comme des faire-part dans de lourds cadres noirs, « les petits maîtres de la fin du XVIIe », m'avait expliqué Angie... Tout cela était tellement loin du monde du vieux Jean que j'avais l'impression de le tromper, de l'humilier indirectement avec mes sous-entendus distingués. J'avais envie de m'exclamer : « Écoute, vieux Jean, c'est de la grosse galette, plus de soucis, je te paierai tout, mes dettes plus le rab pour te récompenser. J'achèterai même une baraque sur la Côte pour toi... » Je me retins.

– Et ton bureau ici? demanda-t-il.

– Je n'y retourne plus.

– Tu les abandonnes sans préavis, comme ça...

– Ils ne vont pas pleurer, oncle Jean, il y a beaucoup d'ingénieurs chimistes, des gens plus doués que moi et moins agressifs. Ils ne m'aimaient pas.

– La vie est une lutte, dit-il, on ne peut pas à la fois réussir et vouloir aussi qu'on vous aime, mais tu risques de leur manquer.

– Je vais essayer de me rendre utile ici.

– Dans quelle boîte?

– Dans celle de ma femme.

– Ils peuvent engager comme ça une personne de plus?

– Oncle Jean, c'est une affaire énorme.

– Par les temps qui courent, on ne sait pas ce qui est grand ou pas, dit oncle Jean. Donne-moi ton adresse.

– Tu as de quoi écrire?

– Mais oui, attends une seconde, je vais chercher le crayon.

– Attends, je préfère t'envoyer une lettre avec l'adresse et les numéros, c'est plus facile que de les écrire.

– Tu ne vas pas me rouler?

– Mais non. Je ne l'ai jamais fait.

– C'est vrai, tu n'es pas facile à vivre, mais tu as un bon fond.

Je lui demandai de s'offrir de ma part un grand plateau de pâtisseries, et une boîte de chocolats coûteux. Et puis, plus tard, en calculant bien le décalage horaire, en m'installant dans un fauteuil, j'appelai Garrot à la Chimie Nationale.

J'avais presque le trac. La revanche que je pouvais prendre était tellement belle! Il fallait doser ma victoire pour mieux la savourer. A l'avance, je ressentais une jouissance physique.

– Alors, Landler, que devenez-vous? Vous arrivez quand, exactement?

A cet ennemi de longue date, à cette crapule si puissante, j'annonçai ma démission presque timidement.

– Votre quoi? dit-il.

Je constatai qu'il était presque affolé. C'en était fini, pour lui, de la gloire que lui procuraient mes rapports!

– Je vous présente ma démission.

– Qu'est-ce qui vous arrive? Un gros problème de santé? Un cancer?

– Non.

– Vous avez attrapé le sida là-bas, si vite...? Je ne comprends pas vos raisons, Landler.

Il était inquiet, son nègre émancipé devenait le fossoyeur de sa belle carrière de profiteur.

– Mes raisons sont personnelles, je vais rester aux USA et travailler ici.

– Ah bon, dit-il, amer. Votre persévérance a été payante, vous ne rêviez que de ça. Je devrais vous féliciter. Comment avez-vous réussi à vous faire engager là-bas?

– Des raisons personnelles. Je vous le raconterai plus tard.

Je ne pouvais pas cracher la vérité, ç'aurait été trop rapide, je voulais le laisser mariner dans sa curiosité. Il me regrettait. Je promis que je lui rendrais visite lors de mon prochain voyage en France. J'étais modeste et réservé. J'allais frapper très fort quand j'irais à Paris avec Angie, je donnerais une réception dans un des salons du Crillon. Je voulais les voir rougir, trembler, pâlir; l'héritière que j'avais épousée était même belle, à les faire crever!

Mes journées étaient remplies de démarches administratives et j'attendais le jour de ma présentation au Conseil. Sean Sanders me facilitait les contacts de ma « pré-intégration ». Son côté Dieu en complet-veston s'accentuait, j'aimais son aspect paternel, le soin qu'il portait à ses cheveux blancs, sa profonde attention à ma personne. Il m'interrogeait, intéressé parfois par un détail infime de la période de mes études, il se renseignait sur la nature de mes relations avec mes collègues. J'essayais de tracer un portrait plaisant. Je lui servis les mêmes histoires qu'à Angie, un peu arrondies, il attachait une importance pesante aux côtés humains. Il évoquait souvent mon oncle, ce Français qui devait avoir un cœur en or, ma mère, de grands mythes germaniques, le mélange d'héroïsme et de vulnérabilité qui caractérise les Allemands, le régime nazi « que vous n'avez pas connu, mais votre mère a dû en souffrir, par famille interposée ». J'eus la plus grande difficulté à contourner l'histoire de mes grands-parents allemands. Heureusement, le nom de jeune fille de ma mère était un nom courant en Allemagne. Sean connaissait beaucoup trop de gens et de pays pour qu'on puisse lui raconter n'importe quoi. Je réussis à arrêter ses investigations avec le récit d'un bombardement dramatique – mes grands-parents étaient à Dresde ce jour-là –, *exit* les ancêtres.

Je m'adaptais à la maison rose d'Angie et à Los Angeles, je circulais, conduit par le chauffeur de ma femme, je me rendais dans des magasins de mobilier et de décoration, je choisissais pour ma suite des meubles modernes de ligne harmonieuse et extrêmement coûteux, je m'installais pour écrire mon rapport. Angie se rendait tous les jours à son bureau de la tour Ferguson, je ne devais pas y venir avant ma première rencontre avec les membres du Conseil. Je passais des heures au bord de la piscine. Philip me préparait tous les journaux et revues, je travaillais, en le fignolant sans cesse, le mémoire pour le Conseil.

Le soir, nous buvions de légers whiskies devant la cheminée de l'immense pièce, à la fois salon et bibliothèque, et nous bavardions, Angie était intarissable quand il s'agissait de l'Afrique. Elle décrivait un cottage au bord de la mer, à une heure de vol de Mombasa, près de l'hôtel Diani Reef. Elle le louait. « Il n'y a que les Kenyans qui aient le droit d'acheter des maisons sur la plage. Sans ce règlement draconien, depuis longtemps les Allemands, les Suisses, les riches Italiens auraient occupé cet endroit magnifique. Éric, on sera si heureux là-bas, nous y passerons une dizaine de jours et, ensuite, vous connaîtrez les parcs nationaux, les réserves! Quand vous apercevrez pour la première fois la vieille maison que j'ai achetée sur une colline – elle domine la savane –, vous serez séduit pour la vie. »

Je l'écoutais à peine, mais j'acquiesçais.

– Dès que vous serez nommé directeur des relations commerciales extérieures, dès que vous aurez vos papiers, nous partirons là-bas. Actuellement, nous perdons un peu de temps, mais je dois admettre que la démarche de Sean est logique. Au lieu d'imposer mon mari, il veut les convaincre d'abord de vos qualités.

– Mon arrivée dans la Compagnie doit être considérée sur un plan strictement professionnel... Ne m'en veuillez pas si je suis incapable actuellement de m'intéresser à l'Afrique...

Elle me comprenait, ou bien elle faisait semblant.

Chaque soir, nous couchions dans la chambre blanche et confondions nos corps aux draps de satin. J'avais envie d'elle, parce qu'elle était mon Amérique. En la pénétrant, je prenais possession d'un peu des États-Unis. Je désirais être le plus fidèle et le plus irréprochable des maris. Un vrai modèle. Je voulais qu'on l'envie de m'avoir rencontré. Elle pourrait compter sur moi : si elle tombait malade, je la soignerais, je serais son infirmier jour et nuit, je la sauverais des périls ; je la vénérais, elle était ma chance, cette chance devenue ma religion. Lors de nos actes physiques, que les âmes pures appellent « actes d'amour », elle camouflait son plaisir, elle cachait ses orgasmes, elle refusait de se soumettre à une éventuelle dépendance. Elle crânait, quitte à tourner son visage vers la taie d'oreiller en satin et à haleter comme un poisson rouge.

– Ça ne peut aller que de mieux en mieux, me dit-elle un jour en goûtant mon sexe raide comme un esquimau au cinéma.

Elle faisait ça pour la première fois.

– Je ne peux pas vous toucher, ai-je dit, et vous, vous faites quoi...

– C'est différent, les hommes aiment ça.

– Et si je n'aimais pas ça ?

– Vous me le diriez...

Des années d'analyse qu'elle avait subies volontairement l'avaient rendue aussi explicite qu'une radiographie d'elle-même. On lui avait imprégné l'esprit de la nécessité de tout dire, tout ce dont on pourrait avoir honte. J'entendais des choses énormes, exprimées d'une manière scolaire, mais je ne savais toujours pas, voire de moins en moins, qui j'avais épousé. Sur ce qui m'aurait intéressé, elle restait muette.

Chaque soir, le même scénario se déroulait : d'abord la conversation et ensuite le sexe. Los Angeles explosait de criminalité, de hold-ups, d'attentats, d'agressions, de misère, et moi, sucé dans du satin par une millionnaire, je comptais les heures. Avant que l'association d'idées de la fortune et du pouvoir me fasse éclater, je me déversais en elle.

– C'est de mieux en mieux, trancha-t-elle, aussi lucide qu'un veilleur de nuit récemment engagé.

– De quoi me parlez-vous?...

– Vous êtes un peu plus passionné grâce à mes approches.

Je pensais à l'âme, elle me répondait par une leçon d'anatomie. Je me sentais gêné. Aurait-elle découvert que j'avais besoin d'être stimulé? Évidemment, si j'avais eu trop souvent recours au fantasme numéro un, j'aurais été rapidement blasé et, sans fantasmes, perdu.

Le jour de ma présentation au Conseil, j'avais un nœud dans l'estomac.

– Vous gagnerez votre bataille, je suis confiante.

J'entrais pour la première fois avec elle dans son domaine, le royaume en verre et acier des Ferguson. Les gardes nous saluèrent et nous prîmes l'ascenseur pour le quarantième étage. Je suivais ma femme, vêtue d'un tailleur très chic, gris foncé, chemise blanche, cravate en soie entortillée dans des rangées de perles. Elle n'aurait pas pu avoir un aspect plus classique et des perles plus fines. Nous entrâmes dans une grande salle. Je fus aussitôt entouré d'hommes plutôt souriants, je ne retins que des fragments d'impressions : des fronts garnis ou dégarnis, des lunettes dorées ou en écaille, une bouche agressive, à qui appartenait-elle? Les tempes argentées et trois cheveux plaqués sur le crâne d'un petit vieux. Sanders me protégeait, m'encadrait, me rassurait. Ayant raté ma naissance, je devais avoir des nostalgies quand il s'agissait de mon père. Si j'avais eu Sanders penché sur mon berceau, j'aurais eu un autre départ!

Nous prîmes place autour d'une table ovale, puis Angie me présenta en deux phrases et me passa aussitôt la parole. Je m'entendais de loin :

– Messieurs, j'arrive vers vous d'un autre continent, j'ai toujours eu un amour démesuré pour le vôtre, démesuré comme l'exigence vis-à-vis de moi-même. Je ne m'accorderai le droit d'aucune faiblesse dans mes études et je modérerai mes ambitions. Une histoire d'amour n'est pas le problème d'une entreprise, même si on est amoureux de sa patronne.

Mon regard glissa sur Sanders, il hocha la tête en souriant. Je repris mon élan :

– Il se trouve que je suis l'heureux mari d'Angie Ferguson, mais devant vous je désire me présenter uniquement sur le plan professionnel, en tant qu'ingénieur chimiste confortablement diplômé et qui espère être utile à la Compagnie.

J'évoquai une fois de plus ma fascination pour l'Amérique, je rappelai mes fréquents séjours aux USA et je les surpris en déclarant que, pour moi, les vraies difficultés commençaient maintenant. Sorti du rêve et des théories, je devais faire face à la réalité. J'insistai sur la nécessité absolue de l'expérience, j'annonçai que j'avais constitué la liste des implantations possibles d'usines en Allemagne, aux Pays-Bas et en Belgique. J'émis l'idée de l'ouverture d'une usine pilote en Espagne, pays que j'avais exploré, il y avait un an, pour la Chimie Nationale. Et puis, à mon tour, je leur posai des questions sur les relations des Chimies Ferguson avec le Japon.

Les membres du Conseil, qui frôlaient ou dépassaient largement la cinquantaine, m'écoutaient impassibles. Aucune expression ne permettait de prendre la température. Angie présidait, immobile, fière, elle me couvait du regard. A la fin de mon exposé, un agréable murmure se répandit, certains se levèrent et vinrent près de moi pour me souhaiter la bienvenue. Sanders clôtura la séance. Nous prîmes un verre dans un salon, on me regardait, m'entourait, m'interrogeait, mais avec beaucoup de discrétion. Je crus déceler quelques regards amusés.

Le lendemain, je fis la connaissance de l'équipe spécialisée dans les marchés étrangers. Je choisis comme interlocuteur un nommé Daniel Grosz. Au bout de quelques rencontres, bientôt, je lui proposai une place d'assistant auprès de moi. Ayant pris possession de mon bureau, je commençai mon combat : me faire connaître et reconnaître. Je me sentais étranger dans le pays, dans le milieu, je tentais d'éviter les mots spécifiquement britanniques. Mentalement, je courais, je voulais m'adapter au langage de la Compagnie et dresser mon mental au rythme et à la logique commerciale américains. Il ne fallait pas une longue expérience pour comprendre que par rapport au pouvoir qu'on m'accordait, je savais peu de chose. En dehors de Sanders, mon seul allié était le temps. Je devais d'abord me fondre dans la masse pour en émerger ensuite. Je n'avais aucune marge d'erreur. Tout était à découvrir, des intonations, des gestes, des interpellations. Serveur et travailleur au noir, je portais des plateaux, je regardais les autres à distance. Ici, je me trouvais dans le milieu sacré. Il fallait y rester.

Au cours des premiers mois, mon cerveau se déployait dans les traductions simultanées, je pensais en français et je m'exprimais en anglais. Quelques mois de discipline mentale me permirent de penser en anglais. Le jour où je reçus un groupe d'industriels français, je découvris avec jubilation que certains mots français m'échappaient.

De mon premier salaire, j'envoyai quatre mille dollars au vieux Jean, il me remercia par une lettre exubérante. Il me signala qu'il allait vendre l'appartement des Acacias et qu'il allait liquider le sien plus tard pour s'installer, comme il l'avait souhaité, sur la Côte d'Azur. Il me demanda si je voulais éventuellement y acheter une grande maison – si j'avais de l'argent à jeter par la fenêtre, avait-il écrit –, il serait alors volontiers mon locataire et, de cette manière, pourrait nous accueillir à la fois chez moi et chez lui lors de mes futurs séjours en Europe. Il me semblait exclu de faire se rencontrer le vieux Jean et Angie. Je devais préserver le domaine de mes mensonges, Angie avait besoin de mes belles histoires, qu'elle racontait à ses amies en les invitant à l'avance, si elles venaient en Europe, au Mesnil-le-Roi.

J'eus des moments de satisfaction intense, des orgasmes mentaux, des jubilations qui me secouaient les tripes. L'inoubliable conversation avec le président-directeur général de la Chimie Nationale. J'avais procédé par étapes, en commençant par appeler l'administrateur de notre société de Paris, qui mit un certain temps à m'identifier. Ensuite, j'eus le président au bout du fil, il était très poli et ignorait tout de ma personne.

– Monsieur Landler? Vous appelez de Los Angeles... c'est bien aimable de votre part. Je suis content de vous entendre, que désirez-vous exactement? Pour être franc, je ne me souviens que vaguement de votre nom.

– Monsieur le président, j'ai travaillé dans l'entreprise. Mon bureau se situait dans l'immeuble de l'avenue George-V, j'ai écrit la plupart de vos discours, ceux par exemple que vous avez prononcés lors de vos visites à Londres et à Hambourg. Toutes les phrases que vous avez bien voulu répéter en anglais ou en allemand étaient aussi de moi.

Il réfléchissait :

– Ah oui, mais évidemment! Monsieur Landler, comme vos discours étaient intéressants... Je sais évidemment mieux agir qu'écrire, tous les deux nous nous complétions, n'est-ce pas? Que faites-vous en Amérique? Et surtout, pourquoi m'appelez-vous de là-bas?

– Pour des raisons commerciales.

– Ah bon, vous faites des traductions là-bas... Vous étiez très doué pour les langues...

– Je suis le président du secteur européen de Chimie Ferguson.

– De quoi?

Je répétai la phrase, j'en ressentais la volupté jusqu'aux racines de mes cheveux. Il bégayait :

– Vous? Président... de Chimie Ferguson... Mais c'est une affaire mondiale!

J'aurais dû répéter « du secteur européen », je ne l'ai pas fait.

– Mais oui.

– Cher monsieur Landler, je ne comprends plus rien. N'étiez-vous pas salarié chez nous? Un cadre d'ailleurs hautement apprécié. Que vous est-il arrivé?

– J'ai changé de vie. J'ai quitté la firme il y a environ six mois. Je n'ai pas encore eu le temps dc prendre contact, j'ai considéré comme prioritaires les affaires de nos filiales en Allemagne.

– Mais, monsieur Landler, comment... comment êtes-vous arrivé à cette position?

– Aux USA, j'ai pu enfin m'affirmer sur le plan professionnel, ici on écoute ceux qui ont quelque chose à dire. Une petite note personnelle est à ajouter... J'ai épousé Miss Angie Ferguson, qui depuis le décès de ses parents possède la Compagnie.

Le président-directeur général Dupuis en perdit le souffle. Je me délectais en imaginant son visage, son regard, il m'avait toujours pris pour la bonne bête à tondre, le mouton obéissant, je bêlais pour lui...

– Monsieur Landler, dit-il, la voix rauque, si vous aviez l'amabilité de considérer notre firme comme si elle était encore la vôtre et d'être persuadé de notre affection fraternelle pour vous... Nous serions infiniment heureux...

– Je penserai à vous, cher président. Voulez-vous présenter mes hommages à Madame Dupuis?

– Je n'y manquerai pas, bredouilla-t-il, enroué. Merci pour votre appel. Ne nous oubliez pas...

Ce jour-là, je fus parfaitement heureux.

Chapitre 13

Ma vie était un mélange d'excitation intellectuelle et d'angoisse; continuellement soumis à des examens de passage, je luttais. La Compagnie dans ma tête, Angie dans mes bras, le cœur battant à un rythme accéléré, je me bagarrais. Je m'efforçais d'être souple, je gommais ma susceptibilité, j'exposais mes arguments avec modestie et conviction. Je n'étais plus pittoresque, mais utile, on commençait à m'écouter. A la maison, malgré les instances d'Angie, je ne cédais pas d'un pouce au sujet de l'Afrique. Il me paraissait absurde de quitter l'entreprise juste au moment où poussaient mes premières racines.

Il y eut des jours fastes, la rencontre avec Roy. Lors d'un cocktail organisé pour nous recevoir, Angie et moi, je retrouvai les amis du club de tennis. Au milieu d'un cercle d'admirateurs, son public habituel, Roy mima la surprise alors que, par Kathy, il avait appris mon mariage. Il faisait un tel cirque que je le croyais jaloux. Il me souhaita bonne chance en me tapant énergiquement dans le dos. Judy boudait et me lança amèrement : « Tricheur. » Et Roy revenait à la charge toutes les cinq minutes : « Je me demande comment vous avez fait ça... En si peu de temps, vous devez avoir un secret. »

– Les coups de foudre ne s'expliquent pas.

Ils me regardaient avec un étonnement et même une certaine suspicion qui m'indisposaient.

Pendant des mois, à la Compagnie, le chef de service du secteur économique essaya de me saboter, il traitait mes projets de « théories ». Je l'amadouais, j'étais aussi aimable qu'ouvert à la discussion. Dieu sait que j'ai fait des efforts pour plaire!

Des portraits du père d'Angie ornaient la principale salle de réunion et les deux salons de réception. Andy Ferguson me souriait de partout, je le saluais en passant avec des clins d'œil. J'étudiais tard dans la nuit les dossiers, j'analysais les bilans, je m'inquiétais de l'avenir du centre de recherches fondé par Andy, à peine soutenu par la Compagnie. Le jour où, à la suite de mes démarches, de nouveaux crédits lui furent votés, Sean me félicita : « Le père d'Angie aurait été heureux de vous voir ici parmi nous. Bravo ! »

Le fait d'être introduit et peu à peu accepté dans le sanctuaire de la Compagnie redoublait mes capacités. Les possibilités me semblaient aussi vertigineuses que les facilités de communication entre les pays. Que de portes ouvertes et d'actions rapidement menées, aussitôt une décision prise ! En France, je n'étais qu'un planeur amateur et, ici, je me propulsais. Pour me mesurer aux Américains, je devais être imbattable sur la connaissance des marchés européens. Sean Sanders m'était précieux, mais, hélas, parce qu'Angie l'avait assommé de mes histoires, il ne manquait pas une occasion de faire une allusion flatteuse à mon passé, à mes ancêtres, à ma « propriété » abandonnée. Cette insistance me gênait, mais je la supportais plus facilement qu'avant, je ne me considérais plus comme un *loser*. Je ne me connaissais pas d'ennemi direct dans la Compagnie, je n'avais pris la place de personne, et, comme j'avais obtenu quelques succès auprès de firmes allemandes, mon crédit moral s'en trouvait renforcé.

Le bureau d'Angie dominait la tour. Je ne m'y étais aventuré qu'une seule fois et j'avais décidé de ne plus jamais y mettre les pieds. Je me souviendrai toujours de ce jeudi. Dans l'entrée élégante et spacieuse, sa secrétaire leva la tête en me voyant entrer.

– Ah ! Mr. Landler...

– Je dis juste un mot à Mrs. Landler.

Elle m'arrêta d'un geste.

– Elle vous attend ?

– Je n'ai pas l'habitude de me faire annoncer une semaine à l'avance à ma femme.

– Oh, je suis navrée, Mr. Landler, mais les ordres sont impératifs, personne ne peut entrer chez Mrs. Landler sans qu'elle soit prévenue. Elle est au téléphone. Voulez-vous vous asseoir quelques secondes ?

Elle me désigna les fauteuils disposés dans un coin. Le bureau de Miss Field était aussi spacieux que le mien, tandis qu'Angie occupait l'immense pièce où avait régné son père. Je marchais de long en large, Miss Field chuchota au téléphone les différents ordres d'Angie. Je me dominais pour le moment, en cas d'incident je serais perdant. L'attente se prolongeait, j'allais partir quand Miss Field m'interpella :

– Entrez, Mr. Landler.

Je franchis le seuil, Angie téléphonait encore. Son large bureau était recouvert de dossiers. Elle me fit un petit signe de la main droite, mais continua de parler à mi-voix. Dans son tailleur style Chanel, elle ne ressemblait pas du tout à la femme un peu trop insistante, presque agressive, dont j'avais ce matin repoussé les avances. Je ne faisais l'amour qu'à mon heure, selon mes envies ou mes obligations, mais rarement à l'appel.

– Bonne surprise, Éric! s'exclama-t-elle, après avoir raccroché.

Elle désigna sur le mur les deux portraits de Ferguson :

– Regardez, il sourit, heureux de nous voir ensemble ici.

– Sans doute, dis-je. Mais il m'était pénible d'attendre.

– Vous êtes toujours pressé, Éric...

Elle ne considérait pas cette attente comme un affront. Elle se leva et vint m'embrasser sur les joues.

– Vous devez m'être plutôt reconnaissant, j'étais en communication avec Tokyo, avec la fille de Yashimi. Je la connais bien...

– Quelle fille? Quel Yashimi?

– Yashimi, il n'y en a qu'un seul, vous vous démenez pour arriver à lui parler... J'ai connu sa fille à Stanford, nous étions dans le même secteur d'études.

– De quoi parlait-elle?

– Du terrain que vous voulez faire acheter par la Compagnie... Elle va en parler à son père et, s'il vend à quelqu'un, ce sera à nous. Quand sa fille veut quelque chose... Faute d'avoir un fils, il la considère comme la future impératrice des usines Yashimi.

J'entrai dans une violente colère, elles allaient régler entre elles, entre gosses de riches, une affaire sur laquelle je travaillais depuis des mois. A quoi je servais, alors?

– Ne vous mêlez pas de mes affaires.

– De nos affaires, mon chéri, dit-elle. Mais admettez enfin que l'existence est faite de relations. Certaines choses ne s'obtiennent que par des liens personnels, à prix égal, on vous choisit! D'où l'intérêt de soigner les anciennes amitiés de l'école, de l'université.

Ça y était, elle me flanquait en pleine gueule la supériorité de son argent! Je n'étais allé ni à Stanford, ni à Harvard, faute d'avoir noué des relations chics, je n'avais qu'à crever.

– Je me bagarre avec le Conseil depuis des mois, avec Yashimi aussi, par directeurs interposés, et vous voulez régler ça, vous? Entre copines?

– Yashimi ne vendrait, dit-elle, qu'en espérant l'association prévue entre nos deux sociétés, cela lui permettrait d'ajouter, avec l'apport que nous représenterions, un secteur de plus à son registre. Sa fille va nous aider, son père ne lui refuse guère quoi que ce soit... Il faut beaucoup d'éléments pour qu'une affaire de cette envergure marche.

L'héritière d'Andy Ferguson, la femme d'affaires parfaite, venait de me donner une leçon. Elle aurait dû m'en parler, j'aurais été plus assuré de ma démarche devant le Conseil. Elle m'invita à m'asseoir. Mal à l'aise, je devenais le pauvre de la classe, le gamin au pull trop moche pour qu'on le garde à goûter. Je n'ai jamais pu effacer le souvenir amer du jour où l'on m'a renvoyé de la fête d'un camarade de classe. J'avais neuf ans et un chandail plein de taches. « Va te changer, mon petit, avait dit la gouvernante du copain, et reviens après. » J'étais resté à la maison.

Elle se tourna vers moi avec un sourire délicieux :

– Quel est le but de votre visite?

J'explosai de colère. Je me dirigeai vers le téléphone et je prévins Miss Field qu'elle ne nous dérange sous aucun prétexte.

– Mais... dit Angie. Pourquoi? Que faites-vous?

Je souris et m'approchai d'elle.

– Vous êtes fou...

– Il est temps de vous en apercevoir.

A travers les baies vitrées, je jetai un coup d'œil sur Los Angeles, voilé par le smog; j'eus une pensée pieuse en direction du père qui allait assister à une scène violente, je pris Angie dans mes bras, et, en la tenant d'une main, je commençai à la déshabiller de l'autre. Au début, sidérée, elle ne protesta même pas. Je tirai sur son collier précieux, les perles s'éparpillèrent sur la haute laine de la moquette. Miss Field allait devoir les ramasser à genoux, une par une.

– Quelle brute! s'exclama Angie.

Elle ne se défendait que mollement, l'attaque n'était pas pour lui déplaire. Je remportai ma lutte contre la fermeture et déchirai son chemisier distingué, je marchai sur sa veste jetée par terre. Je la soulevai, ma jolie femme, je la forçai à s'allonger sur son bureau, elle cria : « Tu peux me casser la colonne, idiot! Tu m'aimes donc à ce point... » Il était difficile de l'immobiliser et de me libérer de mes vêtements. Son slip déchiré, une toile d'araignée de soie qui résista peu, je pénétrai Angie. J'avais envie de lui faire mal, elle ferma les yeux et tourna le visage vers la fenêtre. Elle eut bientôt un si violent orgasme qu'elle ne put le camoufler. Le dos plaqué au bureau en acajou massif, le nez presque dans son encrier ancien, une pièce de collection, les cheveux près de sa lampe, la nuque sur un sous-main en cuir gravé à ses initiales, Angie jouissait. Chauffé par la volonté de la dominer, mon corps battait son record, je durai, puis longuement je jouis. Ensuite, je la lâchai sans un mot et je ramassai mes vêtements, j'avais égaré la ceinture de mon pantalon et une chaussure. Je les retrouvai, et elle, debout, le porte-jarretelles cassé, un bas dégringolé jusqu'à la cheville, les seins nus, le soutien-gorge en dentelle par terre, les chaussures éparpillées, cherchait à comprendre ce qui lui était arrivé.

– Vous auriez pu me casser une côte... dit-elle en hochant la tête. Et mon collier...

Je nouai ma cravate.

– Les Japonais n'ont qu'à vous en offrir un plus beau.

Elle soupira :

– Je crois, Éric, que vous commencez à m'aimer.

Elle n'était même pas furieuse. Pratiquement violée sur l'ex-bureau de son père, l'héritière Ferguson raisonnait. Je ne l'avais pas humiliée, je l'avais comblée.

Nous n'avons jamais fait l'ombre d'une allusion à l'unique visite que je lui ai rendue dans son bureau et, de notre collision physique, elle ne me parla plus. Curieusement, je me sentais abaissé, moi, par cet incident que je considérais comme pénible. J'aurais dû agir différemment, mais comment? Je ne connaissais pas ses réactions.

Je m'habituais au luxe et au pouvoir, la France semblait à des années-lumière. A la demande d'Angie, Sean aménagea mon existence quotidienne. La Compagnie m'ouvrit un compte courant pour couvrir mes frais généraux, les dépenses de mes cartes de crédit. Avec un salaire de 120 000 dollars par an, versé sur un compte privé, je me sentais riche comme Crésus. Je remboursai tout ce que je devais à Patricia, à Yvonne et à oncle Jean aussi, plus une somme importante ajoutée à ma dette d'origine.

J'aurais désiré une trêve, mais quand Angie ne me persécutait pas avec l'Afrique, elle s'en prenait à mon passé. Elle voulait visiter l'Allemagne. Elle songeait à se rendre au cimetière où mes parents étaient censés être enterrés, pour déposer une couronne sur leur tombe. J'avais beau dire que je ne voulais plus en entendre parler, elle hochait la tête et déclarait qu'il fallait rester fidèle au souvenir des ancêtres. « Et si j'avais été un enfant trouvé, vous chercheriez à connaître qui et quoi? – Votre orphelinat, dit-elle. Éric, en dehors de notre amour naissant, vous représentez pour moi l'Europe, si nous avons un jour des enfants, ils voudront connaître leurs origines, il faut préserver leurs futurs souvenirs. »

Quand elle ne m'épuisait pas trop avec ses discours humanitaires et ses latentes exigences physiques, obsédé par la réussite, je travaillais. J'avais pu faire acheter en Allemagne l'une des rares usines de produits chimiques en difficulté. Pour la première fois, on me félicitait.

Angie avait organisé une fête pour me présenter à toutes ses relations. Ce fameux soir, nous recevions le « tout » Los Angeles, nous attendions sur le perron. Les invités quittaient leurs limousines devant la grille de la propriété et arrivaient à pied à la maison. Les femmes, vêtues de robes brillantes souvent provocantes, très décolletées, étaient impressionnantes, leur parure témoignait de la fortune de leurs maris. Elles me dévisageaient, puis se tournaient vers Angie en s'exclamant : « Il est superbe ! » Vêtu d'un smoking blanc, hâlé, j'avais un style à la mode, nonchalant, bourru, avec une tignasse châtain clair, un visage qui aurait vaguement évoqué, pour les gens bienveillants, un Brando jeune. Un soupçon timide, je les excitais, surtout parce que j'avais l'apparence d'un homme à femmes, amoureux de l'une des leurs. Des fragments de phrases m'effleuraient, des extraits de ma biograhie tant répétée : « industriels allemands, l'aristocratie française, diplôme d'Oxford », j'étais l'objet de luxe qu'avait trouvé Angie. « Enfin elle a de la chance. »

Les serveurs du traiteur se faufilaient dans la foule, les parfums se mélangeaient à l'odeur des petits fours chauds. Le caviar était présenté dans des coupes en argent et servi à la louche. Plusieurs femmes m'avaient interpellé du regard, j'aurais pu les répertorier, les classer sur la liste d'attente d'éventuelles aventures, mais jamais je ne commettrais une erreur de ce genre. J'avais eu une veine colossale, je la respectais, la seule chose à laquelle je croyais vraiment était la reconnaissance envers le destin.

Je travaillais souvent jusqu'à quatorze heures par jour et j'encourageai Angie à partir seule pour le Kenya. Elle insista : « Avec vous ! » Elle voulait me montrer l'Afrique. « Je ne suis pas trop pressée, disait-elle, je peux encore attendre, pas trop longtemps, mais attendre. Vous devez tenir vos engagements moraux, l'Afrique en fait partie. »

Les jours s'égrenaient, je savourais mes premiers succès. Puis, lors d'une journée très claire, Sean m'appela sur ma ligne directe. Il alla directement au but :

– Éric, je dois vous voir, dit-il. C'est urgent. Je ne voudrais pas trop bousculer votre emploi du temps, mais...

– Vous plaisantez, Sean... Me déranger ? Je suis toujours libre pour vous.

– Je suis encore chez moi, dit-il, mais je pourrai vous rejoindre dans une heure au bureau.

– Je vous attends.

Je donnai aussitôt des instructions pour retarder la réunion où, une fois de plus, le problème du terrain de la banlieue de Tokyo allait être discuté. Les Japonais achetaient tout ce qu'ils pouvaient à Manhattan, moi, je voulais pour nous un morceau de Japon. Construire, associés à Yashimi, une usine qui fabriquerait un appareil électronique encore inédit destiné à l'analyse des produits chimiques. L'affaire semblait retardée, l'intervention de sa fille n'avait pas dû amadouer le géant.

Sean entra, soucieux mais aimable, à 10 heures dans mon bureau. Je savais peu de chose de la vie privée de Sean. Angie était évasive à ce sujet. Selon les bribes recueillies ici et là, y compris dans l'entourage saturé de potins de Roy, Sean n'avait jamais été marié, il considérait la famille d'Angie comme sienne. Angie avait évoqué devant moi la rumeur de jadis : Sean aurait eu affaire à une femme pas « digne » de son milieu, genre *chorus girl* ou ancienne « roquette » du Radio City Music-Hall. Il l'aurait installée à Los Angeles en secret, et puis... Personne ne connaissait la suite de l'histoire.

Je lui proposai un café, il le refusa. Nous nous installâmes dans des fauteuils, dans la partie « salon » de mon bureau.

– Éric, si vous étiez mon fils, je ne m'inquiéterais pas davantage...

– Qu'est-ce qui se passe?

Il haussa les épaules :

– Il y a des problèmes, Éric.

La chaleur me monta aux joues. Comme tous les menteurs, dès qu'un sous-entendu apparaissait, je me sentais au pilori :

– J'espère que vous n'avez rien à me reprocher...

Il s'exclama :

– Dieu, non! Et croyez-moi, je bénis tous les jours le Seigneur grâce à qui Angie vous a connu, mais je crains qu'elle n'apprécie pas vos qualités à leur juste valeur.

– Où voulez-vous en venir, Sean?

Il se pencha vers moi :

– Elle est versatile. Le destin l'a malmenée, reconnaissons-le, mais parce qu'elle a été trop gâtée par son père, elle a pris l'habitude qu'on plie devant elle. Dès qu'elle sent une résistance, elle se déclare malheureuse, mal aimée, incomprise, rejetée, en manque d'analyse.

– Sean, soyez plus clair. Ce matin, j'ai quitté une femme qui semblait m'aimer. Il est 10 heures, et, selon vous, tout a changé. Qu'avez-vous entendu pendant ces deux heures?

– Tout cela ne date pas de ce matin. Vous avez atteint la cote d'alerte depuis des semaines.

– Quelle cote d'alerte?

Des spasmes parcouraient mes jambes.

– Allez-y carrément, Sean. Je préfère.

– Voilà, elle boude et vous reproche de penser davantage à la Compagnie qu'à elle.

– Mais c'est dans son intérêt, elle n'a pas épousé un homme-jouet, je l'ai prévenue dès le début que je voulais arriver à prouver ce que je vaux, je ne suis pas un prince consort. J'ai une passion pour cette entreprise.

– Mon pauvre ami, vous êtes tombé dans un piège que je ne cesse de subir. Vous oubliez tout simplement que la compagnie Ferguson n'est pas à vous. Nous ne sommes que des salariés...

J'avais la gorge sèche :

– Cette compagnie appartient à ma femme.

– Votre femme, pour combien de temps encore?

– C'est-à-dire?

– Vous pouvez être saqué d'un jour à l'autre, vous aussi, comme moi...

– Qu'est-ce que j'ai fait?

– Vous en faites trop et trop peu. D'un côté, vous vous démenez d'une manière folle pour la Compagnie, ce n'est d'ailleurs pas tellement l'habitude chez nous quand on n'est pas le patron, de l'autre, vous envoyez promener Angie, elle et son Kenya, vous ne participez pas aux déjeuners qu'elle donne pour ses amies, où elle voudrait vous exhiber... Elle va en avoir marre de son reclus de mari.

– Elles m'ont déjà toutes vu, ces femmes. Je ne peux pas écouter pendant une heure et demie des bêtises, des potins sur des gens que je ne connais même pas.

– Ça fait partie de sa vie à elle, ces bêtises...

– Je reconnais que, sur ce plan, j'ai failli à mes prétendus devoirs, d'accord, mais pourquoi était-il si urgent de me dire tout cela ce matin?

– Pourquoi? Parce qu'elle m'a prié – d'une manière vicieuse, elle sait que je la désapprouve – de mettre définitivement en forme le texte de base de la fondation Ferguson, qu'elle destine aux Kenyans. Elle est furieuse. Elle veut partir avec l'acte préparé et discuter avec le gouvernement kenyan. Peut-être même avec le Président, il s'agit toujours de l'extension d'une réserve.

– En quoi tout cela me regarde-t-il?

– Vous refusez le voyage au Kenya. Elle est littéralement enragée. Elle avait imaginé qu'en vous épousant, elle allait vivre avec un Français élégant, sportif, dont elle aurait réveillé les nobles instincts écologiques, mais oui, mon ami, c'était vous...! Elle voulait un homme de compagnie avec qui elle pourrait s'installer en Afrique. Et qu'est-ce qui arrive? Elle se réveille aux côtés d'un bourreau de travail, attaché à Los Angeles. Elle n'a jamais pu attirer en Afrique son premier mari qui craignait d'attraper la crève là-bas et de compromettre ses compétitions, il s'est barré, et Howard – le second – n'est resté que cinq jours au cottage de Diani Reef... Angie vous espérait maniable, désireux de la suivre. Au bout d'un an, elle découvre que vous vous moquez des éléphants ou des rhinocéros, c'est tout dire, mon cher ami. Même la mort des lions ne suscite pas de spasmes intellectuels.

– Sean, je prends tout cela au sérieux, mais mon travail est plus important. La faune sauvage et sa défense, ce n'est pas mon affaire, elle doit le comprendre. Ma résistance à sa passion africaine n'est pas une raison pour divorcer.

– Pour elle, si. Elle divorcera. Sur le plan juridique, ce serait facile, elle ferait constituer un bon dossier et vous accuserait de cruauté mentale, ou de rupture de promesse, qu'importe...

– Elle vous a chargé de me communiquer ses menaces?

– Pas du tout. Elle n'est jamais directe. Née sous le signe du Scorpion, elle sait attendre son heure et frapper quand l'adversaire est démuni de défenses. Bientôt.

Je me levai.

– Sean, je regrette, mais je ne peux pas imaginer raisonnablement qu'elle veuille disposer de moi comme si j'étais un chien à donner. Je suis un être humain, j'ai besoin qu'on me traite avec dignité, qu'on me respecte!

– Elle se sent trahie, déçue. Elle vous fera toutes les crasses du monde. Vous ne tenez pas votre promesse concernant l'Afrique, donc vous êtes un ennemi...

Je ne pus m'empêcher de m'exclamer:

– Moi, je n'ai rien à foutre de l'Afrique! Qu'elle y aille!

Il hocha la tête:

– Vous êtes entêté, dit-il. Laissez-moi au moins, pendant qu'il est encore temps, faire une tentative pour vous protéger. Vous n'avez pas de contrat de travail.

– C'est vrai, mais tout le monde reconnaît que ce que je fais est utile, je...

Il prit un air sévère:

– Elle peut vous faire congédier d'une heure à l'autre. Un matin, vous trouverez votre bureau fermé. C'est tout.

Le sol se dérobait sous mes pieds:

– Anéantir l'existence de quelqu'un pour une rancune aussi puérile?

Pour obtenir la nationalité, je devrais vivre avec elle pendant cinq ans. Et pour faire prolonger ma *green-card,* je devrais prouver que j'avais du travail. Si j'étais vidé de la Compagnie de ma femme, je n'aurais plus de poids ni de crédit, je serais un homme fini!

Il me calma :

– On n'en est peut-être pas encore là, mais il était temps de vous prévenir... Vous protéger.

– Comment?

– J'ai un plan. Je souhaiterais, m'expliqua-t-il, que la société s'engage à garantir votre emploi, dont dépendent vos papiers... Je voudrais faire signer un contrat qui obligerait la compagnie Ferguson à vous garder pour une durée de cinq ans, à partir du jour de la signature. Je souhaiterais inclure une clause de dédommagement en cas de préjudice moral. Si le divorce était prononcé malgré vous, contre vous, actuellement vous n'auriez rien. Avant votre mariage, vous avez signé une déclaration qui vous laisse pieds et poings liés. C'est moi qui ai dicté le texte, je ne savais pas qui Angie voulait épouser, je la défendais... Mais on peut remédier à ça... En cas de rupture unilatérale décidée par Angie, sans qu'elle ait d'autre grief que la cruauté mentale, vous devrez avoir une compensation.

Je m'assis lourdement, déjà je disais adieu à ce beau canapé en cuir, la sueur coulait dans ma nuque. J'essayai pourtant de jouer la comédie, je répétai que je le croyais, lui, trop pessimiste.

– Mais non, dit-il apitoyé, mais non. Il faut se méfier des Ferguson. Ce sont des requins de père en fille...

– Vous étiez ami du père requin...

– C'est vrai, je plaisante un peu en les appelant requins, mais Andy n'aurait jamais réussi de cette manière-là s'il n'avait pas été un fonceur. Un homme prêt à tout pour réussir. Sa fille lui ressemble. Nous étions amis... Ce sont des gens durs, et vous, vous n'avez pas le culot du champion de tennis, ni l'envergure du docteur Howard.

Je fis une grimace.

– Envergure? Il a été massacré, avec son envergure en prime... Je lui abandonne son envergure...

– Vous raisonnez à l'européenne. Howard était un escroc, mais il avait de la classe, il voulait posséder une fortune proche de celle d'Angie, donc il a floué son collaborateur principal en lui volant son invention. Il en est mort. Triste chose. Mais, pendant leur vie commune, il a dominé Angie. Il cultivait son côté tourmenté, il a créé autour d'elle une atmosphère d'incertitude, de crainte. Il la rendait jalouse et peu confiante en elle-même. Vous, Éric, vous êtes l'homme sûr, sans surprises, dévoué. Elle vous croit limpide et buté, donc elle devient insupportable.

Une bouffée de haine m'envahit. Je détestais mon père, ma mère, toute la sale tribu qui m'avait conçu et m'avait légué ses défauts, mes complexes. Sean leva l'index :

– Dès qu'elle s'ennuie, elle veut tout changer.

Je me résignai :

– Si elle y tient tellement, j'irai au Kenya.

– Espérons que votre décision n'interviendra pas trop tard, dit Sean.

Je marchais maintenant de long en large, Sean me rejoignit. Il me prit par le bras :

– Éric, essayez. Je vous aiderai. Soyez plus proche d'elle, écoutez ses projets, devenez un vrai confident. Vous avez un peu de temps devant vous...

– Pourquoi faites-vous ça, Sean?

– Parce que je vous aime tous les deux et je sais que mon ami Andy Ferguson se retournerait dans sa tombe s'il connaissait le contenu du plus récent testament d'Angie.

– Le plus récent?

– Elle en fait des masses, selon ses sautes d'humeur, ses caprices...

– Pourquoi s'occupe-t-elle tellement de testaments? Elle a trente-trois ans.

– La mort n'est pas une question d'âge. Si vous saviez ce qu'elle peut inventer. Par exemple...

Je l'interrompis :

– Je ne veux pas connaître les détails, Sean. Dirigeant estimé, je veux l'être, mais pas croque-mort. J'accumule de bons résultats : j'ai créé les conditions de l'achat d'un terrain industriel à Tokyo, de celui de l'usine près de Munich qui pourrait doubler notre capacité de production européenne, l'Espagne est favorable à mes propositions. Tout cela vient de moi, j'existe.

– Réveillez-vous! Dois-je vous rappeler une fois de plus que nous ne sommes que des salariés d'Angie? La Compagnie lui appartient à soixante-dix pour cent et, actuellement, les trente pour cent de petits actionnaires sont sollicités pour vendre. Le Conseil freine donc les investissements pour ne pas trop revaloriser le prix des actions... avant de les acquérir.

– Elle ne m'a jamais parlé de cette opération.

– Elle est peu bavarde quand il s'agit d'affaires, elle ressemble à son père. Elle est loin d'être l'orpheline sans défense.

Je me trouvai de nouveau dans un monde hostile, en conflit avec ce sale fric.

– Je suis déçu, Sean.

– Essayez d'entrer dans la logique d'Angie. Elle a tous les

pouvoirs et veut un homme disponible. Elle veut tout, vous implanter dans la Compagnie, mais aussi vous avoir à elle. Même moi, je dépends totalement d'elle, Éric. J'ai beau être l'ami de la famille, « le deuxième père », si je l'énerve, si je pèse trop sur ses décisions, si j'essaie d'en prendre une seule sans l'avoir consultée, elle se débarrassera de moi.

– Son père n'a pas assuré votre existence, Sean?

– Non. Il ne voulait pas greffer un pouvoir extérieur à la famille sur la Compagnie, il m'a utilisé pour être un soutien, mais pas un poids.

– Curieuse amitié.

– Belle amitié, dit-il d'une voix chaleureuse. Il faut prendre les gens tels qu'ils sont, ou s'en aller.

– Que me conseillez-vous?

– D'admettre que les dispositions que je désire prendre sont nécessaires.

– Je les admets.

– Je proposerai à Angie de vous doter d'une somme de deux cent mille dollars comme cadeau de mariage, un peu tardif, mais cadeau quand même.

– Je n'ai pas besoin de cadeau. Nous avons déjà un compte commun alimenté par la Compagnie.

– Mais si, vous devez avoir votre « cadeau », c'est une question de standing. Barbara Hutton l'a bien fait, sept ou huit fois. Angie peut le faire aussi, quoique beaucoup moins riche. Elle m'a affirmé avoir épousé un homme désintéressé... C'est la vérité, mais, entre nous soit dit, avouez-le, vous êtes plus amoureux de la Compagnie que d'elle...

Je n'en pouvais plus.

– A quoi bon décortiquer mes erreurs ou mes qualités? Je suivrai vos conseils, Sean.

Il énuméra, placide :

– Si Angie mourait avant que vous vous sépariez, une rente de cent mille dollars par an serait honorable...

Je l'interrompis :

– Vous allez trop loin. Je ne veux pas de rente. Je n'ai pas besoin d'aumône, j'ai trente-six ans, j'ai des capacités, mon salaire est confortable. La sécurité d'emploi me suffit.

– Éric, ne m'agacez pas. Avez-vous une idée de la somme qu'elle voudrait donner au Kenya?

– Aucune...

Sean poussa un soupir :

– Quatre-vingts millions de dollars.

– Quatre-vingts millions de dollars?

J'accusai le choc.

– Si je pouvais en disposer pour mes investissements, je ferais des miracles en Espagne.

– Vous dites «je», «si je pouvais en disposer»... Nous y voilà. Rien n'est à vous. Je suis désespéré à l'idée de ce projet de donation et elle me demande de le structurer. « Vous êtes génial, mon cher Sean», m'a-t-elle dit. Je suis à la fois flatté et dompté.

Il était fatigué.

– Éric, voyez-vous, je n'ai aucun intérêt personnel dans ces affaires, hélas, d'ailleurs je n'ai besoin de rien. J'ai l'argent qu'il me faut, une vie confortable et pas de famille, mais vous, vous êtes l'homme à défendre... Vous êtes jeune.

Je m'approchai d'une des fenêtres. Et si tout cet exposé n'était qu'un piège? Un examen de plus pour déterminer si je n'étais vraiment pas un habile coureur de dot?

Je me tournai vers lui :

– Sean, il n'y a que les sentiments d'Angie qui m'intéressent et mon travail. A qui elle destine son argent? Je ne désire pas le savoir, ni avoir une opinion. J'accepte que vous fassiez les démarches pour assurer ma survie, mais je désire ne plus parler du reste.

Sean s'approcha :

– Rien n'est perdu, Éric, surtout si vous devenez plus souple avec elle. Elle gracie, elle privilégie, elle rejette, elle exclut. Elle aime imaginer la réaction des gens après sa mort. Qui sait quel rôle vous jouez dans une variante de testament?

– Jeu morbide.

– Peut-être, mais si vous aviez la même fortune sans avoir de famille, vous joueriez peut-être de la même manière.

– Je ne le crois pas. Je respecte les gens.

– Mais pas de votre tombe, mon cher. N'exagérez pas.

Il me prit par les épaules :

– Essayez de l'amadouer, de l'attendrir, de lui promettre un prochain départ pour le Kenya... Dites-lui que vous avez tout préparé pour pouvoir vous absenter et que vous resterez avec elle là-bas tant qu'elle le voudra.

– Je vais essayer, Sean... Je vais essayer.

Sean haussa les épaules :

– Vous êtes tourmenté, mais aussi têtu. En tout cas, j'ai fait de mon mieux pour vous convaincre. Je vous appellerai dans les prochains jours.

Il se retourna sur le seuil :

– Je vous souhaite bonne chance, Éric. N'oubliez pas qu'elle peut tout! Tout...

Il referma la porte doucement.

Chapitre 14

J'étais désemparé. Que voulait Sean, me désorienter? Non! C'était mon ami et je n'avais pas le droit de le soupçonner de monter des combines ou des opérations d'ordre psychologique pour me décourager.

Pour tester l'atmosphère, j'appelai les amis proches d'Angie. Je visai au hasard, selon les numéros que je retrouvais et les prénoms qui me passaient par la tête. Il n'était peut-être pas trop tard pour réchauffer ces relations en friche. J'appelai Roy à son bureau, il m'accueillit avec un air pincé :

– Hello, Éric! dit-il. Quelle surprise, votre appel. Kathy vous traite de tous les noms, dont le moindre est « traître ». Vous nous aviez oubliés. Plus de tennis, plus de Roy, les jeux sont faits, alors pourquoi se souvenir du bon vieux Roy, n'est-ce pas?

En me parlant, il devait lire un document ou jouer avec un presse-papiers. Lors de ma seule visite chez lui, il y a des mois, j'avais admiré sa collection de pierres semi-précieuses et ses sulfures.

– Vous êtes un lâcheur. Vous vous laissez accaparer par votre travail. Angie s'en plaint. N'empêche, ça ne veut rien dire, elle n'est jamais contente, sauf en Afrique.

Je me décarcassais en inventant des prétextes, j'insistais sur le fait que j'étais un étranger et que pour me montrer compétitif, je devais accélérer mon adaptation. Peu à peu, j'admis que Sean avait raison. J'avais mal agi avec le milieu d'Angie, il fallait récupérer ses amis.

– Vous vous trompez, dit Roy. Ce n'est pas en vous enfermant dans des dossiers que vous serez un jour un meilleur Américain, mais en vivant très proche de vos relations. Appelez Kathy, elle est à l'appartement, elle sera heureuse de vous entendre. Et si vous improvisez une petite sauterie, on arrive. J'espère que vous n'avez pas oublié le séjour chez ce vieux Hart. Proposez-nous des dates pour qu'on se revoie... mais on bouge beaucoup, il faut nous « réserver ».

Je raccrochai, puis j'appelai Kathy.

– Monstre! s'exclama-t-elle. Vous ne nous avez pas seulement oubliés, vous nous avez liquidés, sans nous, vous n'auriez pas connu Angie. D'ailleurs mécontente, elle répète à qui veut l'entendre que vous ne vous intéressez qu'au business et que vous la laissez choir aussi, conclut Kathy. Si vous croyez que vous allez la garder de cette manière-là, vous vous trompez. A quoi bon avoir un mari qu'on ne voit jamais? dit-elle. Vous courez tous les risques, Éric, dès qu'elle s'ennuie, elle part.

Les remarques concernant notre vie intime me répugnaient, mais je devais me défendre :

– Je souhaite à beaucoup de gens de passer des nuits comme les nôtres.

– Le lit n'est pas tout, dit-elle.

– Kathy, je ne suis pas un homme de compagnie, un toutou qu'on promène...

– Vous interprétez mal mes remarques. Ce n'est pas ça, dit-elle. Au début de votre mariage heureux, elle a retrouvé l'envie de s'amuser, de revoir ses amis, et aussitôt vous êtes sorti du circuit. Il paraît que vous ne voulez même pas partir en voyage de noces en Afrique...

– Nous sommes mariés depuis dix-sept mois, la vie est devant nous...

– Je n'en dirais pas autant. Vous êtes en train d'abîmer quelque chose. Qu'est-ce qui vous tracasse?

– Il faut que je fasse mes preuves...

– Vos preuves? Vous n'avez pas confiance en vous?

– Je suis un Européen.

– Ce n'est ni une tare, ni une qualité, il ne faut pas tout le temps le remâcher, plus vous le répétez, moins vous vous intégrerez.

Je l'interrompis :

– Bref, laissons le passé. Je vous appelais pour vous annoncer que j'ai décidé d'être disponible, je vois maintenant à peu près clair dans mon travail.

– Je vous félicite. En tout cas, vous en faites tous trop. Roy est un peu dans votre style, mais il se garde du temps libre, lui. Et puis son affaire est à lui, c'est différent.

Je continuai à appeler nos amis, ces relations humaines fluides et fragiles m'énervaient. Les doux reproches pleuvaient, leur monde m'était hostile. Fallait-il les relancer, les inviter, me faire pardonner un an et demi d'absence de leur vie tumultueuse? J'ai compris, dans mon bureau-aquarium entouré de baies vitrées, que j'avais pris la mauvaise attitude. Pour eux, je n'étais plus qu'un marginal besogneux, mais au moindre faux pas à la Compagnie, n'aurais-je pas été traité d'opportuniste, de « mari »? Par mon travail, j'avais réussi à arracher une certaine considération à mon égard. Mais peut-être n'avais-je pas la carrure suffisante pour couvrir tous les besoins qu'imposait ma situation. J'aurais dû adopter leurs habitudes mondaines et me comporter comme un riche de naissance. Des parties de tennis chez Roy m'auraient mieux servi que des nuits blanches passées avec les dossiers.

J'appelai Angie.

– J'allais sortir, dit-elle. Vous avez un problème?

– Non. Pourquoi?

– Vous sacrifiez cinq minutes de votre travail pour me parler?

Je devais réparer, ajuster, combler les failles.

– Angie, ma chérie, ne soyez pas injuste, ne me reprochez pas de travailler trop pour votre compagnie. Vous êtes la femme de ma vie, vous remplissez mon univers...

– Holà! s'écria-t-elle. Que de mots doux! Alors, que désirez-vous?

– Déjeuner avec la plus jolie femme de Los Angeles.

– Moi?

– Oui. Vous me manquez.

Il fallait nous montrer ensemble, j'ai donc invité ma femme, célèbre pour son argent, dans un restaurant réputé.

Sandy dut se démener pour m'obtenir une table. Arrivée avec cinq minutes de retard, vêtue d'un tailleur en cuir souple comme de la soie, Angie se dirigea vers moi, souriante :

– Vous devenez sociable, Éric?

– Pas de reproches, je vous prie. Vivons dans le présent.

Elle prit place. Sa veste s'entrouvrait sur son chemisier chic. Il y a des femmes à chemisiers, des femmes à foulards, des femmes à bracelets, des femmes avec des bagues à chaque doigt, des femmes à boucles d'oreilles aussi, et des femmes à parfums. D'un raffinement extrême, d'une élégance innée, les mains soignées jusqu'à l'ovale harmonieux de ses ongles, elle m'éblouissait. J'ai toujours rêvé d'une femme comme ça, oserais-je râler? Je m'engueulais silencieusement, l'orchidée en face portait mon nom, il fallait qu'elle le garde.

J'admirais ses manières, son ton confidentiel avec le maître d'hôtel, elle s'inquiétait de l'origine du saumon fumé et le commanda accompagné de blinis et de crème. Apparemment, elle préservait pourtant une distance infranchissable avec les serviteurs. Des abîmes nous séparaient. Au-delà de la différence entre l'Europe et l'Amérique, son milieu social me gênait. Ça n'était pas tout de découvrir et d'apprendre le mécanisme intérieur de la Compagnie. Je devais travailler ma propre manière d'être, les nuances, les moues, le degré de satisfaction à exprimer, l'intonation donnait son poids à la phrase prononcée. Il ne suffisait donc pas de faire l'amour à Angie et de l'oublier aussitôt pour me précipiter vers la tour Ferguson. Non. Il fallait en plus être le singe en smoking blanc, la suivre, doser les mondanités, boire, participer aux parties de golf et écouter les potins. Pour satisfaire tout le monde et apaiser mes angoisses, j'aurais eu besoin de journées de trente-six heures. Angie venait au bureau régulièrement et Sanders n'était absent que pendant le week-end. Je devrais être partout. Au cours des dernières semaines, j'avais pu éplucher les anciens dossiers ressortis des archives, apprécier même approximativement les forces et les faiblesses de la Compagnie, comparer sa progression à celle des autres et définir son champ d'action. Comment aurais-je pu assumer ce rôle en faisant le joli cœur à Beverly Hills? Je levai mon verre de champagne :

– Attention : une surprise à annoncer... Qu'on m'écoute!

– Bonne surprise?

– Nous partons pour le Kenya. J'ai besoin de deux ou trois petites semaines pour tout laisser en ordre et ensuite, à nous l'Afrique! C'est vous qui déterminerez la durée de notre séjour là-bas.

– Oh, Éric, c'est vrai? Éric, mon chéri.

Elle ajouta :

– Vous avez besoin de trois semaines, n'oubliez pas le délai de certains vaccins, rien n'est obligatoire pour le Kenya, mais l'Afrique est dangereuse, il faut le maximum de précautions.

Je soupirai d'aise, elle venait de m'offrir un cadeau d'une semaine.

Elle se pencha vers moi et m'embrassa sur les lèvres, légèrement, un soupçon de baiser.

– Éric, j'étais désespérée, je croyais avoir raté ce mariage aussi.

– Si je n'existe que par rapport à l'Afrique, ce n'est pas très flatteur...

– Mais non, mon chéri, ce n'est pas ça... mais vous verrez, l'Afrique va vous changer.

Changer? Il était déjà pénible d'être le faux moi-même inventé et modelé à son usage.

Elle préparait son blini, elle y étalait la crème avec un soin exagéré, avant d'y placer la fine tranche de saumon. Je pensai au nombre de calories, elle ne grossissait même pas, comme je vous le dis, elle était parfaite, ma femme.

– Éric, dans quelque temps, vous saurez pourquoi je suis émue à ce point par votre gentillesse, bouleversée. Je vous jure que vous n'oublierez jamais ce déjeuner.

– Parfait, vous voyez, je tiens mes promesses. J'avais besoin d'un peu de temps pour prendre le rythme de l'entreprise, prouver mes qualités, si j'en ai, acquérir une identité professionnelle.

– Je suis vraiment fière de vous! dit-elle, les yeux brillants de joie. Sean vous aime tant... Vous le voyez souvent?

Elle changea de ton :

– Vous vous êtes concertés pour discuter les conditions qu'il souhaiterait obtenir pour vous de la Compagnie?

J'étais désorienté, Sean serait déjà intervenu sans me prévenir?

– Il est amical, Sean, depuis quelque temps il évoque ce problème. Problème pour lui, pas pour moi. J'ai un poste de directeur, je gagne ma vie – pas la nôtre – ça peut venir! Je ne pense pas à mes vieux jours et, surtout, je ne doute pas de l'avenir. Notre union sera bientôt un mariage d'amour, de mon côté... Et j'espère, pour ma part, votre amour...

Elle m'écoutait avec attention.

– Je suis sûre que nous allons réussir, dit-elle, mais Sean a raison de vouloir prendre soin de vous, vous êtes d'un tel désintéressement qu'il vaut mieux vous protéger.

Je haussai les épaules :

– C'est notre voyage qui me passionne.

– Je commence à vous aimer... dit-elle avec un petit sourire.

Puis ajouta :

– Allez chez Ruth, elle vous vaccinera.

Ruth faisait partie du groupe d'amis qui régnaient sur Los Angeles, elle était généraliste, spécialisée dans les maladies tropicales, elle rendait service à ses relations en les vaccinant et, avec ses ordonnances, on obtenait des examens de sang garantis anonymes.

Nous terminâmes le repas avec des mangues, je jouai l'atout séduction, je déclarai vouloir reprendre le plus rapidement possible le contact avec nos amis, que j'avais un peu négligés. « Que voulez-vous, chacun sa nature, je suis un obsédé du travail. »

Pour faire preuve de bonne volonté, je me rendis l'après-midi même chez Ruth, une petite femme acide aux cheveux gris, au visage étroit. Elle me fit des recommandations désobligeantes :

« Vous êtes en parfaite santé, mais attention là-bas, une jolie négresse et c'est la mort. »

– Je n'ai jamais eu ce genre d'envie, Ruth, n'oubliez pas que j'aime ma femme et que je suis fidèle.

Les lunettes glissées sur le bout du nez, elle me répondit en rédigeant son ordonnance :

– L'envie n'a rien à voir avec l'amour. Les femmes noires attirent.

Elle me prenait pour un blanc-bec, un homme à fantasmes exotiques. J'avais un riche passé, j'étais un petit Crésus du sexe. En regardant sa fade et irrémédiable blancheur, je me souvins de la superbe Haïtienne. Son corps m'avait brûlé de passion. Il m'avait fallu un entraînement sérieux pour ne pas éclater trop rapidement quand je la pénétrais. Lorsque je pus enfin me discipliner et prolonger le voyage délirant dans ses bras, je vécus des moments que peu d'hommes connaissent. Ruth n'avait rien à m'apprendre.

En dix-sept jours, régulièrement vacciné – j'allais être immunisé, paraît-il, contre un nombre considérable de maladies –, j'abattis un travail considérable. Je convoquais mes collaborateurs dès sept heures et demie du matin, pour me libérer plus tôt le soir. J'avais dans mon passeport le visa d'entrée au Kenya, et dans ma poche la boîte de comprimés, le traitement préventif du paludisme. Bardé de sparadraps, les omoplates et les bras endoloris, j'écoutais Angie, intarissable. Elle me racontait des histoires africaines. Je déclarai que notre voyage de noces commençait déjà ici, à Los Angeles. Nous prenions presque tous nos repas ensemble. Je gobais à la fois les statistiques de la mortalité des girafes et les huîtres, servies dans un verre. Dégoûtant. Cette chose grise était paraît-il une spécialité new-orléanaise qu'on introduisait à Los Angeles. Pour animer ces repas, dits « d'amoureux », j'inventais, Schéhérazade en pantalon et fourchette à la main, j'enrichissais de plus en plus mes souvenirs bidons. Je songeai à introduire dans mon passé de plus en plus chic la silhouette d'une gouvernante anglaise, que j'aurais appelée Gladys, mais je l'avais oubliée au milieu d'une phrase et je ne l'avais plus repêchée. Je subissais, résigné, un déluge d'informations concernant le Kenya. Au cours de cette campagne pour la reconquête d'Angie, un soir dans un restaurant chinois en dégustant un potage brûlant d'ailerons de requins, elle m'interrogea – une fois de plus – sur ma vie antérieure en France. Pour m'amuser, je lui décrivis le living-room d'oncle Jean et vantai la qualité de sa collection de livres anciens.

– Je veux le connaître, il doit être charmant et si cultivé, dit Angie. Nous allons rester à Paris quelques jours pour passer une ou deux nuits dans votre propriété au Mesnil-le-Roi.

Je sentis mes poils se hérisser :

– Je préfère arriver le plus rapidement possible en Afrique...

– Non, dit-elle. Je ne suis pas une égoïste, croyez-moi, et tout ce qui touche à votre passé m'est sacré.

Son secrétariat s'occupait du voyage, elle avait prévu un séjour à l'hôtel Crillon.

– Nous avons une petite marge, il faut juste tenir les dates des lodges. Pour le reste, l'itinéraire est souple.

Oppressé, je dénichai une agence immobilière de la région parisienne, à qui je demandai une location luxueuse, une propriété à louer, je leur dis pour deux mois si, au retour, Angie voulait la revoir... Aussitôt leur réponse reçue, je leur envoyai des arrhes par télex; l'agence devait déposer les clefs et le plan de la maison, « La Renardière », chez le concierge du Crillon. Une vraie demeure, entourée d'un hectare de bois, tout cela appartenait à un industriel qui passait ses étés à Saint-Tropez. Je fignolais les détails, tout en écoutant Angie, qui me saoulait avec l'énumération des dangers qui guettaient le monde sauvage. J'étais aussi un animal traqué, je l'écoutais avec une compassion hypocrite, craignant la visite d'une maison inconnue présentée comme mienne. Il fallait aussi cacher oncle Jean, je l'enverrais sur la Côte d'Azur, ou j'inventerais qu'il était dans le Nord. J'avais peu dc temps pour préparer le terrain français.

Un soir, Angie me fit part en détail de sa future occupation :

– J'ai accepté la présidence d'un comité de croisade contre les chasseurs, nous allons dégoûter les femmes de porter des fourrures, nous donnerons des conférences.

Elle me submergeait de remarques éducatives :

– Vous êtes un homme foncièrement bon, Éric, mais pas encore conscient des dangers qui menacent le monde, votre réceptivité m'encourage.

– Vous m'auriez quitté?

Je mesurai la fragilité de mon existence.

– Pas brutalement, mon chéri. Je me serais détachée peu à peu. Je serais partie seule, pour réfléchir, mais grâce à Dieu, vous êtes compréhensif, nous découvririons enfin ensemble les conditions de notre future installation là-bas.

A chaque jour sa peine, je m'accordai à ses théories, je trouverais une solution pour m'en sortir. J'étais doux et d'accord sur tout.

– De quelle vie rêvez-vous, Angie?

– Ce n'est pas un rêve, loin de là. Les projets et les devis sont en cours d'élaboration. Je veux créer une communauté, des fermes, des écoles, un hôpital pour les humains et un autre pour les fauves. J'engagerai des vétérinaires et vous, avec vos superbes connaissances en « management », vous organiserez notre vie côté chiffres, dépenses, investissements, vous serez notre administrateur.

Je dus soulager ma colère par une remarque dont la violence fut perçue par elle comme une plaisanterie :

– Et mes diplômes, je vais me torcher avec?

Elle sourit.

– Vous êtes drôle. Nous aurons un tel besoin de vos connaissances! Vous parlez l'allemand parfaitement, ça nous aide, je prévois des colloques avec des groupes d'Allemands, j'inviterai des industriels et des écologistes qui, convaincus et alliés pour la première fois, soutiendront nos efforts. J'aurai des chambres à la disposition des donateurs, qui s'y installeront pour vivre avec nous pendant des périodes déterminées et prendront ainsi goût à l'Afrique. Ils comprendront qu'en sauvant ce continent, on préserve le monde!

L'Américaine de mes rêves me condamnait à devenir un hôtelier de la charité mondiale. Dans mon existence de petit Français, grandi dans les rues de Paris, je n'avais recueilli qu'un moineau à la patte cassée et un chat pelé et affectueux. Un jour, il mangea le moineau.

– Et qui dirigera la Compagnie? Sanders?

Elle détourna la tête :

– Je réfléchis.

– Vous ne le savez pas?

– Pas tout à fait. Tout en me soulageant, il prend un peu trop ses aises.

– Angie, il faut savoir ce qu'on veut. Si nous nous installons dans une existence africaine, que vous voyez si idyllique, il faut bien quelqu'un ici, non? Je serais volontaire pour revenir passer six mois à Los Angeles et vous retrouver ensuite au Kenya, à condition que vous acceptiez une vie un peu chaotique.

J'osais à peine la contrarier, tout ce qu'elle disait ressemblait à une farce sinistre...

– Il y a une autre solution, dit-elle. Je pourrais aussi vendre la Compagnie, ce ne sont pas les amateurs qui manquent.

C'est ce que les gens doivent ressentir lors d'un tremblement de terre quand le sol s'ouvre. Tout pouvait m'échapper.

– Vendre la Compagnie?

– Mais oui. Les grandes affaires changent souvent de propriétaire.

– Et vos parents, vous imaginez ce qu'ils diront dans l'au-delà?

Elle posa sa main sur la mienne :

– Que vous êtes bon de penser à eux, mais ils auraient voulu que je sois heureuse.

Je continuai, téméraire :

– Et si un jour nous avons un enfant?

– Des enfants, dit-elle. L'enfant unique a souvent une vie triste...

– Donc, si nous avons des enfants...

– Petits, ils vivront en Afrique, heureux, avec les Kenyans. Ensuite, ils iront dans des collèges, en Angleterre ou ici.

Elle se pencha vers moi :

– Mon ange, dit-elle en m'embrassant, vous semblez troublé, pourtant je vous propose une vie magnifique! Avant la mort tragique du docteur Howard, ce projet n'était pour moi qu'un espoir, mais depuis ce choc affreux, je n'ai qu'une seule envie, partir pour de bon! Je serai mieux organisée que l'a été Karen Blixen.

Je n'avais pas d'armes pour me défendre, je cachai ma colère. Si elle persistait dans cette douce folie écologique, je la convaincrais de nous séparer à l'amiable, je trouverais un travail aux USA, en aucun cas je n'irais faire le beau parmi les chacals...

Elle continua :

– Je vous ai déjà dit ce que je désire donner au Kenya?

Elle ne m'avait rien dit elle-même, donc j'affirmai, calme :

– Non ma chérie.

– L'une des plus belles réserves au monde, Masaï Mara, devrait être agrandie, ses frontières repoussées. Une somme de quatre-vingts millions de dollars permettrait aux Kenyans de limiter le nombre des visiteurs et de sauvegarder ainsi le monde animal d'une trop grande circulation de voitures, de cars. Tout cela apporte la pollution là-bas.

Je souris :

– Quatre-vingts millions de dollars, ça me semble beaucoup. En investissant la même somme au Japon, nous aurions un pied à Tokyo...

– Je me fous du Japon, dit-elle. Je me fous des bénéfices, je veux vivre libre et assurer la liberté aux animaux sans défense. Vous verrez, je vous ouvrirai les portes du paradis.

Je la haïssais. Elle me regardait avec tendresse.

– Vous serez conquis dès la première étape passée au cottage, à Diani Reef. L'océan Indien entoure la terrasse, l'eau, pure, est à vingt-huit degrés. Quand la mer se retire, elle découvre une plage chargée d'algues, une merveilleuse vie marine. Vous verrez... Ensuite, nous partirons vers les parcs nationaux, on voyagera comme des touristes moyens : je veux définir pour moi le système à adopter et mieux connaître le système actuel. Lors d'un second voyage, si le gouvernement kenyan accepte mon offre d'aide, et simultanément de limitation des circuits, nous referons les trajets en compagnie des délégués du gouvernement.

Je constatai, soulagé, qu'elle désirait revenir de ce premier périple, c'était déjà ça. L'avenir champêtre parmi les hyènes me révulsait, je n'aimais que les villes géantes, j'étais un homme des papiers, des réussites rêvées, des affaires, elle voulait m'interner là-bas... Je pensais déjà au compromis à lui proposer, une séparation à l'amiable et une faveur : un contrat de travail qui me permettrait de prolonger la *green-card.* Récompense : le travail garanti.

Elle me caressa la main :

– Merveilleux, non?

J'étais aimable comme un crocodile :

– Oui, sublime.

– Le millier d'hectares que j'ai achetés au nord-est de Masaï Mara entoure une vieille maison, elle appartenait à un Américain qui a vécu là-bas heureux.

– Il y était heureux? Le veinard...

Elle n'entendait plus l'ironie, rien. Elle était déjà en Afrique :

– Ses héritiers m'ont vendu le domaine et un architecte anglais, Collins, qui vit à Nairobi, me prépare sa proposition, on va le rencontrer sur place.

Ses yeux brillaient.

– Je vais convoquer les vétérinaires spécialisés dans les soins des animaux sauvages et leur proposer des situations en or. Il y en aura certainement quelques-uns qui accepteront de s'installer là-bas. Stefanie Powers, vous connaissez?

– L'actrice?

– Oui. Elle s'occupe d'un orphelinat créé pour les animaux abandonnés. Nous, nous accueillerons les bêtes malades ou blessées. Je voudrais que mon existence soit utile, je voudrais laisser une modeste trace de mon passage terrestre. Dans l'école de la communauté, on apprendra aux enfants la valeur de la vie des animaux, ils grandiront dans une sagesse neuve, parmi eux, il n'y aura plus de braconniers.

C'est l'enfer qu'elle décrivait, les animaux ne m'intéressaient pas et je n'aimais pas les gosses. Elle m'embrassa sur la joue :

– Quand nous aurons obtenu la nationalité kenyane, je pourrai acheter une maison au bord de la mer, nous nous déplacerons d'un endroit à l'autre, nous serons partout chez nous. Quand nos enfants auront l'âge du collège, on les installera soit en Europe, soit ici aux USA, et ils reviendront là-bas pour les vacances scolaires...

Un vrai cauchemar.

Pendant la période qu'il me restait à vivre comme un homme normal, elle m'énerva avec un compte à rebours, elle m'annonça chaque matin le nombre de jours qui nous séparaient du départ. J'avais décidé de ne pas me laisser démolir par ses projets. Je trouverais un terrain d'entente pendant le voyage. Je lus rapidement quelques ouvrages achetés au hasard sur le Kenya. Je me fichais des cases, je n'étais bien que dans un gratte-ciel. Pour rassurer ma geôlière, je faisais le mariole jour et nuit, je n'en pouvais plus. La comédie m'épuisait. Il fallait garder mon sang-froid. Durer.

Sean m'invita à déjeuner. A peine assis dans le restaurant élégant où les serveurs chics circulaient à pas feutrés, le martini dry commandé, il me submergea de compliments.

– Vous avez réalisé un exploit, Éric. Elle m'a annoncé votre proche départ pour l'Afrique. J'ai insisté pour qu'elle prenne des dispositions en ce qui vous concerne. Elle semblait compréhensive...

Je l'interrompis :

– Vous auriez dû me prévenir que vous lui aviez déjà parlé de ce que vous appelez « mes intérêts ». Le fait qu'elle soit au courant m'a surpris et plutôt gêné.

Son regard se voila.

– Vous avez raison. Ne vous inquiétez pas, elle est confiante, mais elle a besoin d'un temps de réflexion.

– Pourtant, si j'en juge par le rythme qu'elle m'a imposé pour notre mariage...

Sean hocha la tête :

– Elle sait exactement ce qu'elle veut.

– Qu'a-t-elle dit au sujet de mon contrat?

– Elle m'a répondu qu'au cours des prochaines semaines vous alliez vous déplacer ensemble, donc qu'en cas d'accident, vous disparaîtriez tous les deux, mais elle a accepté de signer le document. Éric, si jamais un malheur arrivait et qu'on découvre que vous êtes un grand privilégié du destin, n'oubliez pas le service que je vous ai rendu.

– Certes, j'aurais de la mémoire. Mais, confidence pour confidence, je ne m'installerais pas définitivement en Afrique.

– Elle vous en a parlé?

– Oui. Je ne suis pas d'accord.

– Si vous voulez la garder...

– C'est elle qui me garde.

– Je pourrais diriger la Compagnie...

– Elle veut la vendre.

– Elle ne le fera pas.

– Sean, pourquoi êtes-vous resté dans la Compagnie? Vous semblez y vivre, malgré vos titres et vos beaux bureaux, en porte à faux.

– Je vais vous expliquer mes raisons. Nous avons commencé ensemble dans l'existence, Andy et moi. Nous étions à la même université, nous faisions la bringue avec les mêmes filles, au début, il n'était pas plus riche que moi...

– Pas plus riche? Un Ferguson?

Sean continua :

– La vie est étrange, n'est-ce pas? Il n'était pas plus Ferguson que vous ou moi. Il s'appelait Andy Steiner, ses parents étaient des Allemands libéraux qui avaient quitté l'Allemagne à temps. Le père, un industriel, prévoyait le pire, il avait commencé à déménager ses affaires, son argent, ses relations à l'époque où Hitler faisait sa première apparition.

J'étais sidéré. L'attirance d'Angie pour les Allemands s'expliquait.

– Des Juifs?

– Non, Steiner était un militant antinazi. Il quitta à temps l'Allemagne et, installé aux USA, il prit son pays en grippe. Il décida d'élever son fils comme un véritable Américain. Andy fut d'abord l'élève d'un collège sélect, ensuite inscrit à Harvard, où nous nous sommes connus. Gail Ferguson y était aussi. Nous sommes tombés amoureux d'elle tous les deux, nous sortions à trois, nous nous amusions. Mais un jour, gênés et peinés, ils m'ont annoncé leur prochain mariage. Gail avait choisi Andy. Le père a admis leur union, à condition qu'Andy accepte d'être adopté et de prendre leur nom. Il n'a pas hésité, le brigand! Oh, je l'aimais. Nous étions des amis profonds. Lui, il a eu d'un seul coup l'amour, l'argent et un nom fameux dans ce milieu.

Sean continua, attendri :

– J'aurais pu être l'élu, mais le destin en a décidé autrement. Pour se racheter – il n'y avait pas de quoi –, Andy m'a été d'une fidélité touchante. Il m'a fait gravir rapidement les échelons, j'ai « grandi » auprès de lui. Mais il ne m'a pas fait de cadeau, j'ai durement travaillé. Si Gail Ferguson m'avait choisi, je serais, moi, à la tête de la Compagnie et Angie serait ma fille. Les caprices du destin...

Gêné, je débitai quelques banalités, je ne pouvais pas présenter mes condoléances. Je me restreignis à des commentaires de second ordre :

– Je comprends mieux pourquoi Angie est attirée par l'Europe...

– L'atavisme, mon cher, l'atavisme.

– Sean, quelle est l'origine de cette folle passion pour l'Afrique?

– Lors d'un voyage avec son père, elle a été séduite pour toujours. Andy était un fanatique de la nature, comme le sont souvent les Allemands. Il avait emmené Angie au Kenya. Pour eux deux, père et fille, c'était un voyage de rêve. Elle y a découvert Treetops, elle m'en a tellement parlé... Je crois parfois y avoir été.

– C'est quoi, Treetops?

– Un hôtel-refuge en bois, bâti près d'une pièce d'eau. A l'époque où le Kenya était encore une colonie, la reine d'Angleterre a passé là-bas une nuit, pour observer de près la faune. Andy et Angie sont restés une nuit entière sur la terrasse à contempler les bêtes qui venaient boire. Ce que j'ai pu en entendre de cette nuit! Angie me racontait des scènes pittoresques, elle avait photographié, du sous-sol de Treetops, un vrai bunker, des éléphants qui creusaient à quelques mètres avec leurs trompes la terre salée. Des touristes les photographiaient aussi.

Sean sourit:

– C'est moi qui lui ai offert son premier appareil très sophistiqué. Je suis moi-même un photographe passionné. J'aime photographier les gens, je fais des portraits. Mon violon d'Ingres... Il en faut pour tout le monde. Bref, ils sont tombés amoureux du Kenya, ils ont prolongé leur séjour d'un mois. Gail se sentait abandonnée, elle était jalouse, elle supportait difficilement leur longue excursion. Je lui tenais compagnie, je la consolais, mais rien ne s'est passé entre nous. J'étais un homme correct et, elle, une femme fidèle.

– Et si le père vivait aujourd'hui? Quelle serait son attitude par rapport au projet africain?

– C'est très simple, dit Sean, très simple. Andy prendrait sa retraite et irait vivre avec sa fille au Kenya, je dirigerais la Compagnie et je consolerais Gail. Mais, parce que le destin en a décidé autrement, vous, mon cher, vous...

– Quoi, moi?

– Vous remplacerez le père. Rôle difficile, n'est-ce pas? Œdipe est vraiment éternel.

J'étais déprimé, les liens passionnels et souvent exacerbés entre parents et enfants me répugnaient; je n'avais connu que l'abandon, je n'allais pas servir une image ersatz du père à une femme qui introduirait ainsi dans nos relations physiques, déjà laborieuses, le goût déplaisant de l'inceste.

– Sean, et si je voulais divorcer, moi?

– Ce serait un vrai désastre, elle se croirait trahie, prise en grippe. Par elle, l'industrie chimique aux USA se fermerait devant vous. Etre répudié – moralement – par Angie Ferguson, c'est la mort professionnelle dans cette branche. Vous n'auriez plus qu'à changer de métier ou à retourner en France.

Il sourit :

– Nous n'en sommes pas là. Essayez de la convaincre de rester à Los Angeles. Vous ne risquez rien. N'empêche, si jamais vous ne pouvez pas échapper à l'emprise de l'Afrique, et si je devais diriger la Compagnie, ce qui serait logique, je garderais, je vous le promets, votre place. Nous, les subordonnés, nous devons nous allier. Si vous saviez comme je l'aime, cette petite Angie... Et je vous aime aussi. Bon courage et bonne chance, mon cher! Nous nous verrons avant le départ. Elle adore la petite cérémonie de délégation de pouvoirs, délégation toujours provisoire. Vous l'embrasserez bien pour moi, n'est-ce pas?

Dorénavant, je contemplais Angie avec une certaine crainte et je nourrissais l'espoir de la détourner de son idée fixe. Je cherchais prise sur elle, il ne me restait que le sexe. Je tentai de la transformer en une dépravée de l'amour conjugal. Sous prétexte de la légitimité de notre union et qu'on peut tout faire quand on s'aime, je l'entraînai de plus en plus loin.

Le jour de mon déjeuner avec Sean, la nuit venue, je la fis boire, je l'obligeai à accepter que j'embrasse tout son corps, que je la couvre de coups de langue. Je la taquinai avec mes lèvres, je contournai son pubis, je respectais l'interdit qu'elle m'imposait. Une Vietnamienne m'avait appris à provoquer l'orgasme sans toucher au clitoris et sans pénétration. Surprise et sans défense, elle laissa échapper un cri. Je la pénétrai ensuite, pour la soumettre à une succession d'orgasmes.

Je détestais ma vie, je ne devais ma chance qu'à une raquette et à une verge, la mienne. Je devais posséder Angie et redevenir ensuite l'être humain que je voulais être : digne et respecté pour ses compétences professionnelles.

Un soir, je me vengeai. Je la retournai sur le ventre, j'enduisis son dos d'une huile fine de la nuque aux talons et je la sodomisai avec une lenteur extrême. Cette lutte pour son plaisir était épuisante.

Je me souviendrai avec précision du changement d'atmosphère qui s'opéra quelques jours après cette bataille livrée au lit. J'étais de retour à la maison vers 17 heures, Philip prit ma serviette avec une sollicitude appuyée.

– Qu'y a-t-il, Philip?
– Rien, Monsieur.
Dans le hall, le jet d'eau retombait dans la vasque, je passai devant les statues nues, je montai l'escalier. Niel me croisa, je voulus esquisser une caresse, il baissa la tête.
J'entrouvris la pièce contiguë à notre séduisante chambre à coucher, Angie, assise à son bureau, s'occupait de sa correspondance mondaine. Elle portait un ensemble pantalon et tunique noir.
– Hello, chérie!
Elle se retourna et constata :
– Vous êtes déjà là...
J'essayai de plaisanter :
– Si je vous dérange, je peux repartir.
– Non, dit-elle, restez.
– Qu'est-ce qui vous arrive?
– Ce n'est ni l'endroit ni le moment pour vous le dire.
Je m'approchai d'elle :
– Qu'est-ce qu'il y a?
Je posai mes mains sur ses épaules. D'un geste brusque, elle se dégagea.
– Quelques contrariétés.
– En quoi ça me concerne?
Elle resta silencieuse :
– Pourquoi vous montrer maussade avec moi? C'est injuste.
– Croyez-vous? (Puis elle ajouta :) Éric, nous changeons de programme.
– Tiens donc! On ne part plus pour l'Afrique?
– D'abord, nous irons au lac Tahoe. Juste pour une nuit.
– Du tourisme familial?
– Presque, dit-elle, vous n'avez jamais eu le temps de venir dans mon nid d'aigle au lac Tahoe... Mon père l'adorait, moi aussi. Là-bas, on devient calme et lucide.
– Ah bon, parce que ici vous n'êtes ni calme ni lucide?
– Ne m'énervez pas, s'il vous plaît. Je dois faire le point. En dehors de l'Afrique, c'est là-bas que je me sens le mieux. C'est là-bas que je fais le point.
Ça y était! Nous entrions dans une période d'analyse. Avait-elle eu l'impression d'être traitée comme une femme-objet, une femme soumise... Se révoltait-elle? A la suite des révélations de Sean, je comprenais mieux son côté ombrageux, son culte des obsessions, son autosurveillance, elle était à moitié allemande, mon Angie, elle n'avait pas de quoi me snober, elle avait hérité de tous les tics de la morosité européenne.
– Je vous suis...

Le lendemain, à 14 heures, la voiture vint me chercher à la tour Ferguson, Angie m'attendait, tassée sur la banquette arrière. Philip m'avait préparé une valise, quelques affaires, juste pour la nuit. Nous partîmes pour l'aéroport et ensuite, avec un Learjet, à Reno, où une voiture de location nous attendait.

– Je vais conduire, déclara-t-elle.

Je regardai la route, silencieux. La circulation était dense. Au bout d'une heure de trajet pénible, j'aperçus enfin le lac, le côté riche avec ses hôtels de grand luxe se trouvait dans le Nevada, sur l'autre rive, des motels bon marché se talonnaient, une foire d'empoigne de hamburgers, de fast foods, et de fast-nuits.

– C'est un endroit très connu des Américains, dit-elle.

Ça y est, j'étais l'étranger, l'endroit n'était connu que par les élus! Je ne manifestai aucune envie d'être aimable au premier coup de sifflet. Angie s'engagea sur une route raide qui contournait en lacets la montagne et aboutissait près d'une forêt de sapins foncés. Elle s'arrêta devant une grille à double vantail.

– Ne bougez pas, dit-elle.

Elle serra le frein à main, descendit du véhicule, traversa le trottoir étroit et entrouvrit la petite porte, puis reprit sa place de conductrice.

– J'aurais pu ouvrir...

Elle haussa les épaules :

– Pas la peine. Je n'avais pas envie d'expliquer.

Elle fit entrer le véhicule, pas à pas, sur une plate-forme d'où descendait une piste bétonnée, en pente raide vers le garage. Le battant de l'entrée s'éleva sur télécommande. Nous glissâmes dans l'intérieur obscur, l'air pesant sentait l'essence.

– Nous sommes arrivés. Vous aurez une surprise.

Elle m'agaçait prodigieusement.

– Je vous préférerais plus bavarde, Angie.

– Une fois n'est pas coutume, répondit-elle cinglante. Souvent vous vous plaignez que je parle trop...

Nous descendîmes de la voiture, nous avançâmes vers une porte étroite qui ouvrait sur un couloir éclairé par des plafonniers. « Le gala des taupes », ai-je pensé. Puis, une autre porte franchie, ce fut l'éblouissement. Nous nous trouvions dans un living-room qui, avec une immense véranda vitrée, accrochée à une paroi de la montagne, évoquait pour moi la position délicate d'une mangeoire à oiseaux. La cage en verre et en acier paraissait suspendue dans le vide. Les immenses baies vitrées encadraient le paysage et le présentaient comme des tableaux naturels. Je me déplaçai d'une vitre à l'autre, j'aperçus le lac, sillonné de jet-skis, de skis nautiques et de bateaux à voile. A droite, je découvris une cheminée en pierre grise, tandis que le sol du living semblait être d'ardoise. Je revins vers la façade qui surplombait le lac.

– Extraordinaire!

– N'est-ce pas? On est ici au seuil de l'éternité. Les problèmes paraissent lointains et insignifiants. Quand j'étais adolescente, mon père m'habituait déjà à prendre ici mes décisions.

Elle observait mes réactions. J'étais le cobaye, je devais sans doute m'émerveiller, soupirer, admirer. Je me promenais avec des « ah » et des « oh ». Je découvris un coin avec des fauteuils complétés de poufs en cuir. Ils permettaient de contempler, à moitié allongé, à la fois le paysage et les flammes de la cheminée.

– Il fait frais. Si nous allumions le feu? dit-elle. Nous sommes à 2 300 mètres d'altitude.

Elle alluma des boules de papier froissé préparées sous un tas de petit bois.

– Venez visiter la maison.

Par une porte située à gauche de la baie vitrée, on accédait à une terrasse qui en surplombait, quelques marches plus bas, une autre. Elle correspondait au niveau inférieur au living.

– La maison est conçue sur plusieurs promontoires naturels ou artificiels, reliés au garage par des couloirs souterrains. On peut avoir accès directement de l'intérieur au niveau désiré. Nous entrons souvent par le garage.

D'une manière imprévisible – je faillis reculer d'étonnement –, elle noua ses bras autour de mon cou, elle tendit ses lèvres, je l'embrassai, je ne la comprenais plus du tout. Que voulait-elle?

– Je suis triste, dit-elle. Si triste...

– Vous vous compliquez l'existence, Angie.

– Moi?

Elle haussa les épaules.

Pourquoi avait-elle voulu venir ici avant le voyage africain? Elle me réservait l'explication pour plus tard. Nous parcourûmes la maison, les terrasses correspondaient aussi entre elles par des marches extérieures creusées dans le rocher. Celle de la cuisine était entourée de fleurs maigres, des plantes vivaces mais fatiguées de leur lutte pour la survie.

– Regardez cette table en granit, elle résiste à tout. Elle pèse un de ces poids! C'est une pièce unique. L'architecte l'a fait venir d'Italie. Venez Éric, nous allons dîner. On s'installera ensuite devant la cheminée.

– Où habite le gardien?

– Pas ici, il vient quand on l'appelle. Il vit à cinq *miles* d'ici, c'est un ancien militaire. Comme mon père, j'aime la solitude. Du côté du lac, la maison est cachée par les rochers et les paliers naturels. Si vous êtes juste au-dessus, vous ne voyez rien non plus, il y a un promontoire avec des sapins. Et de l'autre rive, il faudrait des jumelles pour nous apercevoir. En hiver, la neige camoufle même les dénivellations. Merveilleux, non?

Sur ce satellite oublié dans l'espace, quelle surprise me réservait-elle?

Chapitre 15

Visiteur invité, forcé d'être là, je cherchais la raison de l'escapade. Pourquoi jouait-elle avec moi? Était-ce d'ailleurs un jeu? Désirait-elle m'éblouir davantage? L'endroit était insolite et, ne fût-ce qu'à cause de sa situation géographique, somptueux. J'attendais, je me gardais disponible, prêt à sourire, à écouter, à éviter les heurts et à déposer à n'importe quel moment mon bol de riz sur l'autel de la puissance.

Je suivis donc ma femme selon la loi à la cuisine-laboratoire. Dehors, les lueurs du crépuscule transformaient la surface du lac en une plaque de métal rose. Angie ouvrit le réfrigérateur aux étagères chargées de paquets de toasts, de tranches de lard fumé, d'œufs, de jambon, d'un poulet entier et de cartons de traiteur contenant diverses salades déjà préparées... et, dans des pochettes plates et transparentes, des tranches de saumon fumé.

J'avais envie d'écorcher un peu, ô combien légèrement, la société de consommation.

– Pour nous deux, tout cela?

– Ça se garde, dit-elle.

– Un vrai festin dans un nid d'aigle.

– Les aigles ont parfois faim, répondit-elle en me tendant des assiettes que je déposai sur la table en bois foncé.

– La fée des grottes propose un choix de vins aussi?

Elle était placide :

– Si vous vous trouvez drôle, tant mieux. La cave est à côté de la porte d'entrée, choisissez le vin qui vous convient.

Comme un domestique fraîchement engagé qui n'ose pas demander trop de renseignements, je cherchai en tâtonnant les interrupteurs; je me heurtai à une poignée sur une paroi lisse et je pénétrai enfin dans une pièce aux murs couverts d'étagères garnies de bouteilles. A la lumière jaune du plafonnier, je pris deux bouteilles de vin rouge de Californie. Je n'avais aucune envie de déguster un chef-d'œuvre en mâchonnant le liquide pour en apprécier la saveur. Je voulais m'abrutir et dormir.

Angie était bavarde pendant le repas. Fidèle aux habitudes de son cercle d'amis, pour apaiser les tensions, elle jetait en pâture un des leurs, elle racontait les histoires de Roy et de ses maîtresses.

– Roy est un coureur, mais dès que celle qu'il a choisie cède, il la laisse tomber. Un peu psychopathe, quand il s'agit de mariage. La peur à ce degré est presque une maladie. Katharine est celle qui a duré le plus longtemps jusqu'ici, elle essaye de vaincre la résistance de Roy. Elle est confortable, elle se plie à ses exigences.

– Le mariage n'est pas toujours la crève, ai-je dit, surtout pas en Californie, ici on divorce comme on veut, en France cela reste encore assez compliqué.

– Merci pour le renseignement, dit-elle, et elle ajouta : A votre place, je me méfierais!

– De quoi? Si vous pouviez enfin vider votre besace et me dire ce qui se passe. Qu'est-ce que j'ai fait?

Elle haussa les épaules :

– Vous le saurez à temps. J'aimerais sauver cette soirée. Vous savez comme je suis sensible. Peut-être aviez-vous raison, nous aurions dû mieux nous connaître avant le mariage. Je sais peu de chose de vous.

– Peu de chose? De grâce, Angie, ne me réclamez pas plus de détails...

Elle garda le silence, puis prononça :

– La mort de votre mère a dû vous marquer.

– Ça marque tout le monde, la perte d'une mère.

– Il y a chagrin et chagrin, dit-elle.

– Ça veut dire quoi?

Elle fit un geste :

– Laissons tout cela...

– Angie, ne m'énervez pas, je préférerais à la place d'obscures allusions entendre parler de notre voyage. L'Afrique est un sujet plus passionnant que moi. Je n'ai pas eu une famille exceptionnelle, je ne suis ni un génie ni le privilégié d'une situation sociale, juste un homme qui voudrait mériter l'estime des autres. C'est tout.

– C'est tout, répéta-t-elle, et elle continua à boire.

Je nous voyais mal partis, on allait devenir des ennemis aux yeux rouges, les paupières gonflées et la langue lourde.

– La France vous manque? demanda-t-elle soudain.

– Je serais content de humer l'air de Paris, mais je ne suis pas un nostalgique du pays d'origine. J'ai toujours beaucoup voyagé...

D'un air indifférent, elle continuait à dîner. Bon Dieu! Si j'avais pu me réchauffer auprès d'un ami! J'éprouvais un besoin épidermique de complicité, de solidarité, de quelque chose d'humain. Elle excluait tout rapprochement. La serrer dans mes bras? Vouloir la posséder, prouver de cette manière que j'existais? Non. J'aurais eu davantage envie de la gifler que de la baiser.

Assommés par le vin et le whisky, allongés dans des fauteuils relax, nous attendions, mais quoi? De temps à autre, je me levais pour ne pas me crisper de nervosité, je jetais un coup d'œil sur le lac. La rive d'en face était ponctuée par les néons des panneaux publicitaires et les fenêtres éclairées des hôtels. Plus tard, d'un accord tacite, on évacua les lieux. Je me douchai longuement la tête, et m'arrosai de diverses eaux de toilette dont les flacons étaient alignés dans une armoire à glace; ivres et aseptisés, nous avons partagé, muets, le lit. J'ai passé ma main sur le bas de mon ventre, ma verge, dont parfois je m'enorgueillissais, était rétrécie, une grande olive. J'étais émasculé par la crainte, l'alcool et le sentiment de culpabilité et d'angoisse qu'elle me flanquait. Réfugiée à l'autre extrémité du lit, roulée en boule, elle dormait. J'allumai plusieurs fois la lampe et je l'observai. Elle était si pâle et si immobile que je me penchai sur elle, presque inquiet. Elle dormait comme un enfant triste. Je n'éprouvais ni haine ni amour pour elle, je la craignais, c'était pire que tout.

Je me levai souvent cette nuit-là, les lumières du lac m'attiraient, je contemplai fasciné de lointaines fenêtres éclairées. L'aube pointa vers six heures, je me préparai un café que je bus debout, pressé, puis je rangeai les couverts de la veille dans la machine à laver la vaisselle. Je l'entendis bouger. Je préparai un plateau : quelques toasts, du beurre, la cafetière et je portai la collation à l'héritière, réveillée. Adossée aux oreillers, les yeux gonflés, fatiguée de sa nuit, elle m'accueillit avec un faible sourire.

– Merci, Éric, vous êtes charitable. Ce matin, je suis un vrai déchet.

Selon son humeur changeante, elle utilisait un vocabulaire de grand-guignol. Si on la mettait en face d'une vérité désagréable, elle était « martyrisée », et « secourue » si on la consolait. Elle pouvait se désigner comme « une loque humaine », ou « au bout du rouleau », ou « à peine vivante ». Je la trouvais ridicule, mais je la servais.

Je profitai aussi de ce petit changement d'atmosphère, j'étais en sursis. Y avait-il eu une intrigue montée par Sanders, aurait-elle imaginé un sombre complot contre son pouvoir? Je n'avais laissé aucun angle d'attaque à Sanders, j'avais protesté énergiquement contre les « aménagements » de ma situation, je n'avais cédé que mollement à la fin. Je ne devais pas être en cause.

Angie tenait sa tasse avec ses deux mains, elle se chauffait les paumes. Elle avait envie de parler, je devais me muer en psy d'occasion.

– Cette maison est sacrée, prononça-t-elle, solennelle, je venais ici avec mon père, il était mon confident, nous parlions très librement de tout. J'aimais ma mère, mais d'une manière différente. Papa était mon complice depuis l'époque où j'avais serré son index dans ma petite main de nourrisson, c'est lui qui me l'a raconté. Devant papa, je n'éprouvais aucune gêne pour parler de choses délicates, je pouvais tout dire et lui, tout entendre. Et ce matin je me demande si j'ai eu raison de vous inviter ici.

De m'inviter? Bravo pour le parent pauvre! Mais je ne protestai pas, je devais m'accommoder. Bon prince, j'encensai l'endroit :

– Vous aviez raison, ma chérie, vous aimez cette maison, votre père l'aimait aussi, je suis donc content de la découvrir. Et cette visite n'entame pas notre mois à passer en Afrique, c'est le plus important.

Elle riposta :

– « Notre mois »? C'est quoi, « notre mois »?

– Ne me tournez pas en bourrique, on ne va plus en Afrique?

– Si, mais pas pour une durée limitée. Je loue un cottage à l'année, je possède une maison dans le Nord-Est, nous pouvons rester tant que je veux. Si nous voyageons au début avec une organisation, c'est que je désire observer une fois de plus le Kenya au milieu des touristes « normaux ». Un mois! Nous resterons en Afrique le temps qu'il faudra.

Elle était rose de colère.

– Angie, ne coupez pas les cheveux en quatre. Quatre semaines, cinq semaines, on verra. Il me faut un minimum de précision, je ne peux pas laisser mes affaires indéfiniment.

– Vos affaires? Votre temps m'appartient, n'essayez pas de le gérer.

Elle rectifia :

– Appartient à la Compagnie.

Mes joues brûlaient.

– Vous me rappelez délicatement que je suis votre employé. Merci, j'ai failli l'oublier.

Elle m'interrompit :

– Pas du tout. Si j'ai été un peu brusque, ne m'en veuillez pas. Je me suis mal expliquée. Votre femme pourrait avoir davantage besoin de vous que la Compagnie...

Je me sentais moralement nu comme un ver.

– Si vous aviez le courage de me dire ce qui se passe...

– Qu'importe ! De l'au-delà, mon père essaye de me calmer.

– Que me reprochez-vous ?

– Vous n'avez pas la carrure de vos ambitions et surtout de votre imagination.

Que savait-elle de moi ? La façade que j'avais bâtie et mes réussites dans la Compagnie. Elle n'avait en aucun cas le droit de m'abaisser.

Elle vida soigneusement un petit pot de confiture, elle ne laissa même pas une trace d'abricot dans le mini-bocal, elle le nettoya avec le soin méticuleux d'un chat.

Je la quittai. Je passai un long temps dans la salle de bains, elle aussi, dans l'autre. Si nous avions pu nous laver de nos péchés, de nos rancœurs, de nos mésententes ! Je la retrouvai, les cheveux encore mouillés, couleur poussin sorti de l'œuf. Enfantine, la garce. Le souvenir du père influait sur sa voix, elle minaudait, encore un peu et elle s'assiérait sur mes genoux. Le changement de son comportement était insupportable. Je ne connaissais pas encore son masque de « petite fille ».

Elle me montra la bibliothèque, des volumes en pagaille, entre Thomas Mann et William Irish, avec quelques Dickens abandonnés sur une étagère à moitié vide. Attendions-nous quelqu'un ? Elle continuait à parler de son père... De ma vie, je n'ai jamais levé la main sur une femme. Elle ? J'avais envie de la battre. Mais, grâce à mon sang-froid, nous avons réussi à passer ces heures hybrides sans bagarre. Elle me proposa un rapide pique-nique dehors, juste pour fêter les premiers rayons de soleil qui arrivaient à cette époque vers 11 heures sur la terrasse de la cuisine. J'étais souple et maniable, je m'accordais quelques doses d'autosatisfaction. J'attrapais et je relançais les mots, les idées, je me défendais. Était-elle en pleine crise de complexe d'Œdipe, devrais-je jouer au père ? J'acceptais avec reconnaissance les trêves, les bouffées d'oxygène, je m'attaquai au réfrigérateur, je bousculai l'ordre des sachets et des pochettes en plastique, une partie me dégringola sur les pieds, je dus les ramasser et les ranger ensuite. Son regard me rendait maladroit. Je détestais cette maison et son luxe aberrant, je devais réussir à en sortir sans rupture. Nous avons mis la table dehors, je lui ai déconseillé le vin, je lui ai enlevé le verre de la main, puis, installé face à elle accoudée sur la table, je bus du café pour manifester ma sobriété.

Elle était en manque. Étonné, j'ai dû céder, je ne connaissais pas son côté « buveuse mondaine ». Je lui laissai la bouteille, elle remplit son verre deux fois. Contre quelle tension luttait-elle?

– C'est l'heure sacrée, déclara-t-elle.

Nos visages étaient striés de rayons de soleil.

– L'heure de mon père, dit-elle en levant son verre en direction des nuages.

Pour plaire, les yeux fermés, je me tournai aussi vers le soleil, j'acceptai de participer à la cérémonie des souvenirs. Profondément hypocrite, je me modelai à ce moment fragile et acceptai la mise en scène pieuse. Je me consolai, un peu de condescendance n'a jamais fait de mal à personne.

Puis la phrase d'Angie, comme un coup de couteau dans le ventre. D'abord le choc, ensuite on saigne.

– Pourquoi m'avoir menti?

J'ouvris les yeux, je la dévisageai, à la fois héroïne antique et petite fille dont on a cassé le jouet, elle allait me piétiner.

Je me levai, je me dégageai de ma chaise, je pris mon verre et ma tasse, et je commençai à entasser les assiettes.

– J'ai entendu depuis hier soir suffisamment de bêtises. Allons, rangeons et partons. Je mets tout cela dans la machine.

Je m'affairais comme une femme au foyer qui veut justifier son titre de ménagère. Elle suivait du regard :

– Pas la peine de vous agiter, le gardien rangera. Vous avez menti au sujet de votre passé...

Je déposai sur la table la vaisselle ramassée, en piles et en vrac, une fourchette tomba. Un poids de cent kilos pesait sur ma poitrine.

– De quoi s'agit-il, Angie?

Elle se leva à son tour, elle savourait la scène : la mise à mort de l'arriviste français. Elle était chez elle et moi, en train d'être viré comme un domestique non syndiqué, ou un saisonnier clandestin.

Je m'appuyai sur le dossier de la chaise en fer.

– Ne prenez pas des airs de Phèdre... Vous savez qui est Phèdre?

– Laissez vos références de collégien attardé, dit-elle. Avant-hier, j'ai reçu le compte rendu de l'enquête à votre sujet.

– L'enquête?

Un violent sentiment d'humiliation me desséchait la gorge.

– Confiée aux deux filiales d'une agence new-yorkaise spécialisée dans ce genre d'affaires, l'une à Paris, l'autre à Francfort.

– Quelles affaires?

– Votre vie privée.

– Soyez plus claire.

Je voulais gagner du temps, mais le monde s'écroulait, l'avenir basculait. Souvent lors des drames et surtout, paraît-il, au moment des séismes, les détails insignifiants retiennent l'attention. J'allais tomber dans une crevasse et je contemplais les géraniums grimpants qui encerclaient la terrasse, mélangés aux fleurs de rocaille, rouges, jaunes et bleues. J'aperçus le passage éclair d'un lézard beige aux écailles légèrement dorées. Depuis mon enfance, j'aimais les lézards. Le lac, les hôtels sur la rive d'en face, ces buildings de quinze à vingt étages, les images se catapultaient dans mon esprit. Le gris pâle de l'eau, des triangles blancs qui chevauchaient de petites vagues bordées d'écume, des bateaux à voile.

– Vous m'avez menti, continua-t-elle, menti sur tous les plans. Il n'y a que vos diplômes qui sont authentiques, mais c'est le cadet de mes soucis, vos diplômes.

Je reculai, je me cognai contre la chaise, je la poussai.

– Votre manière de m'attaquer est indigne.

– Indigne de qui? De vous ou de moi?

– De nous deux.

Elle plissa les yeux :

– Rien n'est vrai, ni l'industriel allemand ni le château près de Francfort, ni le manoir dans le Nord de la France, rien!

Une poussée de tension me voilait le regard. Sa silhouette parut opaque. Mon seul et éventuel salut était une contre-attaque :

– Inutile de jouer à l'avocat de la partie civile. Je ne vous ai causé aucun tort, je n'ai eu que des succès dans la Compagnie, j'ai mérité mon salaire gagné par mon travail, le reste n'a pas d'intérêt, c'est le passé. Ne me regardez pas comme si j'étais un criminel. Je sors d'un milieu pauvre, et alors? Ford a commencé en vendant des journaux.

– Et ma confiance? s'exclama-t-elle. Vous en avez abusé, vous n'êtes qu'un tricheur, votre histoire était fabriquée d'un bout à l'autre. Vous...

– Attention à ce que vous allez dire.

– La vérité... conclut-elle. Vous sortez du néant, vous y retournerez. Vous n'êtes rien.

– Osez le répéter... Je ne suis rien? Considérez-vous ma réussite dans la Compagnie comme rien? Que faites-vous de la démocratie américaine, du respect qu'on a ici pour ceux qui arrivent grâce à la force de leurs poignets?

– Et de beaux mariages... ajouta-t-elle.

– Le mariage était votre idée!

– Parce que je vous imaginais franc et honnête, d'origine

noble, donc avec un arrière-plan humain qui garantissait...

– Garantissait quoi?

– L'avenir, dit-elle.

– Vous avez des idées éculées et une mentalité de midinette. C'est quoi, noble? C'est rien. Je suis le même homme que celui que vous avez voulu épouser, je n'ai pas changé et je n'ai jamais exploité cette situation. Ni aucune autre. C'est clair? Une question... Pourquoi n'avoir pas demandé cette enquête à vos sbires avant notre mariage?

– Je croyais ce que vous me racontiez. Je voulais un flirt légal, j'attendais d'être conquise, séduite. Quand j'ai découvert que la Compagnie uniquement vous intéressait, j'ai commandé l'enquête. Seule l'intégration dans la société vous captivait vraiment.

– Plaignez-vous!

– Je me plains. Je ne voulais pas un employé zélé de plus, mais un homme qui m'aime. Ou qui aurait pu m'aimer, mais vous en êtes incapable.

– Et nos nuits?

– Le sexe n'est rien, c'est l'âme qui compte, déclara-t-elle, sentencieuse. Et la confiance. Il y a vingt-quatre heures, je croyais encore à notre avenir. J'étais si heureuse quand vous avez enfin décidé de venir avec moi au Kenya. Je croyais à la réalisation de mes rêves, que j'avais enfin trouvé le compagnon idéal pour m'installer là-bas. Et soudain, la catastrophe, le résumé de l'enquête que j'ai reçu. J'attends le dossier complet.

– Et pourquoi me faire des reproches justement ici?

– Reproches? Vous appelez ça des reproches? Non, c'est beaucoup plus. Je vous accuse d'abus de confiance. Pourquoi ici? Pour être aidée par l'esprit de mon père. C'est lui qui me donne de la force.

Je devins agressif:

– Vous m'avez menti aussi, votre père était allemand. Vous cherchiez à renouer à travers moi avec l'Allemagne.

– C'était mon droit. Se taire, ce n'est pas une escroquerie. Je n'ai pas menti...

J'essayai un ton plus conciliant:

– Angie, vous n'auriez jamais voulu de ce mariage sans les « arrangements » de mon passé.

– Arrangements? Merci. L'un des enquêteurs a rendu visite à votre oncle. Nous aurions eu bonne mine en l'invitant ici. On est loin du château et de la vieille noblesse française.

Je n'acceptai pas qu'on dénigre la chère vieille crapule à qui je devais tout. S'il ne m'avait pas prêté l'argent, je ne serais jamais parvenu à atteindre mes ambitions. Personne ne devait toucher à oncle Jean. Je défendais son monde, le mien.

– Pas la peine de vous exciter, je suis issu d'un milieu simple, et alors?

– Justement, au lieu d'en être fier, vous l'avez nié. Et vous avez eu le culot de dire que votre mère était morte! Elle est bien vivante, elle se la coule douce dans une petite ville près de Francfort.

J'eus du mal à encaisser le choc, elle m'avait coupé le souffle, la gosse de riches! Hilde était vivante? Première nouvelle d'elle depuis vingt-cinq ans. Elle ne revenait que pour mieux m'enfoncer.

– J'étais persuadé qu'elle était morte...

– A d'autres! L'enquêteur lui a rendu visite, elle l'a reçu cordialement et lui a raconté qu'en effet elle avait eu un fils de son mariage avec un prisonnier de guerre français, mais que tout cela appartenait au passé. Sans doute manquait-elle d'instincts maternels, a-t-elle reconnu. Vous n'étiez pas un sujet de préoccupation pour elle. Elle était contente d'apprendre que vous aviez réussi, mais elle ne souhaitait pas vous revoir.

Hilde venait de m'exclure pour la deuxième fois de son existence.

– Vous êtes ignoble, Angie.

– Pas plus que vous.

Elles étaient toutes les deux là, de l'autre côté de la table: la mère ressuscitée au mauvais moment et Angie, qui allait me renvoyer. Le même type de femmes végétales, dénuées de vrais sentiments, des égoïstes qui se préservent; elles encaissent mal – question d'amour-propre – mais elles ne souffrent pas, elles se vengent. Je m'agrippai à la chaise.

– Cessez de me parler de cette manière. Vous ne pouvez pas...

– Si, dit-elle. Je peux. Et ce n'est pas tout.

Elle n'en avait pas encore assez de ses règlements de comptes, elle se dressait contre le ramasseur de mégots.

– J'admire votre aisance à vous reconnaître dans vos mensonges compliqués. Quelle mémoire, quelle souplesse!

Je l'interrompis:

– J'ai prouvé que j'étais un homme solide, avec des qualités professionnelles indiscutables. Mon milieu? Et alors? Je ne suis pas né sur un matelas de dollars. Ce n'est pas ma faute, on ne choisit pas son berceau.

– Vous imaginez, dit-elle, si Roy apprenait ça... Je serais la risée de tous mes amis, ensuite lui aussi, il se sentirait cocufié par vous et gêné de son erreur. Je vous ai connu chez lui, c'était une garantie.

– Garantie de quoi?

– D'une sorte d'honorabilité, l'assurance que vous faisiez partie de la même société.

– Je n'ai rien volé à personne! Je vous ai fait gagner de l'argent. Regardez donc les bénéfices des investissements européens... Et ce n'est qu'un début.

Elle garda un petit silence pour être sûre que les mots qu'elle prononcerait s'incrusteraient dans mon esprit :

– Mon pauvre Éric...

Le « pauvre » m'a mis en rage, j'étais un fauve, un vrai.

– Je ne suis pas « votre pauvre » Éric!

– Mais si. Que d'efforts pour vous fabriquer un passé! Ah oui, j'allais oublier : la propriété du Mesnil-le-Roi! L'un des enquêteurs, le Français, a fait le tour de la petite ville et de sa région, il n'y a aucune maison inscrite à votre nom. Et personne ne vous connaît. Vous n'avez pas pris mon argent, c'est vrai, mais vous avez fait pire : vous avez volé ma confiance. Vous êtes mon troisième échec. Nous allons divorcer et vous retournerez chez votre oncle Jean. Vous serez plus à votre aise en France, l'Amérique, c'est fini. Une chose encore que je vais vous dire, et d'une importance capitale...

Il fallait la faire taire. Je saisis la chaise et je l'envoyai de toute ma force sur elle. Un cri, elle s'effondra. Le bruit étouffé de la chute puis celui de la chaise qui tombe à côté d'elle lourdement sur le sol en plaques d'ardoise. Je ressentis un regret instantané.

– Angie, pardon, je ne voulais pas vous heurter.

Je contournai la table, je m'y précipitai, je m'agenouillai auprès d'elle.

– Vous m'avez humilié. Je ne pouvais plus me contrôler. Levez-vous, Angie!

Elle ne bougea pas.

– Ne jouez pas, Angie... Ça suffit.

Elle gardait les yeux fermés pour m'effrayer.

Je marmonnai :

– D'accord, je vous présente mes plus plates excuses. Je vous ai bousculée, je vous aide à vous lever, allons.

Je glissai mon bras sous ses épaules, sa tête bascula en arrière et découvrit l'ardoise maculée de sang. Ma veste était tachetée. Je suffoquai de panique. Je l'examinai délicatement, elle était blessée au crâne, juste au-dessus de la nuque. Je ne sais pas si j'ai crié, si j'ai appelé au secours, je ne m'en souviens plus. Je cherchais dans ma mémoire l'endroit où j'avais aperçu, la veille au soir, le téléphone. Il fallait alerter un médecin, appeler une ambulance, la faire transporter à l'hôpital le plus proche, la faire évacuer par hélicoptère. Je la soulevai, j'aperçus ses paupières qui remontèrent légèrement et le glissement de la peau fragile bordée de cils laissa apparaître, dans une fente, le blanc de ses yeux. Pas l'iris, le blanc. Je la couchai sur le sol, comme un fou hagard je déboutonnai son chemisier et me penchai sur elle, je voulais entendre son cœur; l'oreille collée sur son soutien-gorge en dentelle beige, je ne percevais que le bruit du mien, il martelait ma cage thoracique. A genoux, la paume plaquée contre ma bouche pour m'empêcher de hurler, je compris qu'Angie Ferguson était morte. Immobile d'abord, puis en proie à un phénomène de dédoublement, je me comportai comme si j'avais été entouré de spectateurs, de futurs témoins. Je préparais déjà ma défense, mes gestes correspondaient à la description que je ferais à la police.

Je mimais l'homme qui ne croit pas à l'accident tragique. Je pris Angie dans mes bras, tout en l'interpellant, je la transportai à l'intérieur de la maison et je la déposai sur le carrelage de la cuisine, puis je courus dans cette casemate haut perchée jusqu'à la chambre, je pris une couverture, je redescendis pour l'installer confortablement. A chaque mouvement, ses bracelets, les anneaux d'or sur son poignet gauche s'entrechoquaient. J'attendais qu'elle m'interpelle. De temps à autre, je m'essuyais le visage, la sueur m'aveuglait, et les larmes. Il fallait alerter la police.

Je me dirigeai vers le salon à la recherche du téléphone. Je me cognai contre les meubles, je cherchai les portes, j'entrai par hasard dans un vestiaire, je reculai. Je tentais de me repérer dans ce putain de bunker de luxe, je me déplaçais comme une boule dans un jeu de patience, le destin m'enverrait-il par pitié dans une bonne case?

J'imaginai le premier interrogatoire. J'expliquerais la raison de mon geste violent, je le justifierais psychologiquement. « Quelle était la raison de votre colère, Mr. Landler? – Elle m'a annoncé qu'elle allait se séparer de moi. L'idée du divorce m'a déboussolé. Je l'aimais.

– Etes-vous sûr, Mr. Landler – réfléchissez bien –, êtes-vous vraiment sûr que c'était un accident? »

Si on me refusait la thèse du geste incontrôlé, je serais inculpé et accusé d'homicide involontaire, ou même de meurtre avec préméditation. Si la police découvrait le compte rendu des enquêteurs? En courant comme un rat dans les couloirs, en grimpant les marches pour accéder d'un niveau à l'autre, je trouvai enfin le téléphone. Si j'appelais Sean? Lui, il me comprendrait, il aimait Angie, mais il la redoutait aussi; ne m'avait-il pas prévenu de la disgrâce qui me menaçait? Mais me ferait-il confiance? J'étais un étranger, incrusté par le biais d'un mariage éclair dans une puissante société. Avais-je un crédit moral? S'il prenait connaissance du dossier des agences, ne présumerait-il pas que j'avais tué Angie pour m'éviter l'expulsion du paradis Ferguson?

J'avais perdu beaucoup de temps, il était déjà midi. Le silence m'affolait, quelques vrombissements de scooters sur l'eau me parvenaient de loin. De près, je n'entendais que ma respiration. De retour à la cuisine, je bus un verre d'eau, mais un coup d'œil sur Angie étendue au sol me fit vomir le liquide. L'eau jaillit par ma bouche, par mes narines, je suffoquais, il fallait me reprendre en main, sinon je passerais déjà cette nuit en prison. Je voyais Sanders, le visage mouillé de larmes, il essuierait longuement ses lunettes embuées et allongerait éventuellement la caution, sans doute très élevée, pour obtenir ma mise en liberté provisoire. La payerait-il?

Je n'ai pas appelé Sanders, je n'ai pas alerté la police, j'ai conclu un accord tacite avec moi-même. Je vais lutter, je vais essayer de gagner du temps. Il fallait faire disparaître le corps d'Angie. La chemise collée sur le dos, je prospectai les lieux tout en imaginant les titres qui relateraient le drame : « L'une des plus jolies femmes de Los Angeles assassinée par son mari français. » Je n'avais pas l'ombre d'une idée sur la manière dont je pourrais m'en sortir, il me fallait du temps, quelques heures, ou jours... Je me suis approché d'Angie, elle n'était plus une femme, mais un corps, une masse, une chose. Je pleurais, mais pas de chagrin, du choc. Je la contemplai, elle me semblait immense, ses bras très longs, sa tête très grande. Un géant. Que faire avec le corps d'un géant? Comment l'escamoter? Et ensuite? J'énumérai les hypothèses. Rentrer seul à Beverly Hills et dire à Philip qu'Angie était partie plus tôt que prévu et seule, pour le Kenya? Invraisemblable. Ne pas retourner à Beverly Hills... Angie, considérée comme fantasque et capricieuse, aurait pu, à la suite d'une discussion, prendre le large et partir sur un coup de tête avant la date prévue. Pas crédible. Mais, pour le moment, les explications de ce genre semblaient secondaires, il fallait me débarrasser de son corps.

Où l'enterrer? J'étais dans un bunker creusé dans le flanc de la montagne, les murs étaient de granit et le sol d'ardoise. Au-dessous, la masse de la montagne. J'examinai l'entrée, la route secondaire était apparemment presque toujours déserte, la descente étroite en béton, vers le garage, était encastrée dans les rochers. J'étais dans un tombeau scellé à l'avance, avec un cadavre en prime. L'emporter? Le cacher dans la voiture et l'emmener ailleurs, mais où? Les alentours du lac étaient surpeuplés et les forêts clairsemées. En bas, près du lac, sur les terrains plats investis par des mobil-homes et sur les quelques plages étroites, occupées par des installations de sports nautiques, des vacanciers arrivaient en masse de tous les côtés. Si j'attendais la nuit pour balancer le corps de la terrasse et tenter de faire croire à un suicide? Angie resterait accrochée sur l'une des nombreuses saillies et son corps serait repéré rapidement du lac, d'un bateau. Elle n'avait aucune raison de se suicider.

Je me perdais dans le dédale des escaliers intérieurs, je retraversai la cuisine et je me retrouvai sur la terrasse. La chaise qui avait tué Angie était encore renversée, je la redressai et la remis à sa place. Je l'essuyai avec mon mouchoir.

J'examinai le sol. Par miracle, ici il y avait un peu de terre. Quelle profondeur? Je le saurais en creusant. De loin, personne ne pouvait voir ce qui se passait sur ce promontoire protégé par le flanc accidenté de la montagne. Pour creuser, il fallait déplacer la table, la pierre de meule en granit. Je devais essayer. Le dos rompu sous l'effort, les omoplates disloquées, je commençai à pousser, ma colonne vertébrale risquait de se briser, le socle large et plat enfoncé dans la terre se dégageait péniblement. Je gagnais du terrain centimètre par centimètre. Sous la table, le sol était humide et mou. Je guettais l'autre rive. Quelqu'un aurait pu me surveiller d'une fenêtre lointaine à l'aide de jumelles. Mais il faisait beau, les rayons de soleil ricochaient sur le lac, l'air scintillait et la réverbération aveuglait. Des deux côtés, l'horizon était bouché : la cuisine à gauche, et à droite le flanc de la montagne recouvert d'une forêt de sapins. Je remontai à la grille d'entrée pour la bloquer, j'arrachai la fiche de contact commandant l'ouverture automatique de la porte du garage. Je cherchai une pelle, il y avait certainement des outils quelque part, je devais donc les découvrir en explorant les lieux. Au garage, en passant, j'aperçus sur le siège arrière de la voiture le sac d'Angie et un attaché-case. Je m'assis sur la banquette en cuir qui sentait l'essence et le soleil, j'ouvris la serviette, un coup d'œil sur les documents, un ordre militaire y régnait. Des dossiers, des rapports concernant l'Afrique, son passeport, des clefs, des carnets divers, une pochette avec des billets d'avion, un organigramme de l'entreprise de safaris, du PDG, à Zurich, jusqu'aux employés de Nairobi. Dans une sacoche, quelques bijoux. « Des bricoles, avait-elle dit, je les ai toujours avec moi, mon père les a fait dessiner pour moi, ce sont des pièces uniques. – Et vous voyagez avec ça? – Tout est assuré, pour une valeur de quatre cent mille dollars. »

Je laissai l'attaché-case dans la voiture, le sac à main et les bijoux aussi. Je continuai à chercher la pelle. J'en découvris enfin une suspendue à côté des sécateurs dans le placard à outils. Je la soupesai, elle était robuste. En passant, je refermai la voiture, elle y avait laissé son manteau en tricot, « de la haute couture italienne » avait-elle dit.

En retraversant la cuisine, je jetai un coup d'œil sur le corps recouvert d'Angie.

Je commençai à creuser; le sol résistait, je devais m'acharner sur la pelle, la forcer en appuyant du pied, puis entasser soigneusement les monticules de terre autour du trou, il ne fallait pas gaspiller la terre, précieuse, je devais aussi protéger les rochers, il ne fallait surtout pas les salir. Au bout d'un effort à peine supportable, en nage de la tête aux pieds, je m'arrêtai. La fosse était suffisamment large et longue pour y déposer le cadavre. Je retournai à la cuisine, je soulevai le corps de ma femme, ce corps qui semblait peser des tonnes; en passant dans l'embrasure de la porte, je cognai la tête d'Angie contre le montant en acier. J'ai marmonné des « pardon, pardon ». Sur la terrasse, je glissai Angie Ferguson dans sa tombe. Je dus plier ses genoux qui résistaient déjà légèrement, il fallait insister. Je recouvris son visage avec mon mouchoir, puis j'envoyai sur elle des pelletées de terre. Son corps était déjà presque enseveli, quand une pensée me terrifia. Le mouchoir! Une preuve flagrante de ma culpabilité! Il fallait le récupérer, ce mouchoir. Je m'agenouillai et grattai la terre, je la fouillais les mains nues. Mes doigts heurtèrent le front d'Angie, le contact me révulsa, je saisis le mouchoir, je l'extirpai, je le secouai et le glissai dans ma poche. Puis je continuai à recouvrir ma femme. A la fin, je nivelai la terre avec mes mains, je l'aplatis, je marchai sur les boursouflures, puis je m'attaquai à la dernière épreuve : pousser la table sur la tombe d'Angie. Vaincre l'obstacle centimètre par centimètre, haletant, en appuyant parfois le haut de mon corps sur la pierre, le temps de reprendre mon souffle. Crasseux, dégoulinant de sueur, brisé de fatigue, je réussis. La table retrouva sa place au milieu de la terrasse, entourée des chaises. Comme avant.

Je devais nettoyer les alentours et enlever les projections de terre sur les géraniums, ces fleurs rouges et sinistres dont je n'oublierais plus jamais l'odeur fétide.

Je me mis ensuite sous la douche, dans la salle de bains près de la chambre, je me lavai longuement puis, grâce à la valise soigneusement préparée par Philip, je me changeai. J'entassai mes vêtements sales et tachés de sang dans un sac-poubelle puis je me remis à nettoyer, à ranger, à vérifier. Dans l'après-midi, vers cinq heures, les jambes moulues et les bras en feu, je considérai qu'il était impossible d'en faire plus. En passant d'une pièce à l'autre, comme un pilote qui, avant le décollage, contrôle un par un ses instruments, je m'accordai des OK. Je rapportai un peu de vaisselle sur la table de la terrasse : le gardien devait avoir quelque chose à ranger. Je pouvais laisser mes empreintes digitales partout, sauf sur les outils. J'empoignai les chaises, il fallait qu'en cas de reconstitution on trouve mes empreintes. J'essuyai trop bien la chaise.

Épuisé, je déambulai dans un silence total, à l'affût de traces oubliées qui auraient pu m'incriminer. Je ramassai et jetai les affaires d'Angie dans sa valise, que j'emportai. Redescendu au garage, je posai le sac poubelle bourré de mes vêtements dans le coffre, je vérifiai l'attaché-case d'Angie, il était bien là et son sac à main aussi. En creusant sa tombe, j'avais eu le temps de réfléchir. Elle avait tous ses documents de voyage avec elle : avait-elle voulu partir d'ici plus tôt pour l'Afrique? Les places étaient retenues à la TWA, pour un départ dans une semaine, mais un voyage en première classe, on l'avance ou on le retarde comme on veut. Pourquoi avait-elle pris tout ce dont elle pouvait avoir besoin pour cette « excursion »? Je ne pouvais guère l'expliquer. Voulait-elle se venger avant de me liquider en me montrant quelques documents...?

Je posai son sac à main et son coûteux manteau en tricot italien sur le siège à côté du conducteur, et j'ouvris la porte d'entrée du garage. Je remontai en marche arrière jusqu'à la grille, quittai la voiture, entrebâillai les vantaux puis, à nouveau au volant, je sortis en marche arrière et laissai la voiture serrée contre l'étroit trottoir. Je dus redescendre pour fermer le garage et la grille. Je cherchai un éventuel blocage de sécurité, je ne le trouvai pas. Apparemment, il suffisait de fermer les portes et la grille à clef. J'essuyai la fiche électrique nichée dans la boîte métallique. La porte du garage fonctionnait à nouveau. Je pris place dans l'Oldsmobile, je restai les mains sur le volant quelques secondes, immobile. La tombe d'Angie Ferguson était bien choisie, du moins, je l'espérais. Avec un profond soupir, je démarrai.

Chapitre 16

Sur le macadam, les reflets étincelants et les ombres agiles composaient un puzzle : les traits d'Angie; je roulais sur ses lèvres, sur son front, je m'emmêlais dans ses cheveux. Je devais chasser son image, le souvenir épidermique du contact froid de son front me rappelait à l'ordre. Jusqu'à la fin de mon existence, je garderais le souvenir de ce froid; ni celui de la neige ni celui de la glace, celui de la mort. Pour me rassurer, je répétais : « C'était un accident. Je ne suis pas coupable. » Un écho railleur répercutait la phrase, tronquée : « Coupable, coupable. »

Mon mariage américain m'avait ouvert des portes sur l'univers des fantasmes, la mort d'Angie me plongea dans le cauchemar. Fallait-il inventer une dispute qui aurait été la cause du brusque départ d'Angie? « J'ai entendu la portière se refermer brutalement et sa voiture démarrer. Non, je n'ai aucune idée de l'endroit où elle a pu aller. » Impossible. La première version inventée aurait dû m'obliger à commander une autre voiture ou à quitter la maison à pied et faire du stop...

L'air virait du jaune à l'ocre, puis au bleu. Le soleil allait basculer de l'horizon, des ombres pesantes accentuaient les reliefs du paysage. Je conduisais, crispé comme jadis quand j'avais affronté la circulation de Paris pour la première fois après avoir obtenu le permis la veille. A l'époque, Parisien paumé, amateur de thrillers, je ne cessais de rêver d'une Amérique en noir et blanc, *le Faucon maltais* me harcelait, j'étais un habitué des cinés de la rive gauche. J'avais absorbé une quantité considérable d'intrigues criminelles et je prenais de haut les meurtriers qui se trahissaient par maladresse, j'estimais que, dans la même situation, j'aurais été plus malin. Aujourd'hui, j'étais un meurtrier, un vrai, et en Amérique. Une situation que même moi, l'empereur des cauchemars et l'homme le plus pessimiste au monde, je n'aurais jamais imaginée. Gamin aux chaussettes sales, souvent dans la rue, le moindre agent qui passait près de moi me paniquait. J'avais peur de la police, un uniforme me culpabilisait, me troublait, aussitôt j'avais l'air suspect. Le seul vrai martyre de mon existence avait été le service militaire, où les caporaux passaient leurs caprices sur l'intellectuel au corps robuste et à l'âme bêtement vulnérable.

Je respirais par saccades. J'accélérais et je ralentissais aussitôt, le moindre incident avec la police aboutirait à un constat et constituerait la preuve que j'étais parti seul de la maison d'Angie.

Je traversai des agglomérations populaires, le bord du lac était surpeuplé, à peine, ici ou là, quelques espaces préservés qui permettaient l'accès au plan d'eau. Les panneaux publicitaires vantaient les mérites des *supermarkets* et, dans les boutiques ouvertes juste pour la saison d'été, les étalages rudimentaires étaient chargés d'affreux objets à l'intention de clients à la recherche d'un souvenir de pacotille. Aux alentours du lac Tahoe, tout le monde trouvait son compte, les pauvres, les riches, les péquenots, les anodins, les frimeurs, les amateurs d'aventures, les requins, les poissons-pilotes, sauf moi.

A l'aéroport de Reno, je garai la voiture sur la place de parking réservée aux véhicules à rendre, je me précipitai vers le guichet Hertz, je poussai sur le comptoir la feuille de location, j'expliquai, volubile :

– Voilà, je rends l'Oldsmobile. Tout était parfait, ma femme me dit toujours que vos services sont impeccables, elle a raison.

Je m'injuriai aussitôt : je me comportais en novice qui s'étonne de tout. Quelle idée d'inonder de compliments l'employée désabusée d'une entreprise multinationale? Pourtant je répétais que « ma femme ceci et ma femme cela ». Je cherchais à laisser une trace et à me fabriquer un pauvre alibi. La fille se fichait de l'avis flatteur de ma femme, son service se terminait, elle n'allait même pas se souvenir de l'individu qui avait essayé de la baratiner.

Pendant le trajet vers Reno, je pensais me rendre ensuite à Las Vegas, on se cache plus facilement dans une foule. Je dirais à

Sean que nous avions décidé au dernier moment un pèlerinage aux sources de nos amours. Je devrais trouver là-bas une solution qui permettrait de sauver ma peau, sinon disparaître. Mais où?

J'allai dans le hall des ventes de billets, une multitude de guichets s'alignaient l'un à côté de l'autre, un nombre considérable de compagnies privées desservaient la ligne de Reno et Las Vegas. En m'arrêtant au hasard, j'allais demander un billet pour Las Vegas quand je fus traversé par un spasme de peur : je ne pouvais partir en avion! En cas d'enquête, on découvrirait aussitôt que j'étais parti seul de Reno. Et ma voiture? J'avais laissé les clefs à l'hôtesse quand elle m'avait rendu la copie de la fiche de la carte American Express, signée au départ par Angie. La voiture! J'eus un choc, j'avais oublié dans l'Oldsmobile le sac poubelle qui contenait mes vêtements tachés du sang d'Angie, ma valise qu'avait préparée Philip, celle d'Angie aussi. Je n'avais avec moi que l'attaché-case de ma femme morte, son manteau en tricot italien et son sac à main. J'avais laissé tout le reste dans le coffre. Je retraversai la salle comme un fou, je retournai vers le guichet Hertz; la fille était déjà partie! Je dus tout expliquer à l'employé qui venait de prendre la relève :

– J'étais là il y a dix minutes, voilà mon reçu. J'ai changé d'avis, je voudrais récupérer la voiture que j'ai rendue, la même.

L'homme me regardait avec un profond ennui :

– Celle que vous avez garée dehors est peut-être déjà à la révision et au lavage. Prenez-en une autre...

– Non. Je veux la même. J'ai oublié quelques affaires dans le coffre.

– Chez nous, rien ne se perd. On vous renverra tout à l'adresse indiquée sur la carte de l'American Express.

– Je veux ma voiture...

Il prit un temps infini pour remplir une autre feuille et enregistrer ma carte de crédit.

– Essayez... Sortez du bâtiment, continuez tout droit et vous la trouverez peut-être encore face aux garages, sur le terre-plein. Sinon revenez, je change le numéro de plaques sur la feuille de location.

Avec un soulagement infini, j'aperçus quelques minutes plus tard l'Oldsmobile; un technicien du bâtiment principal allait ouvrir le coffre.

– Hé! Attendez, laissez-la, je la reprends, la bagnole.

L'homme, sans se laisser arrêter, ouvrit le coffre :

– Et tout cela, c'est à qui?

– A moi. J'ai oublié nos affaires.

– Oublié? dit-il.

Il me montra le sac poubelle et les deux valises élégantes.

– Dans la précipitation. Il y a eu une erreur de manœuvre, nous n'aurions pas dû rendre la voiture, ma femme voulait...

L'homme m'interrompit :

– Pas la peine de s'affoler, dans cette boîte rien ne se perd. N'empêche, c'est rare que quelqu'un oublie toutes ses affaires. Voulez-vous qu'on vous lave la bagnole?

– Non, merci. Elle n'est pas trop sale.

Je lui allongeai dix dollars, il sourit. J'ai dû être le plus cinglé des clients de la journée.

Ayant retrouvé l'Oldsmobile, je me sentis presque en sécurité au volant. La voiture devenait ma complice. Plus loin, arrêté dans un coin où l'homme ne pourrait plus me voir – j'étais censé revenir vers le hall pour chercher ma femme –, j'examinai la carte routière. Je n'étais pas loin de Carson City et du ranch d'Angie, mais pour atteindre Las Vegas, j'avais le choix. Si je restais sur les expressways, je devais parcourir un trajet très long, le détour aurait été considérable. Je pouvais traverser le désert par la route touristique de la « Death Valley », je la choisis. Je devais arriver rapidement à Las Vegas, je décidai donc de m'enfoncer dans l'Ouest profond. C'est ce que j'ai toujours voulu, n'est-ce pas? Alors? J'essuyai avec le dos de ma main mon visage où la morve et les larmes se mélangeaient. L'attaché-case d'Angie sur le siège voisin me narguait, j'avais négligemment posé son manteau de tricot sur le dossier pour recouvrir son sac à main, le sac poubelle se trouvait dans le coffre à côté de nos deux valises.

Je quittai ce coin désert du parking et me dirigeai vers la présélection Death Valley et Las Vegas. Tantôt j'avançais lentement dans une file, tantôt – quand je pouvais saisir une maigre occasion de dépasser – j'accélérais, je surveillais les sorties, et au bout d'un long et hésitant vagabondage involontaire, je me trouvai enfin sur une route à deux voies. Je devais arriver dans la nuit – ou ce qu'il en restait – à Las Vegas. Pauvre mec, je devais me mesurer à un titan, à l'Amérique où, paraît-il, on peut facilement changer d'identité et recommencer sa vie sous un nom d'emprunt. Moi, je n'étais rien, juste un Européen égaré avec un passeport français et une *green-card* à renouveler. Devenir un « illégal »? Non, j'aurais moins de chances qu'un Mexicain ou un Haïtien, je serais recherché pour le meurtre d'une des femmes les plus riches des USA. Sanders me poursuivrait de sa haine, j'imaginais le défilé des témoins. Roy, furieux parce que je l'avais trompé, Katharine qui ferait part de son étonnement peiné, Philip enragé qui m'accuserait : « Miss Angie lui avait tout donné, son amour, sa confiance, une magnifique situation. » Peut-être payerait-on même le voyage à Garrot, un billet aller-retour pour qu'il m'enfonce du côté français? Oncle Jean, les traducteurs à ses côtés, pleurerait et dirait : « Il voulait trop, messieurs, je lui ai toujours dit de rester modeste. »

Je conduisais machinalement. Et si je tentais de camoufler la mort accidentelle d'Angie en disparition? Une idée, une seule, pourrait me sauver. Mais laquelle? Quand ma vision se troublait, j'essuyais mes larmes. Ma vessie réclamait, je devais me soulager, j'empruntai une sortie de la route principale, arrivai sur une secondaire. Je m'arrêtai à un motel.

Je traversai la salle blafarde du restaurant, à la recherche des toilettes, j'urinai. Je m'installai ensuite à une table tachée d'eau, je bus du café et grignotai un toast. Au parking, je vomis tout, j'éclaboussai l'un de mes pneus. Je devais me débarrasser de mes vêtements souillés. A l'abri du battant du coffre j'ouvris le sac en plastique pour arracher la griffe de ma veste italienne, dont je palpai les poches, je pris le mouchoir qui avait recouvert le visage de ma femme, je fouillai les poches arrière de mon pantalon et j'ôtai la marque de ma chemise, puis enfouis le sac bourré de vêtements dans un container. Je voulais jeter le sac à main d'Angie, dont je vidai le contenu dans l'attaché-case, mais le cuir résistait, il était impossible d'en arracher la marque célèbre. Je le balançai sur le siège arrière. Ma salive se mélangeait à la bile. Je repris la voiture et continuai vers Las Vegas. J'allais louer une suite dans un grand hôtel en simulant la présence d'Angie. J'appellerais Sanders pour lui annoncer cette escapade que je présenterais comme un caprice d'Angie. « Avant notre départ pour l'Afrique, elle a voulu venir à Las Vegas. » A partir de cette phrase, je ne savais pas du tout la suite de l'histoire...

Au bout des heures passées sur les routes noires balayées par les phares et ponctuées des masses noires des rochers, je quittai le désert pour affronter l'ahurissant ruissellement de lumières de Las Vegas. Je roulais, écrasé de fatigue. Il n'était pas question d'aller au Caesars Palace. Je cherchai un hôtel dont le standing aurait convenu à Angie. J'aperçus à ma droite le Bally's Grant, je m'engageai sur l'allée qui y conduisait, constatai que, même à cette heure tardive, les clients arrivaient encore. Si l'hôtel était complet, je continuerais jusqu'à l'effondrement. A peine étais-je arrivé qu'un voiturier prit ma bagnole et un bagagiste mes valises. Qu'importe! S'il n'y avait plus de place, je repartirais. Je pris l'attaché-case d'Angie, le sac vide et le tricot d'où se dégageait encore son parfum. Je traversai le hall. Une galerie séparait les salles de jeu des guichets et des canapés où les gens s'asseyaient. Devant les guichets, quelques retardataires faisaient la queue. Je me joignis à la plus courte des files d'attente et je contemplai le dos de l'homme qui patientait devant moi. Quelqu'un me poussa légèrement par-derrière, en prononçant un « *sorry* ». Je ne me retournai même pas. Arrivé devant le guichet, je fus surpris par l'accueil agréable. Une jeune femme aimable réussit à me donner l'impression que j'étais attendu et bienvenu.

– Je n'ai pas réservé. Nous sommes deux. Ma femme est assise là-bas...

Je désignai un groupe de gens divers installés sur la rangée de canapés en bordure de la barrière qui séparait la galerie des salles de jeu.

– Si vous n'avez pas de suite libre, j'essayerai au Caesars Palace.

Je bluffais, mais, même sans ce cinéma, ça aurait marché.

Elle me tourna le dos pour consulter l'écran de l'ordinateur, puis elle revint :

– Il ne reste qu'une suite, la plus chère, ou presque.

Je souris :

– Rien n'est assez beau pour ma femme.

J'avais réussi à me faire remarquer, elle me trouvait sympa, elle m'annonça le prix : mille dollars la nuit.

– Parfait. Nous sommes venus pour nous reposer et nous amuser. Nous resterons quelques jours.

Je lui donnai ma carte platine American Express, la carte huppée qui dorénavant allait ponctuer ma vie et délimiter le temps que je passerais à chaque étape... Elle allait être débitée sur le compte commun d'Angie et moi. L'employée fit passer la carte dans un appareil électronique, elle l'imprima, je la signai. Le montant y serait inscrit à la fin du séjour. J'avais espéré arriver seul jusqu'à la suite, mais hélas, même à cette heure-ci, surtout quand il s'agissait d'un appartement, on accompagnait. Je fis attendre l'employé quelques secondes.

– Je vais prévenir ma femme, elle est là-bas... Pouvez-vous annoncer, en attendant, le numéro de ma suite au bagagiste?

Je lui tendis le carton qu'on m'avait donné à mon arrivée, puis je lui tournai le dos, je m'éloignai, je m'approchai d'un petit groupe debout qui cachait deux femmes assises sur la banquette. De dos, je pouvais donner l'impression de parler à l'une d'entre elles. De retour, je me cognai presque contre l'employé :

– Ma femme a rencontré des amis de San Diego, elle bavarde, je reviendrai la chercher. Allons-y déjà, nous deux. Quand les femmes commencent à se raconter des histoires...

Nous montâmes, muets, dans l'ascenseur, longeâmes la galerie séparée du couloir des suites par une grille en fer forgé. Sur la table placée devant cette porte, un écran de contrôle signalait le moindre mouvement.

– Le gardien a dû s'absenter quelques minutes, dit l'employé.

J'avais de la chance, le gardien croirait que nous étions entrés à deux dans ce sanctuaire. L'employé me précéda dans l'univers rouge ouaté, m'ouvrit solennellement la porte de la suite et me tendit deux cartes magnétiques.

– L'autre pour Madame, dit-il.

Puis il entra dans l'appartement. Il alluma, je le suivis.

Enfin, je pus me débarrasser de lui. Il était consciencieux et tenace... Il voulait m'expliquer trop de choses.

J'explorai la suite à mille dollars, déjà hantée par le fantôme d'Angie. Deux chambres, deux salles de bains, un living-room spacieux, le mur du fond occupé par une télévision à grand écran. J'étais agité, mon crime involontaire m'excitait comme une amphétamine. J'avais mal aux yeux, mes mains étaient tantôt engourdies, tantôt raidies de spasmes, je serrais les poings, à en faire craquer les articulations. Une idée folle me traversa, je la rejetai. Pourtant... si je pouvais draguer une femme que je traînerais pendant quelques jours avec moi? Même une blonde médiocre ferait l'affaire. Dans la foule qui déferle à Las Vegas, je n'avais besoin que d'une silhouette. Juste une présence, pour être aperçu en couple. Plus j'y pensais, plus l'idée me semblait viable.

Je tombais de fatigue, mais mes pensées s'emballaient. Et si j'essayais de trouver une femme à l'aide d'une annonce? Si je proposais à une désœuvrée un voyage à Paris et, ensuite, en Afrique? Une femme que j'engagerais, en quelque sorte, pour une figuration intelligente, puis je la « perdrais »... Ces solutions paraissaient simples au premier abord, mais après réflexion, devenaient absurdes. Ma vie était absurde aussi... Dans le tiroir d'un petit bureau du salon, je trouvai du papier à lettres et, sans prendre le temps de m'asseoir, je commençai à y jeter en vrac des mots : « Homme riche quarante ans cherche jeune femme pour un voyage d'un mois. Plaisirs, aventures et divers avantages inclus. Vingt mille dollars de prime. » Je changeai ensuite des mots : « Homme séduisant cherche compagne de voyage blonde pour l'Europe et l'Afrique. » C'était idiot, « blonde ». Tout le monde en une heure peut être blonde.

Je déchirai les feuilles et je les jetai dans la cuvette des WC. A moitié assommé par la fatigue, je m'abreuvai au mini-bar d'eau gazeuse glacée. Je m'arrêtai, je traversai l'une des chambres. J'aperçus un filet de lumière sous la porte de la salle de bains... L'eau coulait. Et si tout ce que je vivais ici n'était qu'un cauchemar? Nous étions peut-être au lit dans la maison de Beverly Hills, il suffirait de me retourner, de toucher Angie, de la réveiller. D'un geste brusque, j'ouvris la porte.

L'eau coulait dans le lavabo entouré d'un plateau de marbre beige. Le service de nettoyage avait dû oublier de fermer le robinet. Je contemplai, hagard, le lavabo, j'arrêtai l'eau et je me mis à la recherche d'un endroit où je pourrais dormir. J'ôtai le lourd couvre-lit en soie bleue, j'aperçus ma silhouette multipliée par un jeu de miroirs et, en surimpression, le visage d'Angie. Elle me souriait. Je m'enfuis.

Je cherchai la carte magnétique qui faisait fonction de clef, la ramassai sur la commode. Je tâtai mes poches, je vérifiai mes papiers, mes cartes de crédit, j'aperçus sur un fauteuil le tricot d'Angie, je le pris pour l'accrocher dans l'armoire de l'entrée. Il avait glissé, je le remis sur le cintre et je cachai dans un profond tiroir l'attaché-case d'Angie. Je devais me débarrasser à la première occasion de son sac à main.

J'avançai sur l'épaisse moquette du couloir silencieux. Sur le mur, entre les candélabres dorés, quelques photos géantes des stars du passé : Vivien Leigh, Clark Gable, Charlton Heston. Je découvris aussi que ma suite s'appelait *Ben Hur*. C'était du cinéma, il n'y avait que le cadavre de vrai. Tout le problème était là. Je me dirigeai vers l'allée centrale. Le gardien, assis devant sa table, se leva et, lorsque je passai près de lui, me salua. Il me dit :

– Vous êtes Mr. Landler, je crois... et vous occupez la suite *Ben Hur*...

– C'est exact. Nous sommes arrivés un peu fatigués, ma femme s'est couchée, mais moi j'ai envie de faire un tour en bas... Vous savez ce que c'est...

Non, il ne savait pas « ce que c'était ». Il n'avait jamais dépensé mille dollars pour une nuit. Il était payé pour respecter les caprices des riches. Je lui tendis un billet de vingt dollars qu'il fit disparaître avec la rapidité d'un prestidigitateur. J'allai vers les ascenseurs, la cage dorée me descendit dans le hall. Je n'avais que quelques mètres à faire jusqu'aux salles de jeu qui occupaient le centre de l'hôtel. Des groupes de machines à sous étaient réservés aux clients modestes. Quelques marches plus bas, je me retrouvai dans un labyrinthe de couloirs délimités par ces machines. Assis sur les tabourets, devant elles, des femmes et des hommes fixaient dans un bruit assourdissant les cadrans sur lesquels apparaissaient des images. Je regardai par-dessus l'épaule d'une femme : une prune sortie dans la rangée des images lui avait fait gagner vingt-cinq *cents* et, tout de suite après, trois prunes : un dollar! Elle me chassa du regard, je la gênais, j'étais un intrus dans l'univers des paumés. Je glissai vingt-cinq *cents* dans un appareil, cinq paires de cerises se bloquant à la hauteur de mes yeux la firent siffler, hurler, délirer, les *cents* dégringolaient dans la cupule. J'avais touché le jackpot! A côté de la machine, traînait un grand gobelet en plastique blanc que je remplis de ces *cents.* Ma voisine me toisait avec un appétit cannibale. Pour vingt-cinq *cents,* j'avais gagné deux cents dollars.

Elle marmonna :

– Je viens de quitter cette machine qui me bouffait l'argent! Vous avez gagné les sous que j'ai perdus.

Je partis, le gobelet à la main, je trouvai une caisse haut perchée au milieu du carrefour de ces chemins entre les machines, la caissière prit mon gobelet, elle versa le contenu dans un appareil qui comptait les *cents.* Elle me demanda ce que je voulais comme billets...

– M'est égal.

Elle me tendit une liasse de vingt dollars.

En cas d'inculpation, j'aurais deux pays sur le dos, mais l'Amérique réglerait en premier ses comptes avec moi. De nationalité française, résidant en Californie, marié au Nevada, quel tribunal me jugerait? La peine de mort existait-elle encore en Californie?

Les yeux ensablés de fatigue, je me réconfortai à l'idée peu à peu familière : essayer de trouver une fille qui pourrait jouer pendant quelques heures, sinon quelques jours, le rôle d'Angie. Il ne fallait même pas lui ressembler, mais juste exister, et peut-être m'accompagner jusqu'à Nairobi, via Paris et Genève. Et ensuite? C'était une autre affaire...

Les novices croient qu'à Las Vegas, on drague facilement, qu'il y a en pagaille des filles disponibles et que celles rejetées par Hollywood s'y précipitent avec l'espoir de découvrir l'homme à fric. Tout cela est à la fois vrai et faux. Les très belles filles sont sélectionnées à un haut niveau, le péquenot n'en voit pas trace. Elles sont raflées par les seigneurs de la Mafia et réservées au milieu très fermé des grands joueurs. Les non-initiés ne rencontrent ici que des femmes ordinaires, des touristes égarées et hagardes de fatigue, de grosses femmes avec leur demi-lune de sueur sous le bras. Elles viennent gagner leur vie avec les maigres bénéfices que leur accordent les machines à sous. Il y a aussi de jeunes couples en vadrouille, quelques nostalgiques du *flower-people*. Des employées aux traits fatigués par l'atmosphère où se confond le jour avec la nuit sillonnent les salles de jeu des divers casinos; des serveuses portent des boissons gratuites et d'autres changent l'argent. On veut éviter que le touriste qui n'a plus de monnaie recouvre la raison en s'éloignant de sa machine. Ces femmes travaillent comme des automates, à force d'être tout le temps au milieu de la foule elles ne voient plus les visages.

Un coup d'œil à ma montre : quatre heures; je devais avoir l'air d'un zombie. Il fallait remonter dans la suite et essayer de dormir, et puis, au matin, mimer pour le service d'étage la présence d'Angie. A Beverly Hills, Philip attend paisiblement et Sean nous croit au lac Tahoe. Je pourrais m'en tirer jusqu'à demain, samedi, même avec un peu de chance gagner le sursis du dimanche.

Je me frayai un passage dans un couloir de machines à sous, les hommes de ménage déblayaient le sol avec de longs balais et des pelles dont on ouvre le couvercle par le haut du manche, ils ramassaient les papiers d'emballage, des rouleaux de monnaie et des gobelets jetés, ils pourraient être sur une piste de cirque aussi, et collecter les crottes des fauves. J'étais ivre de fatigue. Je pris l'ascenseur en compagnie de Japonais blêmes. Le gardien, assis devant son écran de contrôle, me salua. Je demandai, soucieux :

– Ma femme n'a pas appelé?

– Non, monsieur, elle n'a pas eu besoin du service d'étage non plus.

– Le *room-service* passe par ici?

– Oui, monsieur, sous contrôle. On n'est jamais assez prudent, n'est-ce pas? La clientèle de cet étage est particulière.

Je m'entendis répondre :

– Évidemment.

J'étais moi aussi particulier et je méritais un intérêt extrême.

J'ouvris ma porte en forçant un peu la carte magnétique récalcitrante et je lançai un « *Hello, darling* » tonitruant. Le salon beige pâle ne m'envoya aucun écho. J'évitai les chambres à coucher, j'ôtai ma veste, je m'allongeai sur le canapé du salon et, face à l'écran vide, je sombrai dans un sommeil de plomb.

Le lendemain matin je me réveillai tard, vers 10 heures; je devais entreprendre de bâtir mon alibi. J'allai dans la chambre bleue, je me déshabillai, je pris une douche et je commandai par téléphone un breakfast pour deux. Quand, une demi-heure plus tard, le garçon d'étage sonna pour entrer, j'ôtai la chaîne et ouvris en peignoir :

– Mettez tout sur la table de la salle à manger...

Il prenait son temps, il regardait chaque assiette avant de la poser, j'esquissais des pas, je faisais semblant de m'adresser à ma femme qui serait dans la salle de bains.

– Oui, ma chérie, oui, le café est là. Tu veux une tasse? Non? Tu as raison, on n'est pas pressés. Comment? Attends... répète... Bien, je vais le lui demander.

Je revins vers le garçon :

– Dites...

– Oui, monsieur?

L'homme avait une quarantaine d'années et ressemblait au plus petit du couple de Laurel et Hardy, à celui qui se gratte le haut du crâne.

– Ma femme désire être sûre que les oranges sont fraîchement pressées.

– Certainement, monsieur, nous les préparons juste avant de servir.

Je retournai dans la chambre et je criai :

– Oui, ma chérie, le jus d'oranges est frais.

Je vérifiai les détails de l'abondant breakfast et je donnai cinq dollars au type. Il partit content.

J'accrochai le « *Don't disturb* » à l'extérieur, au bouton doré de la porte et je remis à l'intérieur la chaîne de sécurité. J'avais faim. Je touchai à tout, je m'empiffrai, je mâchai à peine, j'avalai en vrac, de tout, comme un chien affamé, les œufs brouillés, des tranches de lard, les petits pains chauds, je bus plusieurs tasses de café. Quelques minutes plus tard, une violente nausée me fit tout vomir. Depuis la mort d'Angie, je ne digérais plus rien. Les genoux devant la cuvette, j'aperçus des morceaux de papier qui flottaient. Le projet d'annonce déchiré. Il fallait me calmer, sinon j'allais crever. Je me nettoyai, je me rhabillai puis je descendis au sous-sol, à la galerie marchande de l'hôtel, et je m'équipai à neuf. Revenu à la suite, je me changeai, j'appelai le service de la teinturerie et je donnai tout à nettoyer, y compris le tricot italien d'Angie. On me promit de tout rapporter le soir même.

J'appelai le garçon d'étage pour qu'il débarrasse la table. Je demandai aussi qu'on m'envoie les femmes de chambre. L'appartement fut envahi de personnel, je montai la garde devant la deuxième chambre à coucher, où ma femme était censée se reposer. Enfin, tout le monde partit. Avant de m'en aller, je prévins le standard qu'il ne fallait transmettre aucun appel « à ma femme qui veut dormir ». J'accrochai le carton « *Don't disturb* » à la porte, je passai devant le nouveau garde installé devant la grille, puis je sortis du palace par la porte latérale. Je traversai et me retrouvai devant le Barbary Coast qui fait l'angle avec le Strip.

Le matin, Las Vegas n'est qu'un gros village maussade traversé par une large rue bordée de casinos, de banques, de *wedding chapels*, de motels ou d'hôtels de toutes catégories. Les salles de jeu fonctionnent vingt-quatre heures sur vingt-quatre, mais, le jour, les néons sont éteints et les panneaux publicitaires moins agressifs. Je déambulai sur le Strip, fréquenté à cette heure-ci par les badauds, des touristes en famille, de jeunes parents qui promènent leur progéniture dans des poussettes. Les gosses étaient les rois sur les trottoirs. Leur regard était barbouillé de la vision des adultes et leurs joues de barbe-à-papa.

J'hésitai sur le trottoir sale, de quel côté me diriger? Qu'importe! D'un coup d'œil, je repérai la *wedding chapel* où j'avais épousé Angie. C'était loin. Je perdais mon temps ici. Et si je partais pour Atlanta? De là-bas, en payant mon billet en espèces – l'American Express perdrait ma trace –, je continuerais vers New York et Paris. Paris? Mais à qui m'adresser à Paris? Mes anciennes copines, déçues par mon mariage, me mettraient à la porte et, selon les dernières nouvelles reçues, oncle Jean avait vendu l'appartement de la rue des Acacias. L'excursion en France ne durerait pas longtemps, la police me retrouverait en quelques heures.

Que faire de ma vie? Je me dirigeai vers le fameux hôtel-casino Circus Circus; sa publicité, un clown géant hissé dans les hauteurs qui, le soir, racolait les clients pour le casino, était à cette heure-ci immobile. J'entrai dans la salle de jeu qui occupait le rez-de-chaussée de l'immense hall. Du haut plafond pendaient des trapèzes, des balançoires, chaque soir les artistes exécutaient au-dessus de la tête des gens des numéros de cirque, d'où le nom de l'établissement. Je montai au premier étage, je me promenai dans la galerie ouverte, quelques stands fonctionnaient. Je m'arrêtai devant celui qui proposait la course de chameaux à un dollar. Les chameaux découpés en carton avançaient selon les chiffres sortis par les dés, le gagnant avait droit à une poupée ou à un animal en peluche. J'observais la femme qui empochait l'argent des ballots. Ressemblait-elle à Angie? Non. Mais cette constatation me permit de reconnaître l'évidence : je cherchais quelqu'un. Une deuxième course me fit perdre un dollar de plus. J'étais malheureux, parce que superstitieux. Avant de jouer j'avais décidé que si je gagnais, ça allait être le signe de ma chance et que je m'en sortirais! L'échec était de mauvais augure. L'odeur de sueur refroidie que me renvoyaient des bouches d'air conditionné me dégoûtait.

Je sortis et je remontai par le Strip vers le Bally's Grant. La circulation était de plus en plus dense. Au bout de dix minutes de marche, j'entrai dans le fameux Desert Inn dont les machines chics n'acceptaient que des dollars. Personne à accoster, personne à interpeller. Quel bordel de solitude! De retour au Bally's Grant, je remontai dans la suite. Je commandai au *room-service* le lunch pour deux personnes, en ayant soin de souligner que ma femme souhaitait un poulet bien grillé, et j'insistai pour avoir une corbeille de fruits exotiques frais.

Je comblai le garçon d'étage de pourboires, il allait s'en souvenir. « Oui, je vous l'affirme, il prenait soin de sa femme. » Je réussis à manger un peu, mais je dus cacher la plus grande partie de la nourriture dans un sac en plastique destiné au linge sale. Comment m'en débarrasser? Il est très difficile de jeter un poulet rôti... Ayant enfin réussi à arracher de la doublure le nom célèbre du fabricant, j'ajoutai au paquet le sac vide d'Angie. Il fallait jeter ce sac poubelle dehors, dans un container. En attendant, je le cachai dans l'une des armoires que je fermai, puis je m'allongeai. Vers cinq heures, réveillé par un violent mal de tête, j'avalai deux aspirines et je décidai d'appeler Sanders.

Je composai le numéro de son appartement, au bout de sept sonneries, il décrocha.

– Hello, Sean? C'est Éric à l'appareil.

– Mon cher ami! Quel plaisir de vous entendre, c'est gentil de penser à moi et de m'appeler même de votre nid d'amour.

– Sean, si amical et si chaleureux, je vous apprécie! Une surprise à vous annoncer, mon cher ami. Nous ne sommes plus au lac Tahoe, Angie a décidé d'improviser notre vie. Elle est si contente de m'avoir tout à elle, disponible, qu'elle déborde d'idées...

– Ah bon? dit-il en changeant de ton. Jeudi soir, Angie m'a fait parvenir un message, elle voulait me voir absolument lundi. Vous rentrez ce soir? Où êtes-vous, Éric? Au ranch?

– Non. Du tout. Vous ne devinez pas d'où je vous appelle?

– De Beverly Hills, déjà?

– Non, de Las Vegas.

– Las Vegas! s'exclama Sanders. Vous avez voulu retrouver l'endroit de votre coup de foudre?

– Exactement. Et grâce à vos conseils que j'ai suivis, tout semble s'arranger entre elle et moi.

Il m'interrompit :

– Attention, Angie ne doit pas être au courant des détails de notre conversation. Elle en connaît les grandes lignes, pas plus. Si elle sentait la moindre complicité entre nous, vous verriez comme l'atmosphère changerait.

– Évidemment, je fais attention. Elle prend son bain, elle me dit de vous embrasser! On va passer la nuit dehors! La folle nuit de Las Vegas.

– Quel succès, mon ami! dit Sanders. Quel succès! Mais pour le rendez-vous qu'elle avait souhaité...

– Je crois qu'il faut la laisser tranquille. Qu'elle profite d'une sorte d'insouciance inconnue pour elle jusqu'ici! Grâce à vous, j'apprends à la connaître.

– Attention, un compliment de plus et je vais me croire important. Bref, vous rentrerez quand même dimanche soir, non? Prenez un avion-taxi, la circulation va être démente.

– Pas si vite, Sean... Je ne suis pas au bout de mon récit. Il y a un élément nouveau! Vous serez ravi. Ah, attendez une seconde...

Je recouvris légèrement le combiné et je parlai très fort :

– Oui, Angie... que dites-vous? Non. Toujours avec Sean... que je lui dise... tout? Écoutez, vous pourriez venir lui parler.

J'entendais Sean :

– Éric, Éric...

Je découvris le combiné.

– Oui Sean, elle voudrait que je vous le dise, moi...

– Mais quoi?

Il s'énervait :

– Je suis tombé en disgrâce ou quoi? J'ai trop bien réussi votre réconciliation?

– Non, Sean! Attendez, je ferme la porte de la salle de bains.

Je me levai, je claquai fort une porte, je revins.

– Voilà, elle est comme une enfant! Elle dit qu'elle sera pour la première fois vraiment heureuse en Afrique, parce que je l'accompagne avec plaisir, de bon cœur. Elle voudrait pour quelque temps une rupture complète avec Los Angeles. Elle a peur que, si elle vous écoute, vous ne la dissuadiez.

– Une rupture? Avec moi aussi?

– C'est une façon de parler. Elle vous aime tant, elle dit qu'elle peut vous confier toute la Compagnie.

– Je n'ai pas de pouvoir signé...

– S'il y a une raison péremptoire, réunissez le Conseil et prenez la décision que vous voulez. Elle m'a dit hier : « Éric, mon chéri, dites à Sean que j'annule notre rendez-vous de mardi. Nous partirons directement d'ici pour Paris et Nairobi. Si je reviens à Los Angeles, les affaires à régler nous retarderont. »

Sean semblait soucieux :

– Ce rendez-vous, elle semblait y tenir...

– Elle ne s'intéresse plus qu'à notre voyage africain. A propos de changement, je vous signale aussi que nous sommes au Bally's Grant.

– Pourquoi? Angie loue au Caesars Palace une suite à l'année pour une petite fortune...

– Je voulais être ailleurs, Sean, moi je suis jaloux des souvenirs qui l'attachent au Caesars Palace, elle s'y trouvait avec son champion de tennis, avec le docteur Howard... Ça me gêne.

– Ce sont des caprices coûteux, Éric. Mais elle peut se le permettre. Et vous? Il me semble que ce départ précipité peut gêner vos affaires. Vous devriez donner des instructions pour les transactions en cours...

– Je vais appeler Grosz lundi et lui indiquer la direction à suivre.

Il ajouta, maussade :

– Je vais être ennuyé avec le terrain japonais. Vous avez commencé une opération, Angie a peaufiné la manœuvre avec la fille de Yashimi. Si celui-ci est d'accord, en augmentant son prix et si le dollar faiblit, qu'est-ce que vous voulez que je fasse?

– Laissons tomber un peu les Japonais.

Sean s'exclama :

– Vous avez tant insisté!

– Oui, Sean, mais d'abord je compte sur le redressement du dollar, ensuite, je l'avoue, je crains d'avoir trop insisté auprès des Japonais. Il faut les laisser maintenant dans l'incertitude.

Il soupira :

– Qu'est-ce que vous voulez que je dise? Tout cela me surprend. Pour les affaires, Angie n'a jamais eu des attitudes d'enfant gâtée. Il faut absolument qu'elle m'appelle avant votre départ pour l'Europe.

– Bien sûr, dis-je, bien sûr. Pour rien au monde elle ne manquerait de vous dire adieu. Elle vous est si attachée.

– Il ne s'agit pas de sentiments ni d'effusions en tout genre, mais de procuration. Bref, d'accord, je ne veux pas être un trouble-fête. Elle mérite un peu de vrai bonheur. Vous êtes jeunes tous les deux! L'avenir est à vous. Qu'elle puisse être une seule fois dans son existence un peu insouciante...

Il continua :

– Oui, Éric, laissez-la tranquille, qu'elle décide seule si elle veut m'appeler ou non. Parfois je me sens plus dictatorial que ne l'était son père, je dois lui offrir de mon côté un peu de liberté. J'ai votre itinéraire, défini par Plaisir-Safari. En cas d'urgence, je peux vous contacter. Oh! Éric, je sais maintenant que, quand on vieillit, il faut éviter d'aimer trop les gens, on les encombre. Je ne veux pas encombrer...

Cher Sean! Il me facilitait l'existence, il m'assurait pour le moment la survie. Je n'aurais pas pu rêver complice involontaire plus parfait.

– Que faut-il dire à Philip? ai-je demandé.

– Rien. Je l'appellerai moi-même. Il a l'habitude d'attendre. Angie se déplace, elle ne l'avertit jamais. Il est payé en conséquence. A propos, la maison du lac Tahoe est bien fermée?

– J'imagine.

– Avez-vous branché le système d'alarme, Éric?

Un coup sur la tête. Le système d'alarme?

– Je ne sais pas, c'est Angie qui a tout réglé. Je connais à peine les lieux.

– Je verrai ça, dit-il. Il y a un système d'alarme relié à la police, dont le bouton de déclenchement est près du lit. J'enverrai le gardien, il va tout vérifier.

– Voulez-vous que je demande à Angie?

Mon culot me donnait le vertige.

– Mais non, dit Sean. Dites-lui juste que je l'aime...

Pour clore la conversation, nous nous congratulâmes pour la chance que nous avions de posséder ce trésor qu'était notre amitié.

L'avenir me paraissait bourré d'espoir.

– Juste un mot encore, Éric. Vous a-t-elle dit quelque chose au sujet de votre contrat?

– Non.

– La veille de son message de jeudi soir, elle m'a annoncé qu'elle avait rédigé un autre testament... Avez-vous une vague idée de son contenu?

– Non. Vous savez que je ne m'y intéresse pas.

Ayant raccroché, je réfléchis. Si jamais Angie avait laissé un testament dont j'aurais été l'un des bénéficiaires, je pourrais être considéré comme le suspect numéro un. Mais, pour le moment, j'étais en sursis, libre, vivant, et j'avais l'argent... Si je pouvais persuader une femme de m'accompagner jusqu'à Nairobi, j'aurais une preuve que j'étais parti avec ma femme. Il suffirait d'une perruque blonde et de lunettes noires... Puis, je la perdrais à Nairobi. En Afrique, tout était possible, du moins, c'est ce que je croyais.

Chapitre 17

Rassuré du côté de Sanders, j'avais un peu de temps devant moi. Il fallait maintenant franchir l'étape suivante, examiner en détail le contenu de l'attaché-case d'Angie. Je m'assis sur le couvre-lit de la chambre bleue et je commençai à passer au peigne fin les documents qui s'y trouvaient. Le passeport: Mrs. Landler, Angie Ferguson, née en 1954. Sa photo, souriante. Une série de cartes de crédit, des télex : confirmations diverses, le reçu de l'argent encaissé par une banque de Nairobi. Dans une pochette, l'itinéraire complet établi par l'organisation Plaisir-Safari. Les étapes délimitées par les dates d'arrivée et de départ des lodges. Un dossier consacré à son domaine dans Loita Plains, l'itinéraire pour y arriver. Des billets d'avion, Los Angeles-Paris direct, Paris-Genève-Nairobi-Mombasa. Une nuit à l'hôtel Diani Reef, ensuite un dossier : « Installation au cottage ». Sur l'agenda d'Angie, toute une semaine barrée, juste son écriture qui traverse les jours : Afrique, Éric. Vivre. Dans la pochette, ses bijoux, les « petites choses » reçues de son père. Un dossier marqué « Affaire Landler » contenait juste quelques feuilles accompagnées d'une lettre : « Madame, ci-joint un résumé de nos rapports concernant M. É. Landler. Nous attendons vos instructions pour vous faire parvenir, à l'endroit désigné par vous, l'ensemble des documents. Si vous le souhaitez, un de nos collaborateurs se rendra chez vous pour vous transmettre personnellement la description des étapes de l'enquête et leur analyse. Nous espérons que ce travail vous donnera entière satisfaction. Veuillez agréer... »

Dans une enveloppe à part, hâtivement ouverte, une facture s'élevant à un total de vingt-deux mille dollars, dont il restait sept mille à payer. Trois adresses télex. La boîte de New York avait un bureau à Paris et à Munich. Je respirais l'air par à-coups, l'insupportable épreuve atteignait ses limites, mais il fallait affronter la lecture : « Résumé du premier rapport : Visite chez M. Jean Landler, l'oncle du sujet (le jour et l'heure). » La description de la rue, de l'immeuble, de l'appartement, qualifié de « minable ». « Jean Landler ouvre en pantoufles. L'enquêteur se présente, il est démarcheur, il propose de luxueuses villas mitoyennes avec six cents mètres carrés de jardin livrées clefs en main, dans la banlieue parisienne chic. M. Landler le fait entrer et, volubile, se vante d'avoir un neveu qui a réussi le beau coup d'épouser une riche Américaine, donc éventuellement il serait acheteur. »

L'enquêteur écoute le récit de l'histoire de la vie de M. Jean Landler, ensuite les détails concernant ses relations avec son neveu qui lui donnerait (s'il le lui demandait) la somme nécessaire pour l'achat de la villa. Éric enfant, Éric adolescent, buté, menteur aussi, mais très travailleur. La mère y est pour quelque chose : « Une Allemande, vous savez, elle a mis le grappin sur mon frère quand celui-ci était prisonnier de guerre... »

Je luttais contre la nausée. Je cherchais, fiévreux, je feuilletais, ils n'avaient pas jugé nécessaire de mener une enquête auprès de la Chimie Nationale, en revanche, à la recherche de la mère, ils s'étaient rendus près de Francfort dans un petit bourg. Ils l'avaient retrouvée en suivant un raisonnement simple : « Une femme ou un homme qui s'éloigne des lieux de son enfance revient souvent à l'âge mûr vers ses origines. Nous connaissions l'endroit où était née Hilde Schmidt. De retour de Paris en Allemagne, elle a réussi d'abord comme photo-modèle, ensuite elle a ouvert une agence de mannequins. Après avoir mis de l'argent de côté, elle a acheté, avec ses économies, une maison près de l'ancienne ferme de ses parents, jadis paysans aisés. Elle a voulu s'installer – pour ses " vieux " jours – dans le village même où elle a connu le père de M. Landler qui avait travaillé pendant la guerre comme employé agricole chez ses parents. La mère de M. Éric Landler est une femme d'une soixantaine d'années, corpulente. Elle nous reçoit en compagnie de son second mari, un comptable à la retraite, plus jeune qu'elle. Étonnée de notre visite, elle écoute des explications qui paraissent la satisfaire, elle répond – sans réticence aucune – à nos questions. Nous lui disons que l'enquête est nécessaire pour compléter le dossier de la naturalisation de son fils Éric. Elle se déclare contente du succès d'Éric Landler, elle raconte que le sujet était un enfant angoissé, constamment accroché à elle. Elle affirme que les enfants ne l'ont jamais vraiment intéressée. " Je n'ai sans doute pas d'instinct maternel, je l'ai laissé à mon beau-frère, qui l'a bien traité. Il s'appelle Jean Landler. Je lui ai envoyé pendant quelques mois de l'argent pour contribuer à l'entretien d'Éric. Ensuite, à cause des difficultés financières qu'a traversées mon agence, j'ai dû interrompre l'aide. Éric? Il a souvent manqué la classe, il simulait des petites maladies pour que je le soigne. Il voulait toujours être au centre de ma vie. " »

Des mots assassins : « Il attirait l'attention sur lui en s'inventant une maladie »! « Il était l'enfant de toutes les déceptions... » « Je croyais les Français différents, raconte Hilde, mais en arrivant là-bas, je me suis trouvée au milieu de ces gens que Brecht appelait *Lumpenproletariat*, des gagne-petit, des mesquins, ils voulaient tous se donner des airs de bourgeois. Lors de notre première visite, Jean Landler nous a offert le café dans sa cuisine, sur la chaise qu'on a poussée vers moi, sur le coussin plat il y avait une grande tache. Dégoûtée, mais disciplinée, je me suis assise sur la tache. Ça m'a marquée, c'est bête, non, les impressions de ce genre? »

Cette lecture m'infligea un choc immense et me remplit de désirs de vengeance. Je devais prouver à ma mère et aussi à Angie que j'étais plus fort qu'elles. Je cachai l'attaché-case, je raccrochai le *« Don't disturb »* à la porte et je prévins le standard de ne pas déranger la suite, « ma femme se repose ». Je me rendis au bureau du télex de l'hôtel et j'envoyai à l'Agence Harold & Harold, à New York, le texte suivant : « Merci pour l'excellent rapport. Prière de classer définitivement le dossier. Votre mission est terminée. Pour solde de tout compte, 7 000 dollars joints. Remerciements. »

Je signai *Angie Landler*. Dorénavant, Harold & Harold devraient me foutre la paix... J'avais fait le premier pas vers le montage du processus qui pourrait me sauver. Je devais trouver une remplaçante, même pas un sosie, du tout, une bonne femme qui, avec des cheveux décolorés et des lunettes noires, pourrait créer l'illusion d'Angie Ferguson. La femme à découvrir et à entraîner au Kenya devait mourir là-bas à la place d'Angie.

En errant dans la folle ambiance des salles de jeu, j'énumérais des hypothèses. Si je ne trouvais pas une victime future, je devrais prendre les deux cent mille dollars de mon compte de roulement assuré par la Compagnie et mes économies, environ soixante-dix mille dollars, à ma banque. J'aurais de quoi m'installer en Australie. A la suite de notre disparition, une enquête serait rapidement ouverte. Nous serions recherchés et moi, retrouvé, inculpé et extradé.

Sorti de l'hôtel, je me mêlai à la meute humaine qui inondait les trottoirs. Je cherchai un visage. Mais même si je rencontrais par miracle une femme qui ressemblât vaguement à Angie, comment la draguer? Accoster une pâle copie, lui dire que j'avais besoin d'elle et que je la paierais pour qu'elle me suive? Elle alerterait la police tant ma démarche paraîtrait suspecte. Ou bien la suivre, faire connaissance comme par hasard, et lui débiter des bobards? Ce genre d'approche exigeait la découverte d'une femme sotte et solitaire, et beaucoup de temps. Si je voulais m'aventurer dans cette fragile direction, je ne disposais que de quelques heures. J'étais tantôt pris de panique, tantôt fatigué et léger, comme si je n'étais pas concerné. Épuisé par le Strip et la vision des couples – pas une femme seule à l'horizon –, je cavalai soudain pour rentrer à toute vitesse à l'hôtel. J'avais peur d'avoir laissé la suite trop longtemps sans surveillance. Enfin en demi-sécurité, en peignoir, je commandai le dîner et du champagne, que je fis déboucher. J'appelai Angie à tue-tête, je portai deux coupes remplies vers la chambre à coucher. Le garçon empochait mes pourboires démesurés.

Vers 23 heures, je redescendis dans la salle de jeu, je déambulai entre les tables de baccara, j'observai les croupiers aux regards de rapaces et leurs clients aux lèvres minces, ils fixaient tous les chiffres et les monticules de jetons qui disparaissaient. Pas une âme à accoster. Je revins vers le secteur des machines à sous et je m'installai sur un tabouret libre, encore tiède. Il fallait survivre à cette nuit et sans doute partir le lendemain. Le seul exploit réussi l'après-midi était d'avoir pu me débarrasser du reste de poulet et du sac d'Angie, enfouis dans un container au coin de Barbary Coast.

La machine rutilante de couleurs, d'images, de bruits, de tintements, avait englouti mes *cents*, je cherchai dans mes poches un peu de monnaie.

– Vous voulez changer?

Je me retournai, une fille fortement maquillée m'interpellait, ses yeux étaient noirs, ses cheveux très clairs et son rouge épais débordait la ligne naturelle de ses lèvres. Le plateau, tenu par une sangle accrochée à ses épaules, était chargé de rouleaux de pièces. J'avais l'impression d'avoir les yeux d'une mouche, je la voyais en sa totalité et en mosaïque colorée. Son tricot décolleté était pailleté, et la minijupe laissait en liberté ses jambes gainées de bas résille, elle portait l'« uniforme » du casino. Je la regardai avec l'intérêt d'un chasseur du dimanche, une lueur d'espoir me fit tendre un billet de vingt dollars.

– Pour le tout? demanda-t-elle.

Sa voix aurait pu ressembler, si on l'écoutait de loin, surtout au téléphone, à celle d'Angie. L'intonation légèrement nasale semblait affectée, elle était enrhumée ou texane. Ce petit défaut tournait à mon avantage éventuel. Doux comme un agneau – il ne fallait surtout pas l'effaroucher –, je demandai des pièces pour dix dollars et deux billets de cinq.

Elle me donna des rouleaux de monnaie et les billets, je lui rendis cinq dollars.

– Pourquoi? dit-elle.

Ses cils collaient au bout des paupières, un paquet de rimmel hâtivement posé les alourdissait.

– Parce que je vous trouve charmante...

– Charmante, sans blague! Vous êtes anglais, vous?

– Non, pourquoi?

– L'accent...

– Et vous, de quel côté?

– De Brooklyn. J'ai essayé la Floride, mais Miami était insupportable.

– Vous êtes venue travailler à Las Vegas?

– J'ai l'air de m'amuser? dit-elle, agacée.

– Pardonnez-moi, c'est une remarque de politesse. Le travail est épuisant ici pour une jolie fille!

– Pour une moche aussi, dit-elle. La vie est fatigante telle qu'elle est, partout.

Elle me scrutait, mes cinq dollars et mon accent l'intéressaient.

– Vous êtes Miss... Miss comment?

– Pas la peine. Pour ce qu'on a à se dire, pas besoin de noms.

– Je viens d'arriver à Las Vegas. Je ne connais personne, on pourrait se revoir, vous êtes si...

Je cherchais le mot qui convenait. En aucun cas je ne devais me rendre suspect.

– Continuez, dit-elle. Allez-y.

– ... Si mal dans votre peau.

Ses traits se durcirent.

– Vous n'avez pas le droit de dire que je suis mal dans ma peau, ma peau, c'est mon affaire à moi.

Une femme venait de me bousculer, elle voulait accaparer mon tabouret, et un jeune homme presque albinos, devant la machine voisine, venait de recueillir une pluie de dollars dans la cupule. L'argent se déversait, il criait de joie et la machine pétaradante émettait une sonnerie continuelle. Des clients japonais passaient pas loin de nous dans un des carrefours où s'entrecroisaient ces couloirs étroits. Il y eut un remue-ménage, un car avait dû déverser ses touristes, dans la mêlée, je cherchai désespérément la fille qui avait disparu. Je me frayai un passage en écartant les corps chauds et puants de sueur. Aucune des filles qui circulaient par ici ne lui ressemblait. Elle s'était dissipée comme un mirage.

Je me dirigeai vers le centre de la salle où, derrière un comptoir haut perché situé à la limite du secteur des machines, trônait la caissière. La tête levée, j'attirai son attention avec des « Hello » répétés.

– Je voudrais retrouver l'une de vos changeuses d'argent, elle est...

Je m'étais arrêté, elle était comment? Je n'aurais pas pu la décrire, elle ressemblait à toutes les filles aperçues dans l'espace des jeux.

– Vous perdez votre temps, aucun renseignement n'est donné sur nos employées.

Elle me toisait de son ciel en acier, son visage noir s'épanouit dans un grand sourire, j'étais plus plouc et plus blanc que jamais. J'allais être obligé de quitter les USA et, demain, je déménagerais de cet hôtel. Malgré mes mises en scène méticuleuses, il serait impossible de simuler avec succès, ne fût-ce que quelques heures de plus, la présence d'Angie. A un moment donné, quelqu'un constaterait que j'étais seul. Je me laissai balancer par la foule, puis je remontai pour dormir, je m'allongeai sur le canapé du salon. Je dormis par saccades, parfois je me réveillais en croyant qu'on m'arrêtait. Des cauchemars.

Le lendemain, vers 8 heures, je réglai ma note. Je pris les valises, dans celle d'Angie je cachai l'attaché-case et le tricot italien. Le voiturier me ramena l'Oldsmobile du garage extérieur, il était temps de me débarrasser de cette voiture. Je la conduisis jusqu'à l'agence, dont le siège se trouvait au Desert Inn. Je réglai les formalités et je laissai la voiture au parking.

Sur le Strip, je hélai un taxi, je me fis conduire au Circus Circus, où je trouvai facilement une chambre dans le style de ce que j'appelais « casier pour homard paumé ». Quelques mètres carrés d'anonymat impeccables, impersonnels, une salle d'attente en miniature. J'avais à un moment donné décidé de me diriger vers la frontière mexicaine. Les Américains ne sont pas trop contrôlés, c'est au retour que les voitures passent au peigne fin. Qui se souviendrait exactement si j'étais avec ma femme? laquelle pourrait, avec un peu de chance, disparaître au Mexique... Sortir seule d'un hôtel et ne plus revenir, fait divers banal. On m'interrogerait, je serais d'une exaspérante tristesse et en proie au désarroi. C'était une idée, le Mexique... Je découvrais, ahuri, que jusqu'à ce moment, la mort d'Angie n'avait provoqué en moi qu'un enchaînement de questions pratiques à résoudre. Mon attitude me glaçait, je devais être vraiment un type sans scrupules. Mais non! L'horreur de ce que j'avais fait grossissait en moi comme une tumeur, mais, bordel! Je n'étais pas triste! C'était autre chose, je sus plus tard quoi.

Je retournai au Bally's Grant. J'espérais sans trop y croire retrouver la fille, la changeuse d'argent. A l'hôtel, je parcourus la galerie, je descendis dans la salle de jeu, les poches remplies de vingt-cinq *cents,* et je m'installai devant un appareil dont le manche était encore chaud de la paume d'une autre personne. Je tirai sur la manette, je la rabattis, je voyais des cerises partout, puis un frôlement, quelqu'un passa près de moi, je me retournai et je vis de dos une employée qui changeait de l'argent pour un Japonais. Je quittai le tabouret, je m'approchai d'elle, je touchai son coude.

– Hello...

Elle se retourna :

– Toujours là? me dit-elle avec un sourire inattendu. Vous voulez changer? Une seconde...

Elle venait de rendre trois rouleaux de vingt-cinq *cents* au client. Autour de nous, les gens circulaient, cherchaient des places libres devant les machines, nous heurtaient légèrement, parfois un rare *« sorry ».*

– Je n'espérais plus vous revoir.

Elle prit un air agacé :

– Me revoir pour quoi? Si vous voulez me refiler cinq *bucks,* j'accepte, mais nous n'avons pas le droit de nous arrêter et de bavarder avec les clients. Encore moins de nous laisser draguer.

– Moi, draguer? Du tout. Je suis seul et vous êtes sympathique, c'est tout. Il y a des gens à qui on a envie de parler.

Elle haussa les épaules, sur l'une d'elles la bride laissait une large trace rose.

– Tout le monde veut parler, ici. Je n'écoute pas les confidences et je ne console personne.

– Confidences? Non! J'ai une proposition à vous faire. Tout à fait honnête. Vous n'avez rien à perdre et tout à gagner. Si vous vouliez m'écouter.

– Ça y est. Il faut que j'écoute et il n'y a pas de proposition honnête...

– Mais si.

– Pourquoi moi? demanda-t-elle.

– Vous semblez fraternelle et franche. Venez après le travail prendre un verre avec moi, vous ne risquez rien à m'écouter.

Elle hésitait :

– Si vous y tenez tellement. Pourquoi pas... Mais pas plus de cinq minutes. Attendez-moi à la sortie du personnel, à 22 heures.

Je la perdais déjà.

– Holà, non, c'est compliqué. On va se manquer. Venez au *coffee-shop*, celui qui est à côté des guichets des coffres.

– Je ne veux pas qu'on me voie avec un client.

La foule qui circulait était si dense que je ne pus même pas me décharger de ma nervosité par un geste d'impatience.

– Selon vous, quelqu'un peut remarquer, ici à 22 heures, qui rencontre qui? Dans cette marée humaine? Les gens avancent les yeux ouverts, mais ils dorment debout. Venez. Je suis un homme correct et j'ai pas mal d'argent à dépenser gentiment, sans arrière-pensée.

Intriguée, elle accepta le rendez-vous. J'insistai :

– Vous allez venir? Vraiment?

– Ouais, dit-elle en s'éloignant. Ouais, je crois.

A 22 h 10, vêtue d'un petit tailleur en toile, elle entrait au coffee-shop. Elle aurait pu être n'importe qui. Même Angie. J'ai compris à son regard qu'elle présumait que j'avais quelque chose de précis à lui dire. Je me levai pour l'accueillir :

– Merci d'être venue. Quel est votre nom?

Elle s'assit :

– Annie...

Bonne coïncidence, Annie-Angie.

– Que désirez-vous boire?

Elle avait déjà répondu à une serveuse qui se tenait depuis quelques secondes près de la table :

– Un Coca.

– Pour moi aussi. Et maintenant, nous sommes tranquilles.

– Pour ce que vous avez à me dire... répondit-elle. Je ne resterai pas longtemps, la journée a été longue, tout le temps debout...

Elle était fatiguée.

– Annie, dès que je vous ai aperçue...

Elle m'interrompit :

– Ah non, pas ça, je connais la musique.

Elle caricaturait :

– « Je suis tombé amoureux de vous, vous êtes belle, vous avez l'air gentille et tendre. » C'est ce qu'on essaye de me raconter. Sur place. Je ne bouge pas pour écouter ces balivernes.

La serveuse déposa devant nous des verres remplis de glace et de Coca et glissa la fiche sur la table.

– On vous accoste souvent?

J'étais de mauvaise foi, juste pour l'égratigner un peu.

– Ils cherchent tous une aventure pour s'éclater, surtout après une grosse perte. Je gagne difficilement ma vie et je ne veux pas m'encombrer de types qui ne m'offrent pas de lendemain. Dans le secteur où je travaille, ce sont tous des paumés, accrochés à leurs manettes! Les riches, ceux qui peuvent entretenir une fille, sont au baccara, ou à la roulette, mais, eux, ils ne s'intéressent qu'aux call-girls très huppées qui viennent les rejoindre dans leur suite. Il y a des réseaux qui s'en occupent. Je n'ai jamais eu l'ambition de faire partie du circuit. Je suis plutôt sentimentale et en tout cas méfiante.

Elle sourit :

– Vous avez imaginé que les filles tombent ici comme les poupées d'une étagère. Vous êtes naïf. Vous ne connaissez pas le Nevada. Vous êtes...

– Un peu con?

– Non. Je ne suis pas grossière, je ne dis pas des choses pareilles.

Je me penchai vers elle :

– Je donne peut-être cette impression parce que je n'ai pas l'habitude de jouer, ni de draguer, ni d'essayer de plaire...

– Vous n'êtes pas sur votre planète. Un beau gars comme vous devrait être assiégé... Normalement, ce sont les moches qui nous courent après.

Elle bâilla :

– Je vais dormir. Merci pour le Coca.

– Attendez. Supposons...

– Quoi?

– Juste une hypothèse. Ne sautez pas en l'air. Si quelqu'un vous proposait deux mois de plaisirs, d'aventures, des cadeaux que vous pourriez garder après, des bijoux aussi... une aventure payante, mais sans suite.

– Sans suite? On meurt après?

J'eus froid dans le dos.

– Plaisanterie douteuse. Donc, supposons que je propose à quelqu'un...

– C'est vous alors?

– Moi ou mon meilleur ami...

– Cela dépend de ce que je vais répondre, n'est-ce pas? dit-elle. Si je dis que ça m'intéresse, c'est vous. Sinon, c'est votre meilleur ami.

Sa perspicacité me heurtait.

– Vous parlez trop vite. Et si mon meilleur ami voulait vous amener avec lui en Afrique...

– En Afrique? s'exclama-t-elle. Sale trou, pourri de sida. Il n'y a que les animaux qui m'intéresseraient là-bas.

Les animaux? Je sus plus tard qu'elle en était dingue.

– L'Amérique est pourrie de sida aussi, dis-je méchamment.

Vous coucheriez avec quelqu'un ici qui ne vous montrerait pas son certificat de séronégatif ? Là-bas, au moins, vous verrez les réserves. On n'attrape pas le sida en regardant les éléphants.

– Vous dites des choses dégoûtantes, conclut-elle, morne.

– Je vous propose un séjour de quelques semaines au Kenya. Un voyage de grand luxe. Visiter les parcs nationaux, se déplacer d'un lodge à l'autre et, avant ce périple, faire un séjour au bord d'une des mers les plus chaudes et pures du monde, l'océan Indien.

– Ça me coûterait combien? demanda-t-elle.

– Coûter? Vous gagneriez... une jolie somme...

Son regard changeait. « Encore un fou », devait-elle penser. Elle se leva.

– Vous croyez qu'il faut promettre tout cela pour coucher avec moi? M'offrir le Kenya comme cadeau et du fric en plus? Je n'aurais pas demandé tant de choses. Ma folie, ma passion, ce sont les animaux. J'ai dû me contenter des visites au zoo du Bronx. Je n'ai même pas la possibilité d'avoir un chat et vous me tentez avec les parcs nationaux? Il ne faut pas charrier.

J'attirais les amoureuses des bêtes. Si j'étais né gorille, j'aurais mené auprès d'elles une existence dorée.

– Je ne plaisante pas. Si je pouvais vous accompagner chez vous... je pourrais vous expliquer les raisons de cette offre.

– Pourquoi chez moi?

– Il m'est difficile de faire un discours ici, mais je crois que vous êtes la femme que je cherche.

Elle allait s'éloigner. Je la retins par le bras. Elle s'exclama :

– Pourquoi moi? Merde! Je n'aime pas les mystères.

– Je vous ramène et je vous dirai tout.

– Vous êtes peut-être un obsédé, un étrangleur...

– Regardez-moi bien. Ai-je l'air fou?

Elle me dévisageait. Il était tard, le *coffee-shop* se vidait et le tintement des sous tombés dans les cupules nous parvenait, atténué... Je voyais Annie de près. Ses cheveux blonds étaient très clairs, ses yeux presque noirs, son menton peut-être un peu plus affirmé que celui d'Angie. Elle pourrait ressembler à la photo du passeport. Pour rien au monde je n'aurais risqué une falsification et substitué la sienne à celle d'Angie. Ma seule chance était la vraisemblance de la situation et la morphologie proche des deux visages.

– Je suis un homme honnête, qui se trouve dans une situation difficile. Vous voyez, je suis franc, je vous dirai tout.

Soudain elle sourit... Ses lèvres légèrement plus charnues que celles d'Angie découvraient des dents régulières. J'étais étonné par la beauté de son sourire.

– Vous êtes fou, mais un gentil fou. Comment vous appelez-vous?

– Éric.

– C'est vrai?

– Mais oui.

– Allons-y, dit-elle, pour peu de temps et à cause des animaux... Pas pour vous! Hein? C'est clair?

Je payai les Cocas à la sortie, et devant l'hôtel, je demandai un taxi, le portier siffla et, quelques minutes plus tard, nous roulions vers un quartier éloigné du centre. Le chauffeur suivait les indications d'Annie, il cherchait dans une banlieue assez obscure, qui s'étendait au-delà de Downtown, il trouva difficilement, dans une rue à peine éclairée, le pavillon mitoyen. Je le payai, il partit. En prenant la clef dans son sac, Annie demanda :

– Pourquoi ne l'avez-vous pas gardé, le taxi?

– On peut en appeler un autre par téléphone...

– C'est vrai, et vous ne paierez pas l'attente.

Elle hésitait :

– J'habite au premier. Je partage l'appartement avec une fille. Elle est à New York pour chercher du boulot là-bas. Elle espère devenir mannequin. Ce soir, je suis seule.

– Vous ne risquez rien. Je suis un homme paisible et j'ai de l'argent à dépenser.

Elle plissa les paupières :

– Un homme honnête veut coûte que coûte monter dans l'appartement d'une fille qui gagne sa vie en changeant du petit fric...

– Pour parler affaires.

– La propriétaire qui habite le rez-de-chaussée n'aime pas les visites nocturnes. J'aurais dû penser à tout cela plus tôt, mais vous m'avez baratinée.

– Et si j'étais votre cousin du Wisconsin?

Elle promena sur moi un regard amusé :

– C'est vrai, vous pourriez être mon cousin du Wisconsin.

Elle ouvrit la porte, nous montâmes au premier étage, dont le palier desservait deux appartements. Elle me fit entrer directement dans un living-room meublé bon marché et me désigna un fauteuil :

– Asseyez-vous. J'ai du Coca ou du whisky.

Je ne voulais même pas regarder le décor. Je devais la convaincre :

– Rien, merci. Venons-en au fait. Je vous offre vingt mille dollars si vous acceptez de quitter Los Angeles après-demain. Vol direct pour Paris, ensuite Genève, puis Nairobi. Un périple d'un ou deux mois. Pour vingt mille dollars net, tous frais couverts.

Elle me regardait, ébahie :

– Vous êtes plus fou que j'aurais cru. Vous êtes marié?

– Oui.

– Et vous voulez m'embarquer dans un voyage pareil? Et votre femme dans tout cela?

– Elle est d'accord.

– Attendez, je me sers à boire avant que vous me débitiez tout votre micmac.

Elle revint, un verre à la main, et s'assit en face de moi.

Je vous écoute.

– Ma femme est riche, capricieuse, parfois insupportable. Nous étions sur le point de partir pour l'Afrique, quand nous avons eu, il y a trois jours, une violente discussion. Je suis son troisième mari et son oncle, propriétaire de la Compagnie dont je suis l'un des directeurs, la déshériterait si elle rompait avec moi. Elle a déjà cassé deux mariages.

Je m'arrêtai pour reprendre mon souffle et j'acceptai un Coca.

– Alors? dit-elle, continuez.

– Son oncle m'aime bien, je suis le premier mari d'Angie qui soit chimiste, je peux être de plus en plus utile dans leur société. L'oncle serait furieux si elle voulait me quitter moi aussi, mais elle et moi, ça marche très mal, nous sommes à la limite d'une cassure totale. L'oncle est persuadé qu'en cas de rupture, elle serait incapable d'assumer une vie normale. Et quelqu'un qui n'a pas une « vie normale » ne peut pas posséder la Compagnie. En cas de divorce, il lui accorderait une rente et transformerait l'ensemble de ses biens en une fondation. L'oncle sait que nous devons partir pour l'Afrique. Il faut qu'il s'imagine que nous y allons en parfaite entente.

– Je vois ce que vous mijotez. Mais au retour? Vous allez continuer à jouer la comédie?

Je pris un ton confidentiel :

– L'oncle est gravement malade, il en est conscient, mais l'espoir le tient. Tous ceux qui veulent s'en sortir croient au miracle. Il en a pour un an, pas plus. Si nous pouvons garder les apparences jusqu'à sa mort, nous serons libres, ma femme riche, et moi, directeur à vie de la Compagnie. Libérés de l'oncle, nous divorcerons, elle fera ce qu'elle voudra, mais moi je resterai dans la société. Angie est partie secrètement à Hawaii chez des amis que l'oncle ne connaît pas. Nous avons rendez-vous à mon retour d'Afrique à Beverly Hills.

– Et vous croyez que je pourrais la remplacer? dit-elle. N'est-ce pas?

Elle me facilitait la vie :

– Mais oui.

– Pourquoi une inconnue?

– Il est difficile de faire d'une de nos amies une complice. Si on avait demandé à une copine de jouer le rôle de ma femme, celle qui aurait accepté de le jouer nous aurait forcément trahis un jour par maladresse, ou par imprudence, voire par méchanceté. Vous ressemblez à ma femme et vous êtes honnête, rassurante.

– Il ne va pas venir en Afrique?

– Qui?

– L'oncle.

– Non.

– Alors, pourquoi partir à deux... Vous pourriez jouer votre comédie tout seul.

– Pour l'apparence, les hôtels, le voyage, il me faut une Mrs. Landler.

Elle me regardait avec une attention extrême :

– Vous voulez aussi coucher avec moi?

– Non. Absolument pas. Nous partagerons les mêmes chambres, mais sans l'ombre d'une équivoque.

Elle gardait le silence, puis prononça d'une voix neutre, sans passion aucune :

– Pas en dessous de cinquante mille. Avec cinquante mille dollars, on peut recommencer une vie. Je vais perdre mon boulot ici, il n'est pas très juteux, mais c'est un boulot.

Elle réfléchissait à haute voix :

– J'ai rompu avec mon ami il y a plus de deux mois, donc, de ce côté-là, pas de problème. Mes parents sont à Buffalo, je leur dirai que j'ai eu une occasion unique pour voir les animaux sauvages en liberté.

Je m'accrochai à l'espoir :

– Annie, êtes-vous tentée?

– Je voudrais réfléchir jusqu'à demain matin.

– Si vous acceptez, il est impératif de partir après-demain de Los Angeles pour Paris.

Elle se leva.

– Pour cinquante mille. Et réponse demain.

– D'accord pour cinquante mille, si vous me donnez une réponse ferme ce soir...

– Non. Demain.

– Alors je viendrai très tôt. Voulez-vous à 8 heures?

– Je vous appellerai à votre hôtel.

– Exclu. Ou bien ici, ou on laisse tomber.

Elle fléchit :

– D'accord. Rendez-vous ici demain matin à 8 heures.

– Si vous acceptez, soyez prête. Nous partirons aussitôt pour Los Angeles.

En la quittant, surexcité, je voulus traverser à pied les rues obscures. Je parcourus au moins deux *miles*, je m'enfonçai dans la nuit, puis j'arrivai dans l'éclaboussement des lumières du Circus Circus. Je montai dans ma chambre et, couché sur le lit qui sentait le désinfectant, je réfléchis. Elle raisonnait, elle était méfiante, pourtant j'avais l'impression de l'avoir convaincue presque trop rapidement. Fallait-il me sauver? Je pourrais me barrer, jamais elle ne me retrouverait. Elle ne connaissait que mon prénom, j'avais prononcé une fois Landler, elle ne s'en souviendrait pas.

Je somnolais, je parcourais mentalement plusieurs fois la maison du lac Tahoe, je vérifiais de mémoire chaque détail. Avais-je laissé un indice quelque part? Vers 5 heures du matin, épuisé, je fus tenté d'appeler Sean et de tout lui avouer. Tout. Que cette torture cesse... L'aube venue, les cauchemars se dissipaient. Si Annie acceptait mon offre, je gagnerais un mois de sursis.

Je redescendis à 6 h 30 au *coffee-shop* de l'hôtel, je commandai un *ham and eggs* et du café. J'étais sale, j'avais oublié de me raser. En sortant, je remontai au Desert Inn, je louai une Buick, je revins au Circus Circus, je payai ma note et pris ma valise. En tout cas, si Annie n'acceptait pas mon offre, j'étais grillé à Las Vegas, je partirais aussitôt pour Tijuana. J'arrivai chez elle en retard. Dans la lumière du jour, les maisons jumelées étaient quelconques et les jardins pelés. Je quittai la voiture, je sonnai à l'interphone. Annie White, c'était son nom. Elle se pencha, quelques secondes plus tard, par la fenêtre. Elle m'attendait, elle fit fonctionner l'ouverture de la porte. Je me retrouvai quelques minutes plus tard dans son living-room.

– Hello...

Je la guettais. Elle maintenait la tension.

– J'ai réfléchi. Vous n'avez pas changé d'avis, vous? Vous voulez toujours cavaler avec moi?

– Si vous êtes partante, on s'en va tout de suite.

– A condition que j'aie l'argent... je suis d'accord.

– Vous l'aurez, l'argent!

– Quand?

– Au retour.

– Vous me prenez pour qui? demanda-t-elle, amusée. Vous croyez que je vais partir en comptant sur votre bonne mine? On va à la banque, et vous me faites virer vingt-cinq mille dollars sur mon compte, sinon je ne bouge pas...

Je ne pouvais ni marchander ni discuter les conditions.

– D'accord, nous réglerons tout cela à Los Angeles, vous aurez la confirmation de votre banque avant notre départ. Nous devons impérativement prendre l'avion de la TWA qui décolle de Los Angeles demain matin à 10 heures.

– Je voudrais quelques renseignements. C'est quoi, votre nom entier? Je l'ai entendu et oublié.

– Éric Landler.

– Quel âge avez-vous?

– Trente-six ans.

– Marié depuis quand?

Je me rebiffai :

– C'est quoi, cet interrogatoire?

Elle se pencha, j'aperçus la naissance de ses petits seins juvéniles.

– Vous croyez qu'on s'en va avec quelqu'un en Afrique sans savoir avec qui on s'embarque? Si vous me prenez pour une idiote...

Je me pliai à ses exigences. Je répondis à ses questions en souriant et avec une apparente précision.

– Je veux connaître la vérité. Pour la bonne cause, votre femme aurait pu partir, il suffit de prendre deux chambres, et le tour est joué.

– Impossible. Dès qu'on se voit, au bout de deux minutes, on s'engueule, on s'entre-déchire.

– Il y a quelque chose qui n'est pas clair. Pourquoi vous y allez, vous?

– Ma femme a des projets d'investissements en Afrique. L'oncle était d'accord, enthousiaste même, il était heureux qu'Angie quitte son attitude neutre et qu'elle soit enfin emballée par des idées constructives; il n'admettrait pas qu'elle change d'avis une fois de plus. Il ne faut pas trop chercher les raisons. Les gens très riches...

– ... sont capables de tout, dit Annie. Je le sais. Mais vous, vous n'êtes pas un riche de naissance...

– Non.

– Et pas américain non plus?

– Non.

– Anglais?

– Qu'importe...

– Je désire savoir.

– Français de naissance. Ma mère était allemande.

– Ah bon. Et depuis quand êtes-vous ici?

– Longtemps.

Elle réfléchit :

– Il ne faut pas se faire vacciner avant d'aller en Afrique?

– Il n'y a pas de vaccin obligatoire pour le Kenya. Moi, on m'a piqué de tous les côtés, ma femme le voulait. Inutile. Nous habiterons des endroits très luxueux, très propres. Il faudra juste prendre dès aujourd'hui des comprimés antipaludiques. J'en ai une boîte dans ma poche.

Je la lui montrai.

– Bien, dit-elle. Quel est le nom de votre femme?

– Angie Ferguson.

– Ferguson? Il y en a beaucoup, dit-elle.

– Mais oui.

Elle semblait presque satisfaite.

– Toute réflexion faite, je préfère avoir à l'avance mes cinquante mille. Le tout déposé à mon nom... pas vingt-cinq, les cinquante...

– Vous exagérez.

– Mais je ne vais pas me balader aussi loin sans être payée à l'avance. Je m'occupe de mes parents, si quelque chose m'arrivait... C'est à prendre ou à laisser.

Son regard était limpide. Elle était exigeante, mais je n'avais pas le choix. Je lui virerais cinquante mille dollars de mon compte personnel. Je la paierais sans toucher aux deux cent mille dollars du fond de roulement, où un retrait de cinquante mille ferait un effet bizarre. J'étais sûr que Sanders vérifiait mes relevés bancaires.

– Je vous donne un chèque de cinquante mille dollars que vous déposerez dans votre coffre.

Ma gueule mal rasée me rendait suspect, elle hocha la tête :

– Je préfère les espèces, dans un coffre. Un chèque n'est qu'un papier.

– Vous êtes un as sur le plan financier.

– Je passe ma vie à changer du petit fric, alors j'ai eu le temps de réfléchir sur le grand, dit-elle. Nous partirons quand?

– D'ici? Tout de suite et de Los Angeles, demain.

– Est-ce que je peux parler à votre femme?

– Pour l'agacer davantage? Nous nous sommes quittés d'une manière extrêmement sèche. Cette affaire est conclue, en tout cas, avec son accord. J'ai son passeport aussi. Que voulez-vous de plus?

– Son passeport? s'écria Annie.

– Mais oui.

– C'est grave d'utiliser le passeport de quelqu'un. Il me faudrait une autorisation signée par elle. Une déclaration confidentielle que je sortirais en cas de pépin.

– Impossible. Elle est à Hawaii... Ne nous compliquons pas la vie. Vous prendrez votre passeport à vous aussi. J'espère que vous en avez un...

– Oui. Mais est-ce qu'il faut un visa?

– Vous entrerez et vous sortirez du Kenya et de la France avec le passeport de ma femme.

– Je veux un vrai visa dans mon vrai passeport, dit-elle, même si je ne l'utilise pas...

Elle était intelligente. Un peu trop.

– D'accord, j'obtiendrai vos visas à Los Angeles. Nous descendrons à Paris, à l'hôtel Crillon.

– A l'hôtel quoi? dit-elle.

– Crillon. L'un des hôtels les plus beaux et les plus luxueux d'Europe. C'est comme l'hôtel Pierre à New York.

– Ah bon, dit-elle. Je n'ai encore jamais été dans un hôtel de ce genre. Et puis je n'ai pas les vêtements qu'il faut, il y a un équipement spécial pour l'Afrique et je n'ai qu'une valise.

– On va acheter tout ce dont vous avez besoin à Paris.

– Vous ne me les comptez pas, les vêtements...

– Ils passent dans les frais généraux.

Avec elle, il fallait jouer serré.

– Et si vous n'aviez pas trouvé votre occasion, si je ne m'étais pas laissé embobiner, vous auriez fait quoi?

Je levai les bras :

– Dieu seul le sait!

Mon exclamation était sincère, Annie était convaincue.

En route vers Los Angeles, dans la voiture, nous parlâmes peu. Avec son tailleur en toile, à peine maquillée, elle était quelconque. Née dans un milieu ouaté de dollars, elle aurait pu être Angie. J'essayai de l'amadouer :

– C'est rare, une blonde aux yeux foncés...

– Des conneries...

– Qu'est-ce qui vous prend?

– Je ne suis pas une vraie blonde, on m'a fait ma teinture avant-hier matin...

– Mais pourquoi vous fâcher?

– Parce que c'est visible! Donc vous vous moquez de moi.

– Soyez un peu moins susceptible! Dès que j'ouvre la bouche, vous montez sur vos grands chevaux...

– C'est vrai, dit-elle, j'ai un sale caractère. Je vous promets d'être moins irritable.

– Il vaudrait mieux. Ma femme, elle, est la distinction même.

– A la bonne heure! Alors il faudrait aller la chercher à Hawaii, vous réconcilier et voyager plutôt avec elle.

Elle tapa sur mon genou :

– Ne vous en faites pas! Je vais bien jouer mon rôle...

Sur la route large et dégagée, nous gardions le silence. A quatre-vingts kilomètres à l'heure, la voiture semblait immobile.

– Et l'oncle, il s'appelle comment?

– Sanders, Sean Sanders.

– Il vous fait chanter, n'est-ce pas? Au nom d'une moralité quelconque, continua-t-elle. Si vous n'êtes pas sages : pas de fric.

Elle retenait les noms, les notions, les arguments.

– Il est bon, mais puritain et difficile à vivre. Ma femme et moi, nous vous sommes très reconnaissants.

– J'aime bien me sentir importante, dit Annie. Encore un peu et je vous demande plus d'argent... Ça m'étonne d'être la providence de quelqu'un. Le monde est bizarre.

– Dans les cinquante mille dollars, tout est compris, même une ou deux rapides conversations avec Sanders.

– Avec lui? Personnellement?

– Oui.

– Et vous croyez qu'il va marcher?

– Vous avez la même voix que ma femme. Il faut juste changer un peu votre manière d'être. Vos intonations...

Je pensais appeler Sean de l'avion, la communication allait être brouillée, les voix déformées. C'est ce qu'il me fallait.

La journée à Los Angeles fut diabolique, des *miles* et des *miles* à parcourir, des heures de trajet pour aller d'un endroit à l'autre. Chacun de mes actes passait sous la loupe d'Annie : les banques, les visas kenyan et français dans son passeport. Je louai une chambre à l'aéroport, dans le nouveau Sheraton. Au trente-deuxième étage, le silence de la pièce insonorisée était pesant. J'aperçus par la fenêtre des ouvriers casqués sur le chantier en face. Des fourmis sur une carcasse de fer et d'acier à 6 heures du matin. Les Boeing qui décollaient sillonnaient le ciel. A neuf heures, nous étions à l'aéroport et aussitôt pris en charge par la compagnie TWA.

Mr. et Mrs. Landler, embarqués, prirent place dans la carlingue des fauteuils clubs de première classe. Une hôtesse leur proposa du champagne.

– J'ai une copine hôtesse, mais elle travaille plutôt en classe touriste. Quand je lui raconterai...

– Si vous parliez moins...

La légère remarque la fit tomber dans l'autre excès. Elle

imaginait les « riches » tellement gâtés qu'ils ne faisaient plus de compliments et n'émettaient que des grognements de satisfaction. Elle considérait naturel le confort du *sleeping seat*, elle dévora les toasts au caviar, en ingurgitant des verres de vodka et, ensuite, une belle quantité de vin californien. Elle mangeait vite, comme si elle avait peur qu'on lui enlève le plat, puis, les lèvres légèrement entrouvertes, la tête glissée vers mon épaule, elle s'endormit. Je la réveillai plus tard, après avoir commandé pour elle un espresso, et je demandai à l'hôtesse d'appeler Los Angeles. Nous devions nous rendre vers l'entrée de la première classe, le téléphone se trouvait sur la paroi qui nous séparait de la *business class* et des toilettes.

– Quand je vous donnerai le combiné, vous direz : « Hello, Sean, je suis heureuse, heureuse... »

– Deux fois?

– Oui.

– Comment il s'appelle? Sean?

– Oui, Sean.

– Et ensuite?

– Il répondra qu'il est heureux aussi et qu'il nous souhaite bon voyage.

– Vous êtes sûr qu'il va dire ça?

– A peu près.

– Et s'il dit autre chose?

– Vous faites semblant de ne plus bien entendre et vous dites : « La ligne est mauvaise, cher Sean, si vous saviez comme je suis heureuse! » Ensuite vous ajouterez : « A bientôt. » Attention, pas d'exclamation inutile, pas d'argot, rien.

– Compris, mon colonel, dit-elle entre deux hôtesses qui préparaient sur des tables roulantes un autre festin.

Une petite fille nous regardait.

– Qu'est-ce qu'elle veut?

– Se promener, dit le chef de cabine. Elle vous dérange?

– Plutôt.

Elle la reconduisit vers un père endormi. Faire voyager une gosse en première me choquait. Dans mon ventre, dans mes tripes, j'étais à la fois l'ancien et le futur nouveau pauvre, mais je n'avais pas le droit de désespérer; pour le moment, j'étais sauvé. J'eus Sanders au bout du fil, je débitai des histoires, le bonheur d'Angie, mon enthousiasme pour le voyage africain.

– Je vous passe Angie...

Annie, rose de trac, répétait :

– Je suis heureuse, je suis heureuse... je ne vous entends pas bien...

Je repris l'écouteur :

– Comment? Sean, je vous entends très mal.

– Il y a un rachat massif des actions Ferguson, je vous ai dit que trente pour cent étaient encore disponibles, quelqu'un achète... Angie?

– Non, c'est moi, Éric. Elle ne vous entendait plus.

– Quelles sont ses instructions? J'ai mes idées, mais c'est elle qui décide...

– Je le lui demande.

J'attendis quelques secondes, puis je repris la conversation.

– Angie voudrait savoir qui sont les acheteurs.

– Des petits, mais il y a un gros derrière qui essaierait d'atteindre la minorité de blocage.

– Angie dit que vous devez racheter quel que soit le prix.

– A titre privé?

– Attendez.

Deux secondes plus tard, je répondis :

– Pour la Compagnie. L'offensive va se calmer, croit-elle. A bientôt, Sean!

J'étais soulagé, Annie me fit un clin d'œil. J'avais raccroché.

– Ça a marché, hein? Il a tout gobé, le vieux.

– Ce n'est pas « le vieux », il n'a pas « gobé ».

Et puis merde, j'en avais marre d'éduquer! Je m'empiffrai de tarte aux pommes tiède garnie de crème fraîche, de friandises à n'en plus pouvoir et je m'endormis à mon tour. Deux coups de coude d'Annie me réveillèrent.

– Le film, le dernier James Bond, vous ne pouvez pas manquer ça...

– Si, dis-je. Je peux.

Il fallait que je dorme. En traversant les changements de fuseaux horaires, gavés d'exquises gourmandises, nous arrivâmes à Roissy. Fidèle au planning d'Angie, j'utilisais son organisation. Une limousine était à notre disposition, le chauffeur tenait un carton à la sortie : Mr. et Mrs. Landler. Je me dirigeai vers lui dans la foule.

– Nous sommes là...

Il nous attendait avec un chariot, mais nous en avions déjà un autre chargé des bagages pris sur le tapis roulant.

– Si vous pouviez mettre la main devant votre bouche quand vous bâillez, vous m'obligeriez...

Annie haussa les épaules et regarda avec indifférence l'autoroute vers Paris.

– C'est petit, ici...

Plus tard, elle compara la place de la Concorde au centre de Disneyworld. A l'hôtel Crillon, nous fûmes reçus d'une manière royale. Un employé nous conduisit à la suite réservée pour Mr. et

Mrs. Landler. Nous fûmes accueillis par des fleurs, des fruits et du champagne.

Annie inspectait les lieux, elle se déplaçait comme un chat qui cherche le fauteuil où s'installer pour la nuit. Ayant fait le tour du propriétaire, Annie me déclara :

– Il n'y a qu'une seule chambre.

– Je vais dormir sur le canapé du salon.

Elle l'examina aussi, elle s'y assit, même :

– Vous aurez mal au dos...

– Qu'importe...

– Dans la chambre, on a des lits jumeaux. Vous ronflez?

– Je ne crois pas, mais ne vous en faites pas, je serai très bien sur le canapé.

Elle m'énervait. Nous n'étions qu'au début du voyage, je devais rester doux tout en manifestant un penchant à l'autorité. Le téléphone sonna, on m'appelait de la réception. Notre chauffeur Raoul désirait recevoir mes ordres.

– Qu'il nous attende.

Je voulais montrer Paris à Annie et savourer le moment où je passerais avenue George-V, devant l'immeuble où se trouvait mon ancien bureau.

– On s'achète quelque chose? demanda Annie en prononçant la phrase éternelle, qui, depuis des siècles, tourmente la conscience des hommes : « Je n'ai rien à me mettre... »

Elle avait raison. Dans ce cadre, son petit tailleur de voyage semblait modeste.

– Maquillez-vous un peu et on s'en va.

– Je n'ai pas besoin d'être maquillée pour sortir, dit-elle. Le maquillage, c'est pour le travail... Et si vous voulez me traiter comme une gosse à éduquer, alors, tchao, je m'en vais... J'ai mon passeport et quelques centaines de dollars en espèces, je peux reprendre un vol Paris-Los Angeles en classe économique et, surtout, libre.

– Asseyez-vous, Annie.

Je lui désignai un des fauteuils du salon, recouvert de satin fleuri.

– Pourquoi?

– Parce que je vous le demande.

Elle s'assit :

– Alors?

– Annie, je ne veux pas vous ennuyer, je vous parle comme si je m'adressais à ma femme...

– Oh, laissez tomber vos histoires hypocrites...

– Bref, dis-je, je n'ai pas voulu me montrer désagréable, je cherchais à vous faire plaisir. Je voudrais que vous puissiez vous détendre...

– Je préfère m'amuser en regardant ce qu'il y a dans les boutiques chics.

– Vous avez raison, Annie, vous avez raison. Une chose...

– Quoi?

– Vous avez accepté de jouer un rôle, le rôle d'une femme très réservée, au vocabulaire distingué, peu démonstrative.

– J'ai bouffé votre caviar sans broncher, je ne me suis pas exclamée en entrant dans cette baraque. Que voulez-vous de plus?

– Vous avez consommé, dégusté, pas bouffé.

– Vous voulez me faire chier. Je sors de Brooklyn, via les salles de jeu de Las Vegas, je n'ai jamais bu de thé le petit doigt en l'air.

– Mais vous savez qu'il y a des gens qui le font. Alors...

Elle hocha la tête :

– Vous avez une manière de tourner les phrases...

– Je vous écoute. Soyez gentille, habituez-vous au personnage que vous incarnez, ne me tapez pas dans le dos devant le portier pour me dire que le hall est magnifique.

Elle prit un air buté et futé à la fois :

– Vous tenez à votre standing à la gomme?

– Oui.

Je souris, ce ne serait peut-être pas si difficile que ça de la supprimer, tant elle était mauvaise. Une vraie teigne, une drôle de petite femelle, à l'affût de fric, d'événements intimes à exploiter, à tourner à son profit, une sale bête. Comme moi... Sans mes diplômes, mais avec une intelligence féminine en plus. Pourtant elle ne voulait pas rompre les amarres. Elle se confondit en excuses, dans une attitude faussement humble :

– Je reconnais que j'ai été moche, je vais faire un effort, plusieurs même, vous n'aurez pas honte de moi, je vous le promets.

Parti de l'hôtel en passant devant le chauffeur qui nous ouvrit la portière, je regardais Paris avec les yeux d'un étranger. Avec Angie, j'aurais transpiré de crainte qu'elle ne découvrît mes mensonges, mais Annie, elle, je devais la camoufler. Elle n'avait pas l'air de quelqu'un qui possède une compagnie. Si j'avais rencontré un ancien collègue du bureau, elle se serait trahie.

– Descendez l'avenue George-V, dis-je au chauffeur.

– Vous n'avez pas oublié le français, me dit Annie.

– C'est ma langue maternelle...

Nous avancions au rythme du flot des voitures, j'aperçus l'immeuble où était mon bureau, j'aurais aimé revoir mes collègues, moi, victorieux, condescendant, mais je devais passer inaperçu. J'avais l'ardoise trop chargée.

Nous avons fait la tournée des boutiques des grands couturiers de l'avenue Montaigne, Annie jubilait, tout lui allait, rien ne lui allait. De retour à l'hôtel dans l'après-midi, deux chasseurs montèrent les cartons.

Elle s'effondra de fatigue.

– Le décalage horaire, prononça-t-elle, et elle s'endormit tout habillée sur le lit.

Lors des achats de vêtements, j'avais pris soin de prévoir aussi ce qu'il fallait pour l'Afrique, des vestes et des pantalons de toile, des tee-shirts, aussi bien pour elle que pour moi, des lunettes foncées, de véritables hublots. J'imaginais que, pour les Noirs, tous les Blancs se ressemblaient. Annie avait choisi deux robes habillées, l'une était belle, c'est moi qui l'avais voulue, Angie l'aurait portée; l'autre, une boursouflure en taffetas vert et mauve, Annie l'adorait.

Pendant qu'elle dormait, je m'installai au salon pour téléphoner. J'appelai l'agence immobilière que j'avais contactée de Los Angeles pour lui demander de me trouver une propriété au Mesnil-le-Roi. J'annulai leur mission et je les assurai d'un envoi de trois mille francs de dédommagement pour leurs recherches. Je ne voulais pas de correspondance éventuelle à ce sujet à Beverly Hills. Je téléphonai au vieux Jean, à qui je fis croire que j'appelais de Los Angeles.

– Pour une fois, tu ne me réveilles pas, tu as bien calculé le décalage horaire. Alors, fiston, tu m'invites chez toi?

– Bientôt, oncle Jean, bientôt. Je vais partir incessamment pour l'Afrique avec Angie.

– J'ai toujours voulu y aller. Vous pourriez me prendre dans vos valises, non?

Il riait, il trouvait ça drôle.

– Tu viendras en Amérique, oncle Jean, en novembre, quand il fait déjà froid à Paris, la Californie est magnifique.

– Volontiers... Dis-moi, Éric, tu pourrais me prêter ou, carrément, me donner des sous? J'ai eu des représentants qui m'offraient un choix de pavillons mitoyens, à Saint-Germain-en-Laye, pour toi c'est pas cher. Si on avait un pied-à-terre digne de toi en France, tu pourrais venir habiter avec ta femme chez ton oncle au lieu d'aller à l'hôtel.

– Nous verrons ça plus tard. J'ai un ami qui est à Paris, il t'enverra un mandat de dix mille francs.

– De « rab », fiston?

Oui, en quelque sorte...

Je quittai le Crillon, le portier voulut se précipiter pour appeler la limousine, je l'arrêtai. Je voulais marcher. J'étais chez moi dans cette ville qui me semblait presque accueillante. J'avais les larmes aux yeux. Foutaise! Je m'en sortirais. Je cherchai le plus proche bureau de poste.

Au bout de quelques heures, cette ville rejetée jusqu'à ce jour me semblait presque chaleureuse, je jouais au touriste. Annie acheta une tour Eiffel fabriquée en fils de cuivre et vendue par un Noir qui étalait sa marchandise sur une couverture, non loin de l'entrée principale de ce magnifique monstre envahi de visiteurs.

Le jour du départ pour Genève, nous prîmes un vol Swissair qui partait à 14 h 10 de Paris. Arrivés à Genève quarante-cinq minutes plus tard, nous avions tout un après-midi d'attente avant le départ pour Nairobi. Il fallait distraire Annie, j'ai dit au chauffeur de taxi : « Montrez-nous Genève. »

– Je voudrais acheter des chocolats, dit Annie. J'adore les chocolats.

– Vous ne voulez pas un coucou aussi?...

– Quel coucou?

J'imitai l'oiseau qui sort de sa cachette.

– Coucou, coucou, coucou!

Elle me regarda :

– Vous êtes quelqu'un de méchant, dit-elle, terne. Je vois le monde pour la première fois et vous voulez me l'abîmer.

Le chauffeur nous regardait dans le rétroviseur.

– Ne vous mettez pas en boule, je vous achète un cadeau. Ce que vous voulez.

– Je vais réfléchir, dit-elle, rapidement consolée.

Nous abandonnâmes le taxi rue du Rhône, elle s'exclama :

– Oh, regardez ces beaux magasins!

Elle voulait protester devant un magasin de fourrures :

– Les salopards qui chassent, je les tuerais, dit-elle.

Je la traînai plus loin. Elle s'arrêta devant la vitrine d'un joaillier.

– Oh! les belles montres, dit-elle.

Elle mit ses deux mains sur la vitrine, tant elle les désirait. Je lui devais quelque chose, elle était ma chance. Je lui achetai une montre avec ma carte American Express à débiter sur le compte d'Angie, une montre suisse digne d'une Ferguson. Et surtout, elle marquerait l'étape suisse.

Annie aurait aimé la plus clinquante, j'optai pour une grande marque, extra-plate, avec un bracelet en or tressé, souple, une merveille, une petite fortune aux yeux des gens comme moi. En sortant, juste devant la porte, elle sauta dans mes bras, elle m'embrassa sur les joues. De l'autre côté de la vitre, le vendeur nous contemplait.

– Il faut dire que vous ne vous êtes pas moqué de moi... Ça, c'est une montre!

Je la calmai, puis je la regardai engloutir une quantité impressionnante de pâtisseries chez un Mövenpick, non loin de la joaillerie. Je repris ensuite un taxi pour traverser la vieille ville.

– Si toutes ces maisons anciennes n'étaient pas entretenues, elles seraient des ruines, n'est-ce pas? Comme en Grèce, les antiquités...

– Presque, dis-je.

J'embarquai avec Annie à 23 heures dans une première classe de Swissair. Je compris, pendant cette nuit de félicité suisse, pourquoi ce pays s'imposait au monde : sa précision, son génie technique, les secrets finement cachés des détails soignés à l'extrême.

A huit heures du matin, le commandant fit atterrir son DC-10 avec la légèreté d'une libellule, pas le moindre choc, sur du velours. Si je n'avais pas été aux abois, je serais allé le féliciter. Mais je n'avais pas de temps à perdre avec des manifestations d'enthousiasme ou de politesse. La femme à côté de moi, engourdie, heureuse, excitée par le voyage, devait mourir en Afrique. Ma seule issue, c'était de la tuer.

Chapitre 18

Nous sortîmes les premiers de la carlingue. Nous nous arrêtâmes quelques secondes sur la plate-forme de la passerelle. L'air était frais et le ciel brumeux. Ensommeillée, la tempe droite tachée de rimmel, frissonnante, Annie resserra son élégant cardigan sur sa poitrine.

– Il ne fait pas chaud en Afrique? me demanda-t-elle d'un ton de reproche.

– Nairobi est à quinze cents mètres d'altitude.

Puis j'ajoutai avec une évidente mauvaise foi :

– Vous n'êtes pas une mendiante qui va faire la manche, grelottante... Ne massacrez pas votre veste.

Surprise par ma violence, elle lâcha lc tricot. A présent, les autres voyageurs nous talonnaient.

– Pardon, dit un vieux monsieur, si vous pouviez nous laisser passer, merci.

Je pris Annie par le bras :

– Venez!

Nous descendîmes les marches, l'homme impatient tendit la main à sa femme.

– Attention, dit-il. Ce n'est pas le moment de faire un faux pas.

Devant nous, à perte de vue s'étendait un espace de béton. Ce matin, à Nairobi, l'Afrique était grise et utilitaire. Au pied de la passerelle, une hôtesse, les mains gantées de blanc, indiquait la direction à prendre : il fallait aller vers les bâtiments situés en bordure de la piste. Je préférais nous laisser dépasser par la vague des voyageurs. Je me méfiais du contrôle. Nous étions de plus en plus nombreux à suivre un couloir ouvert sur la piste et délimité par les flèches. Une hôtesse vêtue de son uniforme impeccable nous accompagnait. Un groupe d'Allemands vint grossir nos rangs, quelques habitués se dépêchaient pour arriver au contrôle les premiers. Au milieu du bâtiment le plus proche, au fond d'une petite salle, les douaniers, assis derrière des guichets surélevés, contrôlaient les passeports qu'on leur tendait; pour leur répondre, il fallait lever la tête. Porté par le lent mouvement de la foule qui avançait, séparée en trois colonnes, j'observai le douanier qui allait examiner les papiers de notre file. Le visage large, la moustache grisonnante, le regard perçant derrière ses lunettes à monture dorée, il avait un aspect sévère. Arrivé devant son estrade, je lui tendis les deux passeports. Il ouvrit le mien – j'avais glissé à l'intérieur ma *green-card*, la preuve que j'étais résident américain –, il observa longuement la photo d'identité, puis moi. Ensuite, il ouvrit le passeport d'Angie. Un coup d'œil sur la photo, puis il leva la tête et fixa Annie, dont les cheveux flous dépassaient des deux côtés de la casquette en toile légèrement basculée en avant. Le policier devait se demander pour quelle raison nous avions des nationalités différentes. Il déchiffra ma déclaration de valeurs et de devises, que j'avais remplie dans l'avion. Annie avait aussi signé sa feuille de change; enfin, le Kenyan apposa son tampon sur chaque document et me les rendit, après avoir intercalé, dans chacun, des feuilles de contrôle à ôter au moment où l'on quitte le pays. Nous fûmes alors autorisés à entrer dans la seconde salle où arrivaient les bagages. J'étais soulagé. J'avais réussi à faire entrer ma femme, Mrs. Angie Landler, au Kenya. Si un accident arrivait à Annie, c'est Angie qui mourrait. Annie se tourna vers moi :

– Éric, je souffre, j'ai horreur de tricher. Quand il me regardait, j'avais envie de sortir mon vrai passeport. J'ai une panique des flics, un jour j'ai été arrêtée...

– Arrêtée?

– Excès de vitesse, figurez-vous...

Elle débitait l'une de ses innombrables histoires sans aucun intérêt, je l'écoutai poliment. Je répondis d'un ton rassurant, je souris, j'imaginais ainsi un frère bienveillant; pourtant, mentalement, je construisais pas à pas le piège qui devait se refermer sur elle. Nos bagages arrivaient sur un tapis de métal qui décrivait un demi-cercle. Un policier armé surveillait les gens qui récupéraient leurs biens. Un haut-parleur diffusait une annonce en anglais : pour embarquer dans l'avion de Mombasa, il fallait rejoindre le terminal voisin, celui qui desservait les lignes intérieures. Je chargeai nos valises sur un chariot qu'Annie poussa avec moi. A la sortie, une nuée de Kenyans nous entourèrent, ils s'acharnaient à saisir notre chariot pour réclamer ensuite un pourboire. Ils tournaient comme des bourdons autour de nous. Je les éloignai de manière assez énergique. Dehors, le ciel était bas, d'un gris désolant. Nous traversâmes la voie réservée aux chariots et aux minicars pour rejoindre l'autre bâtiment où nous devions présenter nos billets d'avion à une jolie hôtesse. Elle les vérifia méticuleusement, puis lut le poids de nos valises sur le grand cadran de la balance. Elle nous donna nos cartes d'embarquement. Nous entrâmes enfin dans la salle d'attente du vol Nairobi-Mombasa. Un avion, qui avait dû atterrir depuis quelques minutes, roulait juste devant les baies vitrées, sur le béton. Je reconnus des visages aperçus dans l'avion de la Swissair. Toute cette petite foule d'explorateurs de salon, sagement assis, attendait le départ. Deux femmes de ménage traversèrent la pièce, elles tiraient des serpillières mouillées enroulées autour de leurs balais et traçaient ainsi de larges sillons humides sur le carrelage. J'observai chaque détail de cet étonnant ordre kenyan. Si l'organisation du trajet des touristes était aussi parfaite, il serait bien difficile de perdre Annie. Elle se tourna vers moi :

– A quoi pensez-vous?

– A rien de précis. Je regarde, je trouve l'endroit étonnant...

– Vous connaissez bien le Kenya?

– Non. Franchement, pas du tout. Je devais être initié par ma femme qui est une fanatique de ce pays.

– Si votre histoire n'est pas complètement bidon, selon moi, elle a dû se réfugier à Hawaii pour s'épargner des explications.

– Pourquoi ce ton? Dites carrément que je mens...

– Je suis trop brusque, je le sais, mais c'est un voyage bizarre.

– A quoi bon l'analyser? Nous avons conclu un marché, l'affaire suit son cours.

– Un marché inhabituel.

– Plaignez-vous!

– Je ne me plains pas, je constate.

– Ne réfléchissez pas trop. Laissez-vous porter par les événements.

– Que voulez-vous que je fasse d'autre?

Je soupirai :

– Vous avez une énergie folle pour discuter encore... J'aimerais être arrivé à l'hôtel. Je suis un peu fatigué.

– Vous?

– Mais oui...

Elle haussa les épaules :

– Ça m'épate...

– Quoi?

– Vous, fatigué...

– Je ne suis pas Superman.

– Hélas, dit-elle. Il est chouette, Superman!

J'essayai de plaisanter :

– Je suis méchant parce que courbatu.

Elle jeta sur moi un regard méprisant :

– On n'est pas fatigué quand on voyage en première classe.

– Si.

– Non.

Elle ajouta, déçue :

– Quant à l'Afrique, je l'avais imaginée différente.

Je levai les bras :

– Tout cela manque de pittoresque, c'est vrai, je n'y peux rien.

Nous avions aussi des places de première classe dans l'avion de Kenya Airways. A peine l'avion parti, un petit déjeuner était servi et les informations concernant le vol communiquées en anglais. Où était donc l'Afrique des imageries, les heures d'attente, le désordre, le bruit, la corruption? N'étions-nous donc pas sur le continent des passe-droits et des pourboires? Le Kenya de ce matin semblait bien différent des schémas connus. Ici, on n'aurait même pas osé soudoyer une mouche.

Au bout d'une heure de vol, nous atterrîmes à Mombasa. Sortis les premiers encore une fois, nous fûmes secoués par une rafale de vent chaud.

– Hé! s'écria Annie. Ça change...

Sa casquette, emportée par le vent, s'éloigna en ricochant sur le sol, une hôtesse la ramassa. Nous descendîmes rapidement les marches, l'hôtesse, une beauté couleur d'ébène et vêtue d'un uniforme impeccable, nous rendit la casquette d'Annie.

– Annie, attention à vos yeux. La réverbération est forte... Prenez vos lunettes.

Elles cachaient le haut de son visage. Ainsi masquée, la visière de sa casquette basculée en avant, on aurait pu la confondre avec Angie. Pour le moment, nous ne côtoyions que des inconnus, mais je me méfiais du chauffeur qui devait nous attendre. J'entassai rapidement nos bagages récupérés sur un chariot et, enfin, nous fûmes dehors. Une foule clairsemée s'agglutinait à la sortie, un homme noir corpulent brandissait un carton sur lequel était inscrit : « Mr. et Mrs. Landler ». Même de l'autre côté de la vie, ma femme, organisatrice, nous guidait, elle ne nous lâchait pas une seconde. Je réprimai un malaise et je fis signe à l'homme, qui fut heureux de nous découvrir parmi les Européens qui arrivaient.

– Mr. Landler? Madame?

– Oui, c'est bien nous. Bonjour!

– Bonjour, Monsieur. Je suis votre chauffeur, je m'appelle William.

Après quelques politesses d'usage, il mit nos bagages dans le coffre tout en expliquant :

– J'ai eu des problèmes de démarrage ce matin. J'espère ne pas tomber en panne! Vous savez, les voitures, ici... toujours le problème des pièces de rechange...

Annie s'assit sur la banquette arrière à côté de moi, William, habitué à conduire les touristes, annonçait les étapes. Pour rejoindre la route de Diani Reef, il fallait traverser Mombasa, puis prendre le ferry. Nous avancions parmi les taxis et les minicars, certains pleins à craquer.

– Ils partent directement de l'aéroport pour leur safari, nous dit William.

Les rues étroites de Mombasa étaient engorgées par une population bruyante, les étals des boutiques chargés de marchandises racolaient les clients, les trottoirs étaient noirs d'un monde noir, ici et là, des groupes d'hommes palabraient. Quelques silhouettes de femmes élancées, la tête couverte de fichus colorés, traversaient, dignes, cet univers mouvant. Derrière l'écran de brume, le soleil chauffait, la couche grise des nuages se déchirait, par moments, d'un coup de vent, le rideau écarté faisait apparaître des tranches de ciel d'un bleu violent. Dans la circulation folle, notre taxi fou passait d'une file à l'autre, ses amortisseurs fatigués le propulsaient de bosse en trou comme une auto tamponneuse. Nous avancions dans un concert de klaxons. A la sortie de la ville, au coin d'une rue, debout derrière une colline de noix de coco entassées, un vieux Kenyan attendait les clients, il leur vendait et ouvrait des cocos à la demande, il les tailladait avec une machette, puis en enlevait la couche protectrice du bout; les acheteurs observaient patiemment le rituel de la préparation et buvaient le jus, la tête penchée en arrière, en tenant la noix comme un calice.

– Je n'en ai jamais goûté, dit Annie. Est-ce qu'on peut s'arrêter?

– Vous en aurez à l'hôtel tant que vous voudrez...

Le chauffeur nous observait dans son rétroviseur :

– Voulez-vous en acheter?

– Non, continuons.

Annie tourna ostensiblement la tête. Boudait-elle? Bientôt nous descendîmes sur une route bétonnée en pente vers l'entrée du ferry, le seul moyen de locomotion pour traverser le bras de mer. Les ferries chargés se croisaient à longueur de journée sur l'eau huileuse, ils transportaient pêle-mêle personnes et véhicules. Le chauffeur affirmait que c'était la seule route permettant d'atteindre la région de Diani Reef. Le taxi se joignit à la file d'attente, d'autres véhicules fermaient le passage derrière nous.

Sur le ponton du ferry, nous étions coincés entre un poids lourd et une camionnette.

– Pourquoi n'arrêtent-ils pas les moteurs? dit Annie.

– S'ils arrêtaient leur moteur, ils ne pourraient peut-être plus démarrer, expliqua William.

A travers le rideau opaque des gaz, je regardais les piétons qui s'entassaient dans les étroits passages libres. Au moindre pépin, c'était la catastrophe. Annie ne manifestait ni peur ni impatience, elle les contemplait d'une moue boudeuse. Le ferry s'ébranla et avança dans un halo de fumée. Les véhicules qui nous entouraient nous masquaient l'autre rive. La foule noire – comme un liquide épais – remplissait le moindre espace libre, certains passagers s'égaraient parmi les voitures, des visages frôlaient nos vitres, des regards indifférents nous effleuraient. Puis un léger choc. On avait dû toucher terre. J'éprouvai un vif soulagement.

– Enfin!

– Et moi? dit Annie, vous ne me félicitez pas? J'ai eu une frousse terrible et je n'ai rien dit. Je nous voyais déjà dans l'eau.

– Vous êtes courageuse, je le reconnais. Bravo...

Puis, je m'adressai à William :

– Combien de temps pour arriver à l'hôtel?

– Environ une demi-heure, si nous ne tombons pas en panne...

Nous roulions sur une large route à la circulation dense. Divers véhicules nous croisaient, des minicars remplis de touristes, des autobus locaux pleins à exploser. La demi-heure de William semblait interminable; à mon désespoir, il s'arrêta pour dépanner un de ses collègues qui avait crevé un pneu. Avant toute chose il ouvrit le capot de notre véhicule pour laisser refroidir le moteur. On repartit et, enfin, j'aperçus à un carrefour un panneau qui signalait l'hôtel Diani Reef. Quelques minutes plus tard, nous abordions l'entrée, fermée par une barrière. Le gardien s'était approché pour jeter un coup d'œil sur nous, William échangea avec lui quelques mots en swahili. Nous pénétrâmes dans un parc traversé par une allée bordée de buissons aux branches lourdes de fleurs rouges.

L'hôtel Diani Reef était un établissement de luxe aimable. Je payai le taxi avec les shillings obtenus près d'un guichet de change rapide à Nairobi; un bagagiste se précipita vers nous, je pris Annie par le bras et nous entrâmes dans un hall spacieux, occupé d'un côté par la réception et, de l'autre, par une longue table derrière laquelle attendait un Kenyan vêtu de blanc, la tête coiffée d'un fez rouge. Il ouvrait des noix de coco et les proposait aux nouveaux arrivants. Annie voulut s'y précipiter, mais je la retins par le bras puis, nerveux, j'abordai la réception. Dehors, le chauffeur déchargeait la voiture, un boy prit les bagages et les transporta à l'intérieur. Le milieu de la salle était occupé par un assortiment de plantes vertes entourées d'une banquette. A travers les vitres, j'aperçus des palmiers et, plus bas à gauche, un grand salon qu'on traversait pour rejoindre le parc. Je m'adressai à l'employé de la réception :

– Je suis Mr. Landler, ma femme, Mrs. Landler...

Annie esquissa un léger mouvement de tête et sourit.

– Bonjour, madame, monsieur. Je vous salue, Mrs. Landler. Je vais appeler notre directeur, il souhaite vous accueillir personnellement.

Il allait décrocher le téléphone. Je l'arrêtai :

– Non, pas tout de suite. Nous sommes fatigués. Ma femme est épuisée. Nous le verrons plus tard.

– Vous ne voulez pas que je l'appelle?

– Non. N'est-ce pas, Angie?

– Plus tard, dit Annie.

Le chef de la réception continua :

– Vous avez votre suite habituelle, Mrs. Howard, pardon... Mrs. Landler.

– Merci, dit Annie. Quel plaisir d'être de retour!

L'homme était ravi de la saluer :

– J'ai tellement entendu parler de vous, madame, je suis content de faire enfin votre connaissance. Ce que vous voulez faire pour notre pays est capital pour notre avenir.

– Votre amabilité me touche... dit Annie.

Je l'admirais, elle paraissait à son aise, ni énervée ni effrayée. Presque trop sûre d'elle. Le chef de la réception nous tendit les clefs.

– Comme d'habitude, vous pouvez utiliser les deux portes. La famille nombreuse qui occupe la suite à côté de la vôtre, des Indiens de Mombasa... va partir aujourd'hui. Nous sommes navrés à l'avance si vous deviez être dérangés par le bruit des enfants. Dès ce soir, tout sera calme. On va vous conduire vers votre appartement.

Le type était si heureux de faire la connaissance d'« Angie » qu'il m'oubliait.

– Merci, dit Annie. Je...

Avant qu'elle ait pu ajouter quelque chose, je la pris par le bras et je l'éloignai de la réception. Elle se dégagea :

– Ne me tirez pas comme ça... Comportez-vous poliment. Dites, c'est qui... Mrs. Howard?

– Le mari précédent de ma femme s'appelait Howard...

– Quel Howard? Il y en a un qui est tristement célèbre...

– Quel intérêt? Même s'il y avait une relation entre les deux noms, c'est du passé.

– Je me souviens d'une vilaine histoire, d'un médecin qui a été...

Je l'interrompis :

– On discutera de tout cela dans nos chambres, venez.

Nous étions près de la réception. J'essayai de distraire Annie et de lui faire oublier Howard. L'hôtel résonnait de pas, de rires, de bruits d'enfants turbulents. A travers les vitres, la masse verte et ébouriffée des palmiers colorait l'horizon. En attendant notre bagagiste, Annie continua :

– Je vous jure... Ça me dit quelque chose : Howard. Je venais d'arriver à Los Angeles et, juste avant de repartir pour Las Vegas, il y a eu un drame, un psychiatre assassiné, ses employés aussi...

– Ne vous cassez pas la tête avec un fait divers... Venez.

Nous intéressions la caissière qui, de son guichet contigu à la réception, nous regardait.

– Si c'était le même Howard? Dans ce cas, votre Angie...

– Mon Angie, quoi?

Elle prit un air futé :

– ... est l'une des femmes des plus riches des USA.

L'employé de la réception nous observait et le serveur kenyan, vêtu de blanc, de l'autre côté du hall, nous faisait des signes. Il souleva une noix de coco à la hauteur de sa poitrine, puis la tendit – de loin – vers Annie.

– Vous voulez encore m'empêcher de boire du lait de coco? dit Annie d'un air agacé. Vous vous chamaillez avec une femme très riche, et moi, vous me privez de jus de coco. Quel manque de savoir-vivre!

– Je vous ferai servir du coco dans la chambre, mais montons d'abord. Je voudrais éviter le directeur...

– Et Angie?

– Oui, elle est riche, mais elle est aussi, hélas, dépendante de l'oncle! Voilà, ça vous suffit?

Le bagagiste prit nos valises, nous le suivîmes. Annie hésitait. Par chance, un car arrivait, un groupe de touristes envahit aussitôt le hall. Les habitués du rituel cocktail de bienvenue se dirigeaient vers le stand des cocos, les autres découvraient les lieux. Nous n'étions plus le centre d'intérêt du personnel. En suivant l'employé chargé de nos bagages, nous parcourûmes une galerie ouverte sur le parc de palmiers et de plantes tropicales. La chaleur humide régnait, intense, les singes s'interpellaient d'arbre en arbre : ils s'élançaient d'une branche à l'autre, leurs bras longs et musclés leur servant de ressorts. Ces trapézistes sans filet franchissaient allégrement les distances, ils exécutaient de vrais numéros de voltige.

Annie s'exclamait, admirait, elle voulait s'arrêter, s'accouder à la balustrade et les regarder. Je ne supportais plus de la traîner dans ce couloir.

– Venez, je vous prie, essayons d'arriver jusqu'à la suite.

– Ne me pressez pas tout le temps! dit-elle. Pourquoi êtes-vous si énervé? Vous ne me laissez pas une seconde...

– Annie, je ne veux pas vous agacer, je voudrais arriver enfin dans nos chambres, nous installer et prendre une douche.

Amadouée, elle acquiesça :

– Vous êtes embêtant, mais vous avez raison.

Plusieurs étroites cages d'escalier partaient de ce couloir vers les étages, nous empruntâmes la plus proche de nos chambres. Au troisième étage, un spectacle insolite nous surprit : quelques plateaux de petit déjeuner servis tard aux clients avaient été oubliés devant les portes et, en se partageant les restes, une nuée de singes faisaient la fête. Ils déboulaient de tous les côtés : des toits des bâtiments proches, des branches d'arbres et de palmiers près du couloir, pour se ruer sur la nourriture. Ils se bourraient de toasts, de beurre, de confiture; un manchot tenait dans sa main valide une banane dont il pelait la peau avec ses dents, un autre s'attaquait à un sucrier dont le couvercle en métal avait roulé en ricochant sur le carrelage. L'amateur de douceurs bâfrait. Un malin tenait une cruche dans ses deux mains poilues, le lait dégoulinait sur ses épaules. Une grosse femelle, aux tétons sucés à mort, surveillait cette foire d'empoigne, puis elle accueillit, les bras ouverts pour le serrer contre son ventre épuisé, un bébé singe qui, poursuivi par un mâle robuste, y trouva refuge. Notre passage gênait leur fiesta, les singes sursautaient, s'écartaient, nous dévisageaient en mangeant et en se grattant, puis repartaient grognons et s'asseyaient à l'écart en rangs d'oignons pour attendre la suite des événements.

Annie prit la voix d'un enfant :

– Éric... les singes! Je les adore... Regardez le petit là-bas, comme il est mignon!

Elle courut pour toucher un petit gris au poil brillant, qui s'élança comme une flèche, dans un grand cri. Je bouillais d'impatience :

– Annie, ils sont suspectés d'être porteurs du sida. S'ils vous mordaient...

– Du sida, ces bébés? Qu'est-ce que vous êtes désagréable! J'aurais plus peur de vous que d'eux, zut! Laissez en paix mon voyage!

Elle avait dit « mon voyage », je n'étais plus qu'un accompagnateur énervant. Ayant empoché cinquante mille dollars, Madame, en plus, voulait s'amuser. Elle suivit maussade le bagagiste qui nous fit entrer dans une grande chambre. Il y faisait franchement froid. Je cherchai le thermostat du conditionnement d'air près de la porte de la salle de bains, je le baissai et je donnai au Kenyan le reste de mes shillings. Annie était déjà sortie sur la terrasse. J'avais jeté un coup d'œil, par la porte communicante, dans l'autre chambre, un large lit l'occupait au milieu.

Puis je retrouvai Annie dehors, elle se tenait près de la balustrade, la chaleur humide, une vraie compresse, me surprit. Elle s'exclama :

– Ah! que c'est beau!

Elle balaya l'horizon avec un geste de propriétaire.

– Même pour vous, sinistre personnage, c'est évident, non? Reconnaissez que c'est sublime, ou je vous injurie!

Pourquoi discuter? J'acquiesçai. Malgré mon indifférence j'admettais que le paysage était surprenant. La terrasse était à la hauteur du feuillage des palmiers, leurs masses vertes ponctuaient le ciel bleu pâle qui se confondait plus loin avec la mer. A travers l'abondante verdure des plantes exotiques, des fragments de bleu scintillant signalaient la présence d'une piscine. L'hôtel était bâti en demi-cercle sur trois niveaux et entourait une palmeraie qui précédait la plage. En face, une barrière de corail créait une frontière à la mer, elle la séparait du grand large. La marée basse avait découvert en partie les fonds où coraux et algues s'entremêlaient. Les vacanciers se promenaient dans l'eau qui leur arrivait tout au plus jusqu'aux mollets, ils se dirigeaient en colonne dispersée vers la barrière de corail élargie par une bande de sable blanc, lieu de promenade habituel. De l'autre côté l'océan, remué par les courants profonds, envoyait ses vagues, un mur de cristal liquide qui éclatait sur les coraux en répandant une poussière d'eau. Il semblait que les gens marchaient sur l'eau, comme des petits dieux, suivis par les marchands qui leur proposaient des statuettes sculptées, des paréos rouges, verts, jaunes, que gonflait le vent. Tant de beauté m'encombrait, je n'avais pas envie de me pâmer et de pousser des « oh » et des « ah ». Un soudain contact chaud me fit sursauter. Annie avait attrapé ma main et la couvrait de baisers. Je me libérai, gêné.

– Vous êtes folle?

– Il fallait que j'embrasse l'individu qui m'a amenée ici. Vous êtes mal rasé, alors, la main... Je l'embrasse, tant je suis heureuse.

– Pas d'effusions, Annie, s'il vous plaît.

– Vous n'êtes pas aimable, mais tant pis. Je vous suis reconnaissante! Je découvre des merveilles. Il me semble presque injuste d'être payée.

Elle hocha la tête:

– N'empêche, je ne dois pas m'attendrir, vous êtes riche.

Elle plaqua ma main contre sa poitrine.

– Laissez-moi!

Elle bouda.

– Mettez vos lunettes, Annie...

Elle se frotta les yeux, le nez.

– Vous avez sans doute raison. Le soleil est fort, mais je ne veux pas fausser les couleurs.

Puis elle dit d'une manière inattendue – et j'accusai le choc:

– Vous n'avez pas de cœur.

Je lui rétorquai, furieux:

– C'est vrai? Pourquoi donc?

– Vous ne pensez qu'à l'argent, à ce que vous m'avez payé, pourtant ce voyage est une sorte de miracle pour moi.

– Si vous pouviez ne pas considérer tout de votre point de vue...

Elle regardait la mer.

« On dirait qu'il a du plaisir à me contrarier, avait expliqué un jour ma mère à l'institutrice. Ce gosse est d'un égoïsme! » « Je vous assure, il n'a pas de cœur », avait répété ma mère. A ses yeux, j'étais un infirme, un gosse né sans cœur.

Je n'avais pas de cœur? La haine me reprit. Si je n'avais pas de cœur, Annie allait mourir, son destin était scellé. S'il lui arrivait un accident, je serais sauvé. J'éviterais l'autopsie en refusant le rapatriement de son corps à Los Angeles: « Ma femme adorait l'Afrique, elle repose là-bas en paix. » Et surtout à l'abri des médecins légistes. Je savais évidemment qu'on pouvait, même avec un seul cheveu passé par des méthodes qui avaient révolutionné le processus des enquêtes, remonter jusqu'à la race, le sexe et l'âge présumé d'une victime.

Sur le bord supérieur du mur qui séparait notre grande terrasse en deux parties distinctes venait d'arriver, surgi d'un toit proche, un grand singe. Il nous observait, morose. Comme une virgule sur une page vierge, sa queue mince et longue marquait le mur blanchi à la chaux. Il se grattait la tête.

– Il nous regarde, dit Annie. Il me trouve gentille, souriez au singe vous aussi... Il faut qu'il nous trouve sympathiques.

– Allez, prenez vos lunettes...

Elle s'approcha de moi:

– J'ai dû vous froisser avec cette histoire de cœur. Si on ne peut plus plaisanter...

– Vos lunettes, Annie!

– Éric, pardon. Je prends mes lunettes et on va se baigner. D'accord?

– Vous voulez nager dans un dé à coudre d'eau?

Elle noua les bras autour de mon cou :

– Grognon... Vous n'êtes jamais heureux, vous?

Elle m'embrassa très légèrement sur les lèvres.

– C'est pour me faire pardonner. Venez, on va se promener dans l'eau, on fera comme les autres. D'accord?

Je me dégageai.

– Je vais au cottage que loue ma femme. Je vais le faire préparer dès maintenant. Nous emménagerons demain.

– On ne va pas s'éloigner de la mer?

– Non. La villa est au bord de l'eau. Si la marée daigne revenir... vous y plongerez de votre lit.

– Téléphonez plutôt, et descendons ensemble dans l'eau.

– A qui voulez-vous que je téléphone? Il y a peut-être juste un gardien pour prendre la clef. Vous, allez donc vous amuser.

A la seconde même, nous fûmes saisis par une rafale de vent chaud.

– Hé! dit Annie, hé, vous le sentez? Il nous emporte. Au secours, je vais m'envoler!

Je la pris par la taille, elle se cramponnait à la balustrade, le vent nous secouait, il était fort, péremptoire, il sifflait à l'oreille. Cette tempête, en déferlant sur la plage, faisait tournoyer les masses de sable. Certains, surpris sur leur chaise longue, protégeaient leur visage avec des serviettes. L'ouragan chauffé de soleil soufflait comme un séchoir à cheveux. Annie se protégea les yeux.

– Il est fou ce vent, il secoue, il bouscule...

Soudain, d'une manière imprévue, elle se cala dans mes bras. Ma première rencontre avec son corps et avec le vent, dont nous subissions les assauts. Il nous saoulait, il traînait les nuages devant le soleil, il saupoudrait de sable le paysage, devenu opaque. Seuls les promeneurs dans l'eau ne semblaient pas gênés, ils continuaient à avancer, les têtes emballées dans des serviettes, les yeux protégés. Je croyais, dans le malaise moral qui m'assaillit, apercevoir la silhouette d'Angie, elle grandissait, bientôt elle recouvrit l'horizon. Je m'écartai d'Annie.

– Si vous voulez aller vous baigner, n'hésitez pas, c'est l'accalmie.

– Je vais me laver les yeux d'abord, dit-elle. Ce vent fou m'a envoyé du sable en pleine figure!

Je la suivis à l'intérieur, elle laissa la porte entrouverte entre nos deux chambres. J'entendais l'eau couler, Annie marchait, fredonnait, s'exclamait. J'ouvris ma valise pour y prendre le strict nécessaire, je voulais me changer. Je laissai l'attaché-case d'Angie emballé dans une de mes vestes. Le grand singe traversa la terrasse et renversa une chaise.

J'étais en sueur. Je pris une eau gazeuse dans le mini-bar et je bus au goulot. Selon les documents d'Angie, le cottage se trouvait à peine à un *mile* de l'hôtel. Angie m'avait raconté que, à marée basse, on pouvait atteindre le cottage à pied, par la plage. J'ai fait encore un tour sur la terrasse, pour essayer de repérer la direction à prendre. Le cottage devait être à droite de l'hôtel, mais je n'avais aucune envie d'errer en maillot de bain à la recherche de l'endroit où Annie devrait terminer son existence terrestre. Je réfléchissais, je ne me croyais pas capable de commettre un crime. Je ne savais rien de moi. Rien. Annie, vêtue d'un bikini, me rejoignit.

Je hochai la tête :

– Vous allez être brûlée par le soleil, couvrez-vous.

– C'est vrai. Enfin vous devenez plus gentil... J'oublie que j'ai une peau sensible.

Je la suivis dans sa chambre et la regardai s'organiser. Elle venait de sortir de la valise le chapeau de paille qu'elle avait acheté à Paris, elle le remit en forme, modela le large bord, puis se perdit dans l'examen du contenu de son sac de plage. Elle y ajouta une serviette.

– Vous nagez bien, Annie?

– Dans cinquante centimètres d'eau, oui.

Elle ajouta, volubile :

– C'est une manière de parler. Je sais nager. A Brooklyn, je fréquentais une piscine paumée, mais quand j'étais à San Diego, j'ai pataugé dans la mer et je suis toujours là. Bon signe. Enfin, pas d'inquiétude, je ne vais jamais loin. Je n'ai peur que des vagues qui m'arrachent les lunettes, quand elles roulent, je m'affole.

Elle perdait son sang-froid dans l'eau, c'était déjà ça. Un espoir d'accident.

– Hé! m'interpella-t-elle. Hé! Je suis là... Vous pensez à votre nana?

– Nana? Angie est une jeune femme raffinée, distinguée.

– Qui cache une salope à l'intérieur.

– Taisez-vous!

– Non. C'est la vérité. Je ne serais pas là si elle n'était pas une femme gâtée, capricieuse, qui attrape des crises de colère, et qui veut le fric et la liberté aussi. Quelle exigence!

Elle soupira.

– Bref, pour le moment, la mer m'intéresse plus. Il me faut

quelques shillings pour le plagiste. Il porte des serviettes aux clients, il faut les payer.

– Parfait! Justement je n'ai plus d'argent kenyan, je vais changer des traveller's, venez, nous irons à la caisse ensemble.

La caissière devrait se souvenir plus tard de la présence de Mrs. Landler.

– Allons-y, fit Annie.

A l'abri de son chapeau, le regard caché derrière des lunettes de soleil, emballée dans un peignoir en tissu éponge, elle était l'image parfaite de la « jolie femme sur la plage ».

Le couloir était vide, les singes avaient dû être chassés. Dans la galerie du rez-de-chaussée, Annie s'attarda devant la vitrine d'une boutique et admira des parures en pierres semi-précieuses.

– Regardez, le collier là-bas à droite. Non! Vous ne regardez pas dans la bonne direction. Enlevez vos lunettes! Là, par là, je vous ai dit à droite...

Elle m'orientait :

– Là... là... à côté de l'éléphant en pierre verte.

– En malachite, dis-je.

– Qu'importe, fit-elle. Ce collier en pierre jaune, je le veux.

– Vous l'aurez, plus tard...

– Pourquoi, plus tard.

– La boutique n'est pas ouverte.

– C'est vrai, admit-elle. Il faut revenir. Il est magnifique, le collier, il doit être cher, mais tant pis, je le prends. Avec mon argent.

– Nous avons tout notre temps, on reviendra à l'ouverture.

– C'est ce qu'ils disent, les hommes. Toujours « On verra ça plus tard ». Pourquoi pas maintenant? Tout de suite?

– Vous ne voyez pas que c'est fermé?

Elle s'appuya sur la poignée de la porte.

– Fermé... répéta-t-elle, maussade. Ça vous arrange, n'est-ce pas? Je veux ce collier, il est beau. Je ne sais pas ce que c'est, ces pierres jaunes et vertes, couleur d'algues. Peut-être est-ce le fameux œil-de-tigre...

– On verra votre tigre plus tard...

Arrivé devant la caisse, je sortis de mon porte-documents les passeports. Je signai un traveller's, la caissière me prévint :

– Vous m'avez donné le passeport de Mrs. Landler.

Elle jeta un coup d'œil sur Annie qui attendait plus loin, en vive conversation avec le Kenyan jovial qui lui avait apporté de son stand une noix de coco avec deux pailles.

– Pardon, je me suis trompé... Voilà le mien.

Je continuai à signer des traveller's chèques. Elle inscrivit sur la feuille du contrôle – à remettre à la douane à la sortie du pays – la somme que je changeais. A quelques pas, Annie vidait une noix de coco. La caissière remplit la feuille, puis elle apposa le tampon juste à côté du chiffre mentionné. Elle me remit plusieurs liasses de shillings. Je rejoignis Annie; un groupe d'Indiens venait d'arriver de Nairobi en autocar, des femmes, des hommes de tout âge, accompagnés d'une foule de gosses qui couraient dans le hall comme des billes déversées d'un sac... Annie ne lâchait pas le Kenyan qui servait des cocos, elle voulait tout apprendre, tout comprendre : les êtres humains et les singes, la manière d'ouvrir une noix de coco avec une machette. J'interrompis ses investigations.

– Venez, la plage vous attend.

Elle me montra le coco vidé.

– A Nassau, on les paye deux dollars. Et, ici c'est un cadeau! Mais à Nassau, je n'ai pas goûté le lait.

– Oui, Annie. C'est passionnant, mais venez, vous allez manquer les meilleures heures de la plage.

– Si on y allait ensemble, ce serait plus amusant.

– Je ne crois pas. Je n'ai pas envie de patauger. Demain au cottage, on aura du temps pour faire trempette. Il n'y aura que ça.

J'accompagnai Annie vers les marches, elles aboutissaient à l'allée qui traversait la palmeraie en direction de la mer.

– Voilà, à tout à l'heure.

Je lui donnai une liasse de dix et de vingt shillings.

– Pour vos petites dépenses! Si je reviens assez tôt, je vous retrouve sur la plage, sinon dans la chambre.

Elle s'éloigna comme à regret. Elle avait une démarche curieuse, comme un petit canard à la patte blessée, elle devait être timide ou seulement dépaysée. Je remontai dans ma chambre, j'enfermai le porte-documents et les shillings dans ma valise. Je pris l'attaché-case d'Angie et j'en sortis le dossier « cottage ». Le gérant s'appelait Pfeiffer, et la maison, « Bryan »; le groupe de villas se trouvait à côté des Warandales Cottages, il en dépendait peut-être. Dans le dossier, collée sur une feuille, une clef plate sans aucune indication. Je la glissai dans la poche arrière de mon pantalon. Je redescendis au rez-de-chaussée et demandai un taxi à la réception. L'employée composa un numéro, puis annonça que la voiture serait là dans quelques minutes. J'attendis dehors dans la chaleur pesante. Où était la foule colorée des images classiques de l'Afrique? Je me trouvais dans l'enclos réservé aux touristes de luxe. Plus loin, un Kenyan expliquait quelque chose à un Européen au visage rubicond. Je ne saisissais pas la nature de la langue; Le Kenyan passa ensuite près de moi. Je l'interpellai :

– Pardon, juste un renseignement : quelle langue parliez-vous ?

– Le *schweizerdeutsch*, me dit le Kenyan souriant, il y a beaucoup de Suisses alémaniques ici...

– Ah bon ! Et où l'avez-vous appris ?

– En stage à Lausanne.

Le taxi venait d'arriver, j'indiquai au chauffeur le nom du cottage.

– Il y en a plusieurs là-bas, dit-il. On le cherchera sur place.

Il démarra bruyamment et roula à vive allure sur la route goudronnée. J'aperçus deux autres hôtels et des boutiques au bord de la route, et, en bas du talus, de tristes paillotes qui affichaient des panneaux sur lesquels était écrit à la main : *Gift, Geschänke, Cadeaux*. Devant ces huttes misérables, les marchands, assis sur des tabourets, le regard indifférent, attendaient les clients. Ils espéraient la visite d'acheteurs qui seraient tentés par leur camelote.

Le taxi quitta la route principale et s'engagea à gauche, sur un chemin étroit bordé de hautes haies. Ces buissons devaient atteindre trois mètres et constituaient un vrai mur de feuillage, ils délimitaient le chemin carrossable qui aboutissait à une cour intérieure, bordée de plantes. A travers les branches, j'aperçus un scintillement.

– La piscine, dit le chauffeur.

A droite, un petit dégagement pour les voitures.

– Je ne peux plus continuer, il faut aller à pied. Le bureau n'est pas loin. Je vous attends ici. J'espère pas trop longtemps.

En quittant le véhicule, je lui donnai vingt shillings de pourboire, puis j'avançai sur un chemin étroit, entouré des deux côtés de petits patios. Des masses fleuries occupaient les lieux. Je me trouvai sous une coupole de feuillage, au vert vif égayé par des flamboyants rouges et de grandes fleurs jaunes aux pétales lourds. Les branches des feuilles et les fleurs s'entremêlaient, l'air humide était chargé d'odeurs de mousse et de moisissure, une vraie forêt vierge apprivoisée, tailladée, alignée, une serre naturelle. Je contournai le tronc majestueux d'un arbre séculaire et, au bout de l'allée, je vis apparaître ici et là des fragments de murs recouverts de vigne vierge. Les murs des cottages étaient parcourus de branches feuillues. Le sol, de grandes pierres aux formes irrégulières, était couvert de mousse. Ce huis clos dont l'air pesant était presque palpable devait aboutir à la mer. Le souvenir du lac Tahoe m'attaquait en force, je sentis un goût de bile dans ma bouche. Un oiseau aux yeux globuleux me surveillait.

J'essayai de me repérer. Chaque cottage, entouré d'une haie de verdure, était un univers distinct, aux murs attaqués par la végétation envahissante, les toits, en feuilles de palmier séchées, descendaient très bas.

Je découvris le cottage central, dont le style rustique anglais et la poutre vermoulue gravée « 1786 » au-dessus de la porte d'entrée évoquaient un village d'opérette. Une plaque indiquait qu'on était ici à l'*office-house*.

La porte était ouverte, j'entrai dans une pièce étroite, une flèche indiquait la direction à suivre, il fallait monter par la cage d'escalier en colimaçon – deux personnes n'auraient guère pu s'y croiser – et en haut, dans le bureau, je fus reçu par un homme assis derrière une table chargée de dossiers. Sans lever le regard, il me dit :

– Une minute, s'il vous plaît...

Il termina une phrase, de son écriture méticuleuse, puis me dévisagea. J'étais mal à l'aise.

– Bonjour, je suis Éric Landler. Ma femme loue le cottage Bryan, je viens prendre les clefs.

Il réfléchit :

– Mr. Landler? Vous dites : Landler? Je ne le connais pas. Vous devez vous tromper. En sortant d'ici il y a un autre groupe de cottages. A côté, vous continuez sur votre gauche.

– Ma femme est Angie Ferguson, présidente de la compagnie Ferguson, elle s'appelait récemment Howard, elle est devenue en m'épousant Mrs. Landler. Ça vous suffit?

Je me dominais, je ne devais pas m'emballer. Angie ne les avait pas prévenus de son changement d'identité.

– Ah bon? Angie Ferguson! Ça change tout. Soyez le bienvenu, Mr. Landler. Normalement, c'est Angie qui arrive la première et elle a ses clefs.

Je me hasardai :

– Vous êtes Mr. Pfeiffer?

– Non. Mr. Gardener, l'associé.

Ses lunettes aux verres clairs avaient glissé au bout de son nez...

– Je vous le dis, Mrs. Howard a ses clefs.

Il m'agaçait, les pales du ventilateur qui tournait au plafond remuaient l'air chaud, une grosse mouche noire se cognait contre la vitre.

– Elle les a oubliées à Los Angeles. Je voudrais les doubles.

– Oublié ses clefs? Elle? Elle n'oublie jamais rien qui concerne le cottage. Où se trouve-t-elle maintenant?

– Selon les habitudes, nous passons la première nuit au Diani Reef.

– Ce que vous appelez « une habitude », monsieur, est dû à

une exigence du docteur Howard, il avait une peur maladive des moustiques. La veille de leur emménagement, il fallait noyer le cottage dans une fumée dégoûtante, sans ça, il ne voulait pas y mettre les pieds. Cette opération avait toujours agacé Angie. Ça ne m'étonne pas qu'elle ait divorcé. Ils n'étaient pas faits l'un pour l'autre. Le docteur Howard était un maniaque, il voyait partout des scorpions, des araignées.

Je réfléchissais. Que savait Gardener du drame de Los Angeles?

– Vous n'êtes pas au courant de ce qui s'est passé?

– On ne peut pas s'occuper de tout, et les gens sont compliqués, ils ont toujours des histoires. Mr. Pfeiffer et moi, nous nous partageons les tâches. Lui, il suit de près les clients, il les écoute, il connaît leur vie. Moi, c'est l'administration. La manie de la désinfection, je la connais parce que Mr. Pfeiffer me l'a racontée, assez choqué d'ailleurs.

– Il est mort, le docteur Howard.

L'effet fut étrange. L'homme haussa les épaules :

– Ah bon? En tout cas, c'est l'étape terminale. Cancer?

– Non.

– Un sida rapide? Ça me chagrinerait pour Angie. Elle courrait un danger, Howard n'était apparemment pas bissexuel. Angie l'aurait dit à Mr. Pfeiffer.

– Il a été assassiné, et le meurtre n'est pas encore une maladie sexuellement transmissible.

Même lui, il trouva ma plaisanterie sinistre...

– Vous avez de curieuses manières de raconter, Mr. Landler, mais, voyez-vous, tout cela ne m'étonne qu'à moitié. Les psychiatres sont plus exposés que d'autres aux fous, ils les excitent. Et Angie vous a épousé aussitôt?

– A peu près.

Il réfléchit :

– Vous êtes médecin aussi?

– Non. Ingénieur.

– Tant mieux. Pfeiffer m'a toujours dit qu'elle ne pouvait pas rester seule longtemps. Elle a besoin de solitude à la carte. Elle veut avoir tout le monde disponible autour d'elle et en tout cas, malgré son indépendance, elle veut vivre à deux.

Il m'observait comme un professeur son élève. Je vis une chaise, je la tirai devant la table, je m'assis. Par l'étroite fenêtre, j'aperçus la ligne violemment bleue de la mer.

– J'aurais dû vous dire de prendre place. C'est fait. J'espère que vous ne fumez pas! C'est interdit...

– Si vous pouviez me donner les clefs... Je désire aller voir le cottage.

– Vous n'avez pas à vous inquiéter, dit-il. Tout est organisé. Pour demain, vous aurez le personnel habituel.

– Habituel? Personnel?

Il me regarda par-dessus ses lunettes.

– Mais oui, ceux qu'Angie emploie. Le steward, l'homme à tout faire, le cuisinier, la femme de chambre. Ici, la main-d'œuvre est bon marché et nos clients des cottages font vivre beaucoup de gens.

– Je ne crois pas que nous ayons besoin de tant de monde.

Il chercha sur sa table, tira un dossier qui se trouvait en dessous de la pile. Il le consulta.

– Tout y est. Selon la dernière lettre d'Angie Ferguson, vous allez passer ici douze jours, monsieur...

– Landler.

– Même quand elle ne reste que quelques jours, elle exige le service parfait. Votre femme paye le personnel à l'année. Dès qu'elle arrive, j'essaye de retrouver son personnel habituel. J'ai pu libérer son cuisinier préféré, Abou, qui connaît ses goûts, les poissons qu'elle aime, la manière de les cuire, il prépare des repas légers dont elle raffole. Évidemment, nous ne pouvons pas garder disponibles tous les gens qu'elle emploie. Payés à ne rien faire en l'attendant, ils deviendraient fainéants. Mais quand je connais assez tôt la date d'arrivée d'Angie, j'essaye de les ramener chez elle, et d'en envoyer d'autres à leur place dans les cottages loués aux touristes de passage.

Il feuilletait le dossier :

– A vrai dire, le docteur Howard ne va pas nous manquer. Il n'aimait pas le Kenya. Il prétendait devenir claustrophobe dans le cottage. Il devenait fou, sans téléphone sous la main.

– Il n'y a pas de téléphone dans le cottage?

Il me regarda, dégoûté :

– Ça va vous énerver aussi?

– Non. Du tout.

– Alors ça va, dit-il. On peut venir à l'office pour appeler, mais le docteur Howard était un homme excité, surtout à l'époque de la pleine lune. La chambre à coucher se trouve face à la mer, le lit face à la fenêtre, même à travers les rideaux épais, la lune insiste...

Je ressentais un malaise.

– Je comprends. Si nous allions maintenant...

– Mais que voulez-vous voir, Mr. Landler?

– Le cottage.

– Pourquoi?

– Ça vous étonne? Je veux connaître l'endroit où je vais passer douze jours avec ma femme, ça vous contrarie?

– Certainement pas. Attendez...

Il poussa un soupir et ouvrit un grand livre, il suivit de l'index les lignes, il cherchait une indication.

– Normalement, elle arrive avec un mari, ensemble, je ne vois pas pourquoi vous venez en avance...

– C'est comme ça.

Il hocha la tête :

– Dans ce métier, il faut supporter beaucoup de choses. Il faudrait que je l'appelle. Voudrait-elle déjà sa planche à voile pour demain ?

– Vous cherchez à gagner du temps.

– Du temps ? Non. Peut-être ai-je juste envie de lui parler.

– Vous plaisantez ?

– Non.

J'insistai :

– Vous ne me croyez pas ? Voulez-vous mes papiers ?

– Oh non, monsieur. Mais pourquoi ça vous gênerait, si je l'appelle ?

– Elle n'est pas dans sa chambre. Quand j'ai quitté l'hôtel, elle descendait à la plage.

Il leva les sourcils :

– A la plage ? Angie ? Pour quoi faire à la plage...

– Se baigner.

– Maintenant ? Par marée basse ? La mer s'est retirée de l'autre côté de la barrière de corail.

Son expression méfiante m'incitait à une extrême prudence.

– A l'arrivée, elle a rencontré un couple d'amis de Californie, elle partait avec eux.

L'homme enleva ses lunettes et les déposa sur un dossier. Il frottait longuement son front.

– Vous m'étonnez... Elle déteste la promiscuité de la plage. Elle ne se baigne qu'à marée haute, plus la mer est agitée, plus elle est à son aise. De la terrasse du cottage, elle n'a que cinq marches à descendre et elle peut plonger dans la mer. Elle connaît les courants, c'est une excellente nageuse.

– Vous me faites subir un vrai interrogatoire. Je vais dire à Angie que vous m'avez refusé les clefs. Refusé ! Vous verrez sa réaction.

Je pris un ton confidentiel :

– N'auriez-vous pas sous-loué le cottage ?

Il leva les bras au ciel :

– Monsieur, comment osez-vous ? C'est une injure ! Sous-louer le cottage d'Angie ? Nous ne sommes pas des pignoufs, des malhonnêtes, des...

– Je ne sais pas ce que vous êtes, mais selon moi, vous voulez gagner du temps...

Il me jeta un regard vindicatif :

– Me dire que je sous-loue? Elle n'aurait jamais dit ça, elle.

Il se leva, me tourna le dos et ouvrit un vieux bahut en acier, son coffre. Il y prit des clefs.

– Les clefs, hein, elles sont là. Je vais vous conduire...

J'essayai de l'amadouer :

– Je crois que nous étions un peu impatients. Navré de vous avoir choqué avec une plaisanterie de mauvais goût... Mais votre attitude était franchement désagréable.

– Je n'ai pas bon caractère, c'est vrai; trop impatient et trop méfiant, j'évite le contact direct avec la clientèle. Je n'ai pas les manières nécessaires. Je m'emballe.

Nous descendîmes l'escalier en colimaçon, puis nous nous retrouvâmes dans le patio central, abrité par un enchevêtrement de feuillages; la lumière était intense et la chaleur humide suffocante.

– L'entretien est difficile, il faut chasser les singes, les insectes... heureusement le tempérament du Kenyan permet d'exiger et d'obtenir un travail de précision. Ils adorent votre femme. Ils l'appellent Miss Angie, ou Maman. Elle arrive toujours avec des valises bourrées de vêtements, des dizaines de paires de baskets pour les distribuer.

Nous avancions dans un couloir naturel, délimité des deux côtés par une haie géante. Ce chemin empierré rejoignait de nombreux sentiers entourés de buissons envahissants. Une bâtisse blanche apparut. Deux Kenyans arrivaient en nous saluant avec des « *Jambo* », le bonjour en swahili. L'Anglais échangeait quelques mots avec eux, des syllabes d'abord, ensuite de vraies tirades, aussitôt les Kenyans, le visage éclairé d'un sourire, se tournaient vers moi en répétant d'innombrables « *Jambo sana* ». Gardener les présentait, ils étaient les jardiniers de ce complexe de cottages.

– Ils sont contents de vous connaître, ils aiment beaucoup Angie, qui est intarissable avec eux. Quand elle est là, ça papote, ça rit, ça crie même.

– Ils ne parlent pas l'anglais? Pourriez-vous traduire?

– Ils croient que vous les comprenez.

Une phrase-couperet tomba :

– Angie parle couramment le swahili, ils croient que vous aussi, vous le parlez.

Le choc. Je me tournai vers les Kenyans :

– Je suis content de vous connaître. Je ne parle pas encore le swahili, mais ça viendra.

Ils riaient et me répondaient en anglais.

– Un jour vous le parlerez, *Bwana*!

– Mr. Gardener, je vous félicite. Tout est admirablement entretenu ici.

– C'est l'une de nos fiertés, l'organisation. Si vous saviez comme je suis content de faire enfin la connaissance d'Angie...

– Vous n'avez pas encore rencontré ma femme?

– Non, hélas. Je ne la connais que par les descriptions de mon ami Pfeiffer. Les périodes que je passe ici n'ont jamais coïncidé avec les séjours d'Angie. Cette année, c'est différent.

Nous arrivions vers une maison qui dominait le site.

– Nous y sommes. Elle a réussi au bout d'années d'attente à louer l'unique cottage qui ait un étage. Elle a dû vous raconter les péripéties...

Gardener s'affairait autour de la serrure et pénétra dans l'entrée obscure et étroite. Il s'affairait dans le noir, il voulait ouvrir une fenêtre quelque part dans le fond de ce tunnel.

– Votre femme est généreuse, polie. Le Kenyan est réservé et distingué de nature, il n'aime pas les intonations brusques. Angie commande comme si elle demandait. Dès qu'elle arrive, c'est la fête.

L'air était pesant. Gardener réussit à ouvrir une fenêtre, d'immenses feuilles épaisses de sève collaient de l'extérieur contre les volets qu'il devait forcer. Je vis que le couloir obscur aboutissait à une cuisine modestement équipée. Par un escalier étroit, en gravissant les marches de granit, nous arrivâmes dans une pièce obscure. Gardener ouvrit la fenêtre, il écarta les volets d'un geste énergique et ce fut l'invasion d'une lumière folle, d'un azur pailleté des éclats d'un soleil fou. L'horizon était délimité par la ceinture de corail, mais le banc de sable semblait rétrécir, la mer montait.

– C'est la salle à manger, dit Gardener. Lorsque la marée est haute, on peut pêcher de la fenêtre. Enfin, c'est une manière de parler. De la terrasse devant, on descend directement dans la mer.

Il souriait.

– Selon Pfeiffer, Angie passe des heures devant la fenêtre. Elle regarde la mer.

Mon regard glissa sur le fauteuil à bascule... Angie, les yeux fermés, face à l'océan. Je me suis mordu la lèvre inférieure.

– J'espère que vous êtes aussi un excellent nageur, la mer est dangereuse. Angie, qui est pourtant une championne et qui connaît les courants, aurait pu avoir des problèmes.

Il se tut, de crainte d'en avoir trop dit.

– Des problèmes?

Il éluda et m'invita à l'accompagner sur la terrasse.

– Venez.

Au bout de la terrasse, les marches creusées dans le rocher étaient encore à découvert.

– Ce fond de mer, dit-il, n'est pas aussi innocent qu'il en a l'air. Par marée haute, il y a de vrais nœuds de courants.

Il insista :

– Etes-vous bon nageur?

– Je tiens la distance.

J'aperçus à gauche, un demi-étage plus bas, un toit en palmier.

– Et là? C'est quoi?

– Une dépendance de ce bâtiment. Une chambre, et au-dessous, un salon. Le docteur Howard couchait sur le canapé de ce salon, qui, par sa situation, est moins exposé à la lune. Howard souffrait de l'intensité de la lune, il s'en plaignait. Angie avait dit à mon ami que seul un homme qui aimerait cet endroit sans réserve pourrait un jour être son vrai compagnon. Si vous n'êtes pas claustrophobe ou trop sensible aux émanations de la lune, tous les espoirs vous sont permis, Mr. Landler. Venez, je vous montre la chambre.

Nous reprenions l'escalade de l'étroit escalier pour y aboutir. Une grande pièce, deux lits côte à côte recouverts d'un tissu fleuri, et le sol, de grandes plaques de pierre naturelle.

– Du pays, dit Gardener. On les taille sur place. Assez difficile à nettoyer.

Il ouvrit les volets, l'horizon turquoise agressait la rétine. La solitude avec vue sur l'éternité. La femme que j'ai tuée avait le goût de l'infini. Elle y était. Avec ces pensées que je voulais froides et lucides, je n'arrivais pourtant pas à me convaincre d'être un homme déterminé, sans scrupules. J'étais apparemment calme, mais mon cœur s'accélérait. Il réagissait à des mots et à des pensées que je croyais encaisser sans broncher.

A ce moment, je ne savais pas encore que le remords peut être à l'origine de symptômes psychosomatiques. Je ne savais rien.

– Cette maison est construite en corail, dit Gardener. Le corail est la matière première de la construction sur la côte. On l'extrait de la mer et on en fait des murs.

Me l'avait-elle dit? Je n'en avais aucun souvenir.

– Vous emménagez demain matin, Mr. Landler?

– Sans doute.

Les difficultés étaient insurmontables. Gardener ne connaissait pas Angie, mais les Kenyans? Le cottage « désert » n'était qu'une légende. Je n'avais pas assez écouté Angie, ou bien elle avait voulu me surprendre ici, par la parfaite organisation de l'endroit. Il fallait tenir.

Les plafonds de ces deux maisons aux pièces imbriquées les

unes dans les autres étaient soutenus par de vieilles poutres et les murs blanchis à la chaux. Cette souricière rustique se refermait sur moi.

– Angie ne se méfie ici que des serpents d'eau qui se nichent dans les trous des coraux. Il faut de bonnes chaussures, elle se promène avec une joie enfantine sur le fond de cette mer vivante. Si c'est votre premier voyage en Afrique, vous devrez étudier le « mode d'emploi » du Kenya.

– Quel mode d'emploi?

– Une plaisanterie, Mr. Landler. Enfin, à moitié une plaisanterie. C'est un paradis, si l'on s'en sert bien.

Il me dévisageait :

– Vous n'êtes pas né en Amérique, n'est-ce pas?

– Quel intérêt?

– Aucun, mais je parierais que vous avez des racines européennes.

– Je suis français de naissance et j'ai fait une partie de mes études en Angleterre.

– Nous y voilà, dit-il satisfait. Quelles études?

– De la chimie, entre autres. Je suis ingénieur chimiste et le directeur des relations avec l'Europe de la compagnie Ferguson.

– Quelle chance pour Angie! Enfin un mari qui est dans sa branche professionnelle, cela doit vous rapprocher aussi. Je vais avoir le plaisir de votre compagnie à tous deux.

– Et votre associé, Mr. Pfeiffer, quand revient-il? demandai-je.

– Dans quatre ou cinq jours. Peut-être même plus tôt pour profiter de la présence d'Angie.

Gardener devenait intarissable :

– Elle s'installe au bureau et ils bavardent, tous les deux sont des fanatiques de cet endroit. Ils ont des choses à se dire. Moi, j'aurais préféré m'établir près du mont Kenya, le climat y est beaucoup plus sain, mais on ne fait pas toujours ce que l'on veut.

Il me contemplait.

– Landler? Est-ce un nom français?

– Oui, mais d'origine alsacienne.

– Vous parlez l'allemand?

– Oui.

– Formidable! s'écria-t-il. Vous allez faire des heureux. Je pense à Friedrich, ça va être sa fête.

– Friedrich? Qui est Friedrich?

Chaque instant réservait un autre piège.

– Friedrich est « l'enfant idéal ».

– Expliquez-vous. C'est quoi votre histoire de « l'enfant idéal » ?

– Angie le désigne ainsi. Les voisins d'Angie, dans le cottage à côté, sont des Allemands. Friedrich est leur fils. Angie a souvent dit : « Etre enceinte, ce n'est rien, trouver le père qu'il faut, qu'on veut pour son enfant, c'est difficile. » Mr. Pfeiffer et moi, nous sommes deux célibataires endurcis, d'un vieux style, ce langage libre est étonnant à entendre... Friedrich est déjà là en vacances. Ils sont arrivés tôt, cette année. Il surveille le cottage d'Angie, aucun mouvement ne lui échappe, il est si impatient de la retrouver. Il doit être amoureux d'Angie, mais il ne le sait pas. Ils sont tous précoces, ces enfants d'aujourd'hui, il n'a que huit ans, mais quelle perspicacité ! Ah, ces gosses modernes m'effrayent.

Je suivais Gardener. Nous descendions vers l'entrée.

– Oui, expliqua-t-il, Friedrich éprouve une vraie passion pour Angie. Il passe des heures avec elle, ils marchent sur la plage à marée basse, on peut y faire des kilomètres, à condition d'être bien chaussé. Ils vont aussi au supermarché en voiture pour acheter de l'eau minérale.

Une voiture ? Angie aurait une voiture ici ? Je pensai à la clef plate dans ma poche. Des bruits divers nous parvenaient, des voix d'hommes, des rires. Des mots en allemand.

Le monde m'était hostile. Je devrais cacher Annie et partir immédiatement. Nous étions déjà en bas, à la cuisine, on frappa à la porte, Gardener ouvrit, un jeune garçon blond, costaud, se tenait sur le seuil. Il devait avoir sept ou huit ans, il était râblé, bronzé, avec sur son nez qui pelait des lunettes à monture de métal.

– Bonjour, dit-il en anglais.

– Salut, Friedrich. Je te présente le nouveau mari d'Angie.

Je lui tendis la main :

– Bonjour. Il paraît que tu es un copain de ma femme.

Je voulais être moderne, léger, amical, mais je maudissais déjà Friedrich.

– Vous êtes le nouveau mari ? dit-il pincé. Et le docteur, il est parti ?

Il me dévisageait.

Je devais abandonner le « langage pour enfant ». Il m'aurait ri au nez. Je lui expliquai très brièvement que le docteur avait eu un accident, qu'il était mort et que j'avais épousé Angie. Je le traitais en adulte.

Mon allemand l'avait surpris, je profitai de cet avantage modeste et j'improvisai une histoire qui semblait convenir.

– Où est Angie ? dit-il, sévère.

– Comme d'habitude le jour de l'arrivée, à l'hôtel. Elle est fatiguée. Elle dormira tôt ce soir.

– Je viendrai avec vous à l'hôtel, dit Friedrich. J'ai trouvé le coquillage qu'elle désire depuis longtemps.

– Mon petit Friedrich...

Je voulais effleurer ses cheveux. Pour éviter mon contact, il fit deux pas en arrière. Il me trouvait antipathique.

– Tu vas attendre jusqu'à demain pour lui donner la surprise.

– J'aime pas attendre. Vous êtes marié avec elle depuis combien de temps?

– Un an et demi.

– C'est pour ça qu'elle n'est pas revenue, à cause de vous.

Son regard gris clair agrandi par ses lunettes de myope m'examinait. Friedrich était de la génération des ordinateurs, de la TV, des coupés Mercedes, l'enfant précoce et riche, issu d'un peuple à l'argent fort. Si ma mère avait fait un mariage raisonnable, j'aurais été allemand à cent pour cent moi aussi, et non pas un métèque mi-latin, mi-germanique, tourmenté par ses ambitions. Je me découvrais jaloux de Friedrich. Il était jaloux lui aussi, mais pour d'autres raisons; bref, nous nous détestions, c'était clair, même pour Gardener. Sur l'étroit passage qui nous séparait de l'autre cottage, un petit groupe en conversation animée nous attendait. Trois hommes et deux femmes y débitaient des mots en abondance.

– Les jardiniers ont répandu la nouvelle de l'arrivée de votre femme, dit Gardener. Tous ceux qui sont dans les cottages qui nous entourent arrivent, juste pour vous saluer.

Il les appela d'un geste et leur parla en swahili.

Un Kenyan élancé s'approcha de nous :

– Voici Abou, le cuisinier.

Je lui serrai la main. Il se confondait dans des *Jambo* à n'en plus finir, puis poursuivit de lui-même leur conversation en anglais. Ensuite, ce fut le tour de la femme de chambre, une jolie fille, une Vierge Marie noire, au visage d'un ovale pur, au regard limpide, aux dents d'une blancheur déconcertante, son sourire aurait séduit le plus austère des Rois mages. Gardener appela la troisième personne :

– Je vous présente Daniel, un bricoleur hors pair.

J'étais regardé, examiné, détaillé de manière amicale. Friedrich me prit par le bras.

– Tu t'appelles comment?

– Éric.

– Tu parles bien l'allemand. Avec Angie, j'apprends l'américain. Elle m'a dit que si j'étais orphelin, elle m'adopterait.

Plusieurs autres Kenyans arrivaient, la petite foule s'adressait à moi en swahili.

Gardener leur fit un petit discours et expliqua que je ne parlais pas encore leur langue. Friedrich était parti – j'étais soulagé –, trop tôt il revint en tenant une étoile de mer, foncée comme du sang coagulé.

– C'est mon cadeau pour Angie, on y va? Je le lui donne maintenant.

Je fis non de la tête. Friedrich me contemplait, buté, et les Kenyans me parlaient maintenant en anglais. Abou me demanda ce que je voulais pour le petit déjeuner de demain et si je dormais dans la chambre de Miss Angie ou bien au salon, sur le canapé-lit du docteur Howard. Est-ce que je voulais un café tout de suite? Il me promit pour demain des poissons grillés. Je leur adressai un petit discours. Minable prince consort, je n'étais qu'un ballot d'un mètre soixante-dix-huit. J'étais heureux d'avoir fait leur connaissance, mais oui. Ma femme distribuerait demain les cadeaux qu'elle avait apportés d'Amérique, mais oui. J'étais le bon Blanc, le peuple hospitalier m'acceptait sans hésitation. J'aménageai une sortie honorable et je serrai les mains. Je réussis à prendre congé de tout ce petit monde. J'écoutais à peine Gardener, il égrenait des phrases...

– ... avec les Japonais pour obtenir le brevet de fabrication d'ivoire synthétique.

– Pardon. Je ne vous ai plus bien écouté, il y a beaucoup de monde ici...

– ... De sa bataille contre les braconniers. Si elle peut casser le marché de l'ivoire...

– Vous êtes au courant des affaires de ma femme...

– Par Pfeiffer interposé, il me raconte tout ce qu'Angie lui dit. Elle lutte pour une cause essentielle, la survie des éléphants est aussi la promesse de l'avenir de l'humanité.

Friedrich faisait semblant de tirer.

– Pan, pan, pan, moi, je tue les braconniers avant qu'ils tuent les éléphants.

– Vous le constaterez vous-mêmes lors de votre périple à Tsavo, continua Gardener, il n'y a que peu d'éléphants, pourtant c'est une réserve protégée... Si Angie réussit à inonder le marché avec son ivoire de synthèse plus vrai que nature elle pourrait ralentir le massacre organisé, qui continue malgré les interdictions et les punitions.

Sous le regard attentif de Friedrich et du bienveillant Gardener, je devais me montrer digne de ma femme. Quelle héroïne, la blonde platine! Je voulais me moquer d'un fantôme, pour ne pas être paniqué. Je me suis retourné vers le cottage, j'avais l'impression d'une présence...

– Vous avez oublié quelque chose? Vos lunettes? demanda Gardener.

– Non, non. Donc, nous parlions d'ivoire synthétique. Nous espérons aussi, en dehors de cette action future, que les transactions en cours avec le gouvernement kenyan vont aboutir.

J'obtenais grâce au bavardage de Gardener plus de renseignements sur l'existence de ma femme morte que d'elle-même, de son vivant.

– Vous me parliez de sa voiture.

– J'ai dit à Pfeiffer que c'est un crime de laisser un véhicule pareil ici, dans ce pays, sous une bâche, raconta Gardener. Un engin aussi puissant, aussi cher, dans un garage rudimentaire! Mais Angie a les moyens de ses caprices...

De loin, une voix de femme appelait Friedrich... Peut-être sa mère. Abou s'affairait à la cuisine et Joan, la Vierge noire, ouvrait les fenêtres.

– Elle n'avait pas précisé le jour exact de son arrivée, autrement tout serait déjà préparé.

Le garage-paillote se trouvait à l'écart du chemin principal. Un cadenas reliait les vantaux de la porte, dont le bois était humide. Nous entrâmes, l'air humide nous bouchait les narines. J'aperçus dans la pénombre une masse recouverte d'une toile imperméable. Nous l'avons ôtée, je découvris en dessous une Audi 200 Turbo. J'étouffai à temps un sifflement d'étonnement.

– En effet, une Audi sous un toit de branches de palmier...

Gardener maugréait :

– Un caprice, je vous l'ai dit. Mais quelle voiture! N'est-ce pas? Avec ses quatre roues motrices, elle peut aller sur n'importe quelle piste...

– Angie n'a jamais eu peur qu'on la vole?

– Non. Elle serait impossible à négocier. On peut les compter sur les deux mains, les Audi, ici, sinon sur une... A-t-elle déjà l'autorisation de pénétrer avec sa voiture personnelle dans les réserves?

– L'affaire est en cours, dis-je prudemment.

– Oui, elle voudrait agrandir le parc de Masaï Mara, en accord avec la Tanzanie. Il s'agit de milliers de kilomètres carrés...

La femme que j'avais tuée avait été sans doute une négociatrice remarquable. Elle avait dirigé ses affaires et ses rêves avec une rare précision. Cette fanatique de l'Afrique était aussi sans doute une organisatrice hors pair! Je pensai à l'ivoire synthétique qui existait depuis la nuit des temps, elle avait sans doute trouvé une meilleure formule pour l'imiter; comme disait Gardener, elle avait « les moyens de ses caprices ».

– Si vous la voyiez avancer à dix kilomètres à l'heure avec des grappes d'enfants sur le capot... Ça l'amuse, de les transporter. Elle aime les enfants à la manière d'un homme, quand on peut déjà parler avec eux. Un jour, Pfeiffer lui a demandé pourquoi elle gardait un véhicule de cette valeur-là sous les paillotes, elle a répondu qu'un jour elle voudrait partir d'ici au bout du monde.

– Les batteries sont certainement à plat...

– Vous plaisantez. Du tout. Vous avez la clef? Essayez donc!

J'avais une chance sur dix d'avoir la bonne clef. Je l'ai prise dans ma poche, ça marchait, les portières se débloquaient! Je me glissai à la place du conducteur.

Dans l'étouffante chaleur du véhicule, un tremblement imperceptible me prit. Les joues engourdies de nervosité, je souriais. Je tournai la clef, j'effleurai à peine l'accélérateur, le moteur démarra, il ronronnait, la somptueuse bête en acier pouvait bondir. Je stoppai le moteur. A travers les vitres teintées, l'huis clos du garage semblait irréel. Et si Angie se tenait sur le seuil de ce cabanon? « Voyez-vous, Éric... » J'aperçus sur le siège à côté un chapeau de paille déformé, un truc de vieux trappeur ou d'explorateur raté. Je voulus le prendre, mais je ne pouvais pas bouger mes bras. Gardener entrouvrit la portière :

– Son chapeau, elle y tient! Mr. Pfeiffer m'a raconté une scène dont il fut témoin malgré lui, une discussion entre elle et le regretté Mr. Howard. Il s'était moqué du chapeau, il a dit qu'il fallait le jeter. Angie avait pleuré de rage.

– Je commence à croire que Mr. Pfeiffer n'a qu'un seul sujet de conversation : ma femme.

Gardener leva les sourcils :

– Vous savez, dès qu'elle arrive, elle remplit l'espace ici, elle est active et gentille, et l'œuvre qu'elle veut accomplir est si importante!...

Je pris un air hypocrite :

– Oh! oui, son œuvre...

– Sa fondation, dit Gardener, va aider le Kenya à devenir un pays pilote, on est encore dans les temps pour sauver la vie des animaux, la faune en général... les forêts aussi. Venez prendre un sherry au bureau...

– Demain, avec le plus grand plaisir. Il faut maintenant que je retrouve mon chauffeur de taxi qui m'attend, je dois retourner à l'hôtel.

Sorti de la voiture, je me sentais incertain. Je n'ai jamais pu me permettre le luxe d'avoir des états d'âme, mais, bouleversé, je quittai le garage le plus rapidement possible.

J'aidai à rapprocher les deux parties de la porte pourrie d'humidité. Gardener me demanda en ajustant le cadenas :

– James... a-t-elle parlé de James?

– Elle m'a raconté tant d'histoires.

Je ne savais pas à qui il faisait allusion. Le soleil délirait. J'étais, après avoir été dans l'obscurité de la paillote, aveuglé par la réverbération.

– Elle n'a pas pu parler « vaguement » de James. Pas vaguement.

– Expliquez-vous.

– Vous ne répéterez rien à Angie?

– Non.

– J'ai votre parole...

– Cela va de soi...

Enfin il réussit à glisser le crochet du cadenas dans les anneaux rouillés.

– James était l'un des professeurs de windsurf de l'hôtel Diani Reef. Il donnait des leçons particulières à Angie. Devant les cottages, les courants sont très forts et la barrière de corail est plus étroite qu'ailleurs. Le jour du drame, le docteur Howard a dit à Angie qu'elle était perturbée, trop énervée, donc pas maîtresse de ses mouvements. Il lui déconseillait de s'aventurer sur l'eau, le vent était trop puissant. Pour le défier, elle est partie sur sa planche, le courant la fit dériver vers la barrière, James l'a suivie pour essayer de l'arrêter. Elle a réussi à faire demi-tour, mais James fut projeté par une rafale de vent avec sa planche de l'autre côté de la barrière. Il s'est noyé.

La sueur inondait mon front, plus loin, sous le soleil presque vertical, deux Kenyans nous attendaient. Gardener continuait :

– James a dû être tué d'un coup par le mât reçu sur sa tête ou bien par la planche elle-même... Angie répétait en pleurant, au bureau à Pfeiffer, que le destin la persécutait et que la mort ne l'oubliait nulle part, même pas ici.

Agacé par mon mutisme, il me dit :

– Voilà, je vous dis à plus tard, je dois retourner au bureau, c'est l'époque où les gens arrivent et je suis seul. Vous connaissez maintenant les lieux... A demain donc! Je serai heureux de faire enfin la connaissance d'Angie.

Après son départ, hagard, j'essayai de retrouver mon taxi, j'errai dans le labyrinthe de verdure. Je me suis égaré, je me retrouvai devant le cottage. Pour ne pas paraître suspect ou m'avouer être un idiot qui a perdu son sens de l'orientation, j'y entrai comme si je voulais vérifier un détail. Je découvris dans le petit salon rond du rez-de-chaussée – une vraie grotte en corail –, sur la table, une brassée de fleurs couleur orange. Gardener ne m'avait pas conduit ici. Je circulais dans le silence pesant. J'imaginais des présences; et si quelqu'un m'attendait derrière la porte? Je croyais même entendre respirer dans la pièce voisine.

Éprouvant le sentiment désagréable d'être surveillé, j'ouvris les penderies avec des gestes de propriétaire, j'aperçus des draps dans des housses en plastique, une robe de chambre rose, des mules aux semelles pleines, et en vrac, des sandales en caoutchouc, des masques, des palmes. Sur une étagère, des slips en coton blanc, des mouchoirs, des pulls à foison, tout était blanc. En bas d'une des armoires, un carton à chaussures rempli de photos. J'en sortis quelques-unes, au hasard. Angie de face, en gros plan, avec son chapeau biscornu, elle sourit. A qui? Angie expliquant quelque chose, l'instantané l'a figée pour toujours dans une attitude d'institutrice attentive. Angie se promène, c'est la marée basse. Elle désigne quelque chose de sa main droite. Le fond de la mer ressemble à un champ de coraux pétrifiés, baignés ici et là dans des flaques d'eau... Une autre photo : elle, face à un promontoire rugueux et, toujours en arrière-plan, la barrière de corail avec des ourlets d'écume. Angie avec Friedrich, Angie avec un petit enfant noir. La photo d'une jolie fille africaine, dans un tee-shirt qui moule ses seins à faire pâlir Bo Derek. Angie avec un homme qu'on ne voit que de dos. Il ne faut pas qu'il se retourne, je ne veux pas connaître le visage du docteur Howard!

– *You have a good woman*, me dit quelqu'un.

Je sursautai, je me retournai. Un homme maigre se tenait sur le seuil.

– Je m'appelle Denis. Où est Miss Angie?

– Elle va venir.

L'homme avait les yeux malades. Me regardait-il ou contemplait-il une ligne invisible tracée juste au-dessus de ma tête?

– Qui êtes-vous?

– Je fais tout. Je remplace des absents. Je répare, je vais, je viens. Elle m'a promis un pantalon en jean's.

– Si elle l'a promis, vous l'aurez! Elle doit l'avoir dans ses bagages.

– On m'a dit que Miss Angie était à l'hôtel Diani Reef. Je peux y aller? Pour chercher mon pantalon?

– Non. Attendez demain. Elle vous le donnera demain.

– A quelle heure?

– Dans la journée.

– Elle est bonne, Miss Angie. Qui êtes-vous?

– Son mari.

Il me regardait, perplexe.

– Il y en avait un autre...

– Il est mort.

– Pauvre Miss Angie. Alors, c'est vous, le nouveau...

– C'est ça...

– Bonne chance quand même, dit-il, et il partit.

Je m'arrachai au cottage, j'avais envie de m'éloigner en courant, ni vu, ni connu, de plaquer tout le monde, y compris Annie, de la laisser à l'hôtel. Il fallait partir vers les parcs nationaux et essayer de gagner quelques jours. Je songeais aussi à un retour immédiat à Genève ou à New York, mais sous quel prétexte ? Et que faire en arrivant ? Je devais courir sur un champ miné. Au moindre faux pas, je sautais.

Je retrouvai le chauffeur de taxi, il était de méchante humeur. Je lui donnai cent shillings de pourboire, aussitôt il me ramena à l'hôtel, plus conciliant. Il fallait s'éloigner le plus rapidement possible de Diani Reef, mais dans l'immédiat, je devais retrouver Annie sur la plage et la cloîtrer dans notre suite.

Dans le hall de Diani Reef, accueilli par le doux géant qui offrait inlassablement ses noix de coco, j'en acceptai une. J'avais soif. Je la vidai vite à l'aide de deux pailles, pendant que des gosses indiens tournaient autour de moi comme des mouches.

Chapitre 19

Un Européen, plus pâle que nature, discutait avec le chef de la réception. Quand il m'aperçut, il s'interrompit et se dirigea d'un pas rapide vers moi :

– Mr. Landler, n'est-ce pas? me dit-il. Je m'appelle Schneider, je suis le directeur de l'hôtel. Je connaissais bien le regretté docteur Howard. Quel drame! Quelle époque! On en reste sidéré. Il y a de quoi avoir des angoisses. Bref, c'est du passé, place aux vivants! J'espère qu'avec vous, Angie sera enfin heureuse!

Pour lui serrer la main, il fallait écarter les gosses et rendre la noix vidée au bon géant. Ces gestes m'aidaient à encaisser l'effet, dorénavant classique, que je suscitais. On ne m'accordait pas beaucoup d'importance, j'étais le troisième mari, personne ne savait combien de temps j'allais durer... Je souris :

– Je suis content de vous connaître, monsieur le directeur, pour vous féliciter aussi. L'hôtel est très agréable.

Il leva les bras :

– On fait ce qu'on peut, le maximum pour les clients... Avec le personnel kenyan, on peut réussir. Angie vous a dit, n'est-ce pas, qu'au début de son séjour, nous avons l'habitude de nous retrouver avant le dîner. Nous offrons avec ma femme le verre de bienvenue. Voulez-vous descendre au bar à 19 h 30?

Je répondis, placide :

– Avec plaisir, monsieur le directeur. Nous serons au bar... sauf si Angie en décidait autrement. Elle a mal à la tête.

Le directeur s'exclama :

– Ne vous en faites pas. Elle supporte le climat d'ici. Je la connais depuis des années, jamais elle n'a eu le moindre problème. L'un des propriétaires des cottages, Mr. Pfeiffer, m'a affirmé qu'elle était adaptée à l'Afrique comme si elle y était née. Tout le monde ne peut pas en dire autant.

– Personne n'est à l'abri d'un incident, même elle...

Le directeur hocha la tête :

– Je m'inquiéterais plutôt en pensant à vous. Vous êtes déjà venu en Afrique?

– J'ai fait quelques escales...

Il haussa les épaules :

– Il faut vivre ici des mois pour s'habituer. Vous êtes d'origine...

Il attendait poliment que je termine la phrase :

– Française.

Il s'épanouit dans un grand sourire :

– Vous avez de la chance! c'est beau, la France! Je suis allemand, j'ai opté pour la nationalité kenyane, mais j'ai gardé l'amour de notre chère vieille Europe. Évidemment, il y manque l'effervescence intellectuelle si particulière à l'Ouest des USA, la Californie... Lors de mon dernier voyage à Los Angeles, le docteur Howard était encore de ce monde. J'ai connu chez eux des gens passionnants. Le docteur m'avait accueilli avec amabilité, pourtant il avait une sacrée frousse des tropiques et il savait que ma femme et moi, nous attirions Angie ici et l'affermissions dans sa décision de créer une fondation.

Je me sentais de plus en plus vulnérable.

– Vous leur avez rendu visite?

– Dans leur ancienne maison, avant le drame. Nous adorons Angie. Une femme délicieuse et d'une drôlerie... Ah, nos séances de fous rires près de la piscine... Quand elle imite Charlot!

– Charlot, répétais-je, Charlot.

– Elle arrive déguisée; une petite moustache, une canne, des grosses chaussures, même Howard, qui était un homme peu expansif, riait.

Je savais peu de chose de ma femme. Je la connaissais impatiente, autoritaire, évasive, sévère, tendre dans ses moments perdus. Tout, sauf drôle...

– Si un jour, au cottage vous cherchez Angie et que vous ne la trouviez ni dans votre lit, ni au bureau de Pfeiffer, à coup sûr elle sera avec ma femme! Quand elles commencent à bavarder, ces deux-là... Vous savez sans doute que ma femme s'occupe du magasin de pierres semi-précieuses. Vous avez dû voir la vitrine en passant dans le couloir...

Je souriais, crispé, même la corde pour me pendre devait être rongée par un rat, complice de ma femme. Cette chère disparue qui avait eu de si bonnes relations avec les gens... Je nous imaginais dans la boutique avec Annie qui voulait son trésor pour touristes, j'entendais dans ma tête, avec une panique certaine, ses exclamations, j'aurais sorti ensuite la carte de crédit au nom de Landler-Ferguson. J'aurais été pris en flagrant délit de mensonge, d'escroquerie, la femme du directeur aurait appelé la maison de Beverly Hills pour annoncer à Angie que son mari se promenait ici avec une maîtresse. Philip aurait répondu qu'Angie était en Afrique, Annie et moi arrêtés par la police de Nairobi. Belle réussite!

J'émis une idée qui semblerait plausible au directeur :

– Juste un mot... Angie vous donnera sans doute plus de détails, la date d'une conférence importante avec des Japonais a été, il y a quelques heures, avancée. Il s'agit d'une affaire essentielle pour la Compagnie. Nous avons appris cette demande de changement de leur part lors de l'escale de Genève, Angie a failli faire demi-tour. Elle ne peut hélas pas s'installer au cottage, mais elle voudrait si possible ne pas manquer le parcours des réserves.

– Ah, c'est embêtant, dit le directeur. Avancer le départ pour le safari? Ça va être difficile, tout est complet, toujours. Même si elle avait eu entre-temps l'autorisation de circuler avec sa voiture personnelle dans les réserves, elle n'aurait pas de chambre dans les lodges. Cette année, elle me l'a dit, elle veut voyager en touriste ordinaire et observer le comportement des gens, leurs séances de photos interminables, leur arrivée dans les lodges. Elle croit que la masse de visiteurs augmente d'une manière dangereuse. Elle est pour la limitation du nombre de personnes à laisser pénétrer dans les réserves. Faites une tentative auprès de l'employée de Plaisir-Safari, mais il y a peu d'espoir.

Le directeur continua :

– Angie est extraordinaire. Elle possède mille hectares avec une demeure, elle veut installer un hôpital pour animaux, des écoles, des crèches, elle veut donner une fortune au gouvernement kenyan, mais, avant, elle veut parcourir une fois de plus le trajet classique pour juger de son programme du côté « public ». Elle veut toujours connaître toutes les facettes d'une affaire, c'est sa force, Mr. Landler... Là, dit-il soudain, là...

Il désignait le grand couloir qui, en partant du hall de l'hôtel, devait aboutir aux salles à manger.

– Quoi, là?

– Vous voyez la jeune femme? Elle vient d'arriver, c'est elle qui s'occupe des clients de Plaisir-Safari. Adressez-vous à elle.

– Ma femme la connaît?

Je présumais que tout le monde avait déjà été en relation avec Angie, que tout le monde l'appelait par son prénom, et qu'ils m'observaient tous, moi, le plus bizarre des animaux auxquels elle ait pu s'intéresser.

– Je ne sais pas, dit le directeur. Les employés de Plaisir-Safari changent souvent de lieu de travail, ils vont d'un hôtel à l'autre où ils assurent à tour de rôle la réception. Si elle n'a rien à vous proposer, je pourrai essayer de mon côté, Angie me dira ce soir où elle veut absolument aller... Alors, à tout à l'heure, Mr. Landler.

– A tout à l'heure.

Si j'allais chercher l'Audi et sortais subrepticement Annie de l'hôtel pour nous rendre à Mombasa, nous atteindrions ensuite Nairobi assez tôt le matin pour essayer de trouver des places dans n'importe quel vol partant pour l'Europe : à Paris, à Francfort, à Genève ? Mais il fallait fuir d'ici.

Pour afficher une nonchalance élégante, moi, le bourreau, j'ai fait de loin un signe amical au Kenyan qui, sans une ombre de lassitude, proposait aux clients ses noix de coco ouvertes, piquées de pailles et décorées de fleurs rouges... Je me dirigeai vers la Suissesse. Un demi-niveau plus bas, séparé par quelques marches de la galerie principale, les serveurs de l'hôtel en veste blanche préparaient un buffet de pâtisseries et de petits sandwiches, la cérémonie du thé, héritée des Anglais, allait bientôt commencer.

– Mademoiselle... J'ai besoin d'aide...

J'essayais de plaire, me voilà, le grand type séduisant, si naïf aussi, le bougre. Il ne sait rien de sa femme, ce con... Je souris.

La fille à la peau blanche parsemée de taches de rousseur me répondit avec une amabilité mécanique :

– Je m'appelle Gertrud Zwinke. Que puis-je pour vous, Mr. ...?

– Landler. Ma femme a réservé de Los Angeles un voyage complet.

– Un safari ?

– Exactement.

Nous parlions en anglais.

– Nous aurions dû partir d'un cottage voisin dans dix jours. Pour des raisons impératives qui concernent les affaires de ma femme, elle désirerait accomplir ce...

– Safari, dit la jeune femme.

– Ce safari, plus tôt. Elle voudrait parcourir le même trajet que prévu, mais...

– Quand ?

– Dès demain matin.

Elle s'exclama :

– Mr. Landler, c'est hors de question ! Vous ne vous rendez pas compte de la situation ici ? Tout est complet depuis des mois. Attendez, d'abord, je veux retrouver vos noms sur la liste des clients dont le voyage est programmé pour ce mois...

Elle repoussa des dossiers sur la table, elle se pencha pour sortir un document épais de sa serviette.

– Voulez-vous répéter votre nom?

– Landler.

Elle cherchait, elle lisait, elle feuilletait.

– Je ne vois pas, dit-elle. Vous êtes sûr que ce n'est pas une autre organisation?

– Peut-être le secrétariat de ma femme a-t-il fait la réservation sous le nom de Ferguson.

Ma peau de marginal me serrait. Il y avait ma femme, son secrétariat, son nom de jeune fille, son cadavre aussi, et moi, le meurtrier, je devais chaque fois poliment prouver que j'existais aussi.

Au bout d'une recherche laborieuse, elle trouva le renseignement :

– Mais oui, Mrs. Angie Ferguson.

– Oui. Ferguson-Landler. Nous venons ici pour la première fois ensemble.

Zwinke continua :

– Elle est signalée comme VIP, elle a réglé le prix d'un grand parcours, les chambres successives dans les lodges sont retenues depuis...

– Trois semaines...

– Depuis quatre mois... Mr. Landler, quatre mois. Le délai normal...

Un choc de plus à encaisser. Angie avait donc décidé, s'il l'avait fallu, de venir seule. Elle avait dû déterminer une date limite d'attente. Si je n'avais pas cédé, elle serait ici. Pourquoi m'avait-elle joué alors la comédie d'un bonheur spectaculaire et inattendu? Je me découvrais pire qu'un figurant, le type qu'on inscrit à la dernière minute dans une case laissée vide à tout hasard.

– J'étais trop occupé par mon travail pour écouter les détails. L'Afrique est le domaine d'intérêt de ma femme. C'est elle qui s'en occupe exclusivement.

– Monsieur, dit-elle, vous avez raison vous aussi! Mrs. Ferguson-Landler avait formulé en effet il y a trois semaines une demande supplémentaire, elle voulait entrer en Tanzanie. Nous n'avons pas pu obtenir l'autorisation d'y pénétrer avec nos voitures. Vous auriez dû quitter le véhicule de Plaisir-Safari, traverser un pont à pied et continuer ensuite en Tanzanie avec la voiture d'une organisation de voyages de là-bas similaire à la nôtre. Une seconde encore. Je vois une petite note qui me renvoie vers un autre dossier.

Elle chercha, puis dit :

– Le détour en Tanzanie était motivé par le projet concernant la donation de Mrs. Ferguson, qui désirerait l'agrandissement de la réserve de Masaï Mara de l'autre côté de la frontière. Mrs. Ferguson, pardon, Landler, voudrait assurer aux animaux un passage protégé des chasseurs à l'époque de la migration.

– Vous connaissez les projets de ma femme... ?

– Tout le monde est au courant, Mr. Landler. Depuis la donation de William Holden, grâce à qui le Mount Kenya Safari-Club est devenu le symbole de la lutte contre la chasse, c'est Mrs. Landler qui projette de faire le geste le plus important. Depuis des années, elle accomplit avec notre organisation ses parcours de préparation. Déjà à notre siège principal en Suisse alémanique, j'ai entendu parler d'elle. Je serais heureuse de faire sa connaissance.

Ellc se pencha sur le dossier :

– Pour ce voyage, elle a redemandé son chauffeur habituel. Elle avait introduit une requête auprès du gouvernement kenyan pour pouvoir circuler avec ce chauffeur qu'elle connaît bien, mais dans sa voiture personnelle. Elle devrait recevoir incessamment l'autorisation...

J'insistai :

– Notre unique souci est le départ! Si vous avez une seule chambre libre, n'importe laquelle, nous la prendrons.

– Il ne s'agit pas d'une seule chambre, Mr. Landler, mais des chambres. Lors d'un périple, on quitte un lodge pour aller à un autre... Les gens retiennent par l'intermédiaire des agences, six mois à l'avance.

– Tant pis! On ne peut pas lutter contre l'impossible. Nous serons obligés de rentrer à Nairobi et de repartir pour les USA. Si vous aviez pu vous arranger pour qu'on puisse entreprendre le parcours plus tôt, ç'aurait été parfait. Sinon, nous reviendrons plus tard.

Elle semblait soucieuse :

– Je suis désolée, elle voulait revoir les lieux qui l'intéressent juste avant, et si possible au début de la migration des animaux. Tout devrait être reporté à l'année prochaine. Elle en serait peinée, dit-elle. Elle sait ce qu'elle veut...

J'étais donc franchement nul, un fou ignare, j'accompagnais une héroïne spécialiste des parcours, et je ne savais rien de l'Afrique. Zwinke réfléchissait tout haut :

– La première étape prévue est le Salt Lick Lodge. Le chauffeur qui a l'habitude de la conduire et qu'elle aurait retrouvé dans dix jours est avec un groupe, près du lac Turkana.

– Je pourrais conduire, moi.

Je l'énervais.

– Mr. Landler, vous n'avez pas le droit – sans autorisation – d'entrer dans un parc national... et votre femme désire voyager dans les conditions d'une touriste normale. Sa seule exigence était d'avoir un minicar à six places pour vous deux. C'est tout.

J'essayai de bluffer :

– Ma femme est la présidente de la compagnie Ferguson, elle veut donner une fortune à ce pays et il n'y a pas de chambre libre pour elle ?

– Mr. Landler, dit-elle, ce n'est ni son nom, ni sa situation sociale qui nous libéreraient des places. Nous ne pouvons pas déloger des clients à cause d'elle ! J'ai un seul espoir, tout petit. On nous a annoncé le retard, sinon l'annulation, de l'arrivée d'un groupe de Japonais. Leur président-directeur général et son adjoint se sont suicidés avant-hier – le yen est tellement fort qu'ils éprouvent des difficultés à exporter, ils perdaient à la fois la face et les bénéfices. A cause de ce drame, la firme a suspendu ou annulé, je ne sais pas, le congé offert en cadeau aux employés. Si les chambres qui leur étaient retenues ne sont pas encore attribuées – l'itinéraire est presque le même –, je pourrais vous dépanner.

Encore des Japonais ! Ils meurent de leur richesse, j'en avais marre de l'économie mondiale qui me poursuivait jusqu'ici, avec ses exemples étranges.

– Faites ce que vous pouvez, mademoiselle Zwinke. Si vous n'avez aucune solution à nous offrir, nous rentrerons à Nairobi dès ce soir...

– Voulez-vous que je monte dans votre suite dès que j'ai une réponse par télex ?

– Ne vous dérangez surtout pas. Appelez-nous.

– J'aurais été contente de faire la connaissance de Mrs. Landler... Depuis le temps que j'entends parler d'elle. Si les télex ne sont pas en dérangement, ni les ordinateurs, je pourrai vous donner des précisions, Mr. Landler, vers 18 h 30...

Elle se fit confidentielle :

– Si je ne peux pas vous faire partir plus tôt et que vous annuliez, l'organisation ne vous remboursera pas. Les assurances pour l'interruption d'un voyage ne fonctionnent qu'en cas de maladie.

– Ce sont les risques du métier, dis-je. Nos risques. Ne vous en faites pas. Merci.

Je la quittai et je me dirigeai vers la sortie, il fallait traverser la palmeraie pour retrouver Annie sur la plage. J'aperçus la piscine, noire d'une foule d'enfants, je passai par le snack-bar de l'hôtel, à droite, dans un patio, le buffet de pâtisseries était déjà préparé pour le goûter. Je passai devant la douche et un bassin rempli d'eau qui conviaient ceux qui revenaient de la plage à s'y débarrasser du sable, j'atteignis la plage. Les scènes pittoresques aperçues de la terrasse l'étaient davantage de près. Les marchands portaient des chapeaux et des lunettes de soleil fantaisie, ils défilaient en gardant la distance obligatoire entre eux et les vacanciers qui les regardaient, allongés sur leurs chaises longues. Il était interdit de s'approcher des chaises longues, il fallait tenter les clients, les exciter avec des objets brandis. La barrière de corail avait disparu sous l'eau, la mer montante envoyait ses vagues turquoise, elles s'écrasaient en bordure de la plage, mordaient la côte, arrachaient des bouchées de sable, se retiraient puis revenaient à l'attaque. Sur l'étroite bande qui restait encore entre leurs clients et la mer, les Africains s'adonnaient aux jeux de mime; ils s'arrêtaient, ils montraient à tour de rôle des objets, les bras tendus vers le ciel, ils tournaient et retournaient au-dessus de leur tête des animaux sculptés, des guerriers peints en rouge et blanc, des colliers. Une Africaine, la tête entourée d'un boubou rouge, proposait des pagnes. Dès qu'elle en détachait un de la masse ramassée sur son bras, le vent s'y engouffrait et le tissu multicolore voltigeait. Ce cortège se démenait en des allers et retours incessants, un petit homme à la casquette blanche exposait des tableaux, des peintures à l'huile, des couchers de soleil ocre et des tigres jaunes majestueux, dont les pattes puissantes semblaient sortir des cadres rudimentaires. Les vacanciers résistaient, ils bavardaient, regardaient ailleurs, bâillaient pour manifester leur indifférence à ces bricoles puis, soudain, un objet, une peinture ou un flottement de tissu cassait leur résistance, ils se levaient alors et franchissaient le *no man's land* pour rejoindre les marchands qui, heureux de les avoir attirés, les inondaient de paroles et dessinaient simultanément avec un bâton, sur le sable, le prix demandé. Les acheteurs se lançaient dans le marchandage, dont la fièvre était contagieuse, et superposaient leurs chiffres à ceux – barrés – du marchand.

Sur l'étroite bande de plage, à la lisière de l'écume, au milieu d'un attroupement, chargée comme un baudet d'objets et de pagnes, je découvris Annie. Elle palabrait. Et, parce qu'elle croulait sous les objets, elle marquait ses propositions avec ses doigts de pied sur le sable. Elle discutait ferme avec un jeune homme noir comme l'ébène, aux lunettes de soleil à la monture épaisse en plastique blanc qui masquait le haut de son visage. Il lui proposait un choix de colliers de pacotille.

Il aurait suffi d'un coup d'œil du directeur sur ce phénomène en grand chapeau et maillot mouillé, qui tenait dans une main une peinture représentant un coucher de soleil rouge vif derrière des palmiers noirs, qui serrait sous son bras droit deux guerriers dont l'un avait perdu sa lance, et portait dans la main gauche un éléphant de la taille d'un gros presse-papiers, un seul coup d'œil pour comprendre qu'il ne s'agissait pas d'Angie, que je faisais voyager une maîtresse à bon marché sous l'identité de leur chère amie. Attaché à la bretelle de son soutien-gorge flottait un pagne rouge, un vrai ballon géant quand le vent s'y engouffrait. Je promenais cette femme? Acte suicidaire! Mon alibi ne tenait plus qu'à un fil. Annie n'était même pas une femme-objet, mais un porte-objets.

– Hé, dit-elle en m'apercevant. Quelle chance! Enfin, c'est pas trop tard. Il faut m'aider! Regardez ce que j'ai acheté, de vraies merveilles. Je veux encore ce collier, et l'homme là-bas qui attend plus loin a une girafe dans son sac, je veux la girafe. Je ne m'en vais pas d'ici sans la girafe.

L'Africain à la casquette verte qui, pour ne pas gêner les transactions de ses collègues, attendait à l'écart, me sourit, condescendant, et sortit à moitié de sa besace une girafe, dont le long cou en bois tacheté aurait dépassé en longueur n'importe quel bagage à main. De l'autre côté d'Annie, un type ridé comme une vieille pomme proposait des boucliers peints en bleu et jaune. J'étais aussi encerclé, soudain, au milieu d'un groupe, les clients hors d'atteinte nous observaient amusés. Nous faisions partie du spectacle de la plage.

– Vous faites une de ces têtes, dit Annie. Vous êtes sinistre, même le plus blasé, le plus gâté, devrait reconnaître que j'ai trouvé des trésors. Et pour un prix...

– Oui, oui, dis-je en essayant d'éloigner les vendeurs. Venez...

Elle voulait sa girafe – je l'avais achetée sans marchander – le type se sentait frustré par la rapidité de la transaction. Puis je la traînai à travers la palmeraie vers l'aile gauche de l'hôtel pour monter chez nous, en espérant qu'il y avait une entrée latérale qui permettait de se faufiler en évitant le hall.

Annie s'arrêta sur la pelouse impeccable, une distance considérable nous séparait des bâtiments.

– Ne me tirez pas comme ça! s'exclama-t-elle. Vous me brutalisez. Je ne veux pas encore monter.

Son chapeau s'envola en voltigeant, le vent remuait le sable, s'agrippait aux parasols. Je récupérai le chapeau en courant et je recrachai ma salive mélangée à du sable.

– Ne m'agacez pas, Annie. Si quelqu'un nous apercevait de l'hôtel, j'aurais l'air de quoi? Ma femme est une habituée de l'Afrique, elle ne court pas après des objets de bazar, elle... Vous me rendez à la fois suspect et ridicule.

Elle se dressa contre moi :

– J'en ai marre d'entendre vanter les qualités de votre femme! Il fallait être deux pour votre voyage, nous sommes deux. Je désire remplir honnêtement mon contrat, mais sans être bousculée, pressée, et...

Elle hésitait à prononcer le mot, elle devait faire un effort :

– Humiliée.

– Je ne vous humilie pas. Je serai délicat, doux, tolérant, mais, bon Dieu, venez! Montez...

Sa violence tombait, elle était fatiguée.

– Je vais vous aider.

Je pris les statues de guerriers. Par hasard, j'effleurai sa poitrine, une impardonnable envie m'émut. Sa peau était moite, tentante. Je me rabrouai et je la guidai par l'escalier désert, en montant les trois étages, vers le couloir qui aboutissait à quelques mètres de nos chambres. Un valet de passage apprécia d'un œil connaisseur l'ampleur de nos achats et nous ouvrit la porte. Le service de nettoyage avait dû monter le thermostat, il était de nouveau au maximum. Je fus saisi par l'air froid et je le stoppai carrément, ce souffle glacial. Annie partit déposer ses trésors dans sa chambre, puis revint et s'arrêta dans l'embrasure de la porte.

– Je vais prendre une douche. Je suis collante de sable... Si vous trouviez un Coca et me l'offriez, éventuellement avec un sourire, je serais ravie. Déposez mes guerriers sur la table.

Je portai chez elle les fiers Samburus et leurs boucliers, son chapeau, la girafe, la peinture qui représentait un coucher de soleil, et je ramassai le pagne qui traînait sur la moquette. J'entendais l'eau ruisseler. J'avais envie de frapper à la porte de sa salle de bains et de lui proposer de lui frotter le dos. Un besoin impérieux de contact me saisit. Ma solitude était totale, même l'effleurement d'une autre main m'aurait assuré de ne pas être sur une planète inhabitée, glacée. Si je voulais réussir la fuite, je devais avoir Annie comme alliée, donc conclure un armistice. J'ouvris son mini-bar et j'y pris une demi-bouteille de champagne. Dans celui de ma chambre, j'en trouvai une autre et des sachets de cacahuètes, et aussi un paquet d'amandes salées. Je mis deux verres sur la table et je l'attendis. Elle sortit de la salle de bains, les épaules humides. Elle s'était entourée, de la poitrine à mi-mollets, d'une large serviette de bain.

– Du champagne, Annie, dis-je.

– C'est vrai? dit-elle. Enfin un petit air de fête.

J'ai rempli les coupes, elle fit tchin-tchin avec la sienne contre la mienne et but.

Elle vit la marque sur les bouteilles.

– Du champagne français en Afrique! dit-elle. Quel luxe! Merci, Éric.

Elle buvait avec plaisir, elle était à la fois gourmande et avide, elle me contemplait et déclara :

– Il faut reconnaître que vous n'avez pas bonne mine. A votre place, je couperais complètement l'air conditionné, comme je l'ai fait chez moi. J'ai une copine qui, à Savannah...

Je fis un petit mouvement brusque, je voulais qu'elle se taise. Elle s'arrêta :

– Vous connaissez Savannah?

– Non. Je ne suis jamais allé à Savannah... et l'histoire de votre copine est le cadet de mes soucis.

– Vous avez tort de ne pas m'écouter. Vous semblez frigorifié. Elle a justement eu un début de pneumonie à cause de l'air conditionné. Elle était originaire de Buffalo, alors à Savannah... Parfois il fait plus chaud là-bas qu'en Afrique.

J'avais envie de la serrer dans mes bras, sentir son corps, écouter sa respiration, m'abandonner, juste quelques minutes. La tension semblait insoutenable.

– Annie... J'ai de gros problèmes.

Elle s'assit sur le bord du lit et désigna la place à côté d'elle :

– Venez, asseyez-vous ici.

J'obéis. Elle me prit la main :

– Éric, vous mentez mal, c'est-à-dire, le mensonge vous creuse le visage... Depuis le début vous me cachez quelque chose. Dites-moi la vérité, elle doit pas être aussi horrible que ça... Vous vous décarcassez pour me faire croire à vos histoires tirées par les cheveux.

– Annie, la réalité dépasse souvent la fiction, comme on dit...

– Ouais, dit-elle, mais votre truc est quand même un peu énorme.

L'impatience me gagnait.

– Il n'y a pas de truc. Non. Une série d'erreurs commises. Nous avons pris une décision trop rapide avec ma femme. Je suis parti à la fois furieux, avec la volonté de la narguer, et désireux de réussir l'opération. C'est de l'orgueil. Je n'avais pas prévu que tout le monde la réclamerait par ici... Nous sommes mariés depuis un an et demi et je n'ai pas passé mon temps à l'interroger sur l'Afrique, surtout, je ne savais pas qu'elle parlait le swahili.

– Elle parle le quoi?

– Le swahili, la langue du pays. Bref, nous avons voulu faire croire à un voyage à deux, discret, laisser quelques preuves de notre passage commun, elle ne m'a pas dit que le cottage, décrit par elle comme « isolé », se trouve en fait au milieu d'un groupement de villas et, à cette époque – déjà des vacances scolaires dans certains pays – remplies de gens qui la connaissent, l'attendent.

Annie dit, pensive :

– Mais supposons qu'elle ait prévu tout cela. Et si elle avait voulu vous mener en bateau ? Vous envoyer dans un piège ! Vous avez pensé à ça ?

– Quel piège ?

– Faire croire à l'oncle que vous êtes un sombre type, un vrai salaud. Même si l'oncle est contre le divorce, si elle peut lui prouver que vous la trompez d'une manière éhontée, elle a pour elle tous les droits moraux. Imaginez donc dans quel pétrin vous vous êtes mis, ayant pris les papiers d'Angie, son passeport, avec lesquels vous amenez ici votre maîtresse. Vous ne pourriez jamais prouver qu'elle était d'accord. Est-ce que vous avez des témoins qui peuvent affirmer qu'elle était consentante dès le début, même pas une autorisation signée par elle ? Vous, découvert ici avec une employée d'un casino de Las Vegas, vous seriez un homme fini. Elle pourrait prétendre que j'étais votre amie avant votre mariage, vous voyez ça d'ici ?

Je l'interrompis :

– Mais ma femme n'est pas si compliquée que ça.

– Les hommes sont d'une bêtise, quand il s'agit de leur petit orgueil ! Lors des divorces, ce sont les plus roués qui gagnent. Vous n'avez pas, par hasard, un enfant qu'elle voudrait garder ? En vous coinçant avec moi, elle aurait à la fois l'argent de l'oncle, l'enfant aussi, et vous, *exit*. Et depuis que j'ai découvert qu'elle est la fameuse ex-Mrs. Howard, je sais qu'elle n'a pas tellement besoin de son oncle pour avoir de l'argent. Je crois que même sur ce plan-là vous m'avez raconté des bobards ! Si Angie, née Ferguson, est riche, elle n'a rien à attendre de personne. D'ailleurs, je n'ai jamais vraiment cru à cette histoire d'oncle. Je vous le dis : elle veut peut-être se débarrasser de vous.

La chambre tanguait, elle me démontait, cette petite. Je devais la convaincre :

– Elle a la propriété partielle de la Compagnie. Une partie des actions appartient à son oncle. Je reconnais que nous avons agi à la va-vite et nous nous sommes précipités dans une aventure pour éviter la rupture. Une raison de plus de m'écouter. Je demande votre aide. Ce voyage doit se transformer en un parcours au rythme précipité. Il faut que nous partions d'ici, au plus tard demain matin de bonne heure...

Elle s'exclama :

– Déjà? Je sais que je ne suis pas en vacances, mais quand même...

– Je peux augmenter vos honoraires.

– Mes honoraires? Ah, quelle distinction, quelle classe! Plus vous êtes dans de sales draps, plus vous êtes poli et plus je me méfie! Ou vous déballez votre affaire, ou je rentre. Je ne veux pas avoir un problème avec la loi. Mais je veux bien vous aider si vous me garantissez que je n'aurai aucun embêtement.

– Je vous le jure.

Elle ajouta :

– J'espère que vous n'irez pas en enfer. Bref, si on doit s'en aller, il vaudrait mieux avant prendre une bonne nuit de sommeil. Commandez quelque chose à manger ici, dans la chambre.

Sa coopération me soulageait.

– Il est 16 h 30. A 18 heures, je dois recevoir la réponse de la représentante de Plaisir-Safari, s'il y a, oui ou non, une possibilité de partir pour les réserves. Si elle ne réussit pas à nous trouver des chambres, nous rentrerons à New York.

– Pas à Los Angeles?

– Pas directement. Il faut que les allées et venues de Mr. et Mrs. Landler restent crédibles.

Elle réfléchissait :

– Éric, écoutez-moi. Prévenez votre femme que votre montage est en train de foirer. Faites-la revenir de Hawaii... Qu'elle vous retrouve à New York... Vous m'achèterez un billet via Buffalo jusqu'à Las Vegas, et adieu! Et si vous insistez, j'accepte même une rallonge de salaire, en prime, pour compenser ces changements brusques.

Elle discutait, marchandait, suggérait, mais elle était solidaire. Je respirais.

– Annie, le directeur de l'hôtel est un ami d'Angie, il faut l'appeler. Il nous attend avec sa femme au bar pour fêter notre arrivée. Vous lui direz que nous le verrons demain, sinon une autre fois.

Elle m'interrompit :

– Quand j'aurai moins mauvaise mine, hein? Je préfère les voir plus reposée, sinon à notre retour, n'est-ce pas?

Elle souriait.

– Si vous voulez qu'on croie à votre histoire de déplacement précipité, il faudrait insister sur notre volonté de retour. Il vaut mieux raconter des choses qu'on croirait soi-même.

– Quelle pratique, Annie!

– Quand on n'a pas d'argent et qu'on veut frimer, il faut mentir. Mais je découvre auprès de vous que, même en croulant sous le fric, on est obligé de mentir. Comptez sur moi...

Elle se promenait maintenant dans la chambre, le verre à la main. Je me levai, je m'approchai d'elle.

– Ne m'engueulez pas, Annie.

– Je n'ai pas l'habitude qu'on me parle de manière grossière.

– Pardon. Je recommence, ne vous offusquez pas... J'ai envie de vous embrasser.

Elle s'immobilisa et me contempla :

– J'espérais qu'on n'en arriverait pas à ça, c'est dommage. Dès qu'un homme et une femme sont ensemble, un circuit s'établit, comme une obligation. Ça se termine souvent comme ça. Allons-y.

Elle me tendit ses joues, mais je l'embrassai sur les lèvres, j'embrassai son sourire. Mon aspect physique de grand sportif type germanique ne permettait pas, heureusement, de deviner mes complexes, ma peur d'être repoussé. « Qu'est-ce qu'il est collant, ce gosse ! » avait répété ma mère en frottant sa joue, mouillée de mes baisers désespérés. « Qu'est-ce qu'il est collant ! » A cause de ce souvenir, j'embrassais mal, mais j'étreignais bien.

– Vous avez vraiment envie de moi, constata Annie avec une certaine satisfaction.

Elle avait refermé aux trois quarts sa porte-fenêtre, le soleil sabrait le rideau rouge, et quand le vent s'y engouffrait, le rideau gonflait vers l'intérieur de la pièce. Elle se retourna vers moi :

– Moi aussi, j'ai envie, c'est la mer, les vacances. Etes-vous en bonne santé, tout à fait impeccable ?

– Ça veut dire ?

– Je ne veux pas attraper la crève, dit-elle. Je me protège comme tout le monde. Je ne fais aucune concession, je ne risque pas la moindre infection. Prenez un préservatif, vous devez en avoir.

Je souriais comme un collégien de 1940 :

– Je n'en ai pas.

– Vous voyagez sans un stock ?

– Je n'imaginais pas qu'on irait au lit.

– Ça prouve votre honnêteté, dit-elle.

Avant d'arriver sur le drap, je devais fournir des renseignements.

– Je n'ai pas de problème, aucune infection, rien. Je n'ai jamais trompé ma femme.

– Et c'est avec moi que vous voulez inaugurer une vie d'aventures ? Moi, continua-t-elle, je n'ai couché avec personne depuis des mois. De peur du sida. Je préfère être chaste et vivante... En France, vous avez peur comme nous en Amérique ?

– Je ne vis plus en France depuis deux ans, mais tout le monde a peur, partout. Vous n'avez pas lu le cri d'alarme de Masters et Johnston?

– Pas lu, dit-elle. Je ne voulais pas me flanquer un cafard de plus. Essayez de me toucher, si ça me déplaît, on arrête, d'accord?

– D'accord.

Je la pris dans mes bras avec une tendresse incertaine. J'avais envie de quelque chose de plus qu'un acte. Je voulais lui manifester mon estime et du respect, je savais que l'homme dont le cœur est mort, n'est rien. Mon cœur, vivait-il?

La serviette glissa. Nue, elle était naturelle, ni provocante, ni pudique.

– Je peux vous faire confiance, Éric?

– Je vous le jure.

Et j'entendais de loin, comme un écho, sa voix :

– N'empêche, j'aimerais bien être plus qu'une envie...

J'eus, pendant plusieurs secondes, quelques velléités de changer. Devenir meilleur, plus franc, plus honnête. Je jetai par terre mes vêtements en vrac.

– Juste une chose, dit-elle, déjà sur le lit, calée dans mes bras, une précision : je ne suis pas comprise dans votre prix, mais je ne suis pas en prime non plus. Je cède...

Elle baissa les paupières :

– Peut-être parce que vous m'avez plu à Las Vegas, pas seulement à ma peau, mais à ma tête aussi.

Je parlai maintenant lèvres contre lèvres :

– Vous prenez la pilule?

– J'ai un stérilet...

Les préambules techniques de l'amour physique enfin réglés, nous allions oublier le siècle. J'embrassai ses yeux, son front, ses seins, nous nous attardions sur nos épidermes, je la caressai, je freinais mon impatience de la pénétrer. Puis, je me roulai sur elle, je la couvrais de toute la longueur de mon corps. Elle dit :

– Éric?

– Oui.

– Je le sais maintenant, c'est une sorte d'attirance. Oui, dès la première fois, j'ai senti une sorte d'attirance.

Je la pénétrai doucement, elle était étroite comme la Vietnamienne de ma jeunesse, draguée au quartier Latin. Et moi, raisonneur cérébral, vulnérable parce qu'un halo de parfum, un attouchement, un mot pouvait me détraquer. Moi, coffret humain bourré de fantasmes, j'avançais, guidé par ma verge, dans le plus éblouissant des tunnels; spéléologue ivre de sa découverte, je me promenais en elle, j'étais fantastiquement bien. Pour éviter l'explosion immédiate, la marche arrière accompagnée de bégaiements et d'excuses, je m'immobilisai, j'arrêtais le temps, je prolongeais la durée, nous nous enfoncions dans la plus délirante des attentes. Un tremblement léger nous saisit, je forçai ses lèvres et, langue contre langue, mon sexe emboîté dans le sien, nous avancions toujours au ralenti vers un orgasme dont l'explosion nous fit trembler. Quelqu'un a crié... Peut-être moi.

Je posai mon visage sur son épaule et je regardai les dessins du soleil sur le rideau. J'étais de la ouate. Puis une impression de présence. Je m'en fichais, c'était la chaleur ou le mouvement du rideau taquiné par le vent.

– Tu as eu beaucoup d'hommes?

Je souhaitais une réponse à peu près honnête. Je ne l'aurais voulue ni vierge, ni rodée aux aventures, je l'aurais aimée telle que je l'imaginais, pauvre, ambitieuse, futée, calculatrice, innocente sur certains plans, une mal-aimée de la vie, une arriviste complexée comme moi, qui se contente facilement de la moindre manifestation d'affection.

– Quatre. Le dernier a duré deux ans. J'ai toujours eu de longues liaisons.

– Pourquoi as-tu rompu?

– Il était avare.

– Tu ne couchais pas pour l'argent...

– Rien à voir. Il était avare de sous et de sentiments. Un médiocre.

– Alors, pourquoi avoir commencé?

– Il était là au bon moment. J'étais seule...

– Alors pourquoi as-tu rompu?

– Il ne m'a pas apporté de fleurs pour mon anniversaire.

– C'était suffisant pour le liquider?

– Oui.

Mon sexe évanoui en douceur s'effaçait de son corps. Je me laissai tomber sur le dos, nous regardions les jeux de lumière sur le plafond.

– Tu ne sais pas ce qu'il y a dans la chambre... dit-elle.

– Quoi?

– Mets-toi juste sur le coude, comme moi, tu le verras. Doucement.

– Pourquoi?

Je m'accoudai sur le lit, je tournai la tête et je découvris le grand singe morose, assis là au milieu de la pièce. Il nous regardait.

– Hé... me suis-je exclamé.

Effrayé par ma voix, il se déplaça en cherchant une sortie. Il aperçut la corbeille de fruits que le service de l'hôtel nous avait préparée dans chacune des chambres. Il prit une banane et commença, avec une rare virtuosité, à l'éplucher.

– Attention! dit Annie. Tu veux te lever?

– Il faut écarter le rideau pour qu'il puisse sortir. Il est entré par la terrasse.

Le singe, de la taille d'un enfant de quatre ans, dégustait, assis, la banane.

– Il ne faut pas qu'il te morde, là-bas...

Allusion à mon sexe en liberté. J'étais heureux d'être comme tout le monde, je n'étais plus la bête à concours, le modèle de l'arrivisme, le cérébral minaudant sur un corps en évoquant ses problèmes de surmenage, j'étais la bête tout court. J'avais les qualités d'un homme des grottes, des cases, du Néanderthal, qu'importe, j'étais un mâle, et content de l'être. J'enfilai mon slip, je traversai la pièce en passant délicatement derrière le singe qui venait de jeter la peau de la banane, et j'ouvris la porte. Le singe sortit dans le couloir.

– Il a eu peur, dis-je en refermant la porte.

– Ou peut-être nous lui avons donné des envies, dit Annie. Qui sait depuis combien de temps il nous regardait...

Elle s'assit dans le lit, tendit les bras et s'exclama :

– J'étais bien!

Puis, montrant le rideau légèrement écarté de la porte-fenêtre :

– Tu vois, c'est par là qu'il est entré dans la chambre, et on ne s'en est pas rendu compte.

Elle riait. Un beau moment de la vie.

Chapitre 20

Dégrisé, je revins vers le lit, j'embrassai Annie, puis commençai à m'habiller.

– Déjà? dit-elle.

L'impatience me gagnait :

– Annie?

– Oui.

– Je te l'ai dit, j'ai des problèmes, la situation est très difficile...

Elle tendit ses bras :

– Tout va s'arranger. On recommence? Le singe est parti.

Je haussai les épaules, c'en était fini de l'égarement, son côté d'allumeuse fade m'agaçait. Je devais sauver ma vie. Je lui tendis la serviette qui gisait par terre.

– Couvre-toi...

Je jetai un coup d'œil sur ma montre. Il était 18 heures. Je devrais avoir bientôt des nouvelles de Miss Zwinke.

– Tu pars? demanda Annie.

– Je dois téléphoner.

– Pourquoi ne pas appeler d'ici?

– Je veux être seul, je suis trop tendu.

Je fermai la porte entre nos deux chambres, j'appelai le standard, je demandai la représentante de Plaisir-Safari. J'entendis aussitôt la voix de la jeune femme.

– C'est Éric Landler...

– Ah, Mr. Landler, j'allais vous appeler. J'ai la réponse de notre bureau. Tout pourrait s'arranger comme vous le voulez, mais si vous désirez qu'on fasse venir spécialement un chauffeur de Nairobi, les frais seront élevés.

– Ça m'est égal, si nous pouvons partir demain...

– Vous pouvez! J'ai des chambres partout, sauf dans le dernier lodge, mais, en quelques jours, ça peut changer...

– Faites venir le chauffeur tout de suite en avion privé. Il sera moins fatigué qu'en roulant toute la nuit.

– Vous voulez connaître le prix du transport, Mr. Landler?

– Pas la peine, je suis d'accord à l'avance.

– Parfait. J'ai retenu pour vous un minicar à Mombasa qui sera conduit ici. Voulez-vous venir maintenant et signer tous les papiers, Mr. Landler? Il me faut des garanties pour les frais supplémentaires.

– J'arrive.

– Je vous envoie le télex de votre accord et je vous attends. Sauf si vous voulez que je monte pour saluer Mrs. Landler.

– Non, non. Ne vous dérangez pas, je viendrai dans dix minutes.

Je commençais à espérer. Pour préparer mon terrain, j'appelai moi-même Los Angeles, que j'eus au bout de quatre minutes d'attente. J'étais dans les horaires, j'ai dit à une de mes secrétaires, qui allait justement partir, de transmettre un message à Sean Sanders. Pour une raison qui serait longue à expliquer, Angie et moi annulions le séjour au cottage et partions pour les réserves. J'ai demandé s'il y avait une affaire urgente à régler, elle m'a dit que je n'étais absent du bureau que depuis une semaine. Elle me souhaita de bonnes vacances et me demanda si je voulais parler à Sandy, qui venait d'entrer dans la pièce.

– Dites-lui bonjour...

Soulagé, je retournai dans la chambre d'Annie pour lui annoncer que nous quittions l'hôtel le lendemain.

– Ah bon, dit-elle, tu as réussi. Tant mieux pour toi, tant pis pour moi. Un jour, j'aimerais me retrouver ici, tranquille.

– Tu reviendras, et je vais t'acheter le collier. Je vais dire à la boutique que je prends le collier pour une de tes amies, que tu es très fatiguée.

Annie réfléchissait :

– Attention, on ne raconte pas n'importe quoi à une femme. N'insiste pas trop, laisse tomber le collier, elle risque de monter pour me l'apporter.

Elle raisonnait en alliée, je lui en étais reconnaissant, je me sentais moins perdu dans l'immense toile d'araignée que je m'étais confectionnée. Je me précipitai au long du couloir sonore. Le crépuscule tombait, j'aperçus quelques singes retardataires, je dévalai les marches en me frayant un passage parmi les membres nombreux d'une famille indienne. Je retrouvai Miss Zwinke qui, après avoir rempli des documents, reprit le numéro de la carte American Express et me fit signer quelques papiers.

– Votre chauffeur sera là demain matin à huit heures. Vous

êtes dans l'ordinateur de Plaisir-Safari, signalé « cas urgent et prioritaire ». Vous serez prévenus par le chauffeur, si nous ne trouvions pas de place pour vous à Masaï Mara. Selon moi, ça va s'arranger. Vous terminerez comme prévu le périple au Mount Kenya Safari-Club, dont Mrs. Landler, je veux dire Ferguson, est heureusement membre.

Je ne bronchai pas.

– Pourquoi heureuseument?

– Le club accorde, c'est la logique, une priorité à l'accueil de ses membres. Nous n'avons donc pas eu trop de difficultés à changer les dates chez eux, mais le bungalow habituel de Mrs. Ferguson ne sera pas forcément libre, ils peuvent vous assurer une chambre confortable. Il a suffi que je prononce son nom, et la direction était aux petits soins.

En souriant, de son au-delà fantomatique, Angie m'envoyait un message, je ne devais pas oublier son influence, ni sa situation sociale.

– Merci, Miss Zwinke, inutile de vous dire comme ma femme vous est reconnaissante...

– Nous aurions fait la même chose pour n'importe lequel de nos clients, dit Zwinke, son puritanisme suisse refusait de sous-entendre qu'un privilège aurait été accordé à la fortune Ferguson.

Je me levai avec tout un dossier sous le bras, je pris congé et, en me retournant vers le hall, j'aperçus, ahuri, Friedrich... Il arrivait par la grande porte, une étoile de mer à la main. En contournant les plantes vertes qui occupaient le milieu du patio, je me précipitai vers lui, je le surpris avec un jovial :

– Hello, Friedrich, quel bon vent t'amène?

– Hello! dit-il. Je ne vous ai pas vu venir...

– Mais moi, je t'ai vu. Que fais-tu là?

– Je veux dire bonjour à Angie, dit-il. Je lui apporte l'étoile de mer et j'ai dans la poche un petit coquillage. Il est interdit de ramasser tout cela, mais elle les gardera au cottage, ça ne sort pas du Kenya...

Je n'ai jamais supporté les gosses; les crotteux de ma catégorie sociale ne cessaient de s'attaquer à moi dans ma lointaine enfance, je les agaçais, les riches me repoussaient. Celui-ci m'irritait, il était aussi intelligent qu'un singe, avec quelque chose de plus, il créait en moi un malaise. Par quel instinct ce gosse transporté sur la banquette d'une Mercedes depuis qu'il était né avait-il repéré en moi l'ancien pauvre? Il me fixait avec ses yeux de taupe nordique. Déjà au cottage, j'avais l'impression qu'il ne me trouvait pas à son goût et qu'il avait hâte de retrouver Angie. Il fallait m'en débarrasser. J'étais doux :

– Que tu es gentil, mon petit... mais il ne faut pas la déranger, elle dort peut-être. En remontant de la plage elle frissonnait. Elle a pris une aspirine et s'est couchée.

– Elle n'est jamais malade ici, dit Friedrich, elle n'a jamais sommeil. Même tard le soir, elle m'invite chez elle et me raconte Los Angeles. Il y a des bandes là-bas, des gangs, elle parle de la Californie, de la pollution et du mal que font les produits chimiques. C'est pour ça qu'elle veut tout sauver ici.

Si j'avais pu le prendre par la peau du cou et le balancer dehors! Ce merdeux, ce produit de la télé, des bandes dessinées, raisonnait tout en me dévisageant :

– Vous l'avez laissée, elle n'aime pas être seule. Un jour elle aura un enfant qui ne la quittera jamais. Pour ses vacances, c'était moi l'enfant.

Je devais vaincre cet Alien 3 lâché sur moi.

– Pas la peine de discuter. Quand j'ai quitté la chambre, elle dormait. T'es venu avec qui?

– Seul. A pied, par la route.

– Retourne chez toi, il ne fait plus très clair, il est dangereux de marcher sur cette route.

– J'aurais pu venir par la plage, dit-il, mais la mer est haute.

Les yeux plissés, il m'observait. Il était malin, il connaissait les lieux, lui.

– Où sont tes parents?

– Au supermarché pour acheter de l'eau minérale.

Je regardais autour de moi, comme si j'avais cherché des témoins :

– Rentre, tes parents pourraient être inquiets.

– Non. J'ai huit ans. Et je veux donner mon cadeau à Angie...

Je soupirai :

– Quel petit garçon têtu! Je vais monter et si elle se réveille, je vais dire à Angie que tu es là. Si elle dort, tu la verras demain.

– Pas la peine de vous déranger, je vous accompagne, dit Friedrich. Si elle ne veut pas me voir, je resterai dans le couloir.

Il ne me quittait pas du regard.

– Viens, dis-je, et avec un geste d'il y a cent ans, je lui tendis la main.

Il me contemplait avec dédain :

– Allez-y... Je connais le chemin.

Braqué, il passa à côté de ma main tendue. Nous traversions le hall, montions les escaliers, parcourions le couloir, le crépuscule s'épaissit, le rose du ciel basculait de plus en plus dans le noir, les réverbères du parc venaient de s'allumer et les oiseaux n'émettaient que de rares pépiements et s'enfermaient peu à peu dans leur silence.

– Au cottage, dit Friedrich, il est interdit de nourrir les singes pour ne pas être envahi.

Arrivés devant la porte de la suite, je dis à Friedrich :

– Attends ici...

J'ai refermé la porte et j'ai foncé près d'Annie. Elle était assise sur le lit et se limait les ongles. Je débitai très vite, en chuchotant :

– Un gosse odieux, un soi-disant copain d'Angie, est là avec un cadeau, il est venu du cottage voisin, il est intelligent, fureteur. Fais semblant de dormir, la tête enfouie dans les oreillers.

Elle rangea aussitôt le vernis à ongles et se glissa dans le lit.

– Couvre-toi jusqu'au nez! Tes cheveux en désordre. Là... oui. Je vais lui dire : « Regarde, Friedrich, Angie dort. » Ne bouge en aucun cas, ne sursaute pas s'il te touche...

– Oui, dit-elle, oui.

Souple et désireuse de me plaire, elle mimait le sommeil en se roulant délicatement en position de fœtus, la couverture tirée jusqu'au nez et ses cheveux sur l'oreiller. Je tirai les rideaux et éteignis la lampe de chevet, puis j'ouvris la porte à Friedrich.

– Chut! Il ne faut pas la réveiller. Tu peux déposer ton étoile de mer près du lit.

Il s'approcha du lit sur la pointe des pieds et déposa l'étoile sur la table de chevet. Annie avait retenu sa respiration, j'avais peur qu'en reprenant son souffle, Friedrich s'aperçoive de la mise en scène.

– Viens, dis-je à mi-voix à Friedrich. Au réveil, elle trouvera ton cadeau.

Il recula en fixant Annie, et enfin sortit de la pièce, apparemment satisfait.

– Alors à demain, me dit-il, et il s'éloigna.

J'attendis un peu, le temps qu'il disparaisse au bout du couloir, et j'allai ensuite vérifier s'il était vraiment parti. Dans la chambre, je rassurai Annie :

– Ça y est, ça y est, il est parti.

Elle s'assit dans le lit :

– Ton affaire est de plus en plus compliquée, tu n'avais pas prévu cette visite?

– Il y a un monde fou ici qui s'intéresse à ma femme.

– Je te le répète, ce qui m'étonne c'est que tu ne savais rien du tout.

– Nous sommes mariés depuis un an et demi, nous avions d'autres chats à fouetter que de parler d'Afrique.

– Bizarre femme, ta femme. Elle t'envoie dans une vraie souricière. Ou bien elle se fiche de toi et les autres aussi, ou bien elle veut ta peau.

– Elle ne veut rien du tout. Tout cela est ma faute, j'ai crâné, j'ai voulu me prouver que j'étais capable de mener à terme cette grande farce, maintenant qu'on y est, il vaut mieux faire face sinon elle aura une piètre opinion de moi.

– On va peut-être réussir, dit-elle. Mais je serais contente de voir l'Afrique autrement qu'en regardant la plage avec des jumelles.

Je téléphonai à Schneider et lui annonçai qu'Angie préférait les voir demain, sinon, en cas d'un départ éventuel, à notre retour. Il était si occupé avec de futurs investisseurs, des Allemands qui venaient d'arriver, qu'il n'insista même pas. Il connaissait aussi l'habitude d'Angie de partir ou revenir d'une manière imprévue.

Chapitre 21

Tard dans la soirée, j'ai annoncé à la réception que nous partions le lendemain, cela leur était égal. J'ai dit que nous reviendrions. Parfait. A 7 heures du matin, un bagagiste descendit nos valises pour les charger dans le minicar. Un chauffeur au visage grave nous attendait à l'entrée.

– Je m'appelle Léo, dit-il, et j'ai le programme de votre itinéraire. Je suis en contact avec le bureau de Nairobi qui me prévient s'il y a un changement pour l'hébergement dans les lodges. L'étape de Masaï Mara n'est pas assurée, mais ayez confiance, ils s'arrangeront. Ce matin, nous partons au parc de Tsavo.

Ce fut son plus long discours; le reste du temps que nous passâmes ensemble, il n'avait guère envie de bavarder. Nous montâmes dans le car, nous prîmes les deux places au premier rang, séparés du chauffeur par une paroi renforcée par une barre; bientôt nous comprenions son utilité. Léo referma la porte coulissante d'une manière énergique et, ayant pris le volant, s'enferma dans un mutisme difficile à entamer. Nous roulions vers Mombasa sur une route encombrée de camions. Avant d'accéder au ferry, le car était à l'arrêt, au milieu d'une foule multicolore; l'épaisse marée humaine nous submergeait. Les voitures et les passagers à pied se mélangeaient, bleuis par la fumée des pots d'échappement. Nous traversions le bras de mer, serrés entre des poids lourds. Enfin, de l'autre côté, libérés, nous prenions la direction de Taïta Hills, un hôtel où nous devions nous arrêter pour le déjeuner. Selon les maigres explications de Léo, il fallait arriver avant la tombée de la nuit à Salt Lick Lodge.

Au début, nous suivions notre trajet sur la carte que le chauffeur nous avait donnée, chaque étape correspondait à une image, des petits éléphants, des petits avions, des petites collines... La réalité était moins distrayante. Quelques rares stations d'essence au bord de la route, des autobus locaux bourrés, et souvent des femmes et des hommes qui circulaient à pied. Un jeune homme tenait à bout de bras une poule, le volatile était à vendre. Nous croisions de nombreux petits cars de touristes comme le nôtre, dans chaque fenêtre apparaissaient un visage et des fragments d'appareils photo ou de caméras. Ils auraient filmé même un camion-citerne à l'arrêt. Notre chauffeur, toujours d'humeur maussade, ne participait même pas par un haussement d'épaules aux exclamations d'Annie. Nous arrivions sur une piste, un sillon gravé sur l'immense plaine sous le ciel gris métal. A cause des trous, le véhicule brinquebalait. Annie se cramponnait à la barre. Pour ne pas sauter en l'air et retomber sur nos sièges, nous devions nous tenir, sinon nos colonnes vertébrales en auraient pris un sacré coup.

– Ici c'est encore une piste confortable, remarqua Léo. Plus loin, ça va être beaucoup plus dur.

Il était content de nous prévenir de ce qui nous attendait, et il se tut. Le paysage au sol rouge était teinté de taches jaunes, l'herbe avait l'apparence de la paille séchée.

– Où est la forêt vierge, les singes, les bruits, les éléphants, les crocodiles? Où est l'Afrique? demanda Annie.

– Je ne sais pas...

– Ta femme a raison de préférer Hawaii, ce n'est pas un cadeau ici...

J'apercevais un baobab solitaire, c'est tout ce que j'avais à lui offrir.

– Un baobab, Annie.

Elle fit une grimace :

– Bizarres, les gens riches, continua-t-elle. Ils font souvent n'importe quoi et se contentent aussi de n'importe quoi.

– Ma femme avait une raison particulière de suivre ce trajet.

– Elle, mais pas nous.

Une bosse que le chauffeur n'avait pas vue nous projeta contre la barre.

– Ça va? demanda Léo en se retournant une seconde. Je conduis plus lentement que je ne devrais et nous sommes déjà en retard.

Annie bâillait.

– C'est moche, ton itinéraire!... Mais toi, tu es gentil.

Elle me prit par la main :

– Tu étais doux hier, prévenant, presque tendre.

J'eus peur de cette effusion inattendue :

– Annie, il ne faut plus penser à ce qui nous est arrivé hier à l'hôtel, c'était un accident.

– Merde! s'exclama-t-elle. Tu oses dire : accident?

– Ne jure pas.

– Si, je jure! J'ai déjà entendu beaucoup de choses, mais jamais appeler un acte d'amour : accident.

– Ce n'était pas un acte d'amour.

– C'était quoi alors, de la culture physique?

– Calme-toi.

– C'était quoi...

– L'accomplissement d'un élan commun.

– Tu es le plus parfait *son of a bitch* que la terre ait jamais porté. Tu ne m'auras plus. Fini.

Elle avait envie de pleurer, je la comprenais. L'amour physique entre deux portes, le départ trop rapide, mes déclarations qui l'éloignaient de moi, le climat ni chaud ni froid la désorientaient, la fatiguaient.

– Je me demande, Éric, si tu es un salaud ou un grand timide. Parfois, ça revient au même.

– Merci pour l'analyse. Ni l'un, ni l'autre. Tu étais belle, appétissante...

– Parle pas de moi comme si j'étais un *cheese cake*!

Le destin nous envoyait dans un paysage digne de notre état d'esprit, nous traversions une région charbonneuse, les pneus craquaient sur le sol friable et noir, de petites collines de charbon nous encerclaient.

Léo arrêta le moteur et nous invita à descendre.

– Ici on s'arrête pour faire des photos souvenirs, c'est un paysage de lave, dit-il. Il y a eu une éruption, il y a cent ans. Où sont vos appareils?

Mon pied gauche heurtait une bouteille vide de Coca-Cola, plus loin traînait une canette vide de bière allemande.

– Pas de photos...

Nous continuions à rouler sur cette piste interminable, tantôt plate, tantôt chevauchant une colline, puis quelques descentes en pente rude. Autour de nous, la savane s'étendait à l'infini avec ses acacias-parasols, dont les troncs étaient rongés par les éléphants et les feuilles du sommet grignotées par les girafes. C'était ce que racontait le petit livre que Léo nous avait donné avec la carte.

Annie détestait l'univers noir, elle hocha la tête et me traita d'étranges noms. Une heure plus tard, nous franchîmes le portail du parc national de Tsavo. Le gardien examina les documents que le chauffeur lui présentait, et inscrivit dans un registre nos références, puis autorisa le passage. Nous pénétrâmes dans le parc qui semblait aussi vide de vie que le paysage qui le précédait. Annie s'exclama :

– Où sont les animaux?...

Le chauffeur grommela quelque chose. Il devait avoir l'habitude qu'on s'étonne de l'état désertique de ce côté du parc de Tsavo et qu'on lui réclame les bêtes. Nous ne cessions de croiser des minicars, les photographes s'accoudaient au toit ouvert et fixaient notre car sur leur pellicule. Vers une heure, nous aperçûmes un bâtiment à deux étages, entièrement recouvert de lierre et les fenêtres fleuries. Taïta Hills Lodge, posé comme sur un terrain de golf d'un gazon vert anglais détonnait dans ce paysage rigide. Devant l'entrée, une dizaine de cars attendaient. Nous quittâmes le nôtre et, accompagnés de notre chauffeur, nous pénétrâmes dans un hall démesuré, haut de plafond, une cathédrale pour une foule hétéroclite qui pouvait se recueillir devant les masques géants de guerriers accrochés aux murs de ciment; le plafond était décoré de poutres sombres. L'immense pièce était partagée en plusieurs coins présumés intimes, des tables basses entourées de fauteuils, de canapés, et partout à travers les portes-fenêtres, la vue sur ce gazon d'un vert criard. Léo nous conduisit jusqu'à la réception, où quelques voyageurs faisaient la queue en attendant la clef de leur chambre ou leur ticket de déjeuner. Léo prit à part l'une des employées de l'accueil, et annonça notre nom. La femme aimable demanda un peu de patience et partit dans un autre bureau puis revint :

– Mr. Landler...

– Oui?

– Un message de Los Angeles vous attend au Salt Lick Lodge.

Une sensation de froid, de la tête aux pieds.

– Bien aimable... Mais pourquoi ne l'avez-vous pas, vous, ce message?

– Je ne sais pas. Je devais vous prévenir. La communication était peut-être plus facile, avec Salt Lick.

– Vous avez un téléphone ici?

– Non. Pas de téléphone. Les contacts se font par radio, surtout les cas d'urgence : crise cardiaque ou appendicite, on demande des avions-taxis.

– Je ne peux pas appeler Los Angeles?

– D'ici? Non.

Annie me tira par le bras :

– Tu n'es pas si pressé que ça... les faire chier avec Los Angeles.

– Change ton vocabulaire, Sanders veut quelque chose.

– Qu'il attende, ton Sanders, ou qu'il fasse le même parcours, il m'en dira des nouvelles après.

Annie pâlit, elle devenait blême quand elle avait faim ou sommeil.

– Si on pouvait manger quelque chose...

Léo nous montra la direction de la salle à manger puis partit de son côté, il allait revenir dans deux heures. Nous traversâmes ce hall, décoré en Afrique hollywoodienne des années cinquante. Il manquait Ava Gardner. Dans le fond, entourée de masques taillés dans un bois noir, une cheminée géante; les flammes s'attaquaient aux bûches. Autour des tables, les clients, épuisés mais visiblement heureux, sirotaient leur café.

Dans la salle à manger, nous choisissions notre repas au riche buffet; les serveurs en veste blanche portaient ensuite nos assiettes chargées à une table placée devant une grande fenêtre. Soudain, une musique africaine ponctuée de tam-tam se déclencha et un groupe de danseurs, le visage strié de maquillages multicolores, vêtus de peaux de bêtes et de simili-léopard envahissaient la pelouse, ils dansaient en menaçant avec leurs lances des ennemis invisibles.

Annie fut d'abord ravie, mais rapidement dégrisée :

– Ils ne sont pas très vrais, je veux dire, ce sont des artistes, ils pourraient se produire dans un casino à Las Vegas!

Les touristes se précipitaient dehors et entouraient la pelouse pour photographier le groupe, qui devait animer le lodge tous les jours aux heures des repas.

Après le déjeuner, nous retournâmes dans le hall, nous rencontrions des Anglais, des Américains, nous étions mêlés par erreur à un groupe de Japonais qui s'interpellaient avec des cris gutturaux. Dans un coin éloigné, un groupe d'Israéliens tenait conseil, leur maître, un rabbin ou un guide savant, les saoulait avec des explications en hébreu. Près de nous, les Japonais écoutaient leur guide qui s'adressait à eux en anglais. J'avais hâte de quitter cette tour de Babel. A deux heures précises, le chauffeur réapparut, il était de meilleure humeur.

– Il faut partir, maintenant! Salt Lick Lodge ferme ses portes à dix-sept heures, on tire le pont-levis.

– Un pont-levis comme dans un château? demanda Annie. J'en ai vu un à Disneyworld, au château de la Belle au bois dormant.

– Le lodge est bâti sur pilotis, dit Léo, les animaux viennent boire à la pièce d'eau, il faut préserver le calme des lieux.

Elle me donna un petit coup de coude :

– Il y a plus de touristes ici que de bêtes, non?

J'entendais la voix d'Angie. De loin, mais très clairement, comme si elle me parlait d'une pièce voisine. « Il faut limiter le nombre de touristes dans les réserves, sinon le Kenya va se transformer en un jardin zoologique. Il faut élargir les limites naturelles de Masaï Mara et obtenir, en échange des subsides, la limitation obligatoire du nombre des touristes à laisser pénétrer dans les parcs... »

Un phénomène étrange s'empara de moi. A force d'évoquer sans cesse Angie, de parler d'elle à Annie, sa mort semblait irréelle. Je répétais si souvent qu'elle était à Hawaii que je la voyais là-bas, au bord d'une piscine.

– A quoi penses-tu? demanda Annie.

– A un tas de choses...

Nous traversions la savane à perte de vue, la piste sinuait entre des collines chauves, ici et là flanquée d'arbres solitaires, des acacias sauvages. Puis soudain, une bande de phacochères traversait l'horizon, ils étaient presque rouges, teintés par le sol écarlate. Léo donnait quelques courtes explications sur ces bêtes toujours pressées qui sont comme de petits sangliers. Nous tenions la barre, les cars venant d'en face nous couvraient de poussière, il fallait vite remonter les vitres. Annie maugréait :

– Vous appelez ça un voyage de luxe? Sans blague. Il n'y a rien à voir ici, on devrait circuler en avion-taxi, au lieu de bouffer de la poussière.

Avait-elle deviné, grâce à son redoutable instinct féminin, que je n'étais qu'un intrus dans le monde de l'argent? Espérait-elle une confession – enfin la vérité – qu'elle aurait adoré écouter?

– Je me demande... commença-t-elle en appuyant sa tête sur mon épaule juste quelques secondes – la piste de plus en plus cahoteuse empêchait toute tentative d'abandons romantiques –... je ne cesse de me demander, souligna-t-elle, pourquoi nous sommes là? Pourquoi ce soi-disant oncle serait-il plus heureux quand nous aurons les fesses toutes bleues à cause de ces pistes? Quelque chose cloche dans votre affaire, ou vous êtes simplement des fous.

– Nous avons un contrat, Annie. J'ai garanti l'argent, mais pas le confort.

– Je suis venue pour les animaux, dit-elle. Presque...

Malgré ses efforts pour se tenir, elle glissait en avant, en arrière. Dès que Léo oubliait notre présence, il accélérait et nous sautions.

– Qu'est-ce que mon dos attrape! Avec mes cinquante mille dollars, je pourrai m'offrir une chaise roulante.

J'effleurai les épaules du chauffeur. Le ciel gris se chargeait de nuages frangés de noir. Je comptais les arbustes.

– Hé...

– On est loin encore?

– Non, une heure, ou peut-être plus, dit-il.

Puis il ajouta :

– Il faut avoir de la patience.

Annie s'ennuyait ferme, elle voulait bavarder.

– Je t'ai dit que mes parents vivaient à Buffalo? demanda-t-elle.

– Je crois, oui.

– Ça t'intéresse, leur histoire?

– Tu as envie de parler?

– Oui et non. Tu es sinistre.

– Si on devait écouter l'histoire de tous les gens...

Le pare-brise était maintenant recouvert d'une épaisse couche de poussière. Peut-être à quatre cents mètres, un ruban de verdure apparut. Léo fut content et fit un geste vers la droite :

– Il y a de l'eau là-bas. Toute l'année, une rivière traverse la savane. Elle n'est jamais à sec. Les animaux viennent boire. Beaucoup d'animaux.

– Quand je les verrai, je vous croirai, pas avant, commenta Annie en bâillant. Ah, j'aimerais dormir, mais avant, me détendre dans un bain chaud!

Notre bus ressemblait à une roulotte, derrière, en vrac, les valises, devant à nos pieds, des bouteilles d'eau minérale, des boîtes de Kleenex.

Le crépuscule gris perle adoucit le paysage. L'herbe haute entourait des acacias, fréquentés par de gros oiseaux qui se déplaçaient comme des taches d'encre volantes.

– Regardez à votre gauche, dit Léo.

Sur fond de ciel gris, des points gris foncé se déplaçaient. Une ligne saccadée.

Il ralentit puis arrêta le bus et coupa le moteur.

Ils traversaient la piste à une cinquantaine de mètres de nous. Annie étouffa un petit cri, saisit mon bras et le serra. Je subis un petit choc, même le plus blasé, le plus cynique rat de gratte-ciel comme moi, peut être touché par l'insolite vision des éléphants en liberté. Ils suivaient leur chef vers l'eau. Trois éléphanteaux, la trompe en l'air, se hâtaient pour tenir le rythme des femelles. Elles s'arrêtaient ici et là et touillaient avec leur trompe le sol; aspirant d'abord le sable, puis le rejetant en arrière, elles s'aspergeaient de terre rouge. L'idée même de la chasse m'incommodait. Aurait-on tué des humains pour transformer leurs dents en breloques? Je me refusai tout commentaire de ce genre, je n'avais pas de temps à perdre. Qui avait pitié de moi?

– Tu voulais dire quelque chose? demanda Annie.

– Non.

Ces géants passaient à proximité, ils balançaient leur tête baissée au rythme de leur pas. Des petits se dépêchaient, se tenant près des pattes des aînés.

– Éric, chuchota Annie, je n'ai encore jamais vu d'éléphanteaux!

– Elles ont des petits tous les deux ans. Vous avez choisi la bonne année, du moins pour ce groupe, dit Léo satisfait.

Annie se mouchait.

– Tu pleures?

– Je suis juste émue. Je ne savais pas que c'était si beau, un petit éléphant en liberté. Et il y en a d'autres... regarde donc!

Ils étaient maintenant au moins cinq, les petits avançaient, patauds, les femelles les orientaient avec leur trompe dans la bonne direction.

– Tu as des Kleenex? dit-elle. Mon rimmel me pique.

Elle cherchait en tâtonnant la bouteille d'eau minérale qu'elle trouva à ses pieds, elle humectait le mouchoir en papier et se lavait les yeux. Elle était barbouillée de rimmel, elle me serrait la main à m'en faire craquer les articulations.

– Je suis heureuse, Éric...

Je croyais avoir loué les services d'une ex-changeuse d'argent de Las Vegas, une femme dure comme un silex, intéressée, une sale petite bête mue par ses intérêts, poussée par ses instincts, je ne lui avais prêté ni âme, ni cœur, et maintenant, elle pleurait de joie. Désorienté, gêné par ma mauvaise foi à son égard, j'étais perplexe. A côté de moi, Annie, petit paquet humain, pleurait d'émotion. Une gosse de colonies de vacances, comme moi.

Le chauffeur se retourna :

– Avec une pellicule de 400 asa, vous pouvez encore faire des photos.

Il n'avait pas encore admis que nous ne photographions pas.

La trompe levée, les éléphanteaux gambadaient en suivant leur mère. Ils passaient à dix mètres à peine de nous et s'engageaient sur la pente douce qui descendait vers le point d'eau.

Le chauffeur contemplait le ciel, s'interrogeait, puis :

– On a encore le temps de voir, de l'autre côté de ce point d'eau, des hippopotames.

– Des hippopotames, répéta Annie. Est-ce qu'on va vraiment voir les hippopotames?

Les éléphants disparaissaient plus bas dans la zone de verdure. Le silence me troublait, me rejetait dans un huis clos. Peu à peu, j'admettais les ressorts moraux d'Angie. Nous continuions sur une piste bordée de broussailles, parmi les acacias bleu foncé.

Léo arrêta le véhicule et nous invita à le suivre. Une occasion aussi de se dégourdir les jambes.

– Je n'aurais pas dû faire l'Afrique sans appareil photo, dit Annie.

« Faire le Kenya »? Je détestais l'expression. Moi, je ne « faisais » pas le Kenya, « je faisais » mes petits malheurs et parfois, un très grand malheur, aussi grand que le lac Tahoe. On fait ce qu'on peut... J'ai « fait » aussi la mort d'Angie. C'est fou ce qu'on peut « faire » dans ce bas, très bas monde!

– Il ne fait plus très clair, dit Léo, mais ça va encore. Parfois, il est difficile de trouver une place pour se garer, ici...

Au bout d'une centaine de mètres, nous arrivâmes au bord d'une excroissance de la rivière, un bassin naturel. Au premier abord, rien ne trahissait une vie quelconque, puis soudain, comme mues par des ressorts invisibles, des têtes d'hippopotames roses et grises surgirent. Trois poupons monumentaux qui replongeaient et ressortaient en projetant des petits jets d'eau de leurs narines énormes.

– A Las Vegas, sur le Disney Channel, je ne me lasse pas de regarder *Fantasia* en rangeant, en m'habillant... J'ai vu cent fois le film sur les hippos. Quand ils dansent, tu sais?

Je ne le savais pas.

Nous observions le jeu des hippopotames; d'abord l'immobilité, le silence sur la surface lisse de l'eau, ensuite un frémissement, de petites vagues et des têtes apparaissaient. Ces géants aquatiques ouvraient et fermaient les paupières sur leurs yeux, larges comme des soucoupes, puis ils disparaissaient.

Le guide attendait paisiblement que nous en ayons assez, des hippopotames. De retour vers le car :

– Merci, dit Annie. Merci.

Nous reprîmes nos places et abandonnâmes la zone de verdure. La piste traçait des cercles sur les collines parcourues. Tantôt nous nous trouvions sur un sommet, tantôt dans une vallée déserte. Le sol était rouge. Le parc de Tsavo, inerte, fatiguait. Léo attira notre attention sur des girafes qui, distraites, mâchonnaient le haut du feuillage des acacias sauvages.

– Les girafes, répéta Annie.

Au moins, elle n'ajouta pas cette fois qu'elle était heureuse.

Je me demandais quel message nous attendait à Salt Lick Lodge. Parfois des gnous marron foncé traversaient notre champ de vision. Nous roulions dans l'éternité.

Le chauffeur désigna enfin, à droite de notre piste, gravé sur la crête de la colline, le Salt Lick Lodge. Entièrement conçues sur pilotis, à proximité d'une pièce d'eau, les cases de béton à deux niveaux s'imbriquaient les unes dans les autres, se fondaient dans la lumière grise du crépuscule. Les toits pointus se perdaient dans l'ombre. Une douzaine de minibus étaient garés devant le petit pont-levis plutôt symbolique. Soulagés, nous quittâmes le bus. Léo dégageait les valises et les passait à un bagagiste qui les portait à l'intérieur. Nous nous retrouvâmes dans un hall dont les portes-fenêtres s'ouvraient sur un paysage teinté de toutes les nuances de gris, comme à l'intérieur d'une huître. Léo prit congé :

– Nous dormons plus loin dans le bâtiment du personnel. Je viendrai vous chercher demain matin à huit heures. Reposez-vous, ajouta-t-il machinalement.

L'endroit, une véritable arche de Noé, grouillait. Un couple d'Africains passait devant nous, accompagné de leurs enfants, et des Japonais, et, à un moment donné, je crus entendre parler français. Je me suis présenté à la réception :

– Mr. et Mrs. Landler.

J'ajoutai :

– Je voudrais le numéro de notre chambre, la clef et je crois qu'il y a aussi un message pour moi.

L'employé nous fit patienter, il revint avec une enveloppe. La porte d'entrée du hall s'ouvrit bruyamment, le groupe d'Israéliens déferlait, l'homme que j'appelais le rabbin leur cxpliquait quelque chose, ses paroles étaient accompagnées de grands gestes.

Je glissai le message dans ma poche.

– Merci.

– Je vais vous accompagner jusqu'à votre chambre, dit notre bagagiste, qui surveillait son pourboire.

Nous le suivions, les fausses cases étaient reliées par des passerelles en bois.

Notre chambre faisait face à la pièce d'eau en contrebas. Un large lit, deux tables de chevet avec de vastes lampes, une coiffeuse et son miroir à trois faces, une salle de bains en marbre. Le beau désert, quoi !

Annie s'enferma dans la salle de bains, j'entendais l'eau couler, je lus le message : « Appelez-moi dès que possible. Urgent. Je vous embrasse tous les deux. Sean Sanders. »

J'attendais, je réfléchissais. Que voulait-il ?

Annie revint, entourée d'une serviette, les épaules perlées d'eau :

– Ta femme de retour d'Hawaii te réclame ?

Fatiguée, elle s'assit sur le lit près de moi.

– Éric, je n'y peux rien, je suis jalouse.

– Jalouse ? De quoi, de qui ?

– De toi. Tu as une vie à toi, et tu me plais. Tu me quitteras et tu m'oublieras. Tu retourneras te chamailler avec ta femme, et Annie, ni vue ni connue... Jetée.

Je la pris dans mes bras pour la faire taire. Elle s'expulsait à l'avance de ma vie, ça me touchait. Je ne voulais pas qu'elle souffre.

Je n'étais plus l'assassin théorique qui, de sang-froid, élimine une fille aguicheuse, j'étais bien loin des scénarios de crimes réussis ou ratés. Dans la chambre sur pilotis, ce refuge à cinq étoiles, la rétine encore imprégnée de l'image des éléphants, Annie fondait dans mes bras, elle se proposait, douce et triste. Je la prenais, j'avais besoin de m'échapper du vide glacial des combines. Ma langue taquinait doucement la sienne. Nous nous chuchotions des mots doux. Des petits tâtonnements sensuels et tendres, des nourrissons qui cherchent le mamelon de leur mère. Nous nous abandonnions aux sentiments et aux sensations archaïques, proches de l'innocence. Une extrême tendresse.

– Tu as faim? demanda-t-elle plus tard.

– Non.

Je frissonnais. La trêve était terminée. Il fallait continuer la guerre. Je me sentais fiévreux, je rêvais d'une théière, j'avalerais des aspirines.

– Qu'est-ce qui t'arrive? demanda-t-elle en s'agenouillant sur le lit près de moi.

Elle prit mon visage dans ses mains.

– Tu es fatigué?

– Un peu.

– Ne t'en fais pas. Un bain chaud et un repas, et c'est fini. On a des ressorts quand on est au paradis! Tu sais à quoi j'ai pensé, Éric, pendant cet interminable voyage, avant la rencontre avec les éléphants?

– Comment le saurais-je?

– Bien, je te le dis. Ne saute pas en l'air. J'ai pensé qu'on pourrait avoir, un jour, une vie à nous. Je ne suis pas embêtante, crois-moi...

Ma grimace la fit se rétracter:

– Je sais que je ne peux pas rivaliser avec une femme qui peut aller en première classe à Hawaii pour bouder, pendant que toi, tu essayes de colmater les brèches avec quelqu'un, ramassé n'importe comment. Elle est supérieure à moi, mais je vais te dire une chose...

– Je t'écoute.

– Il me semble, peut-être je me trompe, que tu es plus malheureux que nature, hein? Je veux connaître la vérité. Si tu l'aimes, je n'ai aucune chance pour l'avenir.

– Pourquoi faut-il parler de ma femme?

– Je ne la supporte pas! dit-elle. C'est plus fort que moi...

Comment se débarrasser de cette fille et de sa tendresse naissante? Me séparer d'elle à New York? Peut-être que je l'expédierais à Las Vegas. Angie devrait disparaître à New York. Au Kenya, même les mouches sont répertoriées. J'ai senti dans ma gorge une barre à la hauteur de la glotte.

Annie se coiffait et se contemplait avec une certaine satisfaction dans le miroir.

– En quelques heures à Diani Reef, j'ai pris des couleurs. Ça me va, n'est-ce pas? Mais je pèle facilement.

Je frissonnais.

– C'est fou comme ma gorge me râpe.

– Ce n'est rien, dit-elle avec douceur. Oublie Sanders, descendons.

Nous quittâmes la chambre, longeâmes les passerelles d'un niveau à l'autre, d'un escalier à l'autre, nous rencontrions des gens, de vieux couples et de jeunes couples, des Japonais, des Anglais égarés, un peu intimidés par la réussite de leur ancienne colonie, quelques couples d'Africains qui profitaient eux aussi, en tant que touristes, de leur pays. Nous traversâmes la salle à manger où les garçons vêtus de vestes rouges préparaient les tables. Nous sortîmes sur la terrasse qui entourait en demi-cercle le bâtiment principal. Derrière le bar, un garçon submergé de commandes servait des bières, des whiskies, du thé. Les gens s'asseyaient comme dans une loge pour attendre l'éventuelle apparition des animaux. Nous avons trouvé deux fauteuils libres, le paysage sombrait dans le noir, les arbustes autour de la pièce d'eau délicatement éclairée prêtaient à l'endroit un arrière-plan fantomatique. Dans un halo de lumière apparut une antilope, elle s'approchait gracieusement de l'eau. Elle s'immobilisa sur la rive et leva la tête. Elle regardait dans notre direction, sentait-elle les odeurs, voyait-elle des petites lumières discrètes s'échapper de ce bunker à deux étages? L'antilope baissa la tête et but de profondes gorgées d'eau.

Chapitre 22

Je ramenai du bar deux tasses de thé sur un plateau, elle saisit la sienne à deux mains :

– Merci, Éric. Il ne fait pas tellement chaud.

Quelle importance, le temps ? Il fallait réussir une fois de plus à rendre crédible une communication avec Sanders. Mais d'où ? Nous étions coupés du monde. Les images de la maison du lac Tahoe défilaient dans ma mémoire. Quel Columbo local se préparait à me traquer ? Quel détail aurais-je oublié ? Je balayai d'un geste l'horizon opaque :

– C'est magnifique. Tu vois l'antilope qui boit ?

– Il n'y a qu'une seule antilope, et elle boit. Si je ne la voyais pas...

Elle m'irritait. J'aurais aimé l'engueuler pour me soulager, elle n'aurait pas pu s'enfuir de cette forteresse bidon ; je me raisonnai. Il fallait prolonger notre association et, dans une atmosphère plutôt feutrée, elle serait plus facile à manipuler. La douleur jusqu'ici concentrée dans ma gorge coulait maintenant dans mon œsophage. Quelle crève ai-je chopée, et où ?

– Il faut apprécier les beaux moments de la vie, Annie.

Elle haussa les épaules et se détourna.

Il n'y avait plus un fauteuil ni une chaise libre sur la terrasse. Les touristes confortablement installés attendaient le spectacle promis par les prospectus. Ils bavardaient, ils papotaient et commentaient le moindre mouvement de l'antilope. Un employé kenyan passait entre les tables en brandissant un panneau avec une recommandation inscrite en trois langues : « Silence, s'il vous plaît ». L'avertissement était censé arrêter, sinon freiner la logorrhée du public. A la table voisine, un Américain évoquait les souvenirs d'une comédie musicale de Broadway, sa femme piquetait le récit avec des cris d'oiseau. Des projecteurs cachés derrière les arbustes éclairaient l'eau. Un Japonais debout, sa caméra appuyée sur l'épaule, espérait l'occasion des déclics. De temps à autre, il baissait la caméra puis la reprenait pour se tenir prêt à filmer à la seconde même où un deuxième animal se présenterait. Sa femme le regardait, souriante. Jurait-elle? Je ne connaissais pas « merde » en japonais. Et si, pour me défouler, je créais l'incident en leur demandant de me traduire « shit » en nippon? Je préférais attendre, prudent, je savais peu de chose de l'Afrique. Quelques souvenirs des vieux films en noir et blanc : Tarzan et Jane, et les clichés habituels : malaria, sida, chaleur, famine, pompe à eau, Stanley et Livingstone, les chutes de... de quoi? Ma chute.

J'enviais les gens qui m'entouraient, ils étaient en sécurité, ils connaissaient leurs lendemains, tandis que moi, je subsistais tout juste. Au moment où la disparition d'Angie sera constatée, l'enquête passera au peigne fin étape par étape, heure par heure, le passé. Je jetai un coup d'œil sur Annie. Si elle pouvait s'évaporer dans la nature, ce serait la solution idéale. Un rêve. Voilà, je raconterais que ma femme avait eu une crise de dépression, probablement due aux drames vécus à Los Angeles, elle était partie, un fauve féroce avait dû la déchiqueter. Je soupirai. Dans ce calme plat, elle ne risquait même pas une piqûre de moustique. Je réfléchissais sur la taille du trou du cul d'un moustique, par temps froid, évidemment. Je toussai.

– Ça va pas? demanda Annie.

– Mais si...

Elle se remuait dans son fauteuil, elle ramassa sur elle sa veste et prononça, maussade :

– Alors, c'est tout?

– C'est tout, quoi?

– Ce qu'on voit, ici. C'est pour ça que les gens viennent du monde entier?

Elle était mon alibi, je devais la ménager.

– Les fauves sont partis en tournée, vers d'autres lodges... Ils ne peuvent pas s'exhiber simultanément partout.

L'antilope levait la tête, les appareils photo crépitaient aussitôt. L'Animal bougeait! On avait volé des heures et des heures pour le voir, bravo, vivat, hip, hip, hourra! Safari? Le mot était, ce soir, franchement hilarant.

– Elle est charmante, l'antilope, dis-je goguenard. Sympa...

– Quand je raconterai tout cela à mes parents, ils seront déçus, déclara Annie. Ils étaient si contents pour moi, ils connaissaient mon rêve africain, tant pis.

L'affaire devenait de plus en plus compliquée. Je ne pouvais pas imaginer que je supprimerais aussi les parents qui, à leur tour, auraient parlé à leurs voisins. Je n'avais pas la carrure d'entreprendre un carnage.

– Tu leur as dit mon nom?

– Ça ne valait pas la peine. Je me méfiais, ils lisent beaucoup et regardent la télé... Avec tant de fric, tu dois être quelqu'un de connu. S'ils avaient entendu parler de toi, ils se seraient montrés inquiets que je sois mêlée à une affaire de divorce. J'ai juste laissé les renseignements concernant l'argent, le numéro du coffre, la banque. Si quelque chose m'arrivait, ils seraient protégés.

– Qu'est-ce qui peut t'arriver ici? Rien.

– N'importe quoi peut arriver, à n'importe quel moment... On ne peut pas prévoir un accident. Tu as encore tes parents?

– Non. Ils sont morts.

– Oh, pardon, dit-elle. C'est triste de ne plus avoir ses parents!...

Je ne la supportais plus, j'avais envie de taper sur elle, sur n'importe quoi, sur la tête de l'Américain qui parlait. Une nappe de bruits puissants nous recouvrit. Le rabbin, en tête de son groupe, entra sur la terrasse, ils étaient neuf ou dix et parlaient tous en même temps.

– Grâce à eux, on va moins s'ennuyer! s'exclama Annie. Je parie que le vieux explique pourquoi il ne faut pas parler. Et les autres surenchérissent pour affirmer qu'ils ont compris qu'il faut garder le silence. Ils sont marrants, eux...

Moi, j'étais sinistre, elle avait sans doute raison.

La silhouette rousse d'une seconde antilope apparaissait sur le fond noir près de l'eau.

Annie faisait des signes au rabbin, et de grands « Chut! Chut! ». Le vieux clama dans notre direction :

– Pardon, Miss, vous avez raison, mais que voulez-vous, je dois expliquer aux gens passionnés des choses passionnantes.

Un court moment, ils se turent, puis se regroupèrent et leurs têtes rapprochées continuaient à chuchoter. Je me levai :

– Allons dîner.

Nous étions en avance dans la salle à manger. Un maître d'hôtel renfrogné aurait aimé nous renvoyer – l'heure c'est l'heure – mais, cédant à mon insistance, il nous conduisit à une table et alluma avec son briquet une bougie qui éclairait la nappe rouge. Les assiettes à la main, nous allâmes vers le buffet qui regorgeait de plats chauds et d'une variété de salades et de desserts à foison.

Peu à peu, les autres clients arrivaient, les Israéliens qui passaient nous faisaient des signes aimables. Je dissolvais deux aspirines dans un verre d'eau minérale.

– Ne fais pas une grimace pareille! dit-elle.

– Tu n'as qu'à ne pas regarder.

Elle dégustait un gâteau au chocolat et me dit de ne pas faire tourner mon verre vide sur la nappe, ça l'énervait. Nous sommes partis enfin vers la chambre; la passerelle en bois qui reliait le restaurant à notre palier craquait sous nos pas. J'allai, le premier, dans la salle de bains, je m'aperçus dans le miroir, j'étais blême, j'ôtai mes vêtements, la douche chaude me soulagea de mes courbatures.

– Ton pyjama? demanda Annie de l'autre côté de la porte. Où est la clef de ta valise?

– Je m'en occupe.

Si elle avait aperçu l'attaché-case d'Angie, elle aurait pu l'ouvrir pour le fouiller, et y découvrir la pochette avec les bijoux? J'en chassai l'idée. Je l'espérais discrète, sinon plus paresseuse que curieuse. Je revins dans la chambre, Annie alla à son tour dans la salle de bains, enfin seul, je pris mon pyjama et je refermai ma valise. Couché, je tirai la couverture jusqu'à mon nez. Je dormais à moitié quand elle se glissa auprès de moi. Je passais de la haine au besoin épidermique de sa présence. Conciliante, elle m'enveloppait de son corps, je dérivais. Dans ces moments d'abandon, j'aimais presque la vie.

Ma nuit était chargée d'images. Je me réveillai à l'aube. Des singes se chamaillaient près de l'eau, puis s'en allaient chercher un autre bistrot. Un retardataire poussait des cris aigus et se précipitait pour les rejoindre. D'autres animaux apparaissaient, selon leur race, isolés ou en groupe; quand ils se croisaient ils s'ignoraient.

Je devais m'arracher d'ici et rentrer à New York. Si quelque chose pouvait arriver à Annie, à New York... L'Hudson? Et toujours le problème de l'identification si on retrouvait son corps.

– Hello!

Je sursautai. Annie m'interpellait :

– Bonjour, Éric!

– Hello, Annie!

Elle se frottait les yeux.

– Déjà debout? Il y a quelque chose à voir?

– Mais oui.

Elle hocha la tête :

– Parfait, mais pour le moment j'ai faim, j'ai froid, je me sens toute chose. Viens me réconforter!

Je n'avais pas l'envie de faire des mamours.

– Avant le café, je ne suis pas un être fréquentable.

– Même pas aimable?

– Non.

– Tu es un personnage insupportable.

– C'est vrai.

– Ta femme a peut-être raison.

– Laisse tomber, Annie. Tu es bavarde. Avant le café, tu parles, après l'amour, tu parles. Il faut savoir se taire. La boucler.

J'articulai :

– La bou-cler...

Elle se tut. Il restait encore un peu d'eau potable dans la bouteille thermos, je pris des aspirines. Pieds nus sur le carrelage, Annie rangeait et boudait. La fermeture à glissière parcourut avec un bruit léger la lourde toile de sa valise.

A sept heures, en route vers la salle à manger, nous avons rencontré d'autres touristes, les voisins, comme des fourmis vers les miettes sucrées, arrivaient de tous les côtés. Une grosse femme aperçue hier assena à son mari un : « Toi, tu ne te rends compte de rien. D'ailleurs, je ne sais pas comment... Je me le demande. Il n'y avait pas assez de papier de toilette, j'ai dû utiliser mes Kleenex. Presque la boîte entière. »

Je devais repousser l'image : elle assise sur une cuvette géante, des fesses felliniennes filmées, oh! s'abandonner librement dans une crise folle de misogynie. Se venger... Devant une autre porte du palier, on discutait ferme en japonais, puis nous passions devant la dernière chambre de ce secteur, des Allemands, peut-être un couple en voyage de noces, qui roucoulait encore à l'intérieur. Des *« ich liebe dich »* plusieurs fois. La pluie nocturne avait trempé la passerelle et, enfin, le restaurant. Assis à la première table libre sur notre passage, le garçon arriva et versa dans nos tasses le bon café kenyan, plein d'arôme et fort, une vraie aubaine! Annie alla au buffet et revint avec des toasts chauds et une poignée de petits cubes de beurre individuellement emballés. Salut, désert! J'en étais à ma troisième tasse de café quand les Israéliens rappliquèrent. Ils avaient rapproché plusieurs tables et bavardaient. Le vieux se penchait en avant, les autres têtes en corolle autour de lui, des conciliabules à n'en plus finir. Le café aidant, je suis devenu bon chrétien, donc fraternel :

– Annie, j'étais infâme ce matin, je le reconnais et je te demande pardon. Ne boude pas.

– Bouder? Non! Je me tais. Tu as les sautes d'humeur d'un tordu.

– Parce que je suis tordu?

– Oui. Tordu et tourmenté. Toi et ta femme, vous êtes pourris. Vous croyez qu'on peut tout faire avec les gens. Ça ne va pas continuer longtemps comme ça. J'en ai marre de toi et de ton Afrique pour gogos! Il fait froid, il n'y a pas un chat dehors, et tu es méchant.

Je devais riposter en sourdine :

– Pas la peine de chialer, tu es là pour travailler, tu as un contrat...

– Ah bon? s'exclama-t-elle. Tu ne trouves pas qu'on est allés plus loin que les termes d'un accord?

– Je ne t'ai pas violée, tu étais d'accord.

– Tu utilises des vilains mots. Tu es dégoûtant. Un sale type. J'en ai connu un comme toi, on prend, on jouit et on rejette!

– Tant mieux s'il n'y en a que deux sur ta liste.

– Eh bien, dit-elle, la leçon est utile, je me méfierai à l'avenir. Les Français, je les imaginais courtois, délicats, prévenants...

– Merci pour la France, mais je suis l'exception qui confirme la règle.

Elle se pencha vers moi :

– Je ne suis pas friquée, mais en tout cas pas à vendre! Nous sommes condamnés à rester quelques jours ensemble. Sois civilisé, ou bien...

– Tu t'en vas à pied? Tu m'as vendu un peu de ton temps. C'est tout.

– Mais pas mes rêves, merde! s'exclama-t-elle. Plutôt le zoo du Bronx qu'ici, là-bas au moins je verrais un tigre, même deux tigres, trois tigres...

Nous nous engueulions comme des chiffonniers. Des Anglais âgés et délicieux, avec des cheveux blancs et le petit doigt en l'air en tenant leur tasse de thé, avaient jeté sur nous un regard réprobateur. Quelques mots de plus, et nous allions nous battre. Je voulais l'amadouer, je croyais, avec ma bêtise d'homme innée, qu'il suffirait d'un geste pour m'en sortir. J'ai mis ma main sur la sienne, elle la retira brusquement.

– Annie, ne nous disputons pas. C'est ma faute, il ne faut pas oublier l'élan commun qui nous a unis.

– Sale hypocrite! Tu appelles ça « élan »? Tu étais comme fou dans mes bras.

– Et toi comme folle...

Elle prit le mot en pleine figure, hésita, il n'y avait aucune autre solution que de m'envoyer une assiette à la tête ou d'encaisser. Elle se calma.

– Si on était si bien, dit-elle, pourquoi nous déchirer?

Elle se moucha bruyamment dans la serviette rouge, qu'elle avait confondue avec son mouchoir. L'Anglaise à côté hocha la tête.

Désorientante et décapante, elle changea de ton. En effet, elle avait dû arriver à la même conclusion que moi : si nous devions continuer à nous battre, le minicar exploserait sous la tension. Nous avons, d'un accord tacite, conclu un armistice.

Saturé de café, je demandai à la réception nos valises – nous étions les premiers à être prêts à partir –, le pont-levis était déjà baissé et, devant, les minicars en pagaille. Je comptai onze véhicules, leurs chauffeurs fumaient et bavardaient. L'un d'eux venait de jeter un mégot et l'écrasait si longuement avec son talon qu'il faisait un trou dans le sol sablonneux.

– Ça va être joyeux, le désert...

– Tant pis, dit Annie. On y est quand même.

J'aperçus notre chauffeur qui nous salua de loin, puis se tourna vers un de ses collègues. Au bout d'une dizaine de minutes, nos valises étaient chargées et nous reprenions nos places dans le minicar.

Il fallait faire plusieurs manœuvres pour se dégager, un autre car nous bloquait le passage. L'air puait, nous passâmes devant un poste d'essence où d'autres cars faisaient la queue. Enfin, plus loin, sur la piste cahoteuse – elle se déroulait comme un ruban jaune sur la terre rouge – nous nous taisions.

– Ça va? demanda Annie plus tard.

– Ça va.

Comme souvent les femmes après une dispute, elle voulait être apaisée et rassurée sur son avenir, au moins immédiat. Au bord de la piste, des acacias sauvages en forme de parasols, plus loin, un défilé de singes, ils avançaient en rangs serrés dans la savane, leur chef avait les fesses d'un bleu criard. Leurs bras brinquebalaient, touchaient le sol, ils s'arrêtaient pour nous regarder, sans frayeur ou surprise, ils devaient avoir l'habitude des touristes.

Nous continuions à rouler en silence. Au bout de quelques heures de trajet monotone, nous arrivions au Kilaguni Lodge également construit sur pilotis non loin d'une pièce d'eau, dont la silhouette se confondait avec le paysage. Le guide nous conduisit jusqu'à la réception, je craignais qu'on m'attende avec un autre message. Rien, heureusement, sauf un souhait de bienvenue. Un employé porta les valises à notre chambre, dont une paroi vitrée était orientée vers la savane, même du lit on pouvait contempler le passage des bêtes.

Nous revenions vers la salle à manger ouverte. Avec le passage du soleil les couleurs changeaient, ombres et lumières jouaient à cache-cache; les collines douces, comme une paume de main généreuse, nous entouraient avec sollicitude. Au fond de la salle, trois cuisiniers kenyans coiffés de toques blanches servaient le déjeuner. Dans des chaudrons posés sur la longue table, du ragoût et du riz, à côté un plateau, des fromages à foison, des desserts.

Le guide, assuré de notre confort, fixa le prochain rendez-vous. A quatre heures, nous allions sortir dans la réserve. Je me sentais bizarrement léger. Tout en grignotant un morceau de viande, je voulais me convaincre que mon mal de gorge était d'origine psychosomatique, mais aussitôt j'abandonnai l'auto-analyse, je me shootai avec une mousse au chocolat et deux aspirines.

J'aurais aimé me reposer cet après-midi pour récupérer et essayer de faire baisser la fièvre, mais je ne pouvais pas risquer de laisser Annie en tête-à-tête avec le chauffeur. Dieu sait ce qu'ils auraient pu se raconter en mon absence, la sotte qui déborde et le muet qui explose en paroles. Pour m'aménager un répit, j'abandonnai Annie avec son café sur la terrasse et je m'allongeai dans la chambre sur le couvre-lit. Deux grands singes se battaient devant la porte-fenêtre. Les ancêtres de Garrot et moi... Si Garrot apprenait un jour que j'étais un assassin, pour fêter le scandale il offrirait à sa femme une bague, j'en étais sûr.

A quatre heures, je me traînai au rendez-vous. Annie m'attendait, joviale et reposée. Nous sommes partis. Le paysage s'animait, ici et là des zèbres striés de noir et de blanc passaient, ils nous ignoraient, ainsi que les singes stressés qui se sauvaient à grands cris. Sur la ligne de l'horizon lointain, quelques girafes nonchalantes piquaient ici et là les feuilles des acacias.

Peu à peu, je découvrais la méthode des chauffeurs. Ils arrêtaient les véhicules et, à travers la vitre baissée, se refilaient en swahili des tuyaux : des éléphants par-ci, un tigre par-là, une famille de lions derrière telle ou telle colline. Cet après-midi, grâce à un filon accordé généreusement par le guide d'un groupe d'Allemands, nous partions vers des buffles. Nous avons vu un buffle! Une bête d'allure préhistorique que photographiaient, déjà arrivés, accoudés sur le rebord de leur toit ouvert, les Israéliens. Le buffle avait une peau épaisse et, parfois, il levait la tête pour nous fixer de ses grands yeux d'insomniaque. Il faillit être applaudi quand il accepta sans broncher qu'un oiseau atterrisse sur sa tête pour chercher avec son long bec, sur son crâne, des insectes.

Nous prenions le chemin du retour au lodge vers dix-huit heures, soudain j'ai eu un vilain choc, inattendu. Qui peut se défendre contre les jeux de lumière? La silhouette d'Angie, en or et en platine, en bleu et en couleur de sang, s'imprimait sur ma rétine.

– Qu'est-ce qu'il y a? demanda Annie.

– Rien, dis-je en réprimant une détestable envie de pleurer.

Chapitre 23

De retour à notre tanière, pris par une nervosité insupportable, je tournais en rond dans la chambre exiguë. Nous nous lavions à tour de rôle comme des forcenés, je me séchais les cheveux avec une grande serviette râpeuse qui sentait le désinfectant. Vers huit heures, installés dans la salle à manger ouverte sur la savane, nous apercevions en bas, au pied des pilotis, une hyène pelée qui errait, la tête levée et le museau pointu dressé vers les touristes, elle quémandait de la nourriture. L'animal tacheté et court sur pattes reniflait l'air comme un chien dressé, il faisait presque le beau. Selon le récit du serveur – répété pour la énième fois –, la hyène était, depuis sa naissance, nourrie par les clients. Une orpheline. Je refusai le romantisme de l'histoire du charognard et, davantage encore, l'attendrissement d'Annie, qui venait de lui lancer sa tranche de viande.

– Le pauvre chou, dit-elle. Qu'est-ce qu'il est mignon!

Je repoussai mon assiette et je demandai un thé. Je n'étais pas au bout de mes peines. Nous allions partir le lendemain matin pour Amboseli. Renfrogné, en guise d'adieu le chauffeur nous a promis le Kilimandjaro.

Je laissai Annie à ses émotions, suscitées par la hyène mendiante, d'ailleurs suivie de deux autres, légèrement plus farouches.

– Reste si tu veux, j'en ai assez du folklore pour aujourd'hui.

Elle jeta un regard de regret vers le buffet des desserts.

– Je n'ai pas encore...

– Qui t'en empêche? Vas-y. Je sais que tu adores les desserts.

– Non, dit-elle, je n'ai pas envie de rester sans toi, je serais seule à être seule.

Elle se leva et me suivit. Nous regagnâmes notre chambre. Elle ouvrit silencieusement sa valise, y prit une boîte et me la tendit.

– Pourquoi tu n'avoues pas que tu as mal?

– Avouer? Ce n'est pas un crime. J'ai attrapé la crève, ça va passer... C'est quoi tes comprimés?

– De l'antigrippine, j'en ai toujours avec moi, prends-en.

– Je suis bourré d'aspirine, ça suffit.

Je m'allongeai sur le lit, elle s'assit auprès de moi.

– Je crois que tu penses à ta femme. Tu l'aimes peut-être...

– Fiche-moi la paix avec elle!

– Tu la crains aussi...

– Pas d'analyse, ni de déductions, s'il te plaît! Ce sont mes affaires.

– Bon, dit-elle, je vais me taire.

Elle se levait, circulait, rangeait, l'unique lampe de chevet délimitait des zones d'ombre et de lumière. Elle revint vers moi :

– Il vaudrait mieux lui envoyer un message et dire franchement que tu es malade. Je crois que tu l'es... J'avais une copine à Miami, et tu ne vas pas le croire, elle a attrapé, à Miami...

Je l'ai arrêtée :

– Je m'en fous, de ta copine.

– Tu ne veux pas savoir ce qu'elle a attrapé?

– Non.

– Tant pis si ça se termine mal pour toi...

– Tu m'enterres déjà?

– Tu es stupide, répliqua-t-elle. Mais si j'étais vraiment ta femme, qu'est-ce que je devrais faire?

– Te coucher.

J'hésitai :

– Et aussi me larguer tes antibiotiques ou antigrippines, qu'importe.

Elle fouilla dans une pochette, elle versa l'eau de la bouteille thermos dans le verre.

– Tiens...

Je pris les comprimés dans sa paume et je les avalai.

– Merci...

Je devais avoir une fièvre costaude. Je me laissai couler dans un sommeil chaud, infiltré des bruits de l'extérieur. Des pas, des rires, quelqu'un courait dans le couloir. Des frottements de sandales sur le béton.

Quand je me réveillai, le ciel était gris. Je me levai, j'avais l'impression d'avoir été roué de coups, j'allai à la salle de bains et me lavai de ma sueur, la douche me soulagea, je me recouchai.

Vers huit heures, je quittai le lit pour de bon, je m'habillai. Annie dormait encore, je la laissai en paix.

Sur la terrasse, les tables étaient déjà presque toutes prises, j'ai eu la dernière. A côté, un homme racontait que la chasse d'eau cassée l'avait empêché de faire couler l'eau des W-C, sa femme le rabrouait énergiquement, ce n'était pas un sujet de conversation pour le petit déjeuner, disait-elle. Au-dessus de la colline proche rôdait un soleil timide, une aura jaune le précédait et teintait en or les branches d'une forêt d'acacias. De l'autre côté de la pièce d'eau, une colonie de singes passait, puis ils déguerpissaient soudain avec de grands cris effrayés. Quelques phacochères pressés couraient et disparaissaient avant l'arrivée d'une compagnie de buffles. J'aperçus à une table proche le Japonais du Salt Lick Lodge avec sa caméra vidéo munie d'un téléobjectif, l'ensemble appuyé sur l'épaule, il filmait les buffles. Annie apparut à l'autre bout de la terrasse, elle souriait, bon signe, elle avait quelque chose de familial, rassurant. Elle m'embrassa sur les joues.

– Bonjour, Éric! Ça va mieux? Si tu bois ton café, c'est bien. On a passé une sale nuit.

J'étais humble et gentil :

– Je t'ai beaucoup dérangée?

Ma voix était rauque. Un garçon revint avec sa grande cruche, me versa du café, il servit Annie aussi.

– Surtout effrayée, j'ai failli m'adresser à la réception et leur demander s'il n'y avait pas un médecin dans le lodge. J'ai hésité et je n'ai pas osé le faire. Comme il t'arrive d'être furieux pour rien, je me méfiais.

– Je n'aurais pas été content d'expliquer une grippe à un inconnu maussade.

– Pourquoi maussade?

– Parce que les médecins aiment aussi être en vacances.

– Ma copine à Miami avait...

– Non. Laisse tomber.

– D'accord, dit-elle.

Une rangée de poules d'eau défilait de l'autre côté de l'eau.

– C'est beau, dit Annie.

Un garçon revint pour remplir nos tasses une fois de plus, elle demanda du lait, puis me tendit la clef de ma valise en la balançant un peu, comme une breloque.

– Tu l'avais laissée ouverte.

Je pensai à l'attaché-case et aux quatre cent mille dollars de bijoux dans la pochette. Il aurait suffi qu'elle fût un peu curieuse... Un peu... J'eus honte de la suspecter, et en prenant la clef, je lui dis merci.

Une heure plus tard, nous étions embarqués, fini le repos, à nous la piste. Le chauffeur nous oubliait, il fonçait; même agrippés à la barre, nous sautions comme du pop-corn. Nous atteignîmes enfin une route goudronnée et, mêlés à une circulation normale, nous découvrions les gens, les vrais, les habitants. L'organisation de Plaisir-Safari assurait un service impeccable aux touristes qui restaient isolés de la population, confinés dans leur luxe pour étrangers.

En dehors des vendeurs locaux sur la plage de Diani Reef et des serveurs des lodges, il y avait peu d'occasions de rencontrer des Kenyans. En quelque sorte, les voyageurs étaient, eux aussi, groupés dans ces réserves qu'étaient les lodges et les minicars. On se contemplait d'un monde à l'autre, on se dévisageait; l'affaire se jouait entre les touristes et les animaux. Mais l'Afrique, la vraie, n'était pas au rendez-vous!

Tantôt vêtus à l'africaine, tantôt à l'européenne, les Kenyans circulaient dans des voitures délabrées, dans des bus surchargés, à pied aussi; des gosses nous saluaient et, courant auprès des cars, poussaient de grands cris. Nous nous retrouvions côte à côte avec le car des Israéliens, et parfois nous atteignions ou dépassions d'autres bus croisés ou vus devant les lodges. Partout des visages familiers et des caméras! Dans cette savane qui se terminait très loin, bordée par une chaîne de montagnes, apparaissaient maintenant des huttes aux toits ronds bombés comme des champignons, de vraies petites agglomérations.

– On est dans le pays Masaï, annonça le chauffeur.

Selon le petit livre distribué par Plaisir-Safari, les Masaïs étaient fiers, beaux, grands et vivaient dans une liberté physique totale en communauté de sexes et de biens divers.

Nous en avons aperçu quelques-uns, de ces Masaïs. Leurs capes rouges artistement drapées sur leurs corps élégants, leurs oreilles alourdies de boucles qui frôlaient presque leurs épaules étaient recherchées par les photomaniaques, eux-mêmes déguisés en explorateurs. Les voyageurs qui venaient ici pour la première fois s'imaginaient souvent – pas tous – se retrouver dans l'Afrique en noir et blanc de Tarzan; ils portaient des casques coloniaux ou des couvre-chefs de trappeurs, de grandes bottes, des chemises kaki, des vestes kaki, des pantalons kaki. Dans ce confort inouï créé à leur usage, ils arrivaient, échappés d'une cinémathèque.

Annie, épuisée par la nuit pénible, étouffait des bâillements; j'étais plutôt aimable parce que, d'une folle et exubérante exigence, je voulais tout : une amie, une sœur, une copine, une compagne de voyage, une maîtresse, une confidente, et pourquoi pas une infirmière aussi. A la fois salaud et victime des circonstances, je tombais dans le défaut génétique de tous les hommes : vouloir parler de leur femme à l'autre. En rupture avec la réalité, je n'admettais plus la mort d'Angie. J'aurais voulu raconter ma femme à Annie et la décrire, l'analyser, énumérer ses caprices, critiquer sa manière de diriger la Compagnie, je me freinais, je devais éviter à tout prix les contradictions éventuelles qui pourraient surgir si je parlais. Mon mensonge initial, la légende de l'oncle riche à berner pour qu'il ne nous exclue pas de sa fortune, ne tenait que par mon silence.

– Tu te sens mieux, n'est-ce pas? dit Annie.

Annie? Elle était une femme normale qui voulait un compagnon, moins embêtant que moi, en tout cas quelqu'un de plus humain.

– Merci, c'est grâce à toi.

Je marquai un temps d'arrêt et je repris, sur un ton doctoral :

– As-tu entendu parler des Masaïs?

– De quoi? dit-elle.

– Des Masaïs.

– C'est quoi, les Masaïs?

– Tu n'as pas lu la brochure?

– Non.

Je soupirai :

– Un peuple nomade, mais souvent de retour dans cette région. Regarde, à droite, le grand type au bord de la route, avec sa cape rouge... C'est un Masaï.

– Aha? Il est pittoresque le type, chouette!

Ma gorge se manifestait, je la raclai comme un tuberculeux de 1900.

– Nous devrions bientôt arriver à l'Amboseli Serena Lodge.

– Tu as une voix de corbeau, dit-elle, mais ça va passer, tu verras. Et là-bas on va se nettoyer, nous sommes couverts de poussière rouge! Tu vois ça... Quelle horreur, tu imagines ce qu'on avale?

Je bus l'eau au goulot, je retrouvai un peu de voix.

– A Las Vegas, la poussière vient du désert, à Los Angeles les yeux brûlent de pollution, le monde est sale...

Elle prit un air buté :

– Ça y est, ça recommence. Tu veux toujours avoir le dernier mot. Je te le dis : nous on a plus l'habitude de la pollution de Los Angeles que de celle d'ici. Là-bas, on a des virus qu'on connaît...

Elle était à la fois puérile et géniale, comme toutes les femmes qui énoncent des évidences. Nous arrivions maintenant à un portail dans la plaine. Sur un tableau s'alignaient les interdictions à respecter. En premier : photographier les Masaïs.

– Pourquoi? On n'a même pas d'appareil dit Annie.

Je croassai :

– Nous ne sommes pas les uniques visiteurs. Ce n'est pas parce que nous n'avons pas d'appareil que les autres...

– Bon, bon, dit-elle. Du calme!

Le chauffeur s'affairait autour d'un guichet, il présentait différents permis au gardien qui inscrivait lentement dans un grand livre la référence de chaque document. C'est dans ce pays que je voulais « perdre » une femme? Peut-être en s'égarant dans la banlieue de Nairobi ou de Mombasa, un Noir peut-il disparaître parmi les Noirs ou un Blanc, plus bête qu'un autre, parmi les Noirs, mais pris en charge par cette organisation, jamais. Comme sur un boulier, on était compté et recompté sans cesse.

Le chauffeur ne répondait même plus à nos questions. Malgré mes insistances, il n'indiquait pas la durée du parcours qui nous restait. Je le traitais silencieusement en moi-même de con, ça me soulageait.

– A quoi penses-tu? demanda Annie plus tard.

– Quelle importance?

– Ça m'intéresse, répliqua-t-elle.

– Navré de te décevoir, à rien.

Le conducteur s'était arrêté à des stands, une étape forcée, une vente organisée pour les touristes en quête de souvenirs. Des Masaïs proposaient, en venant jusqu'aux vitres quand on ne voulait pas descendre, des statuettes en bois sculpté. Je demandai au chauffeur de continuer. Il en avait marre de nous, c'était réciproque. Après être passés à côté d'une pompe à essence entourée de cars, nous arrivions enfin, couverts de poussière, les yeux irrités, vers l'entrée d'Amboseli Serena Lodge.

– Quelle route imbécile! s'exclama Annie. Quitter Diani Reef pour ça? Et ce n'est pas tout, regarde! On débarque dans un chantier.

Elle me montra une grue et les ouvriers qui la manipulaient. Le chauffeur jeta sur nous un regard goguenard :

– Il y a trop de touristes. Que voulez-vous, il n'y a pas assez de place pour caser tout le monde...

Les valises étaient ramassées par un bagagiste, il les posa sur un chariot déjà chargé de sacs de voyage. Le chauffeur nous fixa le rendez-vous pour quatre heures.

– Un petit safari, dit-il avec l'espoir que nous allions, épuisés, lui dire d'aller se faire foutre.

Je lui répondis avec une politesse exquise qu'on se retrouverait, comme d'habitude, devant l'entrée.

J'avais les bons délivrés par la charmante Zwinke de Diani

Reef, et j'essayai de me repérer dans le hall bourré de voyageurs, comme le métro à Paris à la sortie des bureaux. Des Japonais formaient une file d'attente devant la réception, où deux femmes et un homme délicieusement calmes leur distribuaient les clefs selon les noms que le chef de leur groupe annonçait.

Tout était beau ici : le hall luxueux, le restaurant, la terrasse aperçue de loin, et à travers les portes-fenêtres d'une propreté impeccable, apparut en arrière-plan la savane. Les piliers qui ponctuaient le hall impressionnant étaient recouverts de lianes en plastique. Il n'y manquait que les singes en peluche... J'étais pris par une hilarité glacée, je me sentais malade et me déclarai à moi-même que crever dans un endroit d'une somptuosité aussi rare serait un acte élégant, et même chic, digne du veuf d'Angie Ferguson. J'étais un self-made veuf. Un type qui assassine sa femme est-il un véritable veuf? Peut-on appeler « veuf » celui qui attend son tour pour s'asseoir sur la chaise électrique?

Le bas-ventre lourd, je partis à la recherche des toilettes; l'endroit était d'une propreté suisse. Je me retenais depuis si longtemps, le chauffeur n'avait pas voulu s'arrêter, sous prétexte qu'en allant pisser un jour près d'un buisson, il avait ouvert sa braguette devant les yeux ensommeillés d'un lion tapi dans le feuillage. Il nous avait interdit, nous pliant à la règle absolue qui régentait les trajets dans les réserves, d'uriner. Je me lavai longuement les mains et je les séchai devant la bouche d'air chaud, comme si je me rendais à quelqu'un. Je retrouvai Annie qui sortait du côté *ladies*, nous échangeâmes alors notre premier clin d'œil complice, et nous allions à la salle à manger, où un maître d'hôtel vêtu d'une veste rouge ornée de galons nous demanda notre nom et le numéro de la chambre. Comble de raffinement, une table bien placée près d'une fenêtre à la vitre étincelante était réservée à Mr. et Mrs. Landler. Ayant pris note des boissons que nous désirions, il nous invita à nous rendre à la salle des buffets, dressés sur des traîneaux et croulant sous leur abondance. Des tranches de veau rôti, des poulets en morceaux entassés en monticules, des salades en tout genre, chaudes et froides, des chaudrons de spaghettis tenus au chaud, du riz en colline décoré d'olives, des desserts, des mousses de framboise, de citron, des friandises de toute sorte, un luxe encore plus affolant qu'ailleurs. C'était beau, si beau que j'allais en crever!

De retour avec les assiettes chargées, à peine assis, ma gorge sembla se rétrécir. Je ne pouvais rien avaler. Je me dégageai le gosier avec un peu d'eau. Et si j'avais un cancer qui se déclarait de cette manière violente inouïe?

– Regarde! dit Annie.

Devant notre fenêtre passait un Masaï vêtu d'une cape rouge, le cou encerclé de plusieurs rangs de colliers, les lobes des oreilles allongés jusqu'aux épaules par le poids des boucles. Ses cheveux étaient ramassés en un chignon amidonné, il frappait lentement mais sûrement, avec une tapette géante, les fausses ou vraies lianes, il chassait les singes. Nous devions le revoir plus tard, ce Masaï, dans la salle des boissons où, pendant sa pause, il buvait un café en fumant une cigarette qu'il laissait parfois collée sur sa lèvre inférieure – comme un Parisien son mégot. Il avait un transistor et écoutait les nouvelles en anglais.

– Tu devrais peut-être te reposer avant la sortie de l'après-midi, dit Annie plutôt timidement.

Je pensais, haineux, aux zèbrcs, jc voyais le monde rayé. Annie était rayée, la salle à manger était rayée, tout était rayé noir et blanc, je touchai ma tête rayée.

– Il vaut mieux m'allonger, c'est vrai. Tu n'es pas fatiguée?

– Quand on voyage, on se fatigue, dit-elle.

Je me suis mordu la lèvre, elle me regardait, inquiète. A la réception, un employé stylé nous tendit notre clef accrochée à une lourde médaille de bois, on ne risquait pas de l'oublier au départ. Accompagnés par une femme aimable, parcourant un chemin bordé de maigres arbustes, nous arrivâmes à notre chambre, qui occupait la moitié d'un bungalow. A travers la baie vitrée, nous vîmes des éléphants qui se promenaient.

– Ils sont là! s'exclama Annie. Ils sont venus. Je les adore. Ah, commc tout cst bcau ici!

J'éprouvais une étonnante sensation d'absence.

– Je peux toucher ton front? demanda-t-elle. Il y a deux jours, quand j'ai essayé de voir si tu avais de la température, tu as fait une de ces grimaces...

Docile, je me penchai vers elle.

– Vas-y, docteur.

– Je crois que tu as de la température, dit-elle avec la pudeur des gens robustes, qui ne sont jamais malades jusqu'au moment où, foudroyés, on les transporte à l'hôpital où, muets d'étonnement, ils meurent.

« Ça ira mieux dans l'après-midi, Éric. La sortie va te distraire.

Elle la voulait, son excursion. Les minicars partaient toujours tous à quatre heures et le plus souvent dans la même direction. Un frisson me parcourut.

– Tu as la chair de poule! dit-elle. Je n'ai jamais vu la chair de poule sur un visage et un cou, c'est drôle. Tu me montres tes bras?

J'obéis, mes poils y étaient dressés aussi.

– Je suis peut-être aussi allergique à quelque chose, dis-je presque en m'excusant.

J'allais m'écrouler.

– Attends! dit-elle.

Elle ouvrit sa valise.

– Tiens, c'est un vrai antibiotique efficace.

J'avalai sans protester les comprimés qu'elle me tendait, j'entendis frapper. J'ouvris à un employé qui tenait une enveloppe.

– Mr. Landler?

– C'est moi.

– Un message. Ils auraient dû vous le donner à la réception, mais il y avait une telle foule... Veuillez nous excuser de cet oubli...

– Ça ne fait rien, dis-je. Merci.

Je refermai la porte et, assis sur le lit, je déchirai l'enveloppe : « Votre silence m'inquiète. Prière de me contacter d'urgence. Besoin indispensable de parler à Angie. Problèmes de la Compagnie à résoudre. »

Je fis une boule avec le télégramme.

– Ça se complique... Annie, Sanders veut que je l'appelle. Dès que nous l'aurons au bout du fil, tu l'écouteras et je te soufflerai les réponses.

– Ça va loin, ton affaire... dit-elle, soucieuse. Si on continue à tricher, c'est presque un abus de confiance, non? Et s'il me fait ensuite un procès? Hein? Quand il découvrira qu'on l'a trompé. Si ta femme ne nous justifie pas, nous serons bien embarrassés. La plaisanterie, si on peut l'appeler ainsi, va trop loin.

Je la rassurai et la persuadai de venir avec moi à la réception, où je me renseignai sur les possibilités d'appeler les États-Unis. L'employé prit un ton d'excuse :

– C'est difficile, monsieur. Il y a un téléphone manuel près de la piste d'atterrissage, à quatre kilomètres d'ici. De là-bas, on peut appeler Nairobi, qui vous reliera à l'endroit que vous désirez.

– Je voudrais Los Angeles.

– Los Angeles?

Il réfléchit et me dit que la centrale de Nairobi pourrait sans doute m'aider. Il fallait discuter avec eux.

– Ici on est coupés du monde, monsieur.

Il souriait, j'étais heureux de ne pas lire dans ses pensées. Je lui dis merci et, pour passer le temps, accompagné d'Annie, j'allai me servir des boissons chaudes dans une pièce spécialement équipée pour ce genre de self-service. Des réservoirs d'eau bouillante permettaient de se préparer du thé ou du café, il y avait de tout, même du sucre artificiel. Les tasses remplies à la main, nous sortîmes sur la terrasse; à travers les parois de verre, nous observions les éléphants qui fouettaient d'abord l'eau de leur trompe, ensuite l'aspiraient et s'aspergeaient. Les singes les contemplaient, se balançant d'un arbre à l'autre.

Une femme solidement bâtie, aux cheveux blancs, nous interpella :

– Hello... Bienvenue au Kenya! Vous êtes anglais?

– Américains.

– Ah! Américains! Il y a de plus en plus d'Américains ici.

Elle nous tendait la main :

– Je m'appelle Mrs. David, et vous?

– Éric Landler, ma femme, Angie Landler.

Elle secoua aussi énergiquement sa main :

– Vous êtes si sympathiques, tous les deux. En voyage de noces?

– Presque, dis-je.

Elle nous interrogeait avec insistance :

– Vous connaissez déjà ce magnifique pays, ou bien c'est votre premier voyage?

Et, sans attendre de réponse, elle continua :

– Je suis guide professionnel, je suis venue avec un groupe. Je leur apprends l'histoire du Kenya, la géographie vivante et les animaux.

– Vous êtes anglaise? demanda Annie. Votre anglais est si élégant.

La femme se tourna vers moi :

– Un amour, votre femme. Je suis anglaise d'origine, j'ai choisi la nationalité kenyane après l'Indépendance et j'en suis bien heureuse. J'adore ce pays.

Annie était contente qu'enfin quelqu'un s'intéressât à nous. Il était 3 h 20, dans quarante minutes nous allions pouvoir partir vers l'endroit où se trouvait le téléphone, j'essaierais d'entrer en contact avec Sean. Il fallait tenter de prolonger le sursis : « Sean chéri, prenez les décisions que vous voulez, qu'importe. Pour la première fois je suis libre, et la chance veut qu'Éric aime l'Afrique. »

La grande femme se pencha vers moi :

– Ça ne va pas, Mr. Landler?

Appuyé contre le dossier de mon fauteuil, je répondis, très digne :

– Mais si, tout va bien. Pourquoi?

– J'ai cru que vous aviez un malaise, vous êtes devenu tout pâle. Je suis très observatrice.

– Mais vous pouvez aussi vous tromper, n'est-ce pas?

Je tendis la main vers Annie et je dis :

– Ma chérie, tu viens?

Nous nous levâmes et nous éloignâmes, le dos estampillé du regard de l'Anglaise.

Chapitre 24

Nous nous sommes sauvés d'elle, dans un coin isolé.

– Ce genre de bavarde mondaine me tape sur le système.

– Tu ne supportes personne. Tu es bizarre, ajouta-t-elle. Bizarre, parce qu'inquiet. Ta femme et toi, vous avez inventé une affaire qui ne tient pas debout. C'est ça qui t'énerve.

– Pas la peine de t'en faire. Tu remplis un contrat, c'est tout. Le reste...

Elle repêcha le sachet de thé dans sa tasse et le posa sur le bord de la soucoupe.

– Tu racontes ce qui t'arrange. Les hommes bourrés de fric ne savent pas ce que c'est qu'être humilié... Il y a des années, j'ai quitté un emploi, un emploi d'hôtesse dans un Playboy-Club, tout simplement parce que je ne supportais pas de me montrer avec des oreilles en peluche. Ça me faisait suer, les oreilles en peluche. Et dès qu'on veut m'avoir, j'ai l'impression qu'on me colle des oreilles en peluche.

– Tu gagnes de l'argent, reconnais-le, et sans trop de difficulté. C'est bientôt fini.

Elle vida sa tasse et la posa sur la table.

– Et si tu n'avais pas réussi à me décrocher de mon boulot à Las Vegas? Si j'avais refusé...

– Tu n'as pas refusé. J'ai fait une tentative, j'ai réussi. Je t'ai abordée, tu m'as écouté. J'ai trouvé une fille qui voulait s'offrir un changement. Ce n'est pas un crime, ni d'un côté, ni de l'autre.

Le Masaï, embarrassé de sa cape rouge, passait près de nous et, avec ses bras chargés de bracelets, menaçait les singes. Annie revenait à la charge :

– Et pourquoi Sanders insiste? Si c'est lui qui possède la majorité des actions de la Compagnie, pourquoi court-il après ta femme? S'il était vraiment malade, pourquoi a-t-il encore une énergie pareille pour entrer en contact avec vous?

Elle était trop perspicace à mon goût.

– Angie détient une partie des actions de la Compagnie, elle devrait en posséder la totalité par héritage, si Sanders ne se braque pas entre-temps...

– Je le sais. C'est ce que tu racontes, mais quand comptez-vous mettre fin à cette comédie?

– Je te l'ai dit cent fois, je le répète : à notre retour. Tu es sourde? Aie un peu de patience. Sanders essaye de nous joindre pour des raisons mineures. Il s'ennuie, il veut savoir si nous nous entendons toujours bien. Malade, il veut se distraire. Il doit se sentir un peu abandonné.

– Tu me prends vraiment pour une conne, dit-elle doucement.

Un serveur ramassait les tasses vides.

– Conne? C'est beaucoup dire. Tu ne dois pas t'injurier, mais je le reconnais, cette opération compliquée peut te dépasser, tu es une brave fille qui n'a pas l'habitude de cela.

– Brave fille? Merde! s'exclama-t-elle. Tu sais ce qu'est une brave fille? Une gourde à qui on peut raconter n'importe quelle salade et qui la gobe, qui marche les yeux bandés pour tomber dans le premier piège. Ensuite les gens l'entourent et répètent en rigolant : « Elle est brave, donc bornée. Tant pis pour elle. »

– Ne crie pas. J'ai dit brave, comme j'aurais dit courageuse... ou fiable.

Elle me rétorqua :

– Fiable? Merci. Je ne suis pas une marque de pneus. Tu essayes de réparer ta gaffe. Et puis, tant pis! Je vais rentrer à Buffalo le plus rapidement possible et un jour, je reviendrai ici, libre. Si j'étais riche, je ferais venir mes parents, je les installerais ici en Afrique, dans une belle maison.

– De Buffalo au Kenya, le changement est un peu brutal, non?

– C'est mon affaire...

Je tentai de l'apaiser :

– Écoute, Annie, sois gentille...

– Et si tu n'étais même pas marié? s'écria-t-elle. Si tu avais inventé cette histoire d'Hawaii et la dispute, tout le baratin, pour une raison que j'ignore...?

– A Las Vegas tu te fichais de tout cela... Pourquoi tu t'affoles maintenant?

– A Las Vegas, tu semblais sympa, juste un peu dérangé dans la tête. Je voulais profiter d'un caprice de riches, mais plus le temps passe, plus je crois qu'il y a un truc, quelque chose qui pourrait m'être dangereux.

Je la calmai :

– Et pourquoi j'aurais imaginé une machination pareille?

– Pour m'amener dans ton lit et...

– Hé, sois réaliste! Tu es jolie, d'accord, tu es vertueuse, sans doute, mais ne me dis pas que, pour coucher avec toi, il faut venir en Afrique et se faire broyer les fesses sur les pistes pendant des heures...

– « Vertueuse », ça veut dire quoi? Tu oses te moquer de moi? Si tu es si malin que ça, tu n'as qu'à te débrouiller seul. Tu pourrais raconter à ce vieux maniaque de Sanders que ta femme t'a plaqué.

En partant, elle se cogna contre la table. Je me levai aussi et l'attrapai par le bras :

– Fais pas l'imbécile!

Elle se dégagea :

– Je me demande qui est l'imbécile dans cette affaire. Laisse-moi, je vais dans la chambre pour réfléchir.

Les yeux en larmes, les mains incertaines, elle cherchait dans son sac ses lunettes noires. Je la pris par la main :

– Annie, tu te fatigues pour rien...

Je me tournai vers la paroi vitrée de la terrasse, un troupeau de girafes se promenait dans la savane, les clients qui savouraient leur thé ou leur café les suivaient du regard. Annie se dégagea :

– Me touche pas. Et ne me vante plus l'Afrique, je la découvrirai un jour seule.

A quelques pas de nous, tassés dans des fauteuils, quatre Japonais somnolaient.

– Tu vas les réveiller.

– Veux-tu me lâcher? me dit-elle. Tu me lâches ou je crie! Je t'ai vendu un mois de ma vie, pas plus.

– C'est toujours ça de gagné, Annie. Tu vois l'Afrique à mes frais, et tu n'étais pas si mal que ça, dans mes bras.

Elle tapait sur moi :

– Tu es un salaud! Un salaud! Je te déteste.

Je la saisis par les poignets :

– Arrête, pense aux Japonais!

Je l'immobilisai. Elle me martelait d'injures :

– Tu es ignoble! Je n'aurais jamais dû prendre le risque de partir avec un inconnu. Mais j'en ai tellement rêvé, de l'Afrique. Je vais t'oublier, et je te jure que j'aurai mon Afrique, sans être embêtée par un casse-pieds comme toi!

Je la traînais presque, il fallait la sortir de la terrasse.

– Viens... Viens donc.

Soudain épuisée, elle me suivit. Nous traversâmes le hall

désert. A la réception, l'employé asiatique affichait un sourire mécanique. Dehors, près des minicars, les chauffeurs bavardaient; le nôtre n'était pas encore là. Pour arriver à notre chambre, il fallait passer à côté du chantier des futurs bungalows. Nous marchions d'un pas rapide.

– Annie, écoute. Je désire t'offrir un séjour à New York, une suite à l'hôtel Pierre, des vêtements...

Elle me rétorqua :

– Fiche-moi la paix avec tes promesses! Plus tu m'offres de cadeaux, plus tu me paniques.

– Annie, ma chérie...

– Je ne suis pas « ta chérie »!

– Tu iras faire des courses chez Saks... Il y a de belles choses.

Elle ralentit :

– Chez Saks? Tu parles, qu'il y a de belles choses!

– Tu pourrais t'équiper, t'acheter tout ce que tu veux, des cadeaux pour tes parents, tu rentreras avec des bagages remplis à Buffalo.

– Tout ce que je veux?

– Oui.

– Même dans le rayon de la haute couture?

– Mais oui.

– Et au rayon des bijoux?

Elle me dévisageait :

– Tu ne cesses de me tenter! D'abord l'Afrique, après New York. J'y ai vécu, mais sans fric. Je partageais une chambre avec une copine, dans le bas de la Huitième Avenue, c'est tout dire... J'avais espéré me faire engager à Radio City Music-Hall, il me manquait trois centimètres...

Deux couples venaient, nous nous écartions pour leur laisser le passage, ils nous envoyèrent un petit sourire en guise de remerciement. Il fallait qu'Annie s'accommode une fois de plus d'une conversation avec Sanders.

– Si tu es gentille, je t'offre aussi une somme d'argent supplémentaire.

Elle répliqua sèchement :

– Tu le fais parce que tu as peur et que tu veux me soudoyer.

– Annie, quinze mille dollars de plus que prévu ne peuvent pas t'embêter, non?

Elle s'arrêta :

– Soixante-cinq mille dollars pour ce voyage, plus les cadeaux?

– Pas pour t'acheter, pour me racheter. Je me suis mal comporté.

Elle me scrutait du regard :

– Ce que tu m'offres est trop ou trop peu. Ça dépend...

– De quoi ?

– Des circonstances, de la vérité. Je me méfie. Il est rare que le fric soit accompagné de plaisir...

– Rien ne t'arrivera. Rien de mal...

De notre chambre, nous apercevions une caravane de singes, deux retardataires regardaient, en se grattant la tête mélancoliquement, vers notre porte-fenêtre.

Elle se moucha.

– Pourtant, dehors, tout cela est merveilleux. Les singes. Si on pouvait en profiter...

– Il n'y a pas de fric sans boulot, Annie, sois juste. Tu ne souffres pas trop. Un petit effort de plus et, ensuite, finis les soucis. Allons appeler Sanders. Sois coopérative, s'il te plaît...

– D'accord, dit-elle, mais ce n'est pas pour le supplément, c'est pour te dépanner.

A quatre heures, devant l'entrée principale, nous retrouvions le car. J'ai dit à Léo que je devais téléphoner, il nous a conduits sur la route goudronnée et, quatre kilomètres plus loin, nous pénétrions dans une cour entourée de barbelés. Il arrêta le véhicule devant le bâtiment principal. Il descendit, nous précéda et nous conduisit du rez-de-chaussée dans un bureau étroit et mal aéré, où se trouvait le téléphone à manivelle. Un homme, assis devant la table et l'écouteur à la main, était en vive conversation avec quelqu'un. Il parlait fort et évitait de nous regarder pour ne pas se sentir pressé. Quand il raccrocha, Léo lui débita un discours en swahili, puis se tourna vers moi :

– Allez-y, Mr. Landler, expliquez-lui...

Nous échangeâmes avec l'opérateur les « *Jambo* » habituels et je lui annonçai que je devais appeler Los Angeles. Il me regarda avec compassion :

– Los Angeles ? La communication doit passer par le central de Nairobi. Même si nous obtenons une ligne, elle peut être coupée à n'importe quel moment et l'attente – des heures – reprend à zéro. Pour obtenir l'Amérique, il faut presque une journée. Si c'est urgent, retournez à Nairobi, monsieur. Tous les matins un avion de ligne à six places part d'ici. Voulez-vous que je me renseigne pour celui de demain ?

Je sautai sur l'occasion, je devais appeler Sanders et rencontrer un médecin. Je me sentais de plus en plus mal. Dans le bureau voisin, chaud et moite à la fois, en chassant les mouches paresseuses, nous apprîmes que l'avion de ligne était complet, mais que nous pouvions louer un avion-taxi. Léo était visiblement heureux à l'idée de se séparer de nous. Il appela lui-même

Plaisir-Safari pour qu'on essaye de nous trouver une chambre à Nairobi, envahie de touristes. Nous attendions, bientôt le bureau de Plaisir-Safari de Nairobi nous confirma que nous avions une chambre au New Stanley Hotel.

Les affaires étant réglées, soulagé, je devais amadouer Annie, donc l'accompagner pour le safari.

Avec Léo-le-muet au volant, nous roulions sur une piste aussi encombrée qu'une route goudronnée. Nous croisions des bus, les chauffeurs s'arrêtaient et échangeaient en swahili, par les vitres baissées, des informations. Au bout d'un troisième palabre, Léo annonça :

– Ils ont vu un lion, on va y aller.

La piste s'étendait à l'infini, la lumière s'évadait; à quelques centaines de mètres, un troupeau de zèbres asphyxiés par les gaz des pots d'échappement broutait l'herbe maigre. Ils ne levèrent même pas la tête à notre passage.

– Et si on faisait la paix? proposa Annie.

Je ne demandais pas mieux.

Au bout d'une demi-heure, nous apercevions des minicars stationnés en corolle.

– Que font-ils là-bas?

Le chauffeur dit :

– Vous verrez, à condition que je trouve une place pour m'arrêter.

Il réussit à garer notre bus dans un espace resté libre dans le demi-cercle formé par les véhicules. Sur une clairière chauve, la tête posée sur ses pattes, un lion recevait les visiteurs. Il contemplait la foule avec le regard désabusé d'une vedette livrée aux journalistes. Il n'était ni beau, ni grand, c'était un lion moyen, comme il y a des Français, des Américains moyens, un lion lymphatique, ayant réussi une belle carrière; depuis son enfance, il se faisait admirer par la meute des touristes. Les comptait-il, pour tromper son ennui? Par les toits ouvrants, les têtes surgissaient, nous nous trouvions dans un champ de têtes et d'appareils photo. Les Israéliens étaient là, tous debout et accoudés au bord du toit de leur car. Les calottes sur la tête, les appareils photo en main, ils mitraillaient l'animal qui bâillait. J'aperçus la caméra vidéo familière du Japonais qui, avec son téléobjectif, profitant d'un bâillement puissant, explorait les amygdales du lion. Un zoom jusqu'à la glotte! Quelle vedette pourrait se vanter d'avoir remporté plus de succès que lui? Il s'étirait, le grand chat, il se leva, il déroulait, vertèbre par vertèbre, sa colonne, puis il s'immobilisa et s'assit, il était encerclé par les minibus, il ne pouvait partir. Je pensai à Angie. Et si le Kenya se transformait peu à peu en un gigantesque jardin zoologique pour promeneurs argentés? Face au lion qui nous observait, je découvrais l'Afrique sacrifiée aux images. Enfin le lion s'échappa de la scène, le spectacle était terminé, les cars s'ébranlèrent.

Le soir au dîner, pour éviter le moindre heurt, je me taisais.

– Tu m'oublies, dit-elle. Même pas un mot.

Je haussai les épaules :

– Je pensais au lion.

– Il était triste, admit-elle. Aussi triste que toi.

– J'ai de la fièvre, je n'ai pas envie de bavarder et ce matin, je t'ai dit tout ce que j'avais à dire.

– Je suis navrée, Éric, si l'aventure tourne mal. Le problème de ta gorge n'arrange pas les choses.

Je me levai :

– Tu as raison. Je vais aller me coucher.

– Veux-tu que je t'apporte un thé dans la chambre?

– J'ai la tête de quelqu'un qui refuse un thé?

Je la quittai.

Une heure plus tard, réchauffé par le thé et assommé par les antibiotiques et un somnifère, je m'endormis.

Les bruits qui parvenaient de l'extérieur animaient mes cauchemars. Je poursuivais une femme qui portait un masque. Chaque fois qu'elle se retournait, ses yeux changeaient de couleur. Noir, vert, bleu acide, mauve.

Réveillé en sueur, le lendemain matin je m'adressai à Annie d'une voix cotonneuse, je bus juste une demi-tasse de café et me traînai vers le car qui nous emmena au départ des avions-taxis. J'attendais dans le bus. Au milieu d'une grande effervescence, Léo déchargea nos valises. Les employés des lodges, avant l'arrivée de leurs clients, nettoyaient les jeeps et les minicars, ils brossaient les sièges, ils lavaient les pare-chocs. Des seaux, des torchons, des brosses, des éponges partout, je me trouvais au milieu d'une entreprise de nettoyage débordante de vitalité.

Un point gris grandissait dans l'air, l'avion de ligne habituel avait déversé ses voyageurs. Puis, en reprenant d'autres, il repartait. A la fin d'une attente pénible, notre avion-taxi arriva, et l'un des pilotes, après avoir rempli les formalités dans le bâtiment principal, vint vers nous :

– Bonjour, Mr. et Mrs. Landler, vous pouvez embarquer.

Léo, accompagné d'un autre Kenyan, portait nos valises. Nous prîmes place derrière les pilotes. A peine avions-nous pris les bonbons qu'ils nous offraient que nous décollions. Par le hublot, je regardai la savane à perte de vue. Ici et là, des pistes gravées sur le sol, des groupements de cases qui ressemblaient à des champignons. Deux bergers masaïs tentaient de canaliser un troupeau de chèvres désireuses de se disperser. Au bout d'une petite heure de vol, nous arrivâmes à la banlieue de Nairobi, dans la zone douanière de la capitale kenyane. Dès l'atterrissage et l'immobilisation de l'appareil sur la piste, les porteurs accoururent et prirent nos bagages, nous passâmes à la douane. Un minicar nous attendait pour nous conduire, à travers la bruyante banlieue kenyane, vers le centre et ses rues encombrées de voitures, ses trottoirs chargés de boutiques.

Devant l'entrée du New Stanley Hotel, j'aperçus un stand de journaux, à l'intérieur le hall était noir de monde, quelques clients fraîchement arrivés attendaient devant la réception. Le chauffeur de Plaisir-Safari se faufila derrière eux et réussit à nous confier à un employé qui nous conduisit aussitôt vers l'ascenseur. Arrivés enfin dans une grande chambre aux murs fatigués, assis sur le lit, j'ôtai mes chaussures, puis, rapidement déshabillé, je glissai sous la couverture.

– La clef de ta valise, s'il te plaît, dit Annie.

Je marmonnai :

– T'en occupe pas, je me sens trop mal.

– Il te faut une veste de pyjama.

– Pas la peine. Ma valise est en désordre.

– Bon, dit-elle, je te donne alors l'une des miennes.

Elle ouvrit sa valise et me tendit une veste fleurie.

– Essaye de trouver un médecin.

Annie appela la réception, le standard la brancha aussitôt sur le numéro du cabinet médical attaché à l'hôtel. J'entendais Annie de loin...

– C'est urgent, mon mari est sérieusement malade. Il doit avoir de la température. Les intestins? Non, je ne crois pas. Il a un problème de gorge, de respiration.

Après avoir raccroché, elle m'annonça :

– Le médecin va arriver dans trois quarts d'heure.

Je devais appeler Los Angeles. Je réfléchissais désespérément à ce que je pourrais dire à Sean.

– Annie, il faut appeler...

– Je le sais, dit-elle. Donne le numéro.

– Tu as de quoi écrire?

Elle prit un papier et nota les chiffres.

– Qu'est-ce que je fais, si on me le passe directement?

Je voulais calculer le décalage horaire, je m'embrouillai.

– Je répondrai à ta place et je dirai que tu es pratiquement aphone.

Nous obtenions le numéro de Los Angeles trois minutes après la demande. Mr. Sanders était sorti, me dit la secrétaire. Je laissai la consigne qu'il fallait nous appeler au New Stanley Hotel à Nairobi. J'avais gagné un peu de temps.

Chapitre 25

Je somnolais, parfois, à cause d'un bruit, j'ouvrais les yeux. Les murs étaient patinés de poussière grasse. Je brûlais de fièvre.

La sonnerie du téléphone me fit sursauter.

– Annie, tu es là?

– Oui, dit-elle de la salle de bains.

– Si c'est Los Angeles, attention...

Elle décrocha, puis :

– Oui, qu'il monte, dit-elle. Nous l'attendons. Merci.

Elle raccrocha.

– Le médecin est en bas.

Quelques minutes plus tard, on frappait à la porte. Annie alla ouvrir et je l'entendais expliquer : « Bonjour, docteur, oui, docteur, mon mari est tombé malade, oui, nous sommes en Afrique depuis... »

J'intervins :

– Onze jours.

Oui, seulement onze jours. Je tendis la main au médecin, un homme de taille moyenne, au teint légèrement coloré, sans doute indien. Il ouvrit sa trousse et prit le stéthoscope, écouta mon cœur et, d'une pochette en plastique, sortit une spatule. Je dis : « A, A, A » en tirant la langue, il regardait ma gorge. Il avait des gestes raffinés qui traduisaient des milliers d'années de distinction, de résignation, d'élégance.

– Votre nom, monsieur?

– Landler.

– Votre âge?

– Trente-six ans.

– Depuis onze jours en Afrique?

– Oui.

– Sur la côte aussi?
– Oui.
– Combien de temps?
– Quarante-huit heures.
– C'est suffisant pour attraper la malaria. Il suffit d'une seule piqûre de moustique.
– J'ai suivi un traitement préventif.
– Il préserve à quatre-vingt-dix pour cent. Il reste dix pour cent de risques.

Il me palpait. Selon ses ordres, je respirais profondément ou je retenais ma respiration.

« C'est un gentil garçon, dit ma mère. Il a un seul défaut, docteur, il attrape la crève dès que je veux partir en voyage. Est-ce un problème psychosomatique? – Il a peut-être peur, madame, que vous partiez sans lui, il sc défend de cette manière-là! » Ils parlaient au-dessus de ma tête, je tremblais de peur, de fatigue, de fièvre. Quand ma mère partait, je craignais qu'elle disparaisse de ma vie, c'est ce qu'elle avait fait.

– Nous n'avons pas de thermomètre, docteur, raconta Annie. Nous n'avons pas prévu la maladie, c'est idiot...

Elle était à son aise dans le rôle d'épouse soucieuse. Elle parlait en habituée de Mombasa et de Diani Reef. Son comportement était équilibré, rassurant, je me sentais presque mieux. Le docteur prit ma température :

– Trente-neuf. Il faut faire une prise de sang pour la malaria. Si vous l'aviez, il faudrait vous faire rapatrier d'urgence aux États-Unis. Je commencerais le traitement déjà ici.

Quelqu'un hurlait de rire. Je devenais une grotte, et dans cette grotte, un homme riait. Moi. Et si je mourais, moi? Ce serait une superbe blague, un fabuleux pied de nez du destin.

– Vous devez vous rendre le plus rapidement possible à l'hôpital, Mr. Landler.

Annie intervint :

– L'hôpital? Ici? On ne pourrait pas l'éviter? L'Afrique fait peur.

Le médecin hocha la tête :

– On vous prend du sang avec une seringue neuve, puis on la jette, vous n'avez donc rien à craindre. Nous avons à Nairobi le meilleur hôpital de l'Afrique orientale. Une question : si votre mari n'a pas contracté la malaria, ce que j'espère, voulez-vous continuer votre voyage ou rentrer chez vous?

Je l'interrompis :

– Nous devons rester quelques jours de plus, une semaine.
– Quel genre d'obligation vous retient au Kenya? demanda le médecin.

– Ma femme désire créer une fondation et donner des millions de dollars aux Kenyans, pour les aider à préserver les parcs nationaux. Nous sommes ici en mission. C'est le voyage qui décide des termes de la donation et de ses bases de reconnaissance et d'orientation. Ma femme, qui connaît bien l'Afrique – et surtout le Kenya –, doit s'accorder un temps de réflexion avant de signer le document.

Le docteur se tourna vers Annie :

– Vous n'avez jamais eu de maladie spécifiquement tropicale, madame?

L'histoire de la fondation et de l'argent ne le troublait pas, l'avait-il même entendue, l'avait-il prise au sérieux? Avions-nous l'aspect de mécènes qui veulent arroser la savane de dollars, ou d'escrocs mythomanes?

– Non, dit Annie, je n'ai eu aucun problème de santé de ce genre.

Perplexe, le médecin réfléchissait :

– Si Mr. Landler n'a pas contracté la malaria, après quelques jours de traitement aux antibiotiques, si c'est absolument nécessaire, vous pourrez continuer.

Il se tourna vers moi :

– Vous êtes épuisé, Mr. Landler. N'essayez pas de forcer le rythme. En attendant le résultat de la prise de sang, prenez déjà ces comprimés pour faire baisser votre température.

Il donna à Annie une petite pochette.

– Il y en a quatre, vous lui en donnez deux maintenant. En attendant, je vais appeler l'hôpital et les prévenir. En dehors de la prise de sang, il me faut aussi une radio des poumons.

– Est-ce vraiment indispensable?

– Tout à fait.

Il appela l'hôpital, donna ses ordres en annonçant notre arrivée, puis il partit. Nous restions silencieux. J'avalai les comprimés qu'Annie m'avait tendus. Mon corps semblait être en coton.

– Je vais t'aider, dit-elle. Ne t'en fais pas.

Le téléphone sonna.

– C'est peut-être Los Angeles. Attention, Annie, je t'en prie, attention.

Annie décrocha le récepteur, ses traits se tendaient. Elle couvrait le combiné, elle parlait doucement, sa voix était légèrement déformée :

– Sean, mais oui... Tout va bien. Et vous? Je suis toujours heureuse de vous entendre. Qu'est-ce qui peut être si urgent? Pourquoi ne prenez-vous pas les dispositions que vous jugez nécessaires? Pourquoi vous inquiéter à ce point?

Plus que crédible, elle se révélait d'un naturel remarquable, je l'admirais.

– Oui, Sean, j'écoute. Le terrain à Tokyo? Mais nous étions d'accord, non? Oui, je sais que ce terrain est... Comment?... L'idée fixe d'Éric? Alors qu'il en décide. Pas dans mes habitudes? Attendez, je vous le passe.

Avec des signes désespérés, j'essayai de l'arrêter. Elle me tendit enfin le combiné. La voix de Sean semblait proche :

– Salut, Éric! Quel succès! C'est l'amour ou l'Afrique qui transforme Angie?

– Elle est heureuse, Sean, et nous sommes absorbés pour le moment par les problèmes de la fondation.

– J'espère qu'elle ne vous a pas contaminé avec ses idées folles?

Sean était de mauvaise humeur.

– Contaminé, c'est beaucoup dire, mais j'avoue qu'ici, sur place, je la comprends beaucoup mieux qu'avant.

– Gardez la tête bien sur les épaules, Éric! D'ailleurs, pourquoi êtes-vous déjà de retour à Nairobi? Est-ce un bon ou un mauvais signe?

– Nous avons dû changer l'itinéraire. Je vous l'expliquerai plus tard. Nous repartons chez elle dans quelques jours.

– Ah! oui, dit-il amer, sa folie douce, sa maison et son village... Je viens de recevoir une copie du devis de l'architecte, le montant est astronomique. Il faudrait la faire renoncer à ses histoires de crèches, d'écoles. Heureusement qu'elle ne veut pas bâtir une cathédrale, en plus.

J'esquivai :

– Vous savez comme elle est têtue. Ce n'est pas le moment d'en discuter.

– Si, elle ne doit pas signer l'accord.

– Parce que vous croyez qu'elle se laisse influencer?

– Essayez. Elle est sensible aux raisonnements. Et pourquoi avez-vous abandonné son hôtel habituel, elle adore le Norfolk.

– Le Norfolk était complet. Nous avons chamboulé l'itinéraire, ça n'a pas d'importance.

– Mais vous allez au Mount Kenya Safari-Club?

– Évidemment.

– Et quand revenez-vous?

– Dans une quinzaine de jours, ou plus. Angie veut passer aussi quelque temps à New York.

Sean s'efforça d'être plus aimable :

– Et pour le terrain japonais, qu'est-ce qu'on fait? On le laisse tomber, non?

– Pas forcément. Faites-les poireauter un peu, ils veulent nous avaler tout crus, je veux qu'on les grignote nous aussi...

– Ils vont augmenter le prix.

– On verra.

Je retrouvais ma verve, enfin je pouvais parler de travail, la Compagnie avait besoin de moi. J'en avais profondément assez des pistes, des girafes, des zèbres, je voulais Los Angeles. J'avais la certitude d'avoir trouvé la solution, Angie allait officiellement « disparaître » à New York, et après un délai décent de veuvage, je me remettrais au travail. Je débordais d'amabilité pour Sean, pour le garder dans de bonnes dispositions, et je l'assurais de mon côté de ma fidèle amitié.

J'ai raccroché avec un gros soupir. Annie m'apporta un verre d'eau :

– Formidable, dit-elle, même moi, j'y croyais.

– C'est un compliment?

– Sans doute, dit-elle. Mais dis, si ta femme changeait d'avis et si elle revenait à Los Angeles pour annoncer à Sean : « Me voilà. Je t'apprends une grande nouvelle : Éric se promène en Afrique avec sa maîtresse, je divorce »?

– Pas de danger de ce côté-là. Dépêchons-nous, il faut aller à l'hôpital.

Je m'habillai et nous quittâmes l'hôtel. Le hall du New Stanley était le lieu de rendez-vous d'une certaine catégorie d'hommes d'affaires et de groupes. Les premiers circulaient avec des porte-documents et les autres, avec des caméras.

Annie essayait de me parler de la fondation d'Angie.

– Tu n'as pas raconté trop de bobards au médecin? Tu balances des chiffres, des fortunes à donner... Ta femme, si elle attache une importance pareille à ce voyage, et à l'Afrique, pourquoi t'envoie-t-elle avec une figurante?

Je voulais m'échapper, éviter des explications, j'étais trop malade et Annie écoutait trop bien.

– Je fais ce que je peux pour sauver la face, ai-je dit. La seule vérité incontestable, c'est que je crève... Si tu me laissais tranquille...

Devant l'hôtel, au trottoir encombré de passants, des gosses voraces et curieux nous bousculaient, les gens s'agglutinaient devant le marchand de journaux qui avait des publications du monde entier; le portier appela un taxi. Nous traversâmes la ville et le chauffeur nous déposa juste devant le pavillon où se trouvaient les laboratoires réservés aux analyses de sang et aux radios. Le chauffeur accepta de nous attendre, j'étais blanc comme un navet, visiblement malade. Déjà prévenue de notre arrivée par le médecin, une infirmière vint à notre rencontre et nous conduisit dans un laboratoire. Un médecin kenyan en blouse blanche nous reçut, il était pressé. Annie remarqua prudemment :

– Nous avons tellement peur des problèmes de sang, en Afrique...

– Et à San Francisco, vous n'avez pas peur? Ou à Sacramento ou à New York? répliqua le médecin.

Il montra, dans deux pochettes en plastique hermétiquement closes, les deux parties d'une seringue :

– Regardez, c'est neuf, n'est-ce pas?

Il était énervé :

– Vous l'avez vu, monsieur? Alors, votre bras, s'il vous plaît, il faut remonter un peu plus la manche de votre chemise.

Il s'éloigna, se lava les mains et les passa sous un produit désinfectant, puis revint et palpa mon bras :

– Cette veine, peut-être, mais elle n'est pas fameuse.

Il noua le garrot et passa un coton imbibé d'alcool sur la veine choisie, puis il ouvrit les pochettes en plastique, il ajusta la seringue et la remplit de sang, le répartit dans une série de fioles, puis se leva et, en accentuant le geste, laissa tomber la seringue dans une corbeille.

– Voilà ce qu'on fait avec les seringues utilisées, madame. C'est clair?

Soudain souriant, il nous souhaita bonne chance et nous dirigea vers une salle d'attente, vide à cette heure-ci. Quelques minutes plus tard, une doctoresse vint me chercher et m'amena dans une salle d'examen où elle prit plusieurs clichés de mes poumons. Après l'attente habituelle, au retour elle annonça que nous pouvions partir et qu'elle communiquerait les résultats au médecin.

Je réfléchissais, dans le taxi, en voyant cette ville ordonnée et propre, du moins les quartiers que nous traversions. Ma situation semblait sans issue, sauf si je considérais la maigre trouvaille qui consistait à perdre Angie à New York. Je me demandais dans quel hôpital de Los Angeles je serais soigné en cas de malaria, peut-être déjà suspect numéro un et la porte de ma chambre gardée.

Nous arrivâmes après un trajet en zigzag devant le New Stanley où une dizaine de personnes attendaient des taxis. Dans le hall, l'un des employés de la réception se précipita vers nous :

– Ça va un peu mieux, Mr. Landler? Oui?

– Je l'espère.

– Une de nos suites vient d'être libérée, continua-t-il : une grande chambre, un salon, un dressing-room, mais côté rue, beaucoup plus bruyant que l'endroit où vous êtes.

– Tu veux avoir plus de place? demanda Annie.

– Non, j'aimerais juste me coucher.

Dans l'ascenseur, je m'appuyai contre la paroi.

– Tu glisses, dit Annie, tiens mon bras.

Au deuxième étage, deux hommes entrèrent dans la cabine, ils étaient grands, parlaient fort, avaient de belles chemises toutes blanches et de belles cravates. Ils étaient camerounais et ils se rendaient à une réunion d'affaires au sixième étage. Je fixais de plus en plus le dessin de la cravate de celui qui se tenait près de moi.

– Je crains que votre mari ait un malaise.

– Juste un peu de fièvre, expliqua Annie.

Les gentils Camerounais m'aidaient à rejoindre la chambre, je n'étais plus un interlocuteur, mais un type d'un mètre soixante-dix-huit sur deux tiges de coton, mes jambes.

– Mon mari est un peu fatigué, répéta Annie.

Je croassai :

– Pas fatigué. Malade, ma-la-de!

Arrivés à notre chambre, les Camerounais semblaient plus grands et plus élégants encore. En m'aidant jusqu'à mon lit, ils ont expliqué que l'Afrique ceci et cela... Et soudain, le silence. Je me sentais peu à peu dépouillé de mes vêtements, Annie me déshabillait, je n'étais plus qu'un ridicule bonhomme aux lacets de chaussures trop bien noués, je poussai aussi avec mes jambes pour l'aider à me débarrasser de mon pantalon. Et enfin, le drap, l'oreiller. La crève presque douce. Je me sentais léger et à l'abri.

Le médecin revint dans la soirée et annonça la bonne nouvelle :

– Pas de trace de malaria. Juste une très forte infection des bronches, un début de pneumonie. Vous êtes assez solide, monsieur, pour que je puisse vous donner de fortes doses d'antibiotiques. Il faut rester tranquille pendant quelques jours et si vous y tenez vraiment, vous continuerez le voyage, mais plus de piste, plus de poussière, prenez des avions-taxis.

Je n'étais pas loquace, Annie parla :

– Vous nous sauvez, docteur.

Il nous prépara une multitude de comprimés dans des petites pochettes en papier. Avant de prendre congé, il parla un peu de l'Afrique, il ne mentionna pas la fondation et n'essaya pas de nous dissuader de poursuivre notre voyage.

– N'hésitez pas à m'appeler, je reviendrais la nuit aussi, si votre mari avait besoin de...

Sa voix s'éloignait, Annie l'accompagnait.

Je me revois assez souvent dans la chambre du New Stanley Hotel, contemplant le ballet des garçons d'étage, silencieux et serviables. Tous navrés de voir le brave Blanc malade. J'étais hors d'atteinte, et ma conscience en veilleuse. Ma conscience? Fiévreux, fatigué, pendant les absences d'Annie, quand elle faisait ses courses, j'établissais le bilan de mon échec. Je n'ai jamais été l'homme des idéaux nobles, je travaillais pour ma réussite, je voulais mon argent, ma carrière, mon pouvoir. Je n'étais même pas un mécréant répondant au sifflet de Dieu, qui aurait pu me rappeler à l'ordre, l'au-delà ne représentait guère plus qu'un grand et irrémédiable silence. Un silence noir. Et le résultat final? Rien. Je n'aurais pas dû retarder le voyage avec Angie, je l'aurais mieux connue et me serais confessé. M'aurait-elle rejeté? Toute la question est là...

Lors des absences d'Annie j'étudiais le dossier de la maison d'Angie, les premiers devis, la description des bâtiments à créer, ou bien je regardais l'unique chaîne de la télévision kenyane, où l'on projetait des documentaires sur le président, qui inaugurait des écoles, remettait des diplômes, posait des premières pierres.

Le médecin revint plusieurs fois, il se déclara satisfait. Le matin du quatrième jour, je me levai, je pris un bain et je m'assis dans un fauteuil pour lire un journal anglais qu'Annie m'avait apporté. Puis, téméraire, j'appelai le bureau principal de Plaisir-Safari. Les employés étaient des gens précis et serviables, un avion-taxi était à n'importe quel moment à notre disposition. Dès que possible, nous allions continuer le voyage vers Mara Serena Lodge où une chambre avait été réservée, libérée par miracle par un absent d'un groupe. Et, de là-bas, nous irions au domaine d'Angie. L'infection semblait jugulée. J'avalais des remèdes de cheval et ne cessais d'élaborer des plans de séparation d'avec Annie.

J'examinais les hypothèses.

Je prendrais une suite à l'hôtel Pierre, j'accompagnerais Annie chez Saks, et pour marquer mon passage, je paierais avec ma carte American Express. Je lui donnerais les quinze mille dollars supplémentaires en espèces, que je prendrais dans une filiale de ma banque. Je l'enverrais à La Guardia, elle paierait son billet en espèces. Elle s'installerait chez ses parents pendant quelques semaines. Elle ne chercherait en aucun cas à prendre contact avec moi. Je lui interdirais le moindre signe d'effusion, et surtout aucun appel téléphonique. Je songerais à son avenir, elle pourrait plus tard chercher un emploi dans un des casinos d'Atlantic City, elle avait l'habitude de ce genre d'endroit.

Le jour de notre séparation, j'attendrais jusqu'à minuit et je n'avertirais la police que vers deux heures du matin de l'absence inhabituelle de ma femme. Je laisserais supposer un enlèvement. Quelques jours plus tard, je m'étonnerais, désespéré, de n'avoir pas reçu de demande de rançon. Le FBI serait déjà intervenu et les recherches engagées. Quelques semaines ou mois plus tard, écrasé par mon chagrin légitime, je serais le veuf à consoler. Sean m'aiderait et je soutiendrais la volonté d'Angie, sa donation pour l'Afrique.

Pendant ces jours étranges, à la fois insupportables et apaisants, Annie me parlait de ses parents.

– Je peux les appeler? demandait-elle.

– Si tu trouves que c'est indispensable, oui, mais pas de l'hôtel.

– Tu penses à tout, remarqua Annie.

Elle s'était contentée de leur envoyer des cartes postales.

– C'est surtout pour eux que je voulais me marier, avoir des gosses. Ma mère aimerait des petits-enfants, mais que veux-tu, j'ai toujours raté mes relations avec les hommes...

Elle me regardait avec convoitise :

– Après la mort de l'oncle tu divorceras, n'est-ce pas?

Elle aurait aimé hypothéquer ma vie. Plus vite je me séparerais d'elle, mieux ce serait.

Chapitre 26

A partir de ce moment, la vie en kaléidoscope. Des images, des images, tant d'impressions douces et sauvages, tant de chocs moraux et visuels qu'il ne reste que des images vaporeuses, la poussière dorée emballe, embaume, enjolive. Image. Le médecin m'a autorisé, à regret, à partir. Notre vol pour la réserve de Masaï Mara fut paisible et l'atterrissage doux. Une jeep, conduite par un Kenyan souriant, nous transporta au lodge, dont les bâtiments à la couleur de la savane étaient flous comme un mirage. Après avoir reçu la clef à la réception, nous sommes descendus vers notre chambre, sur un chemin à la raideur atténuée par de larges marches, bordé de cactus et de plantes grasses; une mangouste confortablement assise entre les feuilles épaisses nous observait. Les bungalows ressemblaient à des bunkers, dont les fenêtres étroites s'ouvraient sur le spectacle de la nature. Une bande de dik-diks traversait la plaine en rangs dispersés, et, de très loin, un groupe de girafes s'avançait.

Aussitôt arrivés, nous devions repartir pour un safari; au départ des minicars, nous avions fait la connaissance de notre nouveau chauffeur, Mahmoud. C'est alors que nous étions déjà engagés sur une piste cahoteuse qu'il nous expliqua qu'à Masaï Mara, il avait le droit de quitter la piste et de rouler dans la savane même. J'ai trouvé Mahmoud sympathique, et patient quand il nous enseignait l'abc de la connaissance du Kenya.

Image : en passant près d'un marécage, quelques zèbres dérangés par le bruit du moteur cessaient de brouter et nous contemplaient. Les cigognes se promenaient de-ci de-là et plongeaient leur bec, à la recherche de grenouilles, dans les flaques d'eau jaunâtre. L'arrivée précipitée d'un troupeau de gnous les avait agacées, alors elles s'envolaient à coups d'ailes robustes et paresseux. Nous avons vu des hyènes rayées, je dis à Annie que ces hyènes avaient dû se frotter aux zèbres et que les rayures étaient contagieuses. Elle hocha la tête et dit que dans « la cathédrale de la nature », on ne plaisante pas! Mahmoud nous montra un chacal doré, Annie s'exclama de joie : « Tu entends? Doré, c'est beau. » Elle n'était plus qu'une enfant dans un zoo divin, tandis que je me traitais de chacal à la dorure ratée. Haut perchés sur un acacia sauvage, des vautours enroulés dans leurs ailes, tournées autour de leurs corps comme une cape, leur cou chauve allongé et la tête penchée en avant, scrutaient l'horizon dans l'espoir de découvrir une charogne à dépecer.

Image : nous avons traversé une petite forêt. A la lisière d'une clairière, Mahmoud ralentit puis arrêta le véhicule. Une lionne, allongée sur le flanc, les pattes nonchalantes, offrait son ventre aux lionceaux qui escaladaient la chaude colline maternelle. L'un d'eux s'agrippait pour se gorger de lait, le bébé lion gonflait à vue d'œil, il se remplissait comme une outre, tandis que son frère mordillait les tétons rougis de la femelle. Assis près d'eux, le lion les contemplait, il bâillait souvent, sa mâchoire entrouverte découvrait ses crocs. Le lionceau vorace s'endormit en travers du ventre de sa mère, les autres se poursuivaient sur l'herbe et se distribuaient entre eux des coups de pattes.

Annie me tenait par la main et ne me lâchait que pour se moucher.

– Tu es enrhumée?

– Non, émue. Nous sommes au paradis.

Une vingtaine de minutes plus tard, arrivés sur un plateau dont l'extrémité basculait dans l'infini, retenu de justesse par les fantomatiques silhouettes des montagnes bleues, une vision sublime me fit marmonner, d'une émotion que je voulais réprimer :

– Nous sommes dans le jardin du bon Dieu.

D'où avait surgi cette phrase, de quelle source souterraine avait-elle jailli, de quelle nappe phréatique de la conscience enfouie sous les couches de tristesse et de cynisme?...

C'était ma voix, mais je me sentais marionnette, dans les mains d'un ventriloque : avais-je pu dire, moi, le criminel mécréant « le jardin du bon Dieu »? Annie retenait presque sa respiration, et Mahmoud, les mains posées sur le volant, écoutait le silence; autour de nous, dans un monde bordé par une chaîne de nuages froufroutants, blancs et roses, des centaines d'animaux de toutes sortes se promenaient, broutaient, se regardaient, chaque race ignorait l'autre, ils se déplaçaient dans une profonde quiétude.

Mahmoud murmurait :

– A droite, des waterbucks et des dik-diks, plus loin les élans, tout à fait dans le fond, une centaine de gnous; regardez à gauche, quatre éléphants passent, d'autres viennent derrière.

Annie me secouait la main à me faire des bleus, elle dominait difficilement son excitation, mais elle n'émettait aucun son, de peur de casser le miracle que nous vivions. Juste devant nous, avec, à l'arrière-plan, les découpes brumeuses des collines bleu marine, des girafes avançaient de leur démarche ondulante, une valse cachée dans chaque pas et, plus loin, en biais, un troupeau de gazelles de Grant passait à côté des zèbres sophistiqués.

Annie chuchota :

– Je vous le dis, dorénavant, n'importe quoi peut m'arriver. Notre vie est marquée par ce moment.

Nous contemplions cette arche de Noé gigantesque; on était bleu ciel, rose pâle, jaune paille, on était savane, ciel, on était Kenyans et privilégiés, on était les animaux en quiétude, libres. Peu à peu, nous nous hissions au niveau des humains, dans le vrai sens du mot. Puis, ce film vivant continuait; Mahmoud démarrait, nous roulions bientôt près d'une forêt plus épaisse, Mahmoud ralentit. Une masse grise se détachait de la verdure, un éléphant solitaire avançait, il devait avoir une affaire personnelle à régler.

Images de la savane, de ses batailles et de ses visions, des antilopes, des zèbres, des troupeaux de gnous qui défilaient. Quatre autruches aux longs pas désordonnés passaient à côté d'une antilope déchiquetée que dégustait une hyène, en accord avec trois vautours snobs qui la dédaignaient.

Quand Mahmoud apprit que nous devions quitter Masaï Mara dès le lendemain matin, il hocha la tête, mécontent :

– Il faut au moins une semaine pour avoir une idée de la richesse de cette réserve.

De plus en plus, je sentais le temps peser. Je n'étais qu'un fugitif enchaîné à son alibi.

Vers quatorze heures, nous prenions dans un campement proche un repas rapide, puis nous continuions l'excursion. En fin d'après-midi, le crépuscule estompait les contours, les acacias solitaires n'étaient plus qu'une empreinte fine comme une dentelle sur l'horizon, nous rentrions. Image qui s'évapore, s'évanouit, images enterrées vivantes. Images réminiscentes, images douloureuses... De retour au lodge, je devenais fou d'impatience. J'échappai au dîner, je m'installai sous le filet d'eau maigrelet de la douche et je me réfugiai au lit. Le visage tourné vers le mur, j'écoutais les bruits de pas, quelques phrases en allemand aussi. Annie revint me demander comment j'allais, je grognai, je marmonnai « Merci, ça va. » Elle rangeait, elle ouvrait et fermait ses valises comme une nomade attachée à son seul bien, elle passait en revue le contenu et elle contemplait ses acquisitions. Elle déballait de ses pyjamas les fiers guerriers de Samburu achetés sur la plage de Diani Reef, elle les examinait les yeux plissés, puis les remballait. Elle constatait que l'une des oreilles de la girafe, dont la tête dépassait de son sac à main, s'était décollée; elle se promettait de la réparer à Buffalo. Je l'écoutais, je ne pouvais échapper à ses soupirs, ses phrases racoleuses, comme un pêcheur avec son hameçon, elle me taquinait, elle voulait parler.

– Éric, tu dors?

Je grommelai :

– J'aimerais dormir.

– Éric, tu n'es plus malade, tu peux supporter ce que j'ai à dire...

– Quoi?

– Et si Hawaii était une histoire inventée?

– Pourquoi serait-elle inventée?

– Justement, si je le savais...

Le nez près du mur, les yeux fermés, je dis :

– Profite du voyage, ne réfléchis pas trop.

Elle marchait de long en large.

– Alors, pourquoi ne pas rester un peu? Tu n'es pas si pressé que ça de retrouver ta femme.

– Un avion-taxi vient nous chercher tôt demain, il faut partir.

– Pour aller où?

– Je te l'ai dit cent fois. Dans la maison de ma femme.

– As-tu pensé aux employés... Et s'il y avait des gens comme au cottage, hein? Ses domestiques...

– Non. Peut-être un gardien, je n'en sais rien. La maison est à l'abandon depuis la mort de l'ancien propriétaire, ma femme voudrait la restaurer et faire bâtir tout un village à proximité.

– Pourquoi faut-il visiter une maison vide? demanda-t-elle, toujours pratique.

– Parce que c'était prévu. Elle adore l'endroit, je ne le connais pas, il faut que j'aie une idée précise de ce domaine qui lui est cher sur tous les plans.

– On va dormir là-bas?

– Je ne sais pas.

– Comment, tu ne sais pas...

– Je vais voir ce que nous trouvons sur place. On fait un tour et on continue, le pilote reste à notre disposition.

Annie marmonnait, je lui demandai de ne pas parler seule, elle se tut et bouda. Puis elle se coucha. L'autre lit étroit était placé contre la paroi d'en face.

Une voix qui semblait très proche me fit sursauter dans la nuit.

– Qui est là?

Je compris, hagard, que dans la chambre voisine un Anglais, d'une voix basse, pourtant pénétrante, débitait une histoire interminable. Je tapai contre le mur, j'espérais que ce con allait enfin la fermer. Que pouvait-il raconter à cette heure-ci? Puis je m'endormis.

Annie me réveilla avec une tasse de café.

– Bonjour, Éric. Je veux que tu te lèves du bon pied, j'ai déjà pris mon petit déjeuner. Tiens, bois. Hier soir, tu étais d'une nervosité...

Je me confondis en remerciements et bus avec un rare plaisir le café inespéré, et ensuite, je me préparai au départ. Une demi-heure plus tard, Mahmoud nous conduisit jusqu'à l'avion-taxi. Le pilote, un jeune homme râblé, aux cheveux courts et foncés, se présenta :

– Hello! Je m'appelle Ted, je suis votre pilote.

– Hello, Ted! dit Annie.

Il la dévorait du regard :

– Depuis le temps que j'entends parler de vous... Quelle chance de vous connaître!

– Merci, dit Annie, merci.

Celui-ci connaissait Angie par ouï-dire. Il se tourna vers moi poliment, j'avais mérité aussi quelques mots. Ted et Mahmoud chargèrent nos bagages dans l'avion, nous occupâmes les deux places derrière le siège du pilote, Ted nous recommanda d'attacher nos ceintures et nous offrit des bonbons. Un geste d'adieu à Mahmoud, et nous gagnions rapidement de l'altitude. Ted avait envie d'engager le dialogue, il se retourna vers nous :

– J'aurais dû vous proposer la place à côté de moi, madame.

– Je suis bien ici, dit Annie.

Nous survolions une horde de gnous, leur lourd galop soulevait des vagues de poussière.

– Ils arrivent de la Tanzanie, c'est bientôt l'époque de la grande migration.

Plusieurs minicars se faufilaient en bas, se frayant un passage dans la végétation verdoyante.

– Déjà en route, ces touristes! Il y en a trop par ici, dit Ted. Il faudrait pouvoir refuser les gens... Grâce à vous, madame, ça va être possible.

Petit et fragile, l'appareil fendait l'air.

– Mais oui, dit Annie en m'interrogeant du regard.

J'acquiesçai, muet. Elle se comportait parfaitement.

– La dernière fois, quand vous êtes venue avec Mr. Collins, c'est mon meilleur ami qui vous pilotait.

– Ah bon? dit Annie.

– Je n'étais pas libre, je vous ai manquée. J'amène Mr. Collins pour la fin de la semaine. Vous êtes en avance sur votre rendez-vous.

Collins, dans quelques jours? Dans une maison délabrée? Je n'osai pas l'interroger, tout ici m'était inconnu.

Le pilote fit un geste vers le bas :

– Regardez, un troupeau d'élans. De quel côté voudriez-vous faire agrandir la réserve de Masaï Mara? Nord-est, ou nord-ouest?

– La décision appartient aux experts.

Ted s'emballait :

– Il est temps qu'on secoue les consciences! On fête la naissance d'un éléphant, d'un chimpanzé ou d'un singe dans des zoos, les journaux et la télévision en font un événement, mais on massacre les animaux en liberté.

Il ajusta la tige de son micro fixé à sa casquette, et s'adressa à mi-voix à un central.

Plus tard, il ôta ses écouteurs et nous désigna une ligne, en bas :

– La rivière Mara. Par ici, elle fait un tour en Tanzanie.

Une tache noire et presque régulière s'étendait et se déplaçait sur la plaine.

– Les gnous. Ils cherchent un gué pour traverser la rivière. Je parle trop, ne m'en veuillez pas. J'ai l'habitude de transporter des touristes qui savent peu de chose. Vous, vous êtes ici chez vous.

– Ici on apprend jusqu'à la fin de l'existence, dit Annie. Continuez.

J'enviais sa souplesse, sa finesse, sa faculté d'adaptation, j'en étais presque jaloux.

Nous survolions l'est de Masaï Mara et progressions – selon les indications de Ted – vers le sud des Loïta Plains. La plaine était découpée en tranches, des plateaux bordés par des collines se succédaient, les hautes montagnes bleues délimitaient l'horizon, parfois elles disparaissaient dans la brume.

– Nous allons dépasser Keekorok Lodge : la piste d'atterrissage près de votre maison n'est pas des plus faciles, quand vous serez installés chez vous définitivement, il faudrait l'aménager. J'espère que nous y arriverons avant l'averse qui se prépare.

Le pilote désigna une masse mouvante :

– Les buffles! Des deux côtés de la frontière, la population les chasse, mais les braconniers, eux, s'acharnent surtout sur les éléphants; à Tsavo, il n'en reste plus que quelques centaines. Vous connaissez évidemment le lac de Nakuru, Mrs. Landler? L'envol des flamants roses, on croit rêver...

– En effet, acquiesça Annie.

– Du mont Kenya, on est à un saut de puce de Nakuru ou du lac Bogoria. Si vous vouliez...

– Nous verrons l'emploi du temps sur place, Ted.

Le pilote reprit les écouteurs et échangea à nouveau quelques mots avec un centre de contrôle. Le paysage prit un aspect rude, des pics abrupts et des plateaux recouverts d'herbe jaune alternaient, la plaine se découpait en une multitude de plateaux délimités par des collines.

– Regardez à droite.

Entre les fragments de plaine, des plateaux étroits et des montagnes coiffées de nuages, sur un espace envahi de hautes herbes apparut une bande de béton; une minuscule jeep s'en approchait. Nous survolions un point d'eau entouré d'arbustes, un troupeau d'antilopes énervé par le bruit se dispersa aussitôt, puis nous entamions la descente et nous atterrissions. Le pilote freinait, l'avion, après avoir brinquebalé sur des cailloux, s'immobilisa. Les hélices tournaient encore que le chauffeur de la jeep était déjà près de nous. A l'arrêt complet, le bras levé, il prononça des « *Jambo* ». Je m'inquiétais, l'organisation semblait parfaite, la jeep presque neuve. Quelle surprise la maison nous réservait-elle?

Le pilote prit nos bagages et les passa au Kenyan, puis il ferma l'avion. Le ciel était bas et l'air humide plutôt frais.

Avant d'arriver à la voiture, Annie me prit à part :

– Si on découvrait que... Qu'allons-nous dire?

– Je ne sais pas.

– Ta femme t'envoie dans un endroit dont elle ne t'a pas donné la description?

– Nous nous sommes séparés brusquement.

– Je ne supporterai pas que... dit Annie, j'ai... il faut...

– Nous allons nous en tirer. Jusqu'ici, tu as été parfaite et le destin clément. Il faut bluffer. Ce n'est pas à toi que j'apprendrai comment un joueur doit se comporter.

Elle pinça mon bras :

– Éric, frime pas, écoute... Je pourrais simuler un malaise et repartir tout de suite pour Nairobi. On est allés trop loin. Je crève de peur...

– On ne peut plus reculer, Annie.

– Aïe, tu me fais des bleus! s'écria-t-elle.

Je lui avais trop serré le bras. Le Kenyan nous annonça par signes que les bagages étaient chargés et qu'il nous attendait.

– Calme-toi, Annie. En cas d'imprévu total, je vais créer une belle confusion, dire par exemple que tu es la sœur d'Angie, qu'elle a été retardée, qu'elle arrivera directement de Nairobi.

– Ton histoire de sœur ne tiendra pas. Éric, tu mens. Éric...

– Viens, on nous appelle.

Le pilote avait pris place à côté du chauffeur. Nous nous installâmes sur les sièges arrière. Nous avancions à un rythme rapide sur la piste raide qui enrubannait la colline. Le soleil jouait à cache-cache avec les nuages. La jeep faisait presque de la varappe au flanc de la colline, puis déboucha sur un plateau. Nous aperçûmes une bâtisse étrange en argile rouge, dont le style et le volume évoquaient les forteresses mystiques de la vallée du Draa au Maroc; je songeais aux pierres roses et jaunes de Taroudan. Nous arrivions près d'un mur de pierre, veiné de rose. A l'approche de la jeep, les doubles vantaux du portail en bois, encore humides de la récente pluie, s'entrouvraient; un adolescent les calait l'un après l'autre, et la jeep pénétrait dans la cour, prise en demi-cercle par le bâtiment. Les volets en bois du rez-de-chaussée et ceux du premier étage étaient clos.

Un jeune Kenyan se dirigea vers nous, il salua le pilote et le chauffeur avec des « *Jambo!* », puis se tourna vers nous, s'inclina et tendit la main à Annie pour l'aider à quitter le véhicule. Un second Kenyan, accompagné d'un adolescent, arriva précipitamment. Ils s'affairaient autour de nos bagages, le jeune garçon jetait un coup d'œil intéressé sur Annie. Avant de prendre congé, le pilote nous souhaita un séjour agréable et déclara qu'il était prêt à partir en excursion à n'importe quel moment, si nous décidions de rentrer à Nairobi ou bien d'aller admirer les flamants roses à Nakuru.

Il s'éloigna vers l'aile gauche du bâtiment. Le chauffeur reprit le volant et, ayant fait demi-tour, partit pour les garages. Deux enfants, qui affichaient un grand sourire dès qu'ils posaient le regard sur nous, jouaient avec un vieux ballon de football. Hissée sur ses pattes arrière, le dos appuyé contre la façade, une mangouste nous observait.

Annie me tira par le bras :

– N'entrons pas, rappelle le pilote, tu le rattraperas encore! Il faut s'en aller. J'ai une crise d'appendicite, je suis traversée par une douleur, qu'importe, invente! Si quelqu'un nous découvre, je crève d'humiliation. Ne restons pas ici...

Elle me convainquait presque, j'allais m'adresser à l'un des gosses au ballon pour qu'il aille chercher le pilote, il était trop tard, un homme mince et de haute taille, vêtu d'un burnous blanc, sortit de la maison centrale, il laissa entrouverte la porte sculptée et munie d'un heurtoir. Son visage remplit l'univers, il était noir comme le terrain de lave que nous avions traversé, son regard brillait. Les mains croisées sur la poitrine, il s'inclina légèrement :

– Bienvenue Maman et Bwana!

– *Jambo!* dit Annie et elle recula.

Elle était aussi blanche que l'autre noir. Elle devenait blême, je pris sa main pour la réconforter. Je saluai à mon tour le seigneur noir et j'attendis le verdict, dans quelques secondes nous serions traités en maîtres ou en escrocs. Il s'avança vers nous, j'aperçus une cigogne sur le toit plat entouré d'une balustrade découpée en dentelle – de la pierre sculptée et l'argile ou la terre –, la cigogne vint près du bord, esquissa un lourd battement d'ailes puis retourna vers son espace, pour nous inconnu.

– Je m'appelle Ahmed, dit l'homme. Mr. Hutchinson m'a demandé à l'époque de la vente à la dame que je reste. Lors de ta première visite, Maman, j'étais retenu par une crise de paludisme en Somalie et lors de ta deuxième visite, ma mère mourait, d'où mon absence regrettée. Il était temps que le destin me permette de t'apercevoir.

Annie lui tendit la main, l'homme la serra, je fis de même. L'étau se desserrait, ma chance vénérée m'accordait un sursis. L'homme chassa d'un geste les deux adolescents au ballon.

– Allez jouer plus loin. Allez, allez!

Nous étions restés immobiles sous le soleil vertical, parfois une brise tiède nous ébranlait, le vent rôdait dans ce décor, ici et là, et se heurtait aux murs. La cour était protégée, il n'y arrivait que par saccades. Ahmed frappa dans ses mains comme s'il avait voulu applaudir notre arrivée, les deux gamins s'arrêtèrent de jouer et vinrent en courant prendre nos valises. Ahmed leur indiqua en swahili où ils devaient les porter. Ma femme devait connaître l'intérieur de la demeure et je ne pouvais guère poser de questions. La changeuse d'argent de Las Vegas devait y entrer comme une princesse attendue, et pas comme une starlette engagée pour jouer un rôle.

– Maman Ferguson, si tu veux te reposer, ta chambre est toujours prête, mais peut-être voudrais-tu voir tout de suite le monument?

– Je m'appelle maintenant Mrs. Landler. Mon mari, Mr. Éric Landler, visite l'Afrique pour la première fois, il n'est jamais venu ici non plus, vous lui expliquerez mieux que moi l'histoire de cette maison. Je voulais réserver quelques surprises pour mon mari et, en quelque sorte, redécouvrir avec lui le domaine.

J'étais fasciné par l'habileté d'Annie, l'atmosphère déteignait sur elle, sa voix était plus posée, son vocabulaire lisse, elle se tenait droite, elle ne put pourtant retenir la seule remarque qui aurait trahi la novice, dans ces lieux :

– La cigogne...

– Elles sont toutes là, les petits viennent de s'arracher au nid et commencent à voler.

Il semblait plus sévère, Ahmed. Il n'avait pas dû apprécier la mise à jour assez brutale de l'état civil d'Angie. On avait dû l'irriter ou le froisser. Dorénavant, il nous vouvoyait et insistait sur les « Madame » appuyés.

– Je vous accompagne vers vos chambres, ou vous regardez le monument?

Le problème semblait mineur, on aurait pu aussi bien nous rafraîchir avant d'admirer une sculpture, mais la décision semblait importante.

– Le monument, dit Annie.

Ahmed esquissa un sourire de contentement. Il nous invita à le suivre. Du hall sombre se dégageait une odeur de boutique d'herboriste. Un mélange des relents douceâtres de la poussière et du foin, l'émanation des grains entassés dans un silo au soleil, quelque chose entre la moisissure et l'encens. Les murs étaient recouverts de carreaux de faïence bleus décorés de dessins aux formes irrégulières. Nous traversions des couloirs étroits qui reliaient des petites salles, la dernière s'ouvrait sur une immense terrasse. Nous y fûmes aveuglés par une pluie d'éclats scintillants de soleil et de poussière. Une balustrade en pierre la délimitait et barrait l'horizon. La lointaine chaîne de montagnes se voilait de brume. La maison délabrée? Angie devait sourire en me voyant errer ici, ébloui.

– Madame...

D'un geste seigneurial, Ahmed nous invita à le suivre. Peu à peu, une excitation étrange nous gagnait, étaient-ce l'altitude et la luminosité qui nous vidaient de nos forces? Le vent nous attaquait par à-coups et des poignées de poussière de cristaux nous démangeaient le visage. Nous aperçûmes une masse de roche, un monument taillé dans un seul bloc de pierre brute : un lion majestueux qui, tête levée et légèrement basculée en arrière, comme tiré par le poids de sa lourde crinière en granit, contemplait l'infini. Nous regardions le fauve, je cherchais la raison de mon malaise naissant.

– Ses yeux, chuchota Annie. Ses yeux. Les orbites sont vides.

Elle fit deux pas en arrière.

Ahmed expliquait d'une voix si douce que parfois le sifflement du vent recouvrait une syllabe ou des fragments de phrase :

– C'est vous qui l'avez voulu aveugle, et le sculpteur avait ressenti l'importance du symbole, d'où sa réussite. Les frères de ce lion – ceux qui n'ont pas réussi à s'enfuir à temps dans la région du lac Turkana – ont tous été massacrés par les chasseurs blancs, et par les Masaïs. Ce lion a le regard de la mémoire. Pour lui, la savane est peuplée à jamais.

L'atmosphère s'alourdit, je craignais une défaillance d'Annie.

Ahmed continua :

– Peut-être grâce à vous, madame, le Kenya réussira sa lutte contre l'agression du monde occidental et les ravages des habitudes ancestrales.

Il ferma les yeux et se tut. Il méditait, il priait peut-être; le vent râpait nos tympans. Des sifflements hystériques, pressés, impérieux; il nous paralysait.

Plus près de la stèle en pierre grise, je lus l'inscription gravée sur la plaque :

SI VOUS RECHERCHEZ DIEU, SON PROPHÈTE
ET LA DEMEURE DERNIÈRE, SACHEZ QUE DIEU A PRÉPARÉ
UNE RÉCOMPENSE SANS LIMITES POUR CELLES D'ENTRE VOUS
QUI FONT LE BIEN.

Et au-dessous :

Ô VOUS, LES GENS DE LA MAISON!
DIEU VEUT SEULEMENT ÉLOIGNER DE VOUS LA SOUILLURE
ET VOUS PURIFIER TOTALEMENT.

Sourate XXXIII 29 et 33 du Coran.

Depuis mon adolescence, les dimensions spirituelles m'incommodaient. Gosse, on ne m'a pas conduit la main gantée vers Dieu, adulte je préférais l'ignorer. Quand on est abandonné par sa mère, on rejette les belles phrases de pitié, de fraternité et, surtout, celles qui vantent l'amour fraternel et filial. L'amour de ses proches? Quelle blague!

– Si on rentrait? ai-je demandé à Ahmed.

Il fallait soulager Annie de cette atmosphère de sortilège. Entre Las Vegas et les paroles d'un Dieu gravées sur une plaque, le désert de l'argent et le désert des lions, nous risquions d'être rejetés, au seuil du XXIe siècle, dans les archaïques définitions de jadis. L'attention devait être extrême. Pas un faux pas, pas un mot déplacé, pas un geste inconsidéré, sinon nous nous trahissions. Nous suivîmes Ahmed, ombre blanche, dans les couloirs sombres. L'architecture ressemblait à celle des demeures marocaines où les petites salles communiquaient, où les couloirs s'enchevêtraient, divine souricière pour seigneurs avertis. J'avais envie ici de toucher les murs tantôt recouverts de chaux, tantôt décorés de faïences. L'odeur de paille séchée était obsédante et de temps à autre, comme un éclat de lumière, des lézards à longue queue pailletée d'or parcouraient en zigzag les surfaces d'ombre, pour disparaître dans des fentes à peine visibles.

Nous arrivâmes dans une pièce d'angle aux fenêtres situées face à un paysage qui semblait s'étendre à l'infini. En quelques secondes, l'air virait au mauve et, comme par une trappe ouverte, une pluie diluvienne déferlait, elle s'infiltrait aussitôt par les vitres mal isolées et s'accumulait en flaques sur le sol.

– Mr. Collins a des propositions à vous soumettre concernant les portes-fenêtres du salon...

– Nous en parlerons plus tard, l'interrompit Annie.

Le temps d'arriver dans la chambre à coucher, orientée elle aussi vers la savane, un violent coup de vent déchira les nuages, les écorcha brutalement en leur taillant des franges, puis la pluie cessa et apparut le ciel bleu, fade, lavé et déteint comme une vieille chemise. Nos bagages étaient disposés au milieu de la pièce.

– Désirez-vous du thé, madame? demanda Ahmed.

Annie hésitait :

– Plutôt le déjeuner... Si vous avez prévu quelque chose.

– Vous nous avez fait dire que vous arriveriez dans dix jours, mais Naya prévoit toujours des plats prêts à consommer. D'ailleurs, elle ne serait pas partie, si...

– Si elle avait su à temps que nous arriverions plus tôt que prévu.

– Tout est prêt, Naya m'a laissé les instructions pour le repas. Elle devrait être là...

Qui était Naya?

– ... Elle a profité de l'avion de l'architecte pour rendre visite à sa mère à Nairobi. Elle va revenir avec Mr. Collins.

Un sursis supplémentaire. Quelques minutes plus tard, installés dans la salle à manger, nous dégustâmes du riz avec du piment et de la semoule chaude mélangée aux petits morceaux de viande de bœuf.

– Si vous vouliez déjeuner avec nous? dit Annie, timide.

Ahmed esquissa un léger sourire :

– Mr. Hutchinson me considérait comme son frère, je prenais les repas avec lui. Il est mort deux fois; d'abord son esprit, au moment de son départ de l'Afrique, et ensuite son corps, à Philadelphie. Quand vous me connaîtrez mieux, madame, j'accepterai votre invitation.

Ahmed s'exprimait dans une langue élégante, il avait dû faire ses études en Angleterre. Quel était son rôle précis? Intendant, majordome, ordonnateur de cérémonies secrètes? Il était inconfortable de déjeuner sous son regard, nous assis, lui debout. Nous n'étions pas issus des générations assises et servies, il y avait en nous un grain de serviteurs gênés, parce que pas à leur place. Ahmed nous proposa le café au petit salon. Nous découvrîmes une pièce octogonale dont les vieux fauteuils larges au cuir patiné étaient placés devant les fenêtres. Ahmed nous y servit le café, puis nous désigna une clochette en cuivre :

– La sonnette de Mr. Hutchinson. Si par hasard je ne l'entends pas, les enfants me préviennent de votre appel et aussitôt j'arrive.

Il nous salua et partit. Annie dégustait lentement son café. Nous n'osions pas rompre le silence.

– Il est très sucré, dit-elle. Éric, j'ai envie de pleurer tout le temps, j'ai une boule dans la gorge, je voudrais vivre et mourir et rire, et courir ou prier. Je ne sais pas ce qui m'arrive.

– La fatigue. L'endroit est particulier et je te félicite pour ton comportement. Tu es parfaite...

– Tu crois ? dit-elle comme une gosse éblouie d'une récompense. Tu crois ?

– Oui.

Je contemplais ma compagne de hasard, cette femme qui avait, comme un caméléon, l'intelligence épidermique. Elle posa la tasse, ses gestes étaient hésitants, elle tentait de changer sa manière de s'exprimer.

– Ta femme est un être exceptionnel.

– Tu as sans doute raison.

Annie continua :

– Si elle aime cet endroit, qu'elle modèle à son image, elle ne peut être que quelqu'un de particulier. Une sorte de sainte, je crois.

Je voulais revenir sur terre.

– Il ne faut pas trop l'idéaliser, elle est préoccupée par l'avenir de la faune, de la nature, mais elle a aussi les moyens de ses ambitions.

– Tu veux diminuer ses mérites ? Elle pourrait vivre en égoïste futile... Elle qui a toute une compagnie, ou presque.

– Une société qui marche grâce au travail des hommes de confiance, ai-je dit.

– Tu ne l'aimes pas, constata-t-elle. Ou, ce qui est pire, tu en es jaloux.

– Moi, jaloux ? Quelle bêtise !

– Mais si, Éric. Si tu ne reconnais pas ses qualités, le fait qu'elle veut utiliser sa fortune pour aider les autres, créer une école, des crèches...

– Elle est une dame d'œuvres, cela s'appelle comme ça en France. Elle, elle « œuvre » en Afrique.

– Éric, tu es un pauvre type.

– Pauvre type? Merci.

– J'exagère, pardon, mais tu ne cesses de la diminuer. Ça m'agace. Tu connaissais son projet concernant la réserve de Masaï Mara?

– Dans ses grandes lignes.

– Et ça ne t'a pas fait plus d'effet que ça...

– Non. Il y a aussi des bidonvilles en Amérique du Sud. Elle aurait pu vouloir rebâtir les favellas de Rio.

– Éric, quel était ton milieu familial?

– Moche.

J'étais presque heureux d'être enfin vrai.

– Moche? C'est tout ce que tu peux en dire?

– Mais oui. Un père autodidacte, peu ambitieux, sa mort a dégagé le terrain à ma mère, qui est partie à son tour en me plaquant à dix ans. J'ai grandi solitaire, j'ai lutté, j'ai bâti ma vie, je ne vais pas pleurer sur le destin des animaux. J'ai été un éléphanteau sans troupeau, personne ne m'emmenait boire. Je suis là quand même...

Elle insistait :

– Je veux bien, mais sois juste, tu ne peux pas nier l'atmosphère digne de cette maison. Cette paix...

– Je ne la nie pas, mais, si Angie était là, on aurait moins de quiétude. Elle est active, presque agressive, tout doit aller très vite et selon sa volonté.

– Pourquoi l'as-tu épousée?

– Apparemment nous nous aimions...

– Ça m'étonne qu'une femme comme elle ait pu t'aimer.

– Merci pour le compliment.

– Je ne veux pas te blesser... Bref, j'abandonne, il vaut mieux m'occuper de moi-même. Je réfléchis depuis des jours et des jours, et cette maison a renforcé ma détermination. Tu pourrais m'aider... Il faut la convaincre.

– De quoi?

– De me laisser ici.

– Qui?

– Moi.

– Toi? Que veux-tu faire ici?

– Je pourrais l'aider, et être utile à tout le monde.

– Annie, tu vas dormir un peu et récupérer. Tu es en train de bâtir une histoire d'amour avec l'Afrique.

– Éric...

– Oui?

– Veux-tu m'écouter, Éric, mais écouter gentiment?

– Ai-je l'air si méchant? Vas-y...

– Voilà. Je te dis tout, même si tu m'engueules. Je suis décidée à faire la connaissance de ta femme dès qu'on rentrera, et je lui demanderai de m'engager dans son équipe. Je pourrais servir comme infirmière, ou aider dans la future école. Qu'importe l'endroit, je sais tout faire. Elle est riche, je ne représenterais que peu de dépense. Cela ne la ruinerait pas. En tout cas, elle va avoir besoin de personnel. Je serai au service des humains et des animaux. Tu pourrais obtenir ça d'elle? Tu crois?

Décidément, j'étais la proie des femmes sublimes. Tant de noblesse d'âme allait me faire crever! Que faire avec Annie? Elle s'offrait, franche et enthousiaste, une fille bien... Déguisé en homme honnête, je l'écoutais comme un truand caché dans un confessionnal. Le plafond octogonal à ogives prêtait à l'endroit un aspect solennel. Annie, face à moi, ressemblait à une madone sur fond d'icône. Elle se détachait à vue d'œil de sa personnalité antérieure, elle cherchait à utiliser des mots pour elle sophistiqués, elle voulait s'exprimer d'une manière qu'elle jugeait digne de l'endroit et de ses aspirations.

– Dans notre chambre, dit-elle, sur la table, j'ai vu un exemplaire du Coran en anglais, il y a des marques, des petites lamelles de feuilles blanches, et la citation qui est gravée sur la plaque dehors est soulignée dans l'une des pages.

Angie avait lu le Coran, elle l'étudiait? Qui était Angie?

– Je me sens transcendante, continua Annie, incertaine de l'expression. J'ai toujours rêvé de grands moments, de passions brûlantes, d'un destin particulier. J'aurais voulu me consacrer à quelqu'un, et parce qu'aucun homme n'a voulu de moi pour de bon, je vais me consacrer à quelque chose de noble. Éric, tu ne dis pas non, n'est-ce pas? Tu ne dis pas non?

– Quand mes affaires seront réglées, nous pourrions envisager calmement différentes hypothèses. J'interviendrai en ta faveur auprès d'Angie.

Elle s'exclama:

– Faveur? Le mot n'est pas exact! Je ne suis pas une mendiante, je ne tends pas la main pour une aumône. Je voudrais travailler, me rendre indispensable. Oui, je rêve d'être indispensable. Quand ma mère était malade, à Buffalo – une fois pendant deux mois elle a dû garder le lit –, je restais à la maison, j'étais heureuse de la servir.

– Justement, si elle savait que sa fille unique voudrait s'installer en Afrique...

– Mes parents sont des adultes, ils peuvent s'en sortir, même sans moi. Et puis, je leur laisse l'argent que j'ai gagné avec toi.

– Je veux t'aider, Annie, bien sûr. Mais n'oublie pas, nous

devons d'abord retourner à New York, je t'ai promis un séjour là-bas et des cadeaux...

Elle allait pleurer.

– Cadeaux? Le seul cadeau qui m'intéresse, c'est de pouvoir rester ici. Je ne suis ni une pute, ni une gosse à qui il faut tout le temps promettre des cadeaux! Je parle de grandeur d'âme et tu veux me soudoyer...

– Non, Annie, ne t'emballe pas, je veux te faire plaisir. Passons trois jours ici, tu décideras ensuite si, vraiment, plus tard...

– Quoi, plus tard?

– Si tu veux revenir.

– Ma décision est prise. Un jour, nous nous retrouverons ici forcément tous les trois, mais avant, je vais dire la vérité à ta femme. Je ne serai jamais malhonnête avec elle. Elle nous pardonnera. Entre elle et toi, c'est elle que je choisis.

J'avais besoin de quelques jours de trêve, je devais l'amadouer.

– Annie, tu me tournes le dos! Je croyais pourtant que tu m'aimais un peu.

– Justement. C'est ça qui est grave, j'aurais une tendance à t'aimer, mais c'est dangereux. Je veux une situation très nette par rapport à ta femme. Si vous divorcez, ça c'est différent, on verra... Mais toi, marié avec elle, tu n'existerais plus en tant qu'homme.

– Oh le beau discours! ai-je dit. Elle se fiche de ma moralité, Dieu sait ce qu'elle peut faire à Hawaii, nous sommes un couple désintégré...

Elle me regardait :

– Je n'ai pas dit qu'on allait rompre tout de suite, c'est dans le cas d'une vie à trois ici... En attendant...

Elle me tendit la main. Qu'est-ce qu'elles avaient comme ressources, ces femmes! Impossible de tenir le rythme. Elle était imprévisible, donc elle me remplissait d'angoisses. Je l'aurais aimée simple, presque ordinaire, au ras des pâquerettes, pas en pasionaria écologiste. J'en avais assez d'elle et des femmes en général, des belles et des moches, des subtiles et de celles aux gros sabots, j'en avais assez des sensuelles et des frigides, des grappilleuses de bonheur et des chanteuses d'hymnes à la vie, je haïssais leur tendresse toile d'araignée où j'étais la mouche coincée, je vomissais leur douceur qui me piégeait, je n'en voulais plus aucune, ni des diablesses en herbe, ni des héroïnes douloureuses, ni des joviales et de leurs vocations rentrées. Je ne voulais ni de la transcendante, ni de celle qui rôde sur le trottoir, je ne voulais plus aucune d'elles, mais je devais me dominer, il fallait garder Annie, mon pion indispensable sur l'échiquier. Issue du même milieu paumé que moi, elle possédait un atout incomparable, elle avait été aimée, elle avait eu une enfance heureuse. Moi, je n'avais jamais été qu'un sentimental hargneux, parce que repoussé. Je nous imaginais soudain au parloir d'une prison, elle me rendait visite, à moi, condamné à perpétuité. Elle pleurait de l'autre côté de la plaque de mica. Quelle occasion d'être sublime et de rester fidèle à un type qui ne sortirait jamais du trou!

– Ça devrait s'arranger avec Angie, je t'aiderai...

Elle comprit qu'il valait mieux me laisser tranquille. Elle m'apaisait, elle devenait compagne, complémentaire. Au fil des heures, je pénétrais avec elle dans le monde abstrait de cette forteresse en argile. Des vagues d'enthousiasme nous submergeaient. Nous assistions chaque matin à la naissance du jour, nous attendions ensemble le lever du soleil, toujours précédé par une invasion de nuages rouges. Et nous le regardions basculer en fin de journée derrière l'horizon.

Le générateur d'électricité de la maison était en panne; la nuit venue, Ahmed allumait les lampes-tempête. Nous passions des cercles de lumière aux zones d'ombre, l'obscurité nous troublait. Nous n'étions que des instruments humains livrés à une force qui essayait sur nous ses gammes. Clown grave au visage blanc, la lune nous espionnait à travers les vitres nues.

Quelques femmes souriantes et timides circulaient et baissaient le regard à notre passage, elles n'avaient pas l'habitude de côtoyer les maîtres. Maîtres? Nous n'étions que des escrocs marginaux livrés aux caprices du hasard. Je luttais contre la sensation dérangeante qu'était le désir d'être heureux, j'enviais les destins simples. Les femmes, ces figurantes serviables d'un théâtre d'ombres, nous croisaient avec des piles de serviettes fraîchement repassées sur le bras, et des enfants noirs, beaux et élancés, propres, jouaient d'interminables parties de ballon dans la cour intérieure. Nous explorions sur la pointe des pieds la demeure, Annie était censée tout connaître et me montrer les trésors secrets du coin et des recoins, mais évidemment, elle découvrait tout avec moi. Nous parcourions des couloirs silencieux et, au bout des escaliers intérieurs aux marches de pierre brute, nous découvrions les unes après les autres, au premier étage, des pièces nues. L'une d'elles, aux murs entièrement recouverts de faïence dont chaque carreau portait un hiéroglyphe, nous sidérait; le sol d'une autre petite salle était recouvert de tapis.

– La future mosquée est ici, dit Ahmed qui apparaissait d'un instant à l'autre – nous ne savions jamais s'il était près ou loin de nous.

– La mosquée, intégrée dans la maison comme le sont les chapelles dans les châteaux.

Se déchausser, s'incliner devant l'Invisible, attendre des signes... Que cherchions-nous ici, intrus abrupts, prudents iconoclastes ? Au bout d'un escalier, par une porte fondue dans le mur qu'Ahmed ouvrit, nous sortîmes sur le toit plat, entouré d'un rempart en terre cuite au bord aménagé en petites plates-formes où nichaient des couronnes d'herbes séchées.

– Des nids, marmonna Annie... Mon Dieu !

De nombreuses cigognes devaient couver ici chaque année, un nid était encore habité de petits cigogneaux. Le corps chaudement empoigné par le vent, notre amant à nous deux, nous nous approchions. La cigogne nourrissait deux petits cigogneaux chauves qui tendaient leur bec ouvert et maladroit vers la mère nourricière.

Ce dernier spectacle avait achevé Annie...

– Je ne veux pas partir, répéta-t-elle. Je ne veux plus m'en aller. Je veux vivre près des cigognes.

De retour dans notre chambre, épuisée, elle pleurait puis, allongée sur le lit, elle feuilletait le Coran pris sur la table de chevet. Sans demander mon avis, elle ne savait pas qu'elle m'agressait en lisant à haute voix, je devais l'écouter : « *Ô vous, les gens de la Maison ! Dieu veut seulement éloigner de vous la souillure et vous purifier totalement.* »

Elle continua sur un ton incantatoire :

« Oui, ceux qui sont soumis à Dieu et celles qui lui sont soumises,
les croyants et les croyantes,
les hommes pieux et les femmes pieuses,
les hommes sincères et les femmes sincères,
les hommes patients et les femmes patientes,
les hommes et les femmes qui redoutent Dieu,
les hommes et les femmes qui font l'aumône,
les hommes et les femmes qui jeûnent,
les hommes chastes et les femmes chastes,
les hommes et les femmes qui invoquent souvent le nom de Dieu :
voilà ceux pour lesquels Dieu a préparé
un pardon et une récompense sans limites. »

J'avais envie de crier : « Assez ! » Je lui demandai tout doucement d'abandonner sa lecture.

Chaque matin, nous partions tôt et parcourions les hauts plateaux ; on cultivait l'orge à seize cents mètres d'altitude.

Chaque heure, chaque minute nous réservait une dose d'émotions. Nous redescendions vers la frontière de la Tanzanie, nous l'avions même traversée, puis nous revenions au Kenya. Nous apercevions des girafes, des gnous, des dik-diks, et des antilopes joyeuses. Celle qui ne courait pas assez vite était souvent rattrapée et dévorée par les lions, les derniers.

Nous avons parcouru l'espace – qu'aucune barrière ou frontière ne délimitait –, censé appartenir à Angie. Par ici, les cases des Masaïs poussaient comme des champignons. Nous avons rencontré plusieurs gardes-chasse qui surveillaient les mouvements des braconniers.

Le soir, épuisés, saoulés de beauté et de l'air pur de l'altitude, nos actes d'amour étaient des symboles fraternels. Parfois, une fabuleuse légèreté m'enivrait, l'endroit nous modelait en personnages de légende. Je n'étais plus un meurtrier, elle ne ramassait plus des morceaux de rêves, nous étions un couple, au sens archaïque du mot. Quel beau mot : couple.

– Tu m'aimes?

Je résistais, pourtant j'avais peur de me blesser en prononçant un *oui*.

– M'aimes-tu?

La poitrine brûlante, ivre d'air et grisé de l'atmosphère, j'avais le désir fou d'être honnête, ni jouer, ni tromper, ni rendre les armes, juste être honnête. Avec elle dans mes bras, le monde semblait chaleureux. Elle pleurait, elle riait, elle criait, elle susurrait, mais avant tout, elle exigeait des mots :

– Si tu m'aimes, dis-le!

– Pourquoi veux-tu entendre l'évidence?

– Si c'est l'évidence, dis-le.

– Je...

– Prononce...

– Je...

– Un effort.

Elle articula :

– Je t'ai-me. Répète!

– Je...

– Continue...

Elle m'cnvoyait soudain dans les côtes un petit coup, comme une gosse dans la cour de l'école.

– Sois pas froussard, dis-le!

Plus de princesse, une robuste femme amoureuse.

Et moi de marmonner, désespéré et hilare :

– Je crois que je t'aime.

J'espère que ce n'était pas vrai.

La veille de notre départ, en fin d'après-midi, nous nous

trouvions près de la statue du lion aveugle. Une tempête sèche se leva. Le vent sifflait comme jamais, fou, il nous assourdissait, des brassées d'eau mélangée au sable, balancées en pleine figure, nous aveuglaient. Nous revenions dans la maison, la pluie tambourinait sur le toit et l'air vibrait d'électricité, et tout ce qui n'était que bonheur jusque-là se muait en une insupportable tension, le départ était proche.

Annie, fébrile et malheureuse, me provoquait, soudain elle se révoltait, elle dit, violente :

– Tu n'as pas l'envergure de ta femme. Tu le sais et c'est ça qui te rend malade.

– Qu'est-ce qui te prend?

– Il faut dire la vérité. Si tu n'étais pas aussi terre à terre, tu aurais découvert que Dieu existe, et qu'il est présent ici. Tu n'as même pas voulu que je te lise des passages du Coran parce que ça te fait peur. Tu es lâche! Tu es lâche!

Je l'ai giflée. Elle me dévisageait, les mains serrées sur ses tempes, elle titubait. Elle me lança :

– Tu es violent parce que tu es lâche. Mais je suis protégée. Toi, tu ne penses qu'aux affaires... Moi, je viens de naître. Je veux des cigognes, des lions, des enfants, des adultes, je veux Dieu. Si ta femme veut s'installer ici, si elle veut quitter Los Angeles, c'est la preuve qu'elle vaut plus que toi. Comment a-t-elle pu épouser un type aussi vaniteux et futile?

Je la saisis par les épaules, mes mains glissaient vers son cou. J'avais une fois de plus en face de moi une femelle qui m'accusait, qui me piétinait, qui m'humiliait.

– Jusqu'où oses-tu aller? demanda-t-elle. Tu n'es arrogant qu'avec plus faible que toi. Je n'ai pas peur, je vais me bagarrer pour nous, je vais aller chez ta femme et lui offrir mes services. Je n'attendrai pas longtemps, crois-moi.

Je la repoussai, j'avais peur de moi. Nous étions sous un globe de verre opaque, la pluie tropicale nous isolait du monde. Elle s'approcha de la fenêtre, le visage humide de larmes :

– Au moins, eux, ils sont heureux...

– Qui?

– Les animaux, la nature, l'eau c'est la vie, tu ne sais rien, pauvre con pollué...

La haine que je ressentais était proche de l'ivresse.

– Annie?

Je m'entendais à peine.

– Oui.

– Un avertissement. Je ne veux plus entendre une seule remarque. Je n'existe plus, c'est clair? J'ai l'aspect d'un homme, mais je n'en suis pas un. Je suis un zombie. Dans ton intérêt, ne me provoque plus.

Elle quitta la pièce.

Le lendemain très tôt, Ahmed nous accompagna jusqu'à la piste. Ted nous attendait. De l'avion, nous faisions encore des gestes d'adieu au Kenya. Annie m'attrapa la main :

– Pardon Éric, s'il te plaît, pardon. Je suis si triste, je regrette d'avoir dit des choses méchantes.

– Raccroche, il n'y a personne sur la ligne.

Elle se tut.

Nous atterrîmes au bout d'une heure et demie de trajet près du Mount Kenya Safari-Club, la dernière étape de ce voyage d'enfer.

Chapitre 27

Sur la piste d'atterrissage du Mount Kenya Safari-Club, nous nous séparâmes de Ted, qui repartait pour Nairobi. Je l'assurai que dans la soirée, « ma femme » appellerait Mr. Collins, l'architecte. Dès le lendemain, nous dit-il, un de ses collègues nous rejoindrait ici et resterait à notre disposition.

Les bagages furent chargés en quelques minutes sur une jeep, nous parcourûmes un trajet cahoteux pour arriver à l'entrée principale, précédée d'une borne qui portait l'inscription :

ICI PASSE LA LIGNE DE L'ÉQUATEUR

Dans l'atmosphère ouatée du hall de l'hôtel, une foule hétéroclite se promenait; les affiches vantaient l'intérêt des excursions diverses. A la réception, l'employé qui enregistra notre arrivée nous conduisit vers notre chambre, au long d'une galerie au sol couvert de tapis d'Orient et aux murs décorés de masques africains. A droite, une salle à manger s'ouvrait sur une terrasse. L'éblouissante clarté de l'extérieur me fit croire au passage d'une silhouette. Je frissonnai.

– Qu'est-ce que tu as? demanda Annie.

Une femme aperçue de dos s'éloigna pour se dissoudre dans l'horizon.

– Tu viens, Éric?

La chambre était belle, avec un coin-salon et une cheminée. Une petite terrasse devant, et, en décor frontal, le mont Kenya.

Annie sortit et contempla le paysage. J'eus pitié d'elle.

Quand le bagagiste fut parti, je la pris dans mes bras. Elle tremblait. Peut-être devrais-je partir avec elle au bout du monde? Sur une autre planète? En Australie?...

– A quoi penses-tu?

– A nous deux, plus tard.

– Il n'y aura pas de plus tard, dit-elle. Je le sens.

Elle me tendit ses lèvres, je l'embrassai, presque friand de la mort.

– Éric, avant de nous séparer...

Je l'interrompis :

– Pas tout de suite, il y a le séjour ici, ensuite New York, ce n'est pas encore la fin du voyage...

– Mais si, dit-elle. Dans la tête, c'est fini depuis longtemps.

Je la repoussai délicatement.

– Là-bas, dit-elle, dans la belle maison, tu m'as promis...

– Quoi?

– Une rencontre avec ta femme.

– Elle se fera.

– Éric?

– Oui.

– Tu sais quoi?

– Non.

– S'il fallait choisir...

– Choisir entre quoi et quoi?

– Toi et ta femme.

– Alors?

– Je te le redis : je choisirais ta femme.

– Merci.

– Comprends-moi, si c'était le prix pour rester en Afrique, dans la belle maison... je préférerais vivre en Afrique auprès d'elle qu'à Los Angeles avec toi.

Limpide, elle soutenait mon regard. Elle prit cet air de sacrifice que les femmes empruntent comme un chapeau, elle souffrait déjà de son acte « héroïque », elle était heureuse de l'idée de cette future abnégation que personne ne réclamait.

Je n'ai jamais bien supporté les effusions, les confessions, les moments dits dramatiques me répugnent. Je devais me défendre contre tout agacement psychique. Arrivé dans notre chambre, je n'avais qu'une seule envie, me réchauffer dans un bain et m'allonger. Muet, je commençai à me préparer, j'entrai dans la salle de bains et je fis couler l'eau.

– Tu veux prendre un bain maintenant? On ne peut pas sortir?

– Mais vas-y! Va déjeuner...

– Seule?

– Il y a du monde dehors.

– Et toi?

– Je voudrais juste un thé.

Je me retirai dans la salle de bains, je regardais la baignoire se remplir. Je m'y plongeai et je m'enfonçai dans l'eau jusqu'au menton. Je baignais mon menton. J'espérais qu'elle sortirait, qu'elle perdrait patience.

Elle dit :

– Tu te sens encore mal?

Je restai muet puis, en peignoir éponge, je revins dans la chambre, et je déclarai :

– Je suis un con robuste qui a attrapé la crève africaine, ça peut arriver à n'importe qui. Cesse de me décortiquer, merde!

– Pourquoi te traites-tu de con? demanda-t-elle avec une douceur exaspérante.

– Parce que je suis un con, un con furieux, c'est suffisant?

Je tremblais de la tête aux pieds. Quelle peste avais-je récoltée! Quels virus musclés et hardis avaient déjà digéré les antibiotiques du médecin de Nairobi et, ragaillardis, gonflés à bloc, m'attaquaient à nouveau? Ou bien était-ce ma conscience pourrie qui m'affaiblissait? Je prêtais une origine psychosomatique à ma chair de poule, ça m'arrangeait, j'étais à la mode, avec une crève. Annie me tendit un verre.

– Bois. J'ai demandé aussi du thé au service d'étage.

Je me suis couché, elle s'assit sur la couverture, elle me coinçait :

– Tu n'as pas de chance. Un si beau voyage, et tu es malade! N'empêche, pour toi c'est moins grave, tu pourras toujours revenir ici.

Elle haussa les épaules :

– Moi, c'est une autre affaire. Il faudrait que ta femme m'engage.

Elle était butée et triste.

Bientôt, le garçon d'étage apporta le thé. Il déposa délicatement le plateau sur la table basse devant la cheminée. Un valet l'avait suivi pour allumer le feu. Froissement de papiers, allumettes grattées, une légère odeur de fumée et puis les légers craquements provoqués par les premières morsures des flammes. Dieu, que j'étais malheureux dans cette quiétude!

En maudissant ma crève, j'observais les allées et venues d'Annie, puis j'ai dû m'endormir. Quand je rouvris les yeux, Annie fermait les doubles rideaux et allumait les lampes.

– Annie...

– Oui...

– Quelle heure est-il?

– Bientôt huit heures. Tu as dormi tout l'après-midi. Tu veux dîner dans la chambre?

– Quelque chose de léger, si tu restes avec moi.

– Je ne reste pas. On ne passe qu'une soirée ici, je veux en profiter, l'endroit est merveilleux. A ta place, je m'habillerais et je sortirais...

– Pas envie de voir des gens...

– Alors, reste.

Elle s'habilla pour le dîner. Elle se maquilla et enfila sa robe vert-mauve. Elle me lança un « Tchao » et sortit.

Il me fallait arriver à New York et éviter les discussions. Là-bas, je « perdrais » Annie. Il fallait supporter les heures. Je me tournai vers mes somnifères. J'avalai deux capsules de merde. Agité dans un sommeil confus, je me débattais dans des explications. Puis, je ne sais pas au bout de combien de temps, je me réveillai en sursaut. Je guettais la nuit noire, je tâtai lc lit à côté, Annie dormait. Je savais déjà que j'allais commettre une erreur, j'essayais de me retenir, de me freiner, mais quelqu'un de plus fort, un autre moi, me commandait. J'allumai la lampe de chevet et me penchai sur Annie, elle dormait profondément. Je la secouai légèrement, je caressai son épaule, enfin elle ouvrit les yeux.

– Qu'est-ce qui se passe? Tu as besoin d'un médecin?

Elle se frottait les yeux, le nez.

– Annie...

– Mais quoi?

Elle s'accouda et chassa une mèche de son front :

– Quoi?

– Annie...

Succomber à la folle tentation de partager un secret, être à la recherche fatale d'un refuge. L'odeur du sommeil d'Annie, l'émanation de sa peau tiède et un souvenir de parfum qui traîne... Si je pouvais...

– Annie...

Je m'allongeai auprès d'elle.

– Annie, j'ai tué ma femme...

– Oh, tais-toi, Éric, j'en ai marre de tes cauchemars.

– J'ai tué ma femme, c'était un accident.

Elle me fixa, les yeux cernés :

– Tu inventes n'importe quoi pour que je m'en aille, tu veux me faire fuir.

– Non. Tu dois connaître la vérité. Sur la terrasse de sa maison du lac Tahoe, dans un moment de colère, je l'ai frappée avec une chaise en fer. Pour qu'elle se taise. Elle est tombée, elle était morte.

– Morte? dit-elle, et elle s'essuya le nez avec le dos de la main. Morte?

Elle me regarda comme une chouette : je n'étais plus un homme marié dont elle avait envie, mais un individu avec un meurtre sur les bras.

Pour se donner le temps de réfléchir, elle se leva et chercha le thermos, elle se versa de l'eau.

– Elle est morte, ta femme, répéta-t-elle, hagarde.

– Oui, je l'ai enterrée.

Dans la lumière jaune de la lampe de la table de chevet, elle semblait avoir vieilli. Elle fit un geste, son verre d'eau à la main :

– Tout est mensonge, alors ? L'oncle, le fric à hériter, la majorité des actions à obtenir, tout...

– Oui. Pour t'emmener ici, il fallait bien une histoire.

Elle déposa le verre et prit sa tête dans ses mains :

– A quoi je sers, moi ?

– Je voulais un alibi. Quitter les USA avec une femme que je devais faire passer pour Angie...

– Et ce jeu devait durer combien de temps ?

– Jusqu'à notre retour.

Je me levai pour la rejoindre, la prendre dans mes bras, la réconforter. Je savais déjà que je n'aurais pas dû parler.

– Et ensuite ? prononça-t-elle d'une voix rauque. Tu as imaginé quoi ? Hein ? Ose le dire !

– Arrivé à New York, j'aurais déclaré, au bout d'une journée, que tu étais sortie de ma vie...

– Ça veut dire quoi, « sortie » de ta vie ?

– Disparue, tombée dans l'Hudson, suicidée...

Elle se jeta contre moi et me martelait avec ses poings fermés :

– Tu te venges de qui, salaud ? Salaud, ordure, répétait-elle. Tu veux me déséquilibrer, me rendre folle... Ça t'arrangerait. Tu es jaloux depuis que j'ai dit que j'aimerais travailler avec ta femme et que c'est elle que j'ai choisie, pas toi. Tu es jaloux ! Tu inventes des horreurs pour que je te quitte, pour ne plus jamais me revoir.

Je la secouai :

– Arrête de crier : je dis la vérité.

– Alors, tu es le pire monstre au monde.

Elle tapait sur moi.

– *Fuck you, son of a bitch ! Fuck you...*

Puis, elle passa aux larmes. Elle pleurait silencieusement et marchait en long et en large :

– Tu crois que ça va se passer comme ça, que je vais accepter d'entendre tes crimes... Tu as dû en commettre d'autres... Je ne veux pas être ta complice, ne fût-ce qu'en t'écoutant. Fous le camp d'ici, ou laisse-moi partir, je ne t'ai jamais vu, jamais connu...

J'entendis des mouvements de réveil dans la chambre à côté, Annie frôlait la crise nerveuse. Je l'attrapai par les épaules.

– Ta gueule, tu vas réveiller tout l'hôtel!

Elle voulait se dégager violemment :

– Ne me touche pas!

Je plaquai ma main sur sa bouche...

– Si tu la fermes, je te lâche, si tu gueules...

Elle se calma pour se dégager, elle recula :

– Peut-être veux-tu me tuer aussi. Hein? Pourquoi pas; Ça t'arrangerait. Il te manque un cadavre, salaud!

– Tais-toi, Annie.

Elle s'assit au bord du lit et chuchota sans force :

– Pourquoi me le dire?

– Un moment de faiblesse. Ne me le fais pas regretter.

Elle ajouta, morne :

– J'ai toujours eu l'impression que tu avais inventé Hawaii, et tu insistais tellement pour savoir si je nageais bien... La marée haute, je pense à la marée haute, aux courants de l'océan Indien, au cottage, à l'hôtel... Éric, est-il possible que tu aies voulu... Éric... J'ai envie de crever, toute seule comme une grande. Je suis tombée amoureuse d'une ordure.

Je l'obligeai à s'allonger auprès de moi et je lui racontai mes rapports si obscurs et si classiques avec ma mère, l'oncle Jean, mes études à l'arraché, l'invitation provoquée de Roy, mon passé inventé, le chassé-croisé avec Angie, sa proposition de mariage. Ma lutte de la première année pour me faire accepter par les Américains. Le lac Tahoe, l'enquête d'Angie, la terrasse et l'accident.

Elle demanda :

– Pourquoi a-t-elle voulu t'épouser?

– Elle voulait essayer la vie à l'envers. Le bonheur à construire, et plus tard, vivre en Afrique avec moi. Je correspondais, au moment où elle a pris sa décision, à l'image qu'elle se faisait de l'homme dont elle avait besoin.

– Et après... Après ça...

– Sa mort?

– Oui... Tu es venu à Las Vegas pour trouver une...

– Une femme qui lui ressemble. Au début, je n'ai pensé qu'au départ des USA. Ensuite, j'ai voulu gagner du temps et prolonger mon existence.

– Et moi dans tout cela...

– Écoute, je sais ce que nous allons faire.

– Nous? Toi! Je ne veux être pour rien dans cette affaire.

– Tu es coincée, Annie. Je le regrette, personne ne croira que tu n'étais pas au courant ou que tu n'aies pas eu de soupçons. Tu vas me quitter à New York. J'attendrai en vain ton retour à l'hôtel, puis je m'adresserai à la police, j'annoncerai que ma femme est partie juste avec son sac à main et ses bijoux auxquels elle tient sentimentalement, j'émettrai l'hypothèse d'un accident.

– C'est quoi, cette histoire de bijoux?

– Les siens, d'une valeur de quatre cent mille dollars...

– Tu voyages avec quatre cent mille dollars de bijoux?

– Ils authentifient sa présence...

– Et ces bijoux, j'en fais quoi, après? dit-elle.

– Je ne vais pas t'encombrer, c'est moi qui les garde.

Je répondais, serviable, j'étais un véritable agneau, je voulais la satisfaire, l'apaiser, la calmer. Puis, elle me demanda si j'avais été amoureux d'Angie.

– Non. J'étais attiré par ce qu'elle représentait.

– Comment ça?

– Le pouvoir. Je voulais me faire une place dans la Compagnie, devenir quelqu'un qu'on respecte. Je rêvais de poids moral, je voulais être le spécialiste des affaires européennes de la compagnie Ferguson...

– Tu étais capable de ne pas être amoureux d'une femme pareille? Aussi extraordinaire? Mais qu'est-ce qu'il te faut pour t'émouvoir?

– Moins... Je n'en demandais pas tant.

– Donc, c'était quand même pour l'argent.

– L'argent était secondaire.

– Secondaire? Sale hypocrite! Et moi j'étais le bouc émissaire qui marche aveuglément dans ces combines, un enfant de chœur...

– Sans t'en rendre compte, tu me sauvais. Ensuite, j'ai appris à te connaître un peu et je présumais que je pouvais te faire confiance.

Elle voulut quitter le lit, je la retins.

– Si on découvre le crime, je serai accusée de complicité, dit-elle.

– La défense ne serait pas aisée, mais on ne va pas arriver à ce stade. Tu vas disparaître à New York.

Elle répéta :

– Tu n'aurais pas dû. Tu n'aurais pas...

– Je te jure que c'était un accident.

– Ce n'est pas ce que je veux dire : tu n'aurais pas dû me l'avouer.

– A un moment donné, on ne supporte plus le poids d'un secret. Il faut partager un secret.

– Peut-être quand on est un couple! Mais moi, je ne suis qu'un alibi... on ne s'explique pas avec un alibi...

– Et si je te disais que je t'aime?

Je ne devais pas être très convaincant.

– Tu mens, dit-elle.

– Non.

Elle partit du lit et s'assit dans un des fauteuils placés devant la cheminée.

– Tu m'aimes, moi? Toi qui n'étais pas capable d'avoir un sentiment pour Angie? Je n'arrive même pas à sa cheville. Je suis une fille simple, à peine middle-class, pas d'instruction, ou si peu... mais je ne dois pas me plaindre d'avoir « marché », continua-t-elle. Tant pis pour la fille stupide... Si je pense que tu m'as serrée dans tes bras et que tu m'as caressée avec les mains qui ont tué celle que je mets sur un piédestal, tu me dégoûtes et je me dégoûte.

Elle retrouvait ses forces. Toute la nuit, elle me débiterait des sermons. Je ne supportais plus ses crises, ses remontrances. Je me levai, je fouillai ma valise, je retrouvai le dernier tube de somnifères que j'y avais caché. C'est Ruth, qui m'en avait prescrit autant que je voulais. « L'époque des stress exige tout », m'avait-elle dit. Elle me justifiait. Je n'écouterais pas Annie. Non. J'avalai trois capsules.

Elle me regardait, hostile :

– T'es un vrai drogué!

– Il vaut mieux bouffer ça que de t'écouter.

– Pourquoi m'avoir parlé, salaud? Tu espérais l'accord moral d'un « béni oui-oui » : « Bravo, tu es un gentil meurtrier, et futé avec ça, bravo, je t'applaudis »? Tu m'as mise dans un sale pétrin!

Je tentai de la réconforter :

– Fais ce que je dis, et tu ne courras aucun risque. Nous partons demain après-midi pour Nairobi, ensuite, le matin même, à Genève, nous embarquerons pour New York. Là-bas, tu te sauves. Tu n'auras même pas à évoquer un voyage au Kenya si l'entrée et la sortie s'effectuent avec le passeport d'Angie. Mrs. Landler est arrivée au Kenya, elle est repartie. Qui connaît Annie White de Buffalo? Personne...

– J'ai un visa dans mon passeport à moi.

– Non utilisé. Tu déchires ton passeport plus tard, tu le déclares perdu, tu en demandes un autre. C'est tout.

– Et à mes parents, je leur raconte quoi?

– Que tu as changé d'avis, que tu n'as pas voulu t'aventurer en Afrique, que tu t'es promenée un peu; tu t'inventes une liaison, les retrouvailles avec une amie, ta copine avec qui tu habites t'aurait invitée à New York... Qu'importe! Tu sors de ma vie, ni vu, ni connu, et avec toi, Angie disparaît pour toujours, elle aussi.

Elle devenait hostile. Ma faiblesse m'enfonçait de plus en plus dans une suite d'erreurs.

– Viens, je vais te dire quelque chose de doux.

– Tu n'en es pas capable.

– Mais si. Viens.

Elle se moucha :

– Que veux-tu?

– Avec le temps, si je m'apaise, si la vie s'arrange autour de moi, il n'est pas exclu que je te demande de m'épouser.

Elle poussa un petit cri et s'approcha :

– De m'épouser? Tu parles de mariage...

– Mais oui. De mariage.

J'étais presque sincère, ce projet abstrait me rassurait.

– Répète, tu viens de me demander de t'épouser?

– Oui, dans quelques années. Pour le moment, il faut avoir de la patience et attendre tranquillement. Pas bouger. Ne me donne aucun signe de vie. Je serai surveillé, je passerai des mois et des mois sous une loupe, une partie de la presse ne s'occupera que de la disparition d'Angie Ferguson, de son voyage au Kenya, de l'énigme de New York. L'enquête va être longue et minutieuse. Le temps qu'on fasse le tour de toutes ses maisons, ses amis, qu'on retourne la chercher au Kenya, qu'on revienne ici. Il faut attendre...

Je commençais à m'engourdir, le somnifère agissait. Elle égrenait ses idées :

– Tu es le premier qui me demande en mariage, le tout premier. Jure que tu veux vraiment m'épouser.

– Vraiment.

– Jure.

– Je le jure.

– Tu es sûr de ne pas mentir?

– Mais je viens de jurer... à condition – oui, il y a une condition – que tu fasses preuve d'une longue patience. Je n'ai aucune idée des délais. Au bout de combien de temps une personne disparue peut-elle être déclarée décédée. Je n'en sais rien.

– J'attendrai le temps qu'il faudra. Dis, Éric, tu es l'héritier de ta femme?

– A ma connaissance, non. Heureusement, je n'ai rien voulu d'elle. Juste garder mon emploi dans sa société et rester en Amérique.

– Et les remords, Éric? Tu penses aux remords?

– Mais oui, j'y pense. Que veux-tu, c'est le destin.

– Tu devras faire face à la fois à l'enquête, dit-elle, et à tes remords. Ce n'est pas rien les remords.

– Je vais surmonter les obstacles et lentement, doucement, je commencerai une nouvelle vie. Et puis, lors d'un voyage, je te rencontrerai « par hasard », et comme dirait mon oncle Jean, nous commencerons à nous « fréquenter ».

– Si c'est vraiment le mariage au bout de l'attente, répéta-t-elle, alors je me tairai, j'enfouirai en moi ton secret, je le garderai comme une tombe, tu seras en sécurité. Je crois d'instinct que tu n'es pas un vrai meurtrier. Drogué de somnifères, mais pas un vrai meurtrier.

Elle me débitait un monologue, elle bâtissait son histoire, elle installait déjà ses parents à Los Angeles pour qu'ils puissent voir souvent leurs petits-enfants, pourtant l'air était meilleur à Buffalo...

– Quels enfants?

– Les nôtres.

– Ah bon...

Je marmonnai :

– On verra, le moment venu.

– Tu vas m'épouser, donc il faut y penser! Le mariage, c'est aussi les enfants. Tu sais que souvent, on veut des enfants pour faire plaisir aux parents? Dans mon cas...

Je sombrai dans le sommeil.

Je me réveillai vaseux, avec une sérieuse gueule de bois due aux somnifères, mais je préférais cela aux drogues dures. J'avais un chapeau en plomb sur la tête, et en plus l'Afrique. Je retrouvai mon bracelet-montre à tâtons, il était deux heures de l'après-midi. Je me tirai du lit, j'ouvris les rideaux, le soleil me frappait en pleine gueule, j'apercevais la masse sombre du mont Kenya; sur un gazon vert émeraude, quelques joueurs de golf passaient. Je pris une douche, je m'habillai et j'appelai la réception. « Oui Mr. Landler, votre avion-taxi est arrivé de Nairobi, le pilote attend. » Je secouai la tête. Il fallait que je sois gentil avec Annie. J'avais dû lui promettre le mariage. Je haussai les épaules. Si je peux m'en sortir, l'épouser sera le cadet de mes soucis... Pourquoi pas... Au moins, grâce à cette promesse, je pouvais m'assurer son silence.

J'avais besoin d'un café. En ouvrant la porte de la chambre, je découvris, sur la poignée, le carton *don't disturb*. Je le décrochai et je me dirigeai vers le bar où on servait toute la journée des espressos. J'en bus deux. Annie devait être au bord de la piscine, je serais sublime avec elle. L'atmosphère était paisible.

Je voulais la laisser tranquille le plus longtemps possible sous l'un de ces parasols rouges qui fleurissaient plus loin, je retournai dans la chambre pour faire mes valises. Je ramassai mes affaires éparpillées, je roulai mon pyjama en boule et je bouclai la fermeture à glissière.

Je ressortis dans le hall, je rencontrai des employés qui me saluaient avec les « *jambo !* », je passai à côté de la salle à manger, les serveurs débarrassaient les restes du buffet.

Je descendis vers la piscine; dans des chaises longues, confortablement installés, des hommes et des femmes bavardaient. Certains gardaient sur leurs maillots d'épais peignoirs éponges. Le soleil était puissant, mais il faisait frais à l'ombre. Je me promenai parmi ces gens satisfaits de leur sort, je me cognai contre une table basse où traînaient des tasses vides. Je revenais vers le hall, une jeune femme en vive conversation avec l'employé de la réception me tournait le dos. Elle était grande, avait des cheveux blonds et une casquette à visière; malgré la relative obscurité de l'endroit, elle avait gardé ses lunettes de soleil.

J'effleurai son bras, elle se retourna avec un « *sorry* », croyant m'avoir heurté. Une inconnue. Je marmonnai des excuses. Je retournai dans la chambre, deux femmes changeaient le lit, les draps d'hier se trouvaient déjà dans le sac à linge accroché à leur chariot.

– Vous n'avez pas vu ma femme?

Elles parlèrent entre elles en swahili, puis la plus vieille me répondit :

– Non, personne n'est venu.

Je revins au petit salon; devant la cheminée, à genoux, un valet préparait le feu; j'observais l'échafaudage minutieux du papier, du petit bois et des bûches... Je redescendis au bord de la piscine, il y avait moins de monde. Je m'énervais, Annie aurait dû laisser un message, je perdais mon temps en la cherchant. J'interpellai l'une des employées de la réception.

– Je cherche ma femme, Mrs. Landler. Il n'y a pas un message pour moi? Je ne sais pas où elle a pu aller.

– Quel nom, monsieur?

– Landler ou Ferguson.

– Je vais me renseigner.

Elle partit et revint quelques minutes plus tard :

– L'équipe a changé il y a une demi-heure. Tout le monde est parti, sauf Raymond. Voulez-vous lui parler?

– Oui.

J'étais irrité. Nous devions quitter l'hôtel au plus tard à 16 heures. Un jeune homme s'approcha du comptoir.

– Oui, monsieur?

– Je cherche ma femme, Mrs. Landler. L'avez-vous vue ce matin?
– La dame blonde, grande...
– Oui.
– Avec des lunettes noires?
– Sans doute...
– Justement il y avait un petit problème. Une erreur.
– Quelle erreur?
– Je ne sais pas, les autres ont dit que...
– Que quoi?
L'employé souriait :
– Je ne sais pas, moi.
– Mais qui sait quoi?
– Les autres, mais ils sont partis chez eux. Rien d'important, monsieur.
– Écoutez, il faut que je retrouve ma femme. Nous devons partir le plus tôt possible pour Nairobi. Essayez de vous en souvenir...
– Ce que je sais, moi, c'est qu'elle est venue se renseigner sur les possibilités de petites promenades. Je lui ai dit que pour les excursions, il fallait s'inscrire la veille, mais s'il y avait une voiture libre – il y a souvent des gens qui retiennent un chauffeur et renoncent à la dernière minute –, elle pourrait profiter de l'annulation.
– Mais elle voulait aller où?
– Elle ne l'a pas dit.
– Est-ce que quelqu'un l'a vue partir?
– Si elle avait sous-loué une voiture, nous aurions dû être prévenus. Les excursions se payent ici et pas directement au chauffeur.
Je lui glissai cinquante shillings.
– Aidez-moi.
– Je vais faire de mon mieux. Où sont ses bagages?
– Dans la chambre.
– Alors, elle n'est pas partie.
– Ses bagages sont là, mais pas elle...
Il appela le central, qui avait la liste des participants aux excursions organisées par l'hôtel. Il expliquait à mi-voix mon problème, épelait mon nom, le central répondit en peu de temps qu'il n'y avait aucune trace de Mrs. Landler. Des touristes hollandais étaient arrivés avec une Land Rover de Nairobi, la voiture a dû repartir à vide, mais le chauffeur aurait pu emmener quelqu'un sans l'avoir annoncé au contrôle. Ce genre d'improvisation était fréquent.
– Vous connaissez les gens de la Land Rover? Ils pourraient nous indiquer le nom de leur chauffeur.

Le Kenyan serviable réussit à obtenir quelques renseignements. Deux couples de Hollandais avaient passé une nuit dans un des bungalows de l'hôtel, ils étaient partis tôt ce matin en avion pour Samburu.

Sorti du carcan protecteur de Plaisir-Safari ou de n'importe quelle autre organisation de tourisme conçue avec une précision extrême, les hypothèses s'ouvraient à l'infini. J'interrogeais les employés, je lisais dans leur regard, ils supposaient une scène de ménage qui aurait incité ma femme à partir comme ça, sur un coup de tête! Le directeur général de l'hôtel se trouvait ce jour-là à Nairobi, j'avais affaire à son adjoint compatissant. J'essayai d'appeler l'aéroport, mais la ligne entre Nanyuki et Nairobi était surchargée, l'attente se prolongeait. Un bagagiste était venu raconter que ses collègues avaient vu passer une Mercedes blanche avec un chauffeur blanc et une personne sur la banquette arrière. Une personne ou deux? Une plutôt. Une femme ou un homme? Il ne le savait pas.

Tout le monde l'a vue, personne ne l'a vue. Je me précipitai dans la chambre, je ne rêvais pas, les valises d'Annie étaient là, fermées. Comme elle avait eu l'habitude de tout emballer ou déballer à chaque étape pour admirer ses objets, sans doute l'ordre régnait-il dans ces valises. Près d'elles par terre, tournés vers le mur, ficelés ensemble, attendaient les fiers guerriers samburus.

Je revenais vers le bureau, les secrétaires me regardaient avec intérêt, les renseignements obtenus du contrôle étaient à la fois logiques et cruels, on inscrivait le numéro de plaque des voitures qui entraient, mais pas toujours de celles qui repartaient.

On me servait tantôt du thé et tantôt de l'eau minérale. L'aéroport a été prévenu par télex que Mr. et Mrs. Landler annulaient leurs places dans le vol Swissair de ce soir pour Paris. Si jamais Mrs. Landler se présentait à l'embarquement, il fallait lui demander d'appeler d'urgence son mari au Mount Kenya Safari-Club.

De retour dans ma chambre, je tournais en rond. Ce qui m'arrivait pouvait être une solution d'un extrême confort, mais aussi le début d'une attente infernale. Serait-elle partie? Pour m'aider, pour me sortir du piège qui se refermait sur moi? Serait-elle partie pour que je reste libre, que je puisse faire face plus facilement à l'enquête? Mais pourquoi avait-elle rejeté ainsi l'hypothèse de la disparition à New York? Ç'aurait été tellement plus aisé de mimer le drame qu'ici... Voulait-elle me tenir à sa merci pour me faire chanter? Ici, ce n'était pas l'endroit pour amorcer ce genre d'opération. Où a-t-elle pu se volatiliser dans ce monde noir, aimable et flou? Elle est devenue une ombre, comme l'autre.

Traversé par une idée qui me parut absurde, je bondis, j'ouvris la plus grande de mes valises, je fouillai comme un damné, mes doigts s'accrochaient aux plis et aux replis de mes chemises, aux creux de mes vestes, comme un fou je cherchai la pochette avec les bijoux. Pas de sacoche, pas de bijoux, quatre cent mille dollars envolés, volés! Annie? Annie.

J'ai parlé et me suis laissé déposséder.

Je demandai aussitôt qu'on prévienne la police de Nanyuki. Celle de Nairobi devait être alertée aussi. J'envoyai un télex à Sanders en annonçant la disparition d'Angie. Je claquais des dents, mais quelque part en moi, un espoir fou naissait, un espoir qui m'arrangeait : l'hypothèse de son vrai départ, loin de tout. Elle avait les bijoux, elle pouvait les monnayer, je ne la reverrais plus jamais. Annie n'aurait pas été ma première erreur psychologique.

Chapitre 28

Deux jours plus tard, je me retrouvai dans une chambre du New Stanley Hotel. Sur un ton très *british*, un inspecteur de la police de Nairobi m'interrogeait. Il prenait des notes.

– Je suis navré de vous importuner, Mr. Landler, mais je dois récapituler les faits du dernier jour que vous avez passé avec votre femme.

– Nous sommes arrivés dans la matinée au Mount Kenya Safari-Club, nous avons pris possession de notre chambre.

– Chambre? J'ai cru comprendre qu'étant membre du club, elle avait un bungalow...

– C'est exact, mais notre programme a dû être bouleversé et notre séjour avancé. De plus, ma femme voulait vivre l'expérience d'une « touriste » qui voyage avec une organisation. Celle-ci nous a procuré une chambre. Amplement suffisant.

– Auriez-vous l'amabilité de m'expliquer les raisons de votre départ précipité de Diani Reef? Au lieu de dix jours, vous y avez passé quelques heures seulement...

– Dès le départ de Los Angeles, notre emploi du temps a été dérangé. Ma femme avait même songé à annuler le voyage, une réunion importante avec des industriels japonais la pressait. Nous avons pourtant décidé de maintenir le voyage.

– Vous n'avez pas eu une discussion qui aurait justifié un coup de colère de Mrs. Landler?

– Non. Elle était un peu tendue, le voyage a commencé dans les difficultés, les astres étaient contre nous.

Il se fichait des astres. J'essayai de rendre son comportement plausible :

– Elle a peut-être pu prendre un vol au hasard et partir pour l'Europe.

– Non. Mrs. Landler n'a pas pu quitter le Kenya. Je veux dire, officiellement. Notre police des frontières contrôle les sorties des visiteurs. Elle a pu partir éventuellement pour la Tanzanie ou pour l'Éthiopie en franchissant clandestinement la frontière. Mais aucun avion-taxi n'a été loué pour une de ces directions. Quitte à paraître indiscret, je vous demande une fois de plus : auriez-vous eu une dispute violente?

– Aucune dispute. Ma femme a davantage l'habitude de commander que de discuter. Je n'étais pas en forme non plus pour me bagarrer, j'étais malade à Nairobi, et convalescent pendant le reste du voyage.

– Vous vous êtes rendus à l'hôpital de Nairobi? dit-il.

– Oui, j'ai dû faire quelques examens commandés par le médecin de cet hôtel.

– Voyez-vous, dit-il pensif, il est étonnant que d'une part, pressés par le programme de Mrs. Landler, et d'autre part gênés par votre maladie, vous ayez voulu continuer...

– C'est toute une histoire. Je n'étais pas très enthousiaste pour ce déplacement. J'avais tort. Bref, sur place je ne voulais pas apparaître comme un énergumène, d'abord réticent et qui ensuite, pour emmerder tout le monde, tombe malade. Je faisais un grand effort pour plaire à ma femme.

– Mais ça va mieux, Mr. Landler, n'est-ce pas?

– Exactement.

– Vous n'avez donc jamais songé à annuler la suite de ce voyage?

– Non. Je viens de vous expliquer mes raisons.

– Lors de la nuit qui a précédé sa disparition, avez-vous constaté quelque chose de particulier dans le comportement de votre femme?

– Non. L'erreur est humaine, j'ai pris une bonne dose de somnifères, alors...

– Beaucoup de somnifères?

– Mais oui. Je suis impatient, ça a l'air drôle, mais il faut que je dorme, rapidement, alors j'avale un peu n'importe quoi. Je ne supporte pas l'idée d'attendre le sommeil.

Il me regardait.

– J'essaye de vous comprendre.

– Vous êtes très aimable...

Je réussis à soutenir son regard, je souriai vaguement et répétai qu'il fallait retrouver ma femme.

Il était fonctionnaire, il en avait l'aspect. Il devait avoir dans les quarante ans, il portait des lunettes aux verres assez forts, et une alliance large. J'aurais aimé lui poser des questions, moi, connaître les prénoms de ses enfants s'il en avait, n'importe quoi, pour échapper à son interrogatoire. S'intéressait-il au football? Je cherchais un sujet qui l'aurait diverti, j'aurais souhaité qu'il m'oublie...

– En quittant la chambre, Mrs. Landler a accroché le carton « ne pas déranger »...

– Oui. Sans doute, elle a voulu protéger mon sommeil.

– Donc, s'absenter assez longtemps?

– Je ne sais pas.

– Selon nos renseignements antérieurs, Mrs. Landler désirait...

– Désirait quoi?

Il hésitait :

– Créer une fondation pour la sauvegarde de la nature.

Je me sentais moi aussi noble donateur, j'ai pris un air de chrétien, profondément bon.

– Oui. Elle a fait élaborer le projet d'un document, la base pour créer une fondation. Elle donnerait quatre-vingts millions de dollars.

– Une grande dame, dit-il.

– Le Kenya est son grand amour. Je respecte la passion de ma femme, qui est d'une générosité...

– Est-ce que l'acte est signé?

– Je ne sais pas. Il n'est pas exclu que l'acte soit déjà dans les mains des autorités concernées.

– La somme destinée au Kenya est sans doute mentionnée dans le testament de Mrs. Landler...

– Vous me faites peur avec ce mot. Testament, ça veut dire : mort. N'enterrez pas ma femme...

– Je suis désolé, Mr. Landler, je ne veux pas vous attrister. Mais que voulez-vous... Les questions font partie de notre métier. Vous êtes mariés depuis...

– Un an et demi.

– Et vous ne connaissez pas les vœux de Mrs. Landler? Elle ne vous en a pas parlé? Nous sommes tous mortels.

– Non. Ce n'était guère un sujet de conversation.

– Vous êtes français?

– En effet. Pourquoi?

– Ma question est d'ordre administratif. Vous voyagez avec un passeport français, et votre femme avec un passeport américain. Vous songez à demander un jour la nationalité américaine?

– Peut-être. Je ne vois pas l'intérêt de cette question.

– Vous avez raison, ma remarque est personnelle. Je suppose que vous allez un jour opter pour la nationalité américaine?

– Par amour pour ma femme, peut-être. Mais je me sens bien aussi dans la peau d'un Français.

– Vous avez des fonctions bien définies dans la Compagnie?

– Je suis directeur du secteur qui s'occupe de l'étranger. L'administrateur général de la Compagnie est Mr. Sanders...

– Sean Sanders, dit-il en consultant une feuille aide-mémoire.

– Vous connaissez son nom?

– Vous lui avez envoyé un télex... Nous avons même cru qu'il était un parent de Mrs. Landler.

– Il est très attaché à ma femme, comme un deuxième père.

– Deuxième père. Les parents de Mrs. Landler seront prévenus par lui?

– Ils sont décédés depuis environ dix ans.

– Tous les deux?

– Oui. Un accident.

– Comme c'est triste, dit-il. Avez-vous des enfants, Mr. Landler? Ou Madame en a-t-elle d'un premier mariage? Si j'ai bien saisi les quelques notes que nous possédons, vous êtes le deuxième mari.

– Non, le troisième.

J'étais le numéro trois sorti d'un jeu de loto.

– Logiquement, vous devriez être l'héritier de votre femme.

– Il n'y a pas de logique dans ce genre de dispositions. J'ai refusé la moindre allusion à ce sujet. J'aime ma femme, et j'ai mon travail. A trente-six ans, on n'a pas besoin de plus...

– Je suis heureux de rencontrer un homme aussi désintéressé, dit-il. Dans mon rapport, aucune réponse de Mr. Sanders est mentionnée...

– Il n'a pas encore donné signe de vie.

– Où se trouve-t-il?

– A Los Angeles.

– Il n'y est pas, dit l'inspecteur. Nous l'avons appelé, ses secrétaires ne savaient pas où il se trouvait...

– Il va appeler rapidement.

Il me trouvait insignifiant, et il avait l'impression de perdre son temps avec moi.

– Et sur le plan de votre santé, ça va mieux, Mr. Landler?

– Je souffre moralement. Je suis profondément inquiet. Dans ce pays magnifique et si bien organisé, comment peut-on perdre quelqu'un? Avez-vous eu des nouvelles d'une Land Rover qui l'aurait conduite à Nairobi?

– Nous sommes à la recherche des Hollandais qui l'avaient louée. Ils sont partis de Samburu au lac Turkana et s'ils continuent vers l'Éthiopie, il va être bien difficile de les retrouver et de les interroger. D'ailleurs, il n'est absolument pas prouvé que votre femme soit partie avec cette voiture.

– Et les autres voitures de l'hôtel?

– Toutes étaient réservées depuis des semaines. Mais souvent les touristes viennent à Nanyuki juste pour apercevoir le mont Kenya, le temps d'un lunch. L'hôtel est l'un des plus célèbres au monde. Votre femme aurait pu partir avec des gens de passage.

– Ma femme n'avait aucune raison de faire du stop.

– Les raisons, monsieur... les êtres humains ne sont pas prévisibles. Dès que Mr. Sanders réapparaît, par téléphone ou par télex, prévenez-nous.

– Certainement.

Il réfléchit, il essayait de me dire quelque chose, mais il ne savait pas comment s'y prendre.

– Nous croyons qu'elle est revenue ici à Nairobi, prononça-t-il enfin. Mr. Landler, une question encore, je crains de vous choquer...

– Je m'y prépare. Allez-y.

– Quelles étaient les relations personnelles de Mrs. Landler avec les Kenyans?

– Étaient? Sont! Des meilleures. Ma femme veut s'installer ici. J'imagine que vous connaissez l'existence de sa maison splendide dans les Loïta Plains?

– J'en ai entendu parler. Nous savons qu'elle désire la restaurer et implanter autour divers bâtiments, une école, une crèche pour les enfants des femmes qui travaillent dans l'artisanat. La question, Mr. Landler, est...

– Je vous écoute.

– C'est difficile. Je n'ai pas le choix, je dois donc vous le demander : Mrs. Landler aurait-elle pu avoir une liaison avec un Kenyan? Seul un Kenyan pourrait – disons le mot – la cacher. Si elle était partie avec lui, par exemple, en un endroit comme Lamu ou une autre île, il faudrait beaucoup de temps pour la retrouver.

J'affirmai avec force :

– Non, elle n'avait pas de liaison.

– Même avant de vous épouser? Quelqu'un d'ici qu'elle aurait retrouvé...

– Je suis sûr que non. C'est à peu près la seule chose que je puisse vous certifier.

Il se leva :

– Merci de votre coopération.

– C'est naturel, il s'agit de ma femme.

– Bien sûr, Mr. Landler, merci quand même.

Sanders, arrivé de Los Angeles, était très pâle, il essayait de dominer sa profonde inquiétude qui se transformait peu à peu en panique. Il m'interrogeait sans cesse et ajoutait ses commentaires :

– Angie est un être fantasque, imprévisible, mais elle tient à la vie. Vous n'avez pas eu de discussion violente? Quelque chose d'irrémédiable?

– Non. Du tout. Je ne comprends rien. J'ai cru que nous étions enfin un couple heureux.

Installés à l'hôtel New Stanley, nous attendions les nouvelles sur place, à Nairobi. « Il faut retrouver Angie », répétait Sanders, et il harcelait la police. Il y eut une descente au cottage, la direction de Diani Reef fut alertée. Personne n'avait vu Angie. Sanders se comportait comme un père face à une tragique disparition. En quelque sorte, il expropriait mon chagrin présumé, il dirigeait l'enquête par police interposée, il me dépossédait presque de mon futur et incertain veuvage. De mon côté le simulacre devait être parfait, le rôle que je tenais me déstabilisait. J'avais besoin de me contrôler sans cesse. Pas une fois je n'ai commis un lapsus, j'ai toujours parlé d'Angie et non pas d'Annie, mais j'étais en sueur à chaque interrogatoire. Au bout de cinq jours d'attente, l'inspecteur demanda à rencontrer Sanders. Il insista pour aller seul à cette rencontre. La police lui avait annoncé que le corps atrocement mutilé d'une femme blanche avait été trouvé à l'extrême sud de Masaï Mara, près de la frontière de la Tanzanie. La boîte crânienne enfoncée, les membres déchiquetés, le cadavre n'était plus que des morceaux de chair, attachés encore par quelques ligaments et par la colonne vertébrale d'un être humain. Plus de visage. Un lambeau d'une chemise kaki était tout effiloché, accroché à une broche en or avec des diamants, une tête de lion, l'un des bijoux préférés d'Angie.

Je n'étais qu'un zombie. Sanders, devenu un pare-chocs entre moi et la police, tentait de me préserver de l'horreur. Lors de l'enquête, où on pataugeait dans la terreur physique, il répétait à qui voulait l'entendre : « J'étais un deuxième père pour Angie Ferguson, je connaissais ses habitudes depuis son enfance, ses manies, ses faiblesses, je peux vous aider beaucoup plus que Mr. Landler, son troisième mari. Il est effondré, choqué, aidons-le à surmonter l'épreuve. »

Sanders devenait un père pour moi aussi. En proie à une angoisse à couper le souffle, et pourtant je doutais, je ne croyais pas à la mort d'Annie. Avait-elle eu l'idée de donner l'un des bijoux en échange de son départ clandestin du Kenya, aurait-elle pu être la victime de braconniers, d'aventuriers, aurait-on jeté son corps d'une voiture pour qu'elle soit dévorée par les fauves? Mais pourquoi avoir laissé un bijou de cette valeur-là sur un cadavre? Je me réfugiai dans un mutisme total, mon entourage considérait cette attitude comme la conséquence du choc subi.

Nous avons donc quitté le Kenya en possession du certificat de décès d'Angie Ferguson. On m'avait épargné la vision des lambeaux du corps à la morgue, on m'avait juste montré le bijou. J'avais dû sortir du bureau du commissaire pour vomir.

A un moment donné, dans l'avion de New York, Sanders m'avait effleuré la main :

– Dans ce drame atroce, la chance de la Compagnie, c'est le fait qu'on a retrouvé le corps d'Angie et qu'on a pu l'identifier. Aux USA, en cas de disparition, il faut attendre sept ans pour que la victime puisse être déclarée décédée. La société serait partie à la dérive.

Tout cela était le cadet de mes soucis. J'avais dorénavant deux fantômes à fuir.

Chapitre 29

A Los Angeles, dans le salon de l'aéroport réservé aux visiteurs de marque, cerné par les journalistes, mitraillé par les flashs, je fus livré à ma première conférence de presse. A mes côtés, Sanders et Grosz, l'homme que j'avais choisi pour être mon second, son opportunisme me rappelait le mien, jadis.

Préservé par mes lunettes foncées, la voix étouffée d'émotion, je répondais par des petites phrases simples. Sanders m'avait préparé à cette épreuve et me secondait. Parfois, avant même que je réponde, il hochait la tête en faisant « oui » ou « non », il m'énervait, je ne voulais pas avoir l'air d'un cheval guidé.

Aussitôt après la conférence de presse, le conseil d'administration avait été réuni d'urgence. Je me laissais porter par les événements. La presse me considérait avec un respect condescendant et continuait à répandre des titres dans le style : « Le chagrin d'Éric Landler ». Je consolais Philip qui vivait auprès de moi, les yeux embués de larmes.

Je me suis rendu dans un bureau de poste pour chercher l'adresse et le numéro de téléphone des parents d'Annie. Il y en avait des White, à Buffalo! Je ne pouvais les appeler tous. Je me creusai la cervelle pour me souvenir du prénom du père – un Ronald me taquinait vaguement. Je feuilletais un grand nombre de journaux, pas l'ombre d'un article concernant des parents malheureux qui chercheraient leur fille, alors que le drame d'Angie Ferguson avait la place d'honneur des faits divers, souvent à la une.

Quelques heures après mon retour à Los Angeles, l'un des notaires d'Angie m'avait convoqué avec Sanders. Il avait le testament de ma femme. Assis face à cet homme au visage en lame de couteau – même de face il semblait être de profil –, j'écoutai les dernières volontés de ma femme, dont je résume l'essentiel :

1. Dans l'hypothèse où je décéderais sans avoir d'enfant, je désigne mon mari Éric Landler comme légataire universel. Si j'ai un enfant, c'est lui qui héritera de l'ensemble de mes biens avec une réserve de vingt millions de dollars à Éric. Je lui demande de garder s'il le veut vraiment, avec un contrat à vie, le fidèle Sean Sanders dont les pouvoirs devraient être (selon les astuces techniques énumérées), dans son propre intérêt, de plus en plus limités. Son dévouement bien connu pour la Compagnie, et le travail assidu qu'il fournit depuis des décennies pourraient compromettre sa santé ; s'il se décidait à prendre sa retraite pour épargner sa fatigue, la Compagnie devrait lui assurer le montant de son dernier salaire comme une rente à vie et y ajouter un capital confortable.

2. Au moment où Éric Landler sera tout à fait à même de gérer la Compagnie, le conseil des sages devra être dissous. Je fixe le délai maximal à un an. Éric Landler sera doté, à partir de la dissolution du Conseil, d'un pouvoir sans appel.

3. Quelles que soient les conditions de mon décès : explosion d'avion, naufrage, incendie ou autre disparition, j'impose un an d'attente à mon héritier, donc aussi à la Compagnie. Quelle que soit la législation au moment où ces lignes seront lues, je demande expressément que ma volonté soit respectée.

4. A la fin du délai exigé par le présent testament, Éric Landler devient le propriétaire exclusif de l'ensemble de mes biens mobiliers et immobiliers. Il doit dégager une somme de 80 millions de dollars, à verser à l'État kenyan, si celui-ci garantit les clauses qui justifient la raison d'être de la Fondation.

5. Le domaine situé au Kenya, désigné sous le nom de « Maison des lions », doit recevoir une subvention annuelle qui permette d'assurer la vie quotidienne d'une communauté, celle d'un administrateur et de sa famille. Les fonds qui doivent alimenter cette rente, y compris le financement d'un centre de documentation et d'un centre d'observation de la nature, à créer, doivent être bloqués ou, sinon, si le contrôle est satisfaisant, donnés en une seule fois, selon la décision d'Éric Landler, dont le dévouement pour la Compagnie est la garantie de la survie de celle-ci. Pour l'installation et le fonctionnement de ce centre, je prévois un don plafonné à 20 millions de dollars. Pendant cette période d'un an, la Compagnie doit fonctionner comme si j'étais présente, aucun changement de poste ou de pouvoir ne doit intervenir, ni mon bureau être occupé. »

Deux membres du conseil des sages étaient nommés exécuteurs testamentaires, l'un étant un avocat de grande renommée, et l'autre un ancien expert financier de Wall Street.

J'étais comme ivre à la fin de la lecture. Nous gardions le silence. Dans mes fantasmes de jadis, c'est un inconnu rencontré par hasard qui me laissait, pour se venger de sa famille, toute sa fortune; là, c'était ma femme. L'impression d'assister à une scène déjà vécue me troublait. Le notaire nous offrit un porto au salon. Il me contemplait, le verre à la main.

– Mr. Landler, quelle preuve d'amour, elle vous a tout donné! Inutile de vous dire que je suis à votre disposition à n'importe quel moment. Vous pouvez m'appeler jour et nuit.

Sanders, épuisé d'émotions, me tendait la main :

– Je vous félicite...

En sortant, sur le trottoir étroit, il s'adressa à moi d'une manière plus explicite :

– Sans l'alerte que j'ai déclenchée et mes mises en garde, vous n'auriez jamais eu ce cadeau inouï. Angie était une femme exclusive et volontaire. A partir de l'instant où vous avez fait semblant de partager son rêve africain, elle vous a gracié et vous a accordé une preuve d'amour posthume. N'oubliez pas, Éric, que j'ai aidé à forcer votre chance.

– Comment l'oublier? dis-je, en état d'apesanteur.

Puis, je repris mon contrôle. Je devins aimable, distant et un soupçon trop poli. Le pouvoir, le fabuleux pouvoir, m'était accordé à terme! Une sensation neuve m'envahit, comme un orgasme intellectuel. J'étais étonné par la relative rapidité de mes réactions et je ressentais une profonde satisfaction à l'idée de dominer Sanders. Devant la Cadillac qui m'attendait, je le voyais en plein jour, il avait le teint jaune, un problème de bile peut-être, dû à une crise de jalousie.

– Vous allez vous installer dans le bureau d'Angie? demanda-t-il douloureux.

– Vous savez bien qu'elle l'a interdit. Mais même si elle l'avait demandé, j'aurais hésité. Jusqu'à l'extrême limite des délais et même au-delà.

Il me jeta un coup d'œil rapide, le blanc de ses yeux était strié de petites veinules éclatées.

– Mon pauvre ami, dit-il. Quelle épreuve! Mais votre chagrin serait quasi insupportable si vous n'étiez qu'un employé de la Compagnie, tandis que dans un an, vous serez le patron...

– Mon chagrin est le même...

Sanders était un homme fini. Peu à peu, suivant les instructions d'Angie, je tailladais dans ses pouvoirs et diminuais son envie de jouer au protecteur. J'utilisais ses connaissances, j'absorbais tout ce que je pouvais encore apprendre, découvrir, digérer, assimiler. Il s'en irait bientôt avec de l'argent, après une belle réception donnée en son honneur, j'organiserais des adieux de main de maître. Mais avant, vampire de la réussite, je suçais son sang, son savoir.

Je convoquai Grosz, mon assistant de l'époque où je n'étais que le directeur du secteur étranger. Il était fou de joie d'avancer dans la hiérarchie. Il avait eu le culot de me dire qu'il aurait quitté la société Ferguson si je l'avais « oublié ». « J'ai trop d'ambition pour végéter », avait-il dit. Je ressentais déjà l'indignation du patron de droit divin. Me quitter? Abandonner la Compagnie? Je le réconfortai, je lui promis une augmentation et je demandai à Sandy de faire libérer près de mon bureau une pièce pour Mr. Grosz. Je discutai longuement avec le notaire de la clause qui m'interdisait tout changement pendant un an, j'aurais voulu licencier Miss Field, la secrétaire d'Angie qui un jour m'avait fait attendre. Le notaire me le déconseilla. Miss Field était donc restée, mais j'avais trouvé une solution : j'avais réussi à la faire reléguer dans un secteur secondaire.

Cependant j'étais toujours à la recherche d'Annie. Je ne croyais pas à sa mort. Si elle était vivante, qu'était-elle devenue? Je n'osais pas charger un détective privé de l'enquête, de crainte qu'il en reste une trace quelque part.

Exaspéré, en me torturant la mémoire, je me souvins du nom de la rue où habitaient ses parents. Je pris l'avion pour Buffalo. Je trouvai leur maison, dans une banlieue cossue. J'arrêtai ma voiture de location à cent mètres de leur porte et j'observai. Parfois je démarrais et je faisais le tour du groupe de villas mitoyennes pour ne pas attirer l'attention sur ma bagnole et mes stationnements prolongés. Je notai les allées et venues d'une femme assez grande, aux cheveux courts, l'allure un peu chevaline, qui avait de grandes mains et faisait de grands pas, était-elle la mère d'Annie? Elle avait interpellé la voisine et engageait, par-dessus la haie qui séparait les jardinets, une conversation interminable. Plus tard, je vis une voiture s'approcher, conduite par un homme au crâne dégarni. Il fit entrer sa Buick dans le garage à ouverture automatique. Il réapparut à pied et prit le courrier dans la boîte aux lettres accrochée à l'extérieur de la barrière blanche. Était-il le père? Je cherchai à lire le désespoir sur leurs visages, le désarroi... Je ne décelais aucun signe de deuil sur leurs traits, pas le moindre chagrin. Ils semblaient anodins, inoffensifs. Je les appelai au téléphone d'une cabine publique, je voulais me faire passer pour un ami d'Annie, mais quand j'entendis un « Allô », peut-être la voix de sa mère, je raccrochai. Ces gens n'étaient pas aux abois, ni éprouvés par le chagrin, pas de mouchoirs à la main. Rien. Ils étaient comme tout le monde.

Je pensais aux bijoux, aux parures d'Angie, elles étaient connues des joailliers. Annie n'aurait pu vendre, éventuellement, que les pierres desserties. Le pendentif représentait une chouette aux yeux de rubis et au corps en émeraude, au bec en brillants, une pièce unique, ainsi que la broche, un éléphant en diamant taillé à facettes. Il y avait aussi un tigre en saphir et topaze, et une panthère en or aux yeux d'émeraude. Une tête de lion aussi, retrouvée sur le corps. De qui? La ménagerie d'une milliardaire, photographiée un jour pour *Match*. J'ai vu ça dans les archives, Angie avait fait collectionner les coupures de presse qui la concernaient.

Et si Annie était partie pour l'Australie, Tahiti ou Hawaii, après avoir assuré à ses parents qu'elle allait bien? Disparue pour m'aider à m'en sortir? J'en doutais. C'était une bonne fille, mais pas une sainte. Angie me hantait, Annie me manquait. J'étais condamné au silence complet. Dès que je sentais grandir en moi l'obsession de « chercher Annie », je m'en allais à Las Vegas, j'y retournais pour visiter les endroits que j'avais connus avec Angie, tout en espérant l'apparition d'Annie.

J'ai pris des habitudes : je débarquais à Las Vegas, je louais une voiture à l'aéroport et je me dirigeais vers le lac Mead. Je tournais des heures autour du lac, d'un bleu vitriol. Parfois, je m'égarais vers le barrage, la Hover Dam. Je traversais le pont qui sépare les deux États, les deux côtés hérissés d'antennes géantes. Je le traversais et je me retrouvais en Arizona. Le nom d'Arizona me fascinait. J'étais encore capable d'être ébloui par l'Amérique et ce que j'appelais « mon amour fou pour le continent ». J'étais donc en Arizona, et alors? C'était nulle part... Je rebroussais chemin, je revenais vers le lac Mead, je conduisais comme un automate, je traversais la vallée de Feu, je regardais les rochers à la couleur de sang frais, coagulés au crépuscule, ils viraient au noir. J'étais une machine, un zombie. Cet état d'absence de moi-même me soulageait, j'étais une personne déplacée dans l'univers. Je traversais Overton.

Mais oui, rares sont les gens qui connaissent Overton, un patelin paumé. Ceux qui y sont restés par peur ou par paresse y égrènent leur vie dans une irrémédiable médiocrité et y meurent résignés, et ceux qui en sont partis n'y reviennent plus. Je me plaisais à Overton, je me délectais dans ce bled, je me sentais en sécurité. Je voyais Overton méchamment, avec l'optique d'un persécuté. Je m'arrêtais souvent à un *coffee-shop*, un taudis au bord de la route, une verrue avec une porte, j'y entrais pour commander un Coca, avec une paille. Les verres étaient dégueulasses et même les gobelets en carton, douteux! Les aurait-on utilisés deux fois? Meurtrier délicat, j'aimais et j'exigeais l'hygiène. Quel type, n'est-ce pas? Par ici, ce n'était même pas le Far West, mais la crasse, la misère à l'américaine. Dans la baraque où il me plaisait de m'arrêter, les mouches pullulaient, et la bonne femme maussade qui officiait derrière le comptoir les dérangeait peu. Je m'asseyais à une table plastifiée, la créature se remuait alors, elle s'approchait d'un pas de marin ivre, ses hanches larges, ses cuisses épaisses chaloupaient, elle essuyait la table, son éponge mouillée laissait la surface tachetée d'eau. Lors d'une de mes haltes, je contemplai comme dans un zoo, dans un coin, assis près d'une fenêtre, un vieux couple. Ils dégustaient du *cheese cake*, les autres parts de ce gâteau encore sur le comptoir étaient investies de mouches. Oh Dieu! Je me recyclais dans ce décor de misère, je redevenais ce que j'étais avant: rien. Un marginal. Oui... Ouais... Puis, je repartais. Chercher la mort à cinquante-cinq *miles* à l'heure? La rigolade! A peine un retrait de permis, et essayer de crever après, à pied.

Chaque fois, au grand carrefour à la sortie d'Overton, je tournais à droite, direction Las Vegas. La misère retrouvée me rassurait. Et si je tentais de recommencer ailleurs la course à la chance? Mais, même en hoquetant de peur, il m'était pénible de m'imaginer m'arrachant à mon luxe. Sale truc, le fric! Il vous tient comme la drogue. On en redemande, on en veut toujours plus.

Chaque fois, à l'approche de Las Vegas, j'exultais! Je n'étais enfin rien d'autre qu'un élément d'un puzzle, une infime partie de la foule. La ville des jouissances glacées m'excitait! A Las Vegas, plus de visage, ni d'identité, ni de remords, la chute libre. Ici, je me débarrassais même, par périodes, de l'angoisse qui me rongeait comme un lent cancer partout ailleurs. Ici je croyais que le destin m'oubliait. Je devenais personne. «*Niemand*», disent les Allemands. A Los Angeles, l'argent me faisait suer, ici, je le respirais. Pourtant, quand le vent se levait... Le vent! Alors j'avais les yeux en larmes et je me racontais que c'était à cause de la poussière. Tu parles! Ce vent, il m'empoignait, il me rejetait dans le passé, les flash-back olfactifs me déréglaient. Le vent de Las Vegas, comme le vent africain, véhiculait de la poussière rouge et imprégnait mon âme et ma peau de souvenirs d'extrêmes jouissances. Terminé, mec!

Qu'il était bon le vent, au Kenya, qui m'assourdissait, qui me prenait, qui me calfeutrait, doux, sournois, insistant, omniprésent! Il m'hypnotisait, m'ensorcelait, m'embaumait, il me coupait le souffle et faisait naître des idées folles. C'est l'Afrique, c'est loin... Je pleure le vent de la Côte, qui charrie des parcelles infimes d'eau, de la poussière de corail, tout est fini pour moi.

Je le retrouve, ce vent, à Las Vegas. Il me pousse en avant, me susurre des choses vicieuses à l'oreille, la foule du Strip me porte, je flotte. Je reviens à Las Vegas souvent pour chercher mon vent. Nous nous empoignons, je le fuis, il me persécute, je le cherche, il disparaît, mais quand il daigne être là, je le respire, il a une odeur de terre, de fauves, de lagune, de sueur, d'argent et de folie. Il me balance dans l'espoir et dans la panique, c'est selon.

Lors de ma plus récente escapade à Las Vegas, Angie et Annie m'avaient attaqué. Je sortais d'une salle de jeu à l'air pourri, je déambulais sur le Strip, je me dirigeais vers Downtown, j'attendais le vent comme on espère l'orgasme sans fatigue, le vent n'était pas au rendez-vous.

Je marchais. Depuis que je suis riche, je marche beaucoup, je marche pour m'épuiser. Je pensais tâter un peu des salles du Golden Nugget, j'allais contempler les clochards et les punks de Fremont Street, histoire de me rassurer. Il y a plus malheureux que moi, n'est-ce pas? Je pénétrais dans une zone obscure – au-delà de Circus Circus – quand, brusquement, le vent, géant farceur, s'est levé. Il ébouriffait mes cheveux, comme une main de femme impatiente. Ce n'était plus quelque chose, mais quelqu'un. Je me suis retourné. Angie? La foule était fluide. Je revenais sur mes pas, je courais, j'effrayais, les gens s'écartaient de mon passage.

– Angie? Annie?

Le tintement des machines à sous, la pluie sonore des *cents*, le bruit métallique des appareils m'assourdissaient.

– Angie? Hé! Annie? Hé! Si vous êtes vivantes, quelle que soit votre manière de me torturer, annoncez-vous franchement, mes gonzesses futées, mes salopes. Montrez-vous! Annie? Angie?

Une Japonaise au sourire sidéral m'interpelle. Je crie :

– Non, je ne suis pas fou!

– Allez vous shooter ailleurs! me lance un compagnon d'errance.

Il se détache de la masse. Il a un visage, lui.

Je dis :

– Connard, shooté je serais affalé dans un coin, un tas de merde... Je n'aurais pas la force de hurler.

– Va, paumé! dit le péquenot. Si t'es si intelligent, va gueuler dans un endroit où on t'entend mieux. Enculé!

Je suis aphone, là, même l'écho des anciens cris fout le camp. « Angie, Angie », je n'entends plus rien. Je l'ai enterrée, Angie. Moi, je le sais. Pourtant... Et Annie?

Je crache ma morve, ma salive, mes larmes, séchées aussitôt par le vent complice. Je me suis piégé tout seul, pauvre connard, mais je peux encore gagner, gagner, gagner...

Chapitre 30

La voix de Philip. J'émerge, ça doit être la vie. Je vis. J'ai parcouru cette nuit mon existence à l'envers. Ce matin, c'est l'affrontement.

Philip me touche :

– Monsieur!

J'ouvre les yeux. Son visage semble près, pourtant ses traits sont flous.

– Le café. Il est sept heures moins le quart.

Je suis comme un grand opéré à qui on offre la première cuillerée d'eau. Philip entasse les oreillers derrière mon dos et me tend la tasse, que je tiens avec précaution, mes mains tremblent...

– Vous ne voulez vraiment pas de chauffeur?

– Non.

Je me concentre sur ma tasse. Dans un tiroir, quelque part, il y a un revolver. Angie y tenait, elle avait un permis de port d'arme.

– Le bain est préparé.

– Merci.

Je bois. Je me lève, je titube, je suis intoxiqué, abruti, mais je vis. Dans quel tiroir, le revolver? J'aperçois une parcelle de ciel bleu, Philip vient d'entrouvrir les rideaux. Je traverse la chambre et je ressens le contact du sol en marbre de la salle de bains, je me vautre dans la baignoire, le jacuzzi me masse, me revigore.

Philip ouvre le robinet d'eau chaude, je sens les flots qui me détendent; je sors du bain et, assis sur un tabouret, je me laisse masser les trapèzes avec une huile légère que Philip essuie ensuite. Qui m'attend au Temple chinois? Je pense évidemment à Annie, puis je dis non. Elle aurait été moins compliquée, elle aurait pleuré au téléphone et m'aurait dit qu'elle m'aimait et surtout, elle n'aurait pas attendu un an. Certainement pas.

Qui sera au rendez-vous? J'imagine le regard perçant de Roy Hart, la grimace de Kathy, quelqu'un de mes relations, des amis d'Angie, Rony, Judy, Kathy, Roy, Joan, qui? Depuis mon veuvage je les revois périodiquement. Roy m'a dit que toute cette histoire était tragique, mais qu'Angie attirait les drames. Judy m'a appelé plusieurs fois de San Francisco, je suis devenu très intéressant à ses yeux...

– Vos mains...

Je les regarde avec une grande attention, elles tremblent. Je pourrais être toxico, alcoolique, je ne suis que dépendant des somnifères. La vie saine? C'est pour qui? Je me le demande. Sans fric, je dormais mieux, mais d'épuisement physique; le soir était la fin d'une étape. Depuis que je suis riche, c'en est le début.

– Je désire me rendre seul au Temple chinois. Sans chauffeur.

– Les distances, dit-il.

– Quoi, les distances?

– Quand on est né européen, quel que soit le temps qu'on passe ici, on ne s'habitue jamais vraiment aux distances.

– Ça veut dire quoi, votre discours?

– Vous n'êtes pas en état de conduire.

– Je suis capable de traverser Los Angeles.

– C'est votre dernier mot? Vous ne voulez même pas de moi?

– Non, Philip. Non.

Il est froissé, il me tend mes chaussettes comme un assistant les bistouris au chirurgien. Je fais un geste brusque quand il enlève une chose minuscule de ma veste, je ne sais pas quoi, sur l'épaule. Je descends, je traverse le hall, je m'arrête sur le perron. Il m'accompagne, les gravillons craquent sous nos semelles. Nous arrivons vers les garages, la Jaguar est dehors, préparée, il suffit de tourner la clef de contact.

– Parfait, Philip. Merci.

Je m'assois dans la voiture gris métallisé. Une bonne odeur d'argent et de tabac blond se dégage du cuir tiède. Je démarre comme dans du beurre, les vantaux du portail du parc s'entrouvrent, et je me retrouve dehors, nouveau-né sorti de l'utérus, couvert de sang, le cordon ombilical lié encore, et pour combien de temps, au petit palais hybride, à ma coquille de luxe. Je suis l'enfant qu'on veut jeter à la poubelle, vivace, je m'agrippe au bord du container.

Un coup de klaxon me rappelle à l'ordre. Con, tiens ta droite! J'évite de justesse une voiture, et je continue à descendre la rue étroite qui aboutit dans Sunset Boulevard. Ça baigne! Je dois continuer toujours tout droit. Plus bas, Sunset Boulevard n'est plus qu'un sordide défilé de buildings à bon marché, d'hôtels-casernes pour touristes aux mains crispées sur leur porte-monnaie. L'air est mousseux de saleté, je passe à dix *miles* à l'heure devant le Temple chinois, la Mecque des touristes, ils viennent de partout, regardent le sol et les empreintes des célébrités. On peut marcher dans les pas de Mitchum, mettre ses mains dans celles de Marilyn, n'importe quel péquenot peut comparer sa pointure à celle de Clark Gable, on peut tout faire ici, sauf s'arrêter. Les taxis jettent les clients et continuent.

Juste à côté se trouve un parking. Quelqu'un s'engraisse de fric ici, un mafioso ou un Chinois, un transfuge de Dallas ou un investisseur japonais, qu'importe. Ici, il reste toujours de la place, c'est tellement cher que même les riches jurent en payant. Le gardien rigolard encaisse, il faut payer à l'avance, autrement, pas de sortie. Je laisse au chinetoque la Jaguar et un billet de dix dollars, le prix d'une demi-heure. Et si le gardien de la maison du lac Tahoe avait trouvé le cadavre d'Angie? Je ne l'ai jamais vu, le mec, il ne me connaît que par les journaux. Quelle gueule a-t-il? Je verrai. C'est peut-être lui. Si la maison avait été squattérisée, les intrus auraient-ils voulu savoir ce qu'il y avait sous la table? Non. Alors, qui? Qui? Qui?

Un étroit passage relie le parking à l'intérieur du Temple chinois. La foule grouille, c'est l'entrée de la tour de Babel, j'avance entre les empreintes, parfois je bute sur leurs reliefs. J'attends qu'on me tape sur l'épaule, qu'on me saisisse par le bras, qu'on m'interpelle, qu'on me massacre du regard d'abord et, après, de mots.

On me surveille, un dieu, parce qu'il me connaît, et moi je le cherche. Un maître chanteur tout-puissant me regarde... Le gardien de la maison du lac est un ancien militaire qui a « fait » le Vietnam. Ça ne m'impressionne pas, j'ai eu mon Vietnam à moi. Je me cogne contre les gens et leurs odeurs. J'erre dans des effluves de sueur, d'ail, d'alcool, de vêtements défraîchis. Le goût sucré des gaufrettes trempées dans l'huile rance chauffée me bouche les narines. Le sucre se mélange à l'émanation agressive des hot-dogs. Je me fraye un passage dans un monde au goût caramélisé. A côté de moi, un type énorme porte un gosse qui sent la pisse refroidie, sa couche mouillée se frotte à l'ancre tatouée sur la peau de son père, et fier de l'être. Quelqu'un regarde et se frotte les mains, il marmonne dans ce bordel fameux : « Il est venu, donc il est coupable. » Je n'aurais pas dû bouger. Il faut que je me sauve d'ici. J'admire les camelots des bazars; juste devant mon nez, des dragons en plastique reliés par un fil de fer et suspendus à un pilier s'entremêlent, une grosse Chinoise les dégage. Je lui demande le prix des mobiles, elle répond avec mépris :

– Deux dollars le dragon, il y a en a cinq sur le motif.

Le gogo n'a pas le droit de trop s'inquiéter avant de jeter ses sous dans la poubelle, le plouc doit assumer son côté paumé. Une espèce de rat géant, ce n'est qu'un chien difforme, se faufile entre mes jambes, je sursaute et je piétine par hasard une de ses pattes tordues, il pousse un hurlement de cochon qu'on égorge; une dame tient un lorgnon, elle déchiffre les noms à côté des empreintes, elle hoche la tête, elle trouve que je suis une sale brute, le chien bâtard bat en retraite derrière le comptoir, et une Japonaise se frotte le visage contre une barbe-à-papa; j'aime l'hilarité glacée de la Japonaise au nez sucré, je lui souris, elle se détourne. Je me dirige vers le passage qui aboutit au parking. Je n'aurais pas dû venir.

J'avais neuf ans quand ma mère m'avait traité de con, c'était presque obscène de me dénigrer de la sorte. Essayez donc un jour de dire con avec l'accent allemand. Un con se dit en allemand *Kon*, si j'étais un con avec un grand K... Avait-elle eu raison de me traiter de con? Qu'est-ce que je fous ici?

La foule me charrie, on me déloge des empreintes d'Errol Flynn avec des « *Sorry* », peut-être des Anglais. D'un air offusqué, je regarde ma montre, je joue l'indigné, je vais m'en aller. Puis, pour sauver la face, j'affiche l'attitude de quelqu'un qui s'est égaré ici, avec une vague intention de s'amuser. Il faut bien que je rattrape mon erreur. Mais oui, je suis un vicieux, j'ai une passion pour les lions en faïence grossière et les poissons en plastique. Je m'arrête pour contempler les empreintes, je contourne celles de Vivien Leigh.

Il est étrange de se cogner contre une personne qu'on connaît bien et qui se trouve là où elle ne devrait pas être. On la reconnaît à peine. Le phénomène est courant : sortez un type de son guichet, vous ne trouverez même plus son nom dans la rue. Il devrait être derrière le guichet. L'individu que j'aperçois a un air de famille avec l'autre, que je connais si bien. Je le regarde, incertain, je lui souris. Si c'est un sosie, il va me prendre pour un homo en crise de drague! Mais si c'est vraiment lui, qu'est-ce qu'il fout ici, parmi les touristes japonais qui viennent de débouler d'un car?

– Sean, que faites-vous là? Je vous ai à peine reconnu.

– Je me promène, dit Sanders. Mais vous, quel vent vous amène?

– Je me détends, c'est du folklore ici... Je pense à l'époque où j'étais touriste.

– Moi, je n'ai jamais été touriste, dit-il. J'apprécie la coïncidence, une de plus, qui prouve que nous avons les mêmes goûts, les mêmes aspirations, les mêmes petits côtés vieux gosses. Des âmes sœurs, quoi!

Son regard d'un bleu de myosotis brille derrière les verres de ses lunettes à fine monture d'or, ses cheveux blancs détonnent dans l'air gris de pollution, son teint est clair, ici et là quelques veinules éclatées le rosissent. Il ressemble à un grand médecin philanthrope qui, pour être considéré et, surtout, ne pas être poursuivi par le service des impôts, travaille sa respectabilité.

– J'ai décidé de me promener de temps en temps. Quand on est des bourreaux de travail comme vous et moi, on ne prend pas le temps de vivre, dit-il... Je voudrais échapper au surmenage, au stress...

– Ça m'épate que l'on se retrouve ici, cher ami – j'étais jovial, bizarrement inconscient –, Sean, si la Compagnie vous fatigue, prenez votre retraite. Dans trois jours, je peux vous donner beaucoup plus qu'Angie n'avait décidé.

– Vous êtes bon avec moi, dit-il en me prenant par le bras.

Son ton change:

– Je vous ai appelé hier...

– Où?

– A la maison aussi...

– Philip ne me l'a pas dit.

– Mais si. Je ne cesse de téléphoner depuis un jour et demi, je vous appelle mais vous refusez de me parler.

J'entends une respiration, la mienne, je suis léger, je n'ai plus de corps, je ne suis plus que des tempes où mon sang tambourine.

– Vous plaisantez, Sean?

– Non.

Il est replet de satisfaction.

– Je suis chagriné pour vous, votre avenir est mauvais. Vous n'auriez pas dû tuer Angie.

La cour chinoise bascule, j'ai le mal de mer, le mal de vie, je m'accroche à une colonne sculptée – toc ou pierre, qu'importe – quatre cars de touristes alignés près du trottoir à la queue leu leu nous coupent de ce côté poubelle de Sunset Boulevard. Sanders me regarde.

– La vie est étrange. Elle vous fait attendre, elle vous laisse vous débattre dans des situations inextricables et, soudain, elle vous présente vos rêves sur un plateau d'argent. Et vous avez tout, sans fatigue. Merci, Éric!

Il tend la main en multipliant les petits gestes impatients, il veut faire venir quelqu'un. Je vois apparaître, surgie du dédale des boutiques qui débordent du bric-à-brac de la camelote orientale, par une des petites allées du temple doré, une femme mince, pâle, à la fois rajeunie et vieillie de dix ans, de cent ans, la seule femme à laquelle j'étais attaché, que je croyais même aimer : Annie! Je n'arrive pas à réfléchir assez rapidement : « ils sont complices », « elle m'a trahi », « elle est victime », « elle dirige l'opération », « elle est ma mort », « une sale garce, comme ma mère ». J'ai le souffle coupé.

Vêtue d'un petit tailleur bleu marine, avec ses cheveux ramenés en arrière, Annie ressemble à une collégienne des sixties. Elle est démodée, hors de l'époque, une ombre. Elle vient près de moi.

– Éric! J'aurais voulu, je n'ai pas pu... Éric...

Deux gosses se faufilent entre nous, ils nous bousculent.

– Vous parlerez plus tard, dit Sanders. D'ailleurs, tout ce que vous pourriez dire n'a plus d'importance. L'affaire est terminée, nous allons juste discuter des modalités.

Je fais deux pas en arrière, je marche sur les pieds d'une très vieille Asiatique, elle émet un bruit, elle siffle parce que je la piétine. Elle s'enfuit. Une de plus à me souhaiter l'enfer.

– Tout cela est passionnant, n'est-ce pas? dit Sanders. Pas le Temple, nos relations...

Je lève le bras pour me protéger d'un photographe japonais qui veut imprimer sur sa pellicule un couple qui, juste à côté de moi, tient un chien découpé en papier.

La bile déboule dans ma gorge, je ravale la saloperie, quelqu'un lâche un ballon qui passe avec un chuintement à côté de ma tête et s'accroche au plafond sculpté rouge et or du Temple.

– Suivez-moi, ordonne Sanders.

Il se fraye un passage entre deux veuves américaines, du modèle standard; elles ont des chapeaux fleuris et le nez clair de poudre, elles évoquent, en se penchant sur les empreintes d'Errol Flynn, la vie dissolue de la star. L'une regarde de si près qu'elle doit tenir son chapeau. Nous passons à côté d'elles en frôlant leur derrière.

– Tout est beaucoup plus simple que vous ne le croyez, Éric. Venez. Plus vite...

Je saisis le bras d'Annie :

– Comment as-tu pu?

Elle jette un coup d'œil sur Sanders qui, d'un mouvement de la tête, la fait taire. Sur le trottoir, la foule s'agite, épaisse, j'essaye de les arrêter.

– Ma voiture...

– Elle peut attendre, dit Sanders. Nous allons d'abord au *coffee-shop* pour parler.

– Je veux prendre ma voiture et vous écouter à l'endroit que je choisirai.

– Mais non, Landler. C'est moi qui commande...

Au coin en face, un *coffee-shop.* Une odeur de fumée, de graisse, de sueur, et les relents d'un puissant désinfectant nous submergent, le sol vient d'être lavé, nous marchons sur une pellicule d'eau. Une table d'angle enserrée entre les banquettes est libre pour nous. D'un geste machinal, Annie ramasse une par une les miettes restées sur le plateau. La serveuse maussade s'approche, essuie la table, puis nous tend des menus sous plastique tacheté, les mouches y ont déjà fait leur commande.

– Un café, dis-je.

– Un Coca, demande Annie.

Sanders doit avoir faim, lui :

– Un thé, avec des toasts et du beurre.

Il se frotte les mains.

J'essaye de crâner :

– Déballez votre affaire, allons-y. Combien?

– Gardez votre sang-froid, Éric.

Je regarde à travers la vitrine les clochards qui passent, l'un d'eux retient difficilement son pantalon attaché par des ficelles, un vieux type barbu, il lambine, il joue à colin-maillard entre les crachats qui maculent le trottoir, il est torse nu et porte un sac accroché par une cordelette autour de son cou. Il s'arrête et nous contemple.

– Je te le jure, je n'ai pas voulu... dit Annie.

– Un vrai trésor, cette fille, dit Sanders en tapotant la main d'Annie, et si candide...

La serveuse apporte déjà la commande et verse, d'une grande cruche en métal, du café dans nos tasses; elle dépose devant Sanders une théière ébréchée et des toasts sur une assiette.

– Il ne faut surtout pas l'incriminer, dit Sanders, et il déballe délicatement des petites doses de beurre de leur papier argenté.

– Quelle surprise de la découvrir au salon du Mount Kenya Safari-Club...

Mes lèvres sont sèches.

– Vous l'avez vue en Afrique?

– C'était forcé. Dès Las Vegas, vous avez accumulé les erreurs. Je vous ai mentionné un rendez-vous pris par Angie pour lundi, vous avez répété à deux reprises qu'elle allait renoncer à notre rencontre de mardi. Votre départ précipité n'était pas dans le style d'Angie, qui refusait de déléguer le pouvoir sans l'accompagner d'instructions précises. L'appel de l'avion me semblait confus. Au début, j'essayais d'admettre qu'Angie avait perdu la tête, je commençai à avoir des doutes sérieux lors de l'achat de la montre, à Genève.

Annie l'interrompit :

– Éric, j'aimerais te dire...

Sanders la fit taire :

– Vous aurez toute la vie pour vous expliquer... Vous voulez vivre longtemps, Éric ? Ça dépend de vous. Condamné à perpétuité, vous ne tiendriez pas longtemps dans une prison. Ils seront gourmands et voraces, avoir un Français plutôt beau à leur disposition... Un monde à part, la prison.

Il continua en grattant le beurre du dernier carré de papier argenté de l'emballage individuel de la plaquette :

– Quelle bêtise d'acheter une montre débitée sur votre compte alimenté par la Compagnie ! Lorsque celui-ci vous a été ouvert, j'ai demandé qu'on me prévienne de chaque dépense importante. Je suis responsable des biens sociaux de la compagnie Ferguson. D'abord le prix. J'ai pensé que vous vous étiez offert un cadeau royal, mais on m'a dit chez le joaillier – je l'ai appelé – que c'était une montre de dame, sertie de diamants. Pourquoi Angie aurait-elle voulu soudain une montre bijou pour aller en Afrique ? Secundo, et c'est l'élément capital, mon pauvre agneau, depuis l'assassinat du docteur Howard, Angie ne portait plus de montre. L'après-midi où son mari et les domestiques ont été massacrés, elle était rentrée chez elle avec du retard, elle était persuadée qu'arrivée à temps, elle aurait pu empêcher le carnage. Depuis ce jour-là, elle haïssait les montres. Dans votre superbe chambre en satin blanc... Vous m'écoutez, Éric ?

– Je vous écoute.

– ... vous n'avez jamais vu une seule pendule. C'est Philip qui vous réveillait, sinon Angie l'appelait par téléphone... Et votre départ précipité de Diani Reef ? L'appel de l'hôtel ? Ridicule ! La conversation était décousue, hâtive, ne correspondant pas au comportement habituel d'Angie. Vous vous êtes montré habile au début, je croyais à la présence d'Angie à Las Vegas, c'est l'histoire de la montre qui m'a alerté ensuite.

J'étais plutôt calme, on allait discuter ma vie comme une affaire, il fallait juste suivre le déroulement.

– Je n'ai rien fait par intérêt, Sanders, vous le savez bien. J'ai suivi vos conseils de prudence concernant l'Afrique, je ne pouvais pas admettre qu'elle puisse me virer comme un malpropre.

Sanders chassa une mouche qui voulait déguster une grosse goutte de lait étalée sur la table.

– Vous étiez trop préoccupé par vous-même, Éric. Trois jours avant votre départ, Angie m'avait annoncé l'existence d'un testament qu'elle venait de déposer chez maître Bentshall. Elle m'avait déclaré par la même occasion, d'une manière assez solennelle, qu'elle attendait un enfant.

– Quoi? Répétez.

– Vous n'êtes pas sourd. J'ai dit: un enfant. Le vôtre. Elle avait toujours voulu un enfant d'un père choisi. Pourquoi croyez-vous qu'elle ait insisté à ce point pour vous épouser?

J'allais m'étouffer. Le coffee-shop semblait grandir, c'était un coffee-shop cathédrale, la machine à café, un objet d'autel, les serveurs et les serveuses, des prêtres et des prêtresses. Je perdais le sens des proportions et des lieux.

Sean souriait:

– Ça vous épate, hein? Vous n'avez jamais attaché une importance véritable à la personnalité d'Angie. Égoïste comme vous l'êtes, vous avez ignoré ses malaises... Vous l'avez épousée parce qu'elle servait vos rêves. Angie m'avait dit: « Son orgueil, c'est de gagner de l'argent pour des riches; les pauvres sont snobs, Sean. »

– Mais pourquoi moi?

– Le hasard. Elle croyait aux signes, aux déterminations célestes. L'Europe était séduisante pour elle, le vieux continent plein de charme, les origines allemandes de votre mère l'attiraient. Et il faut reconnaître que vous jouiez admirablement. Hélas pour vous, j'ai lu la copie du rapport sur votre passé. Notre chance, c'est qu'Angie n'ait pas eu le temps de changer son testament avant le départ pour le lac Tahoe. C'est toujours comme ça. Les gens se croient éternels. Elle voulait vous annoncer là-bas le divorce qui devait intervenir après la naissance de l'enfant. Vous auriez dû renoncer à vie à vos droits de paternité, et l'enfant aurait porté le nom de Ferguson.

J'avançais dans un monde inconnu. Mais peu à peu, une idée se dégageait, Angie n'était pas uniquement ma victime innocente, j'avais aussi été sa proie. Annie intervint:

– Je dois expliquer à Éric ce qui s'est passé là-bas. Le matin où tu dormais assommé par les somnifères, j'attendais au salon qu'on m'apporte un café. Un employé de la réception a fait plusieurs allers et retours. Il m'a dit: « Mrs. Landler? Vous êtes Mrs. Landler? » J'ai répondu que oui. Quelques secondes plus tard, Sanders est apparu. Je l'avais déjà vu lui aussi traverser le salon plusieurs fois, et me regarder. Je ne savais pas qui il était, ni ce qu'il voulait. L'employé venait avec lui et m'a désignée: « Je vous l'ai dit: Mrs. Landler est là. »

– Je cherchais Angie, dit Sanders jovial, et j'ai trouvé une inconnue. Je présumais une erreur, une homonymie. Je voulais m'assurer...

Annie reprit le récit :

– Il est venu vers moi et m'a demandé où était Mr. Landler. « Mon mari dort. – Son prénom est bien Éric? – Oui. – Ah bon... Et d'où venez-vous? – De Los Angeles. »

– Alors, reprit Sanders, je lui ai dit : « Et Angie, où est-elle? Qu'avez-vous fait d'Angie? Vous l'avez tuée? » Et cette petite s'est exclamée : « Pas moi. » Elle avait raison d'avoir peur, elle risquait au moins vingt ans pour complicité de meurtre.

Sanders leva la main pour faire signe à la serveuse et paya, compta la monnaie et laissa un pourboire calculé au *cent* près.

Il avait glissé la fiche de l'addition dans sa poche et avait commenté mon regard :

– Je garde toujours tout, les notes, les lambeaux de papiers, les phrases dans ma mémoire... Je suis un réservoir de faits, d'événements et de documents. Voilà, mes petits.

Il se leva.

– Maintenant vous allez venir avec moi, pour connaître votre avenir. Venez.

– Ma voiture... ai-je dit.

– Plus tard. Ce matin, on ne se promène qu'avec moi. Je vous laisserai assez d'argent pour payer votre parking... Venez.

Le soleil teintait l'air de fumée jaune. Les voitures tentaient d'avancer, pare-chocs contre pare-chocs. Au coin le plus proche du coffee-shop, une limousine stationnait, le chauffeur attendait à l'intérieur de la voiture.

– Pas un mot pendant le trajet. Venez!

– Où?

– Chez moi...

La banquette arrière était assez large pour nous trois.

– A la maison!

Le chauffeur démarra, Sanders se tourna vers moi, l'odeur de son eau de toilette m'effleura, je la connaissais bien depuis nos anciennes accolades.

– Vous n'êtes jamais venu dans ma maison, dit-il.

– Vous ne m'avez jamais invité...

– C'est vrai, dit-il en se tapant sur la cuisse comme à regret. Une question d'amour-propre! Si j'avais pu vous montrer un petit palais, j'aurais été, disons, plus accueillant. Je suis d'une susceptibilité...

Je cherchais la main d'Annie, je voulais la toucher. On se retrouva les mains nouées comme dans une prière : deux mains, deux bras, deux corps et le même geste. Je compris avec un étonnement infini que je ne l'avais pas incriminée ni accusée de trahison. Je la voulais innocente.

– C'est bien, dit Sanders, j'ai horreur des scènes.

Le chauffeur se dirigeait vers Malibu Beach.

– Je n'ai pas eu la possibilité matérielle d'avoir un nid d'aigle comme Angie au lac Tahoe, ni une propriété au sommet de Berverly Hills. J'ai trouvé un endroit où je pouvais me sentir à mon aise et supérieur à une certaine catégorie de gens, aux drogués, aux clochards, aux baigneurs prolos, aux gosses qui n'ont plus peur des requins et aux parents qui sont devenus eux-mêmes des requins... Malibu.

Nous avons atteint le Pacific Highway et nous sommes bientôt arrivés dans le secteur d'une série de propriétés situées entre la mer et la route. Le chauffeur fit fonctionner la télécommande, la grille rouillée s'entrouvrit et la limousine glissa dans une petite cour.

Après avoir quitté la voiture, nous avons suivi Sanders dans la maison. Nous nous sommes retrouvés dans un hall meublé à la mexicaine. Un mobilier de camelote, des meubles en rotin, des objets pour touristes, le mur décoré de sombreros. Une femme au visage osseux et aux cheveux noirs vint à notre rencontre.

– Salut, Conchita ! dit Sanders. Vous allez préparer trois cafés. Et vous les servirez au premier étage.

Il se tourna vers moi et désigna la femme d'un geste amical :

– Conchita s'occupe de moi d'une manière divine, n'est-ce pas, Conchita ?

– Je l'espère, dit-elle, depuis le temps. Voulez-vous des gâteaux, avec le café ?

Sanders se tourna vers nous :

– Mes chéris, voulez-vous des gâteaux ?

Je haussai les épaules. Il s'approcha du mur et appuya sur un bouton. La voix de la Callas dans *Carmen* submergea le hall.

– La maison est sonorisée, je vis avec mes maîtresses mortes, les chanteuses. La Callas est ma favorite et la seule que j'aime qui soit vivante est Barbara Hendricks.

Une impression malsaine se dégageait de la maison, je ne m'expliquais guère l'absurde désordre, et le nombre de dieux mexicains en pierre de savon ou de plastique sur des meubles de bazar.

Sanders lisait dans mes pensées :

– Évidemment, la maison rose est plus luxueuse. Depuis le jour où Angie l'a achetée, j'ai rêvé de vivre là-bas. Oui, le Rainbow Castle ! Et le service de Philip. Dans quelques jours, je m'y installerai.

Il nous parlait en montant l'étroit escalier, nous le suivions. Annie se retourna et voulut me dire quelque chose.

Sanders l'interrompit :

– Plus tard, Annie.

Nous arrivâmes sur le palier du premier étage. Les murs y étaient aussi décorés de sombreros, et de masques de pacotille, je retrouvai le décor pittoresque et misérable d'*Un tramway nommé Désir*. La voix de la Callas nous martelait, le son était à la limite du supportable, les enceintes devaient être cachées derrière les masques. Des murs, du sol, des parois, l'opéra déferlait : « *Si tu ne m'aimes pas, je t'aime!* »

– Venez par ici à droite, avancez! Venez.

Il y avait une commande sur un mur près de la porte. Il la tourna. Le silence tomba sur nous, et lorsque nous entrâmes dans une pièce, une vraie chambre noire, je me sentis sourd et aveugle. Annie me saisit la main, nous étions deux dans une tombe, pas un seul rayon de lumière, aucune indication d'une fenêtre, juste une odeur métallique, tiède. De loin, le bruit léger des vagues, la maison devait avoir une ouverture sur la plage. De très loin, un cri d'enfant. Nous étions vivants.

Je me cognai. Des chaises partout, et selon la douleur aiguë de mon genou, une table basse.

– Asseyez-vous. Allez-y, plus vite... Ça y est?

Sanders s'affairait dans le noir, il manipulait des objets, il étouffa un léger juron, petit claquement, et un ronronnement de moteur. Sur le mur, une grande tache blanche, puis des contours indécis parce que l'objectif n'était pas réglé, puis la vue panoramique de la façade du Mount Kenya Safari-Club. Les portes-fenêtres, les balcons, un zoom sur une chambre, la nôtre? Ensuite la piscine, puis des visages inconnus, la caméra cherche, effleure; indiscrète, elle découvre des inconnus qui l'ignorent, une fillette futée fait un signe de la main, elle sait qu'on la filme, elle. Sanders dit :

– Le début est apparemment incohérent, mais je ne voulais pas faire un montage et aller directement au but, j'ai gardé le film dans son état original. La moindre manipulation des bobines aurait pu semer un trouble dans l'esprit des jurés. L'authenticité de mon film est indiscutable.

La main d'Annie dans la mienne est glacée. Elle apparaît à l'écran, assise dans une chaise longue au bord de la piscine. Derrière elle, le mont Kenya bleu foncé.

– Ça va devenir très intéressant, commente Sean.

Le visage d'Annie en gros plan.

« – Enlevez vos lunettes. »

Elle obéit. Son regard exprime une profonde panique. La voix de Sanders :

« – Répondez-moi avec exactitude. Quel est votre vrai nom?

«– Annie White.
«– Votre âge?
«– J'ai vingt-six ans.
«– Où avez-vous fait la connaissance de Mr. Landler?
«– A Las Vegas, au Bally's Grant Hotel.
«– Que faisiez-vous dans cet hôtel?
«– J'étais employée au casino, je changeais l'argent pour les clients.»

Un garçon en veste blanche passe en arrière-plan, il porte sur un plateau deux grands verres de jus de fruits. Sanders filme les vacances de luxe de ceux qui n'ont rien à craindre. L'objectif se promène, quelques scintillements de l'eau de la piscine. Ici et là, des clients réunis en petits groupes bavardent. Gros plan sur Annie, image fixe.

Sanders nous explique:

– L'avocat de la défense ne pourrait en aucun cas avancer la thèse d'un aveu sous la menace.

Le film continue:

«– Annie White, vous êtes ici sous un nom qui n'est pas le vôtre. Pourquoi vous faire appeler Mrs. Landler? On vous a payée pour vous prêter à cette escroquerie?
«– Oui. Éric Landler m'a proposé cinquante mille dollars si je l'accompagnais en Afrique pour remplacer sa femme.
«– Pourquoi?
«– Il m'a dit que sa femme était à Hawaii.
«– Hawaii? Continuez...
«– J'ai accepté l'offre de Mr. Landler.»

La voix insidieuse de Sanders:

«– Comme ça, si facilement. Un voyage en Afrique avec un inconnu! Il vous a accostée, il vous a fait une offre et vous êtes partie? N'aviez-vous pas pensé aux conséquences de votre acte?
«– Quelles conséquences?
«– Un homme marié...
«– Il n'est pas le premier à tromper sa femme.
«– Vous n'aviez pas peur?
«– Non, il m'a rassurée.
«– De quelle manière?
«– Il m'a donné de l'argent d'avance.
«– C'était suffisant pour vous rassurer?
«– Oui. Il était sympathique aussi.
«– Sympathique... Vous avez cédé au bout de combien de temps?
«– Cédé? Je n'ai pas cédé.
«– Si. Combien de rencontres avant de conclure?

«– Conclure quoi?

«– Votre départ.

«– Deux, ou trois...

«– En deux ou trois rencontres, un inconnu vous persuade de partir avec lui en utilisant le passeport de sa femme légitime. Vous trouviez ça normal?

«– Pas normal, mais il m'a bien expliqué ses raisons et je voulais voir l'Afrique.

«– Vous êtes sûre de ne pas l'avoir connu auparavant?

«– Avant quoi?

«– Las Vegas et l'Afrique. N'étiez-vous pas complice dès le début?

«– Je ne suis complice de rien.

«– De rien? Selon vous, où est Angie Landler?

«– A Hawaii.

«– C'est faux, vous savez que c'est faux. Je vous ai dit dans le hall : " Vous l'avez tuée " et vous vous êtes exclamée : " Pas moi ! " Alors, qui? »

Gros plan sur Annie.

«– Vous risquez au moins vingt ans, pour complicité d'homicide volontaire. Je vous ferai accuser de meurtre avec préméditation. Vous avez attendu Landler à Las Vegas, depuis toujours vous avez projeté de partir tous les deux...

«– Non. Je ne savais rien jusqu'à cette nuit!

«– Que savez-vous exactement, depuis cette nuit?

«– Vous ne pouvez pas m'obliger à parler.

«– Obliger? Non. Convaincre. Si vous me dites tout ce que vous savez, vous aurez des circonstances atténuantes, vous pourriez même être acquittée, si votre candeur se révèle crédible.

«– Il m'a dit, cette nuit...

«– Continuez.

«– ... que c'était un accident.

«– Quoi?

«– La mort d'Angie.

«– Donc, elle est morte?

«– Par accident.

«– Vous étiez présente, lors de l'" accident "? »

Annie crie :

«– Non, je vous dis que je ne connaissais pas Éric avant...!

«– Si vous n'étiez pas présente, vous ne pouvez pas affirmer que c'était un accident.

«– Il me l'a dit.

«– Et vous l'avez cru?

«– Oui. »

En arrière-plan, assez loin, des joueurs de golf passent, la fillette curieuse s'attarde derrière la chaise longue d'Annie, puis s'en va en courant.

« – Soyez coopérative, Annie White, sinon j'alerte la police de Nairobi et je vous fais arrêter. D'abord pour usurpation d'identité, ensuite pour meurtre ou complicité de meurtre. La police kenyane est remarquable, en quelques heures, vous vous retrouverez sous bonne garde, en route vers New York.

« – Je n'ai rien fait.

« – Vous servez d'alibi à Landler, c'est grave. Usurpation d'identité, hein ? »

Sanders arrête l'image une seconde :

– Je bluffais, elle marchait, elle courait. Écoutez-la.

L'image démarre :

« – Donc, vous lui servez d'alibi.

« – Je n'ai rien fait. Quand nous sommes arrivés à l'hôtel Diani Reef, il m'a demandé de ne pas me montrer, je devais rester dans ma chambre. Au cottage, où nous aurions dû passer quelques jours, je ne pouvais pas y aller non plus, tout le monde y connaissait sa femme...

« – Il vous a expliqué les raisons de ce jeu de cache-cache ?

« – Oui. De son oncle malade, Angie devait hériter une grande partie des actions de la Compagnie. L'oncle n'aurait pas accepté qu'elle rompe un troisième mariage, je devais donc jouer le rôle de sa femme avec son accord.

« – Et vous croyiez à cette histoire ?

« – Oui.

« – Et pourquoi partir pour l'Afrique ?

« – Ce voyage avait été prévu de longue date. L'oncle connaissait le projet de la fondation et il était heureux de leur entente. »

Sanders :

« – Et vous avez cru tout cela ? Quand vous m'avez parlé, de l'avion, il vous a fait croire que j'étais l'oncle...

« – Oui.

« – Vous n'avez jamais pensé que c'était une machination ?

« – Je pensais à une plaisanterie douteuse, j'étais mal à l'aise.

« – Mal à l'aise, c'est tout ?

« – C'est tout.

« – Vous n'étiez pas consciente d'enfreindre la loi ?

« – Je n'ai pas trop réfléchi. Surtout pas dans l'avion. J'ai bu pas mal de champagne et de vodka. Et ça m'amusait de téléphoner de l'avion.

« – Vous n'avez pas eu de doutes non plus, lors du départ précipité de Diani Reef ?

« – Un peu. Surtout, je regrettais la mer... J'ai demandé à Éric de me dire la vérité.

« – Et qu'a-t-il dit?

« – Il insistait, il me persuadait que tout cela était une mise en scène en accord avec sa femme pour tromper l'oncle.

« – Éric Landler a eu de la chance de vous rencontrer... Une candeur pareille!

« – J'étais bien payée, je n'avais pas à trop réfléchir.

« – Et vous ne vous sentiez pas en danger?

« – En danger? »

Un garçon du restaurant en veste blanche entra dans l'image :

« – Si vous désirez une boisson...

« – Deux cocktails de jus de fruits », dit Sanders.

Le garçon prit la commande et partit. La voix de Sanders :

« – Vous n'avez pas dit au garçon " Au secours, au secours, on m'oblige à parler! " n'est-ce pas? Donc, vous ne vous exprimez pas sous contrainte. Continuez. Venez-en aux faits, qu'a-t-il avoué cette nuit?...

« – Laissez-moi tranquille.

« – Annie White, vous avez encore vos parents?

« – Oui.

« – Seront-ils contents de vous voir à la une des journaux, en tant que complice présumée d'un étranger qui a tué sa femme pour en hériter? »

Annie s'exclame :

« – Non!

« – Alors?

« – Cette nuit il m'a raconté la mort de sa femme. Un accident, Mr. Sanders. Dans un moment de colère violente, il a jeté contre elle une chaise, elle est mal tombée, si mal qu'elle en est morte. Il voulait vous appeler pour demander votre aide, il n'a pas osé. Mettez-vous à sa place, Mr. Sanders. Vous auriez fait quoi? La mort d'une femme aussi riche qui voulait rompre, vous imaginez? Il est étranger, il n'a pas d'argent, il aurait été inculpé! »

En gros plan, Annie expliquait, sanglotait, elle m'enfonçait :

« – Il a enterré Angie sur la terrasse et il a tiré une table en pierre sur la tombe. Il a emporté l'attaché-case d'Angie et ses vêtements à lui tachés de sang. Il s'est débarrassé des vêtements dans un container devant un motel entre Los Angeles et Las Vegas, puis, peu à peu, il a pensé à trouver une femme qui pourrait remplacer Angie, juste le temps d'un voyage, de ce voyage. »

Annie essuyait ses larmes, le garçon venait d'entrer dans le champ et déposait les verres sur la table, il hésitait, il ne savait à qui présenter la fiche à faire signer.

La voix de Sanders :

« – A Madame. Il faut signer lisiblement, Annie... »

Annie se penche et signe.

La voix de Sanders, l'image est arrêtée :

« – Troublée, elle a signé la fiche " Mrs. Landler ", c'est beau, non ? Elle aurait pu juste marquer le numéro de la chambre et des initiales illisibles. Non, elle s'est flanqué vingt ans pour elle. A la fin, je n'avais même plus besoin de tendre les pièges, elle les aménageait toute seule. »

Le film continue.

« – Depuis cette nuit, vous saviez qu'Angie Landler était morte... Quelles étaient vos intentions ? Continuer la supercherie avec un meurtrier ?

« – Non. Nous allions nous séparer à New York.

« – Et ensuite ?

« – Je ne sais pas. Je devais partir chez mes parents.

« – Avec une complicité de meurtre sur la conscience ?

« – Je vous le répète, dit Annie, je ne suis pour rien dans cette affaire ! »

L'obscurité, puis Sanders fit fonctionner les stores électriques, une fantastique lumière bleue inonda la pièce, une avalanche de lumière crue, celle du ciel et de la mer.

Nous nous trouvions dans une sorte d'atelier bâti en avancée sur pilotis, il dominait la plage. Les murs, sauf celui occupé par l'écran, étaient recouverts de photos d'Angie ! Angie enfant, Angie adolescente, Angie en robe de mariée, souriante, enjouée, elle auprès d'un homme blond, grand, plus blond et plus grand que moi...

– Celui-ci était le champion de tennis, dit Sanders en s'arrêtant en dessous de la photo-fresque. Pas mal, n'est-ce pas ? C'est le premier dont Angie ait voulu un enfant. Il en a eu marre très vite de la domination des Ferguson. Inconsciemment, Angie se sentait à son aise avec les hommes grands et blonds, une sorte d'atavisme germanique.

Il se promenait sous les photos grandeur nature, et les commentait en les désignant avec une règle, comme un professeur.

Une série de photos d'Angie avec le docteur Howard. Sanders le confirme. Je dois reculer pour mieux voir, de près, je n'arrive qu'à sa taille... Angie porte un tailleur en soie beige, une capeline, et tient un bouquet d'orchidées.

– Joli couple, dit Sanders. Comme je vous l'ai expliqué, Howard, qui était un fumiste dans les affaires, a pu la dompter, lui.

Puis Sanders désigne une femme qui occupe tout un panneau du mur, un bandeau retient ses cheveux, et elle brandit une raquette de tennis.

– La mère d'Angie. Un personnage qui aurait eu une place d'honneur dans l'univers de Fitzgerald. La ressemblance entre la mère et la fille est telle qu'on s'y méprendrait, n'est-ce pas? Elle était belle, gaie, spirituelle, superficielle, elle n'a jamais eu de problèmes, que des bobos secondaires... Elle aurait dû me préférer à l'autre, j'aurais pu devenir, moi, l'adopté, le Ferguson rapporté à la famille, et posséder un jour la Compagnie... Elle a choisi l'autre, la chimie des peaux et des âmes avait joué contre moi. J'ai dû assister au mariage comme témoin, ils étaient vicieux de me demander ça. Je vivais à côté d'un couple qui s'adorait, j'étais réduit au rôle de « meilleur des amis ». Andy, adopté, est devenu riche et moi, Sanders, un salarié, un homme de confiance. Comme c'est détestable de vivre auprès d'un couple qui s'aime!

« Lors des week-ends passés ensemble, le soir, d'un côté eux au lit possédant tout : le sexe, l'argent, l'honorabilité et de l'autre moi, seul, l'employé. Andy promettait de m'associer à la Compagnie, mais il ne l'a pas fait. Le lit était à eux, la fortune aussi, il me restait les soucis de l'entreprise, le tennis et les barbecues. Ils prenaient soin de moi, ils voulaient me trouver une femme. Je rêvais de leur mort en les embrassant... J'étais le pâtissier principal d'un immense gâteau – la Compagnie – dont je n'avais que des miettes. Tenez, ici, Gail est en robe du soir, elle porte son somptueux collier, et regardez à côté d'elle, Angie à seize ans. La ressemblance est extraordinaire!

« Après leur mort, j'imaginais prendre le commandement, mais Angie, qui aurait pu être ma fille, a commencé à me traiter à son tour comme un employé. J'avais des crises de haine. Un jour, elle a osé me dire : “ Vous prenez trop de libertés, Sean, vous n'étiez qu'un salarié chez mon père. ” Une femme de tête, Angie. Jusqu'à l'écrasement de leur petit avion – les parents sont morts carbonisés –, j'ai vécu à côté d'eux comme un domestique élégant, l'homme sûr, le bras droit, le cher Sean Sanders à qui l'on pouvait tout confier. Resté seul avec Angie, j'ai espéré lui arracher une partie des pouvoirs, mais elle ne s'est pas laissé manipuler. Une patronne-née, la petite Angie! Elle commençait à examiner mes comptes. Elle m'a convoqué à son bureau et elle a eu le culot de me dire : “ Mon cher Sean, vous savez que je vous adore, vous êtes comme un deuxième père, mais c'est fou ce que vous dépensez; même au Mexique, où tout est si bon marché! Vous prenez des avions-taxis aux frais de la Compagnie. Sean, j'ai une profonde affection pour vous, mais je suis obligée de vous freiner, je suis responsable de la Compagnie, trop de frais diminuent les bénéfices, ma fondation pour le Kenya pourrait en souffrir. Sean chéri, promettez-moi d'être sage dans l'avenir. " Avec sa fortune énorme, elle se faisait du souci en épluchant mes notes de frais, l'avenir de ses bêtes en Afrique était plus important que moi. Une épicière de luxe, Angie.

Sous les photos géantes, Sanders continuait d'expliquer en gesticulant :

– J'ai eu des envies folles de la tuer, c'était mon fantasme principal. J'espérais que le destin la liquiderait aussi, un accident d'avion de plus... Au début, elle suivait son champion de tennis dans ses déplacements, elle a failli y passer auprès d'Howard. J'ai manqué de peu sa mort. Si elle n'avait pas été en retard... Je la consolais, je la soutenais dans l'épreuve en maudissant l'assassin qui l'avait ratée; plus je la haïssais, plus je me montrais affectueux. Elle avait peur pour son autonomie et, pour résister à l'adversité et surtout à ce qu'elle imaginait mon emprise, elle décida de devenir un bâtisseur d'univers, le sien. Elle avait des ambitions démesurées, elle avait décidé de sauver la faune en Afrique et de casser le marché international de l'ivoire naturel avec un ivoire synthétique d'une qualité infiniment supérieure à ce que l'on vend actuellement. Angie Ferguson avait tout le courage des pionniers américains, et l'instinct d'organisation des Allemands, la précision, le don d'encadrer ses subordonnés, le courage. Elle m'a appelé pour me raconter votre première rencontre chez Hart.

« " Sean, m'a-t-elle dit, vous qui m'aimez tellement, vous qui êtes si désespéré parce que je ne trouve pas l'homme qui me convient, je vous annonce la nouvelle, j'ai rencontré quelqu'un qui me plaît et qui vous plaira aussi. Il est européen, ingénieur chimiste, et aime passionnément l'Amérique! "

« Je n'aimais pas l'idée d'un type du métier, un de plus à mettre le nez dans mes affaires! Je voulais la dissuader de l'aventure :

« " Angie, un nouveau mariage? Si ce Français vous plaît et que vous voulez le garder ici, engagez-le... – Sean *darling*, m'a-t-elle dit, je suis si pressée de vivre, de créer mon monde, il a l'air un peu perdu, plus tard il pourrait s'habituer à l'idée de vivre avec moi en Afrique. "

« Elle parlait d'éloignement de Los Angeles. Parfait, je soutenais alors l'idée d'un mariage. Elle voulait partir avec vous pour l'Afrique, j'aurais pu être débarrassé d'Angie, vous deveniez donc un allié. L'os dans l'affaire était votre sale comportement. J'espérais qu'elle avait déniché un chasseur de dot, un fainéant qui voudrait se faire entretenir soit en Amérique, soit en Afrique, mais non, vous étiez le pire des arrivistes, vous vouliez prouver vos qualités. Un type indiscutablement plein de talent, amoureux de la Compagnie. La poisse. Il fallait que je vous persuade de partir avec Angie. Vous m'avez fait l'immense cadeau de la tuer...

Je ne pouvais détacher mes yeux des photos en gros plan d'Angie, ses lèvres semblaient moduler les phrases que j'entendais. En écoutant Sean, je m'approchai de ces photos-tableaux, je levai la main pour toucher de gigantesques lèvres, de gigantesques joues, j'arrivais à peine à les effleurer. La pièce était haute, et les photos des fresques créées par un obsédé des traits, des souvenirs et de la vengeance : Sean Sanders.

Je me trouvais maintenant face à face avec Angie, elle me regardait dans les yeux.

Sean continuait :

– Que c'était dur de vous faire partir... Avant qu'Angie ne soit prise par ses crises d'impatience, elle vous défendait : « Sean *darling*, Éric est fou d'ambition. Peut-on reprocher à quelqu'un de vouloir faire ses preuves? Ses origines allemandes du côté maternel me rassurent et, du côté de son père, l'influence morale de la noblesse française est importante. Mon futur enfant sera un mélange d'Allemand, de Français et d'Américain, n'est-ce pas sublime? J'ai pu épouser un homme honnête, Sean, ne lui reprochez pas sa volonté de réussir. » Mais bientôt son enthousiasme s'est tourné en désolation : « Sean, il ne m'aime pas, il ne veut pas de l'Afrique, Sean, j'ai à nouveau raté mon choix. »

J'ai interrompu Sanders :

– Qui est la femme morte de la frontière de la Tanzanie?

– Une touriste allemande, elle voyageait seule, sous prétexte d'une excursion improvisée, elle a été guidée à l'endroit où on a trouvé son corps. Depuis des années, deux hommes à mon service suivaient Angie lors de ses déplacements en Afrique. Elle ne s'en était jamais aperçue. Je voulais l'éliminer à la première occasion, c'est-à-dire, au moment où j'aurais des documents qui m'auraient permis de prendre le pouvoir de la Compagnie. Mais il était impossible d'obtenir d'elle les pleins pouvoirs, même provisoirement. Elle se prolongeait ainsi la vie! Après l'aveu d'Annie au Mount Kenya Safari-Club, j'ai réalisé que j'avais une belle chance, mais j'ai aussi mesuré les difficultés engendrées par l'absence de cadavre. La loi américaine impose sept ans d'attente avant qu'un disparu soit déclaré officiellement décédé. Il me fallait les restes d'un corps authentifié par un bijou d'Angie. Le tour était joué. Tout devenait somptueusement facile. A Los Angeles, au lieu de m'énerver, l'attente obligatoire d'un an m'aidait à fignoler mon projet final et à vous regarder, amusé. Vous deveniez de plus en fou de votre pouvoir inespéré.

– Assez! Que voulez-vous?

– Tout, dit-il souriant. Le pouvoir, dans sa totalité. Vous deviendrez le propriétaire de la Compagnie, vous donnerez simultanément votre démission et vous m'installerez comme président à vie, avec un pouvoir non révocable. Vous allez parler de votre chagrin, vous serez le veuf inconsolable. Peu à peu je vais acquérir les actions en pleine propriété. J'ai établi un projet juridique à long terme. Vous me vendrez vos actions, sans que je verse un seul dollar. Nous allons procéder à des transactions en blanc. Demain, lors du conseil d'administration, vous jouerez la grande scène, l'homme écrasé de chagrin, qui se retire de la Compagnie en me déléguant tous ses pouvoirs. Tous!

Il toucha l'épaule d'Annie qui voulait échapper à son contact, Sanders la retenait.

– Vous prendrez soin de cette jeune femme, je lui suis si reconnaissant! Si elle ne m'avait pas tout dit, je ne serais pas à ce point à mon aise.

Je me tournai vers Annie :

– Tu te rends compte de ce qui nous arrive?

– Oui, dit-elle, mais j'avais trop peur. Il me menaçait de me présenter comme l'instigatrice de l'affaire. Avant de m'installer au bord de la piscine et de me filmer, il m'a dit qu'il prouverait que dès le début j'étais à l'origine du crime, que je t'avais téléguidé et qu'en t'attendant à Las Vegas, je savais que tu la tuerais.

Sanders ouvrit les bras, comme s'il voulait nous serrer sur son cœur :

– Merci pour les aveux en vidéocassette. Je vous suis si reconnaissant... Le fidèle Sean Sanders, homme de confiance depuis trente ans, grand avocat, homme brillant, modeste, célibataire, va être enfin récompensé.

– Et moi? dis-je. Selon vous, je ferai quoi?

– Vous serez rentier à trente-huit ans. Au moment de votre renonciation complète, vous demanderez à la Compagnie de vous accorder mille dollars par mois. C'est déjà pas mal quand on ne fout rien, mille dollars... Annie pourrait travailler, et vous, bricoler dans votre branche. Pourquoi pas? Dans l'intérêt de la prolongation de votre si précieuse *green-card*, il faudra prouver que vous avez un travail. Mais je ne vous garderai certainement pas à la Compagnie. Vous avez raté votre affaire, Éric. Vous avez manqué de la psychologie la plus élémentaire. Vous avez décidé qu'Angie était une égoïste, une femme dénuée de sentiments. Et vous m'avez pris pour le bon Dieu... et c'était vraiment touchant, votre confiance. Que d'erreurs de votre part! Il serait injuste de vous faire des reproches, vous êtes ma chance, envoyée par cette vieille Europe. Vous aviez des qualités, mais de là à vouloir conquérir l'Amérique...

– Tu m'emmènes avec toi? demanda Annie. Ne me laisse pas... Éric, qu'allons-nous devenir?

Je saisis le bras de Sanders :

– Vous auriez fait quoi, à ma place? Dites-le. Après l'accident...

– J'aurais demandé de l'aide à ce vieux Sanders.

– Qui m'aurait fait chanter de la même manière...

– Exactement, dit-il. Je ne mets pas en doute votre version. Je comprends tout à fait votre crise de colère, parfois Angie était à tuer. Insupportable dominatrice, si sûre d'elle-même... Vous étiez plutôt habile, ça a presque marché. Maintenant je vais vous ramener à Beverly Hills.

– J'emmène Annie avec moi.

– Non. Il ne faut pas intriguer Philip.

– J'installerai Annie à l'hôtel, mais je veux retourner d'abord au Temple chinois.

– Parfait, vous pouvez reprendre votre belle voiture. Je vous la laisserai peut-être avec vos affaires personnelles. Mais si jamais l'idée saugrenue vous prenait de vous sauver, je vous garantis que vous seriez arrêtés très rapidement. Je donnerais l'alerte et je ferais déterrer Angie, en votre présence. Personne n'a pénétré dans la maison depuis le meurtre. J'avais appelé le gardien pour lui demander de ne pas y aller. Question d'instinct. A partir du moment où j'ai eu des soupçons, de très vagues soupçons, je ne voulais pas qu'on touche à quoi que ce soit dans cette maison. Imaginez une reconstitution... Dans quel état doit être son corps...

– Taisez-vous!

– Vous voyez l'effet? Vous n'avez pas l'étoffe d'un criminel. Moi je le sais, mais d'ici à pouvoir convaincre un jury... Voilà, mes chers, mon chauffeur va vous ramener au Temple chinois et je vous ferai parvenir les procurations à signer, Éric. Le film-aveu de cette chère Annie sera déposé en lieu sûr. Jusqu'à la fin de mon existence ou de la vôtre, je vous tiens avec ce film. Vous savez quel est le moment le plus délicieux que j'attends? Quand je ferai décrocher les portraits d'Andy Ferguson et m'installerai dans la maison d'Angie. Dans sa chambre, dans son lit.

Je fis remonter la vitre entre le chauffeur et nous, et pendant le trajet, j'interrogeai Annie, pâle comme un revenant :

– Où as-tu été pendant un an?

– Dans sa maison.

– Ici, à Malibu?

– Oui.

– Enfermée?

– Non.

– Pourquoi attendre un an?

– Il fallait que tu sois reconnu dans tes droits. Avant, tu n'aurais pas pu lui déléguer tes pouvoirs. Il s'amusait en recevant tes ordres, il me parlait de toi tous les jours.

– Pourquoi ne m'as-tu pas prévenu?

– Au premier contact, j'aurais été amenée au District Attorney, à qui il aurait donné le film. Je souhaitais qu'il meure. Je rêvais de le tuer, il riait, il le savait. Il m'a dit que j'étais une femme finie, moins que rien.

Je dis au chauffeur de s'arrêter devant le Beverly Hills Hotel, ils me connaissaient bien, nous étions presque voisins; je pus obtenir pour Annie, grâce à leurs efforts et à un tour de passe-passe, une chambre pour une nuit.

– Je viendrai ce soir.

– Si tu veux encore me voir, dit-elle.

– Je veux te parler.

Je donnai ma carte de l'American Express et dis à Annie de s'acheter ce dont elle aurait besoin pour une nuit. Je lui remis quatre cents dollars en billets.

– Conduisez Miss White à sa chambre, je vais faire apporter ses valises plus tard.

Il fallait des bagages. Je ne devais pas perdre la face.

– Je n'achèterai rien, je ne quitterai pas la chambre, dit-elle, morne. J'ai perdu l'habitude de circuler. J'étais un otage.

Je m'arrêtai :

– Comment t'a-t-il fait quitter le Kenya?

– Par la frontière de la Tanzanie.

Chapitre 31

Je revenais vers la maison rose dans un état particulier. Comme souvent dans les moments de très grande tension, je m'observais. Éric de Paris regardait agir Éric qui voulait rester en Amérique, et libre. J'ai appelé le bureau, j'ai dit qu'il fallait me passer ici les communications urgentes, puis j'ai commencé à ranger mes affaires personnelles. Philip m'avait demandé si je partais en voyage et s'il pouvait m'aider.

– Je réfléchis, Philip.

– Votre rencontre s'est bien passée, Monsieur?

– Très bien.

– Vous êtes en meilleure forme que ce matin.

– En effet.

Vers dix-huit heures, le chauffeur de Sanders apporta dans une enveloppe volumineuse les documents que je devais signer. Je passai des heures à les décortiquer, un magnifique travail d'avocat. Pour ne pas trop désorienter le Conseil, il avait mélangé les sentiments et les points de vue personnels aux arguments juridiques. Il présentait ma renonciation, qui devait être déclarée aussitôt après l'homologation du testament, comme la preuve d'un amour profond; écrasé par la douleur, dont je ne me remettrais sans doute jamais, je renonçais à tous mes droits au profit de Sanders, dévoué depuis toujours à la famille Ferguson. La Compagnie allait être gérée par lui, sans limite dans le temps. Sa domination ne prendrait fin qu'avec sa mort. Toutes les donations pour l'Afrique avaient été supprimées, mais pour que les dispositions restent inattaquables, Sanders avait prévu pratiquement les mêmes sommes, consacrées à la recherche médicale en Californie, en gardant, lui, le contrôle de cette fondation. Une phrase hypocrite justifiait ce geste: « L'Amérique et ses pauvres ont autant besoin d'aide que l'Afrique et sa faune. »

J'étudiais les documents, je les annotais. Je commandai du café fort et du jus de fruits. J'appelai Annie pour lui annoncer que je ne viendrais que demain, après la séance qui promettait d'être longue et houleuse.

– Tu vas venir vraiment ou tu le dis seulement?

– Reste tranquille, regarde la télévision, je ne t'abandonne pas. Je viendrai.

– Tu ne me détestes pas...

– Non.

– Tu ne me méprises pas?

– Non. Je n'aurais pas dû parler cette nuit-là. Tes réactions étaient normales.

– Tu ne pourras plus jamais m'aimer?

– Je n'en sais rien. J'ai d'autres problèmes. Mais je viendrai.

Le lendemain matin à neuf heures, ma Cadillac s'est arrêtée devant la tour Ferguson. Je montai au quarantième étage, je vis passer dans le couloir plusieurs membres du conseil d'administration; ils se dirigeaient vers la salle de réunion, ils étaient en avance.

La journée était historique pour la dynastie Ferguson, ou ce qu'il en restait. Je suis entré dans le salon privé de l'ancien bureau d'Angie. Sous le regard attentif du père, du haut du mur, je me suis versé de l'eau glacée. Sanders vint me rejoindre sans avoir frappé ni s'être annoncé, il se sentait déjà chez lui. Il portait un complet bleu foncé et une chemise blanche. Sa cravate rayée rouge et gris lui prêtait un air solennel, et seules ses joues légèrement roses trahissaient son émotion.

Je le priai de s'asseoir, il dit qu'il n'en avait pas envie et ajouta que c'était moi qui avais besoin de me recueillir avant de lire ma déclaration. Lentement, délicatement, j'ai pris une feuille de papier pliée en quatre dans la poche intérieure de ma veste, je la lui tendis :

– Lisez cette lettre, l'original est en lieu sûr.

– C'est quoi? dit-il en reculant.

– Le testament olographe d'Angie écrit une heure avant notre départ pour le lac Tahoe. Elle n'avait pas voulu courir le risque, en cas d'un accident dont elle aurait été la seule victime, de m'imaginer son légataire universel. Lisez-le.

– Qu'est-ce que c'est? Qu'est-ce que c'est? répétait Sanders, affolé.

L'homme puissant qui avait voulu m'enfoncer, me dépouiller,

cherchait ses lunettes. Il tâtait ses poches. Il les prit et les mit, ses mains tremblaient. Je connaissais chaque mot, je lisais avec lui mentalement. L'acte était daté du 19 mai 1987, à 13 heures.

« Ceci est mon testament, écrit de ma main, en pleine possession de mes moyens. Je révoque et annule tout testament antérieur. Je déshérite totalement mon mari actuel, Éric Landler, de tous les biens mobiliers et immobiliers qu'il pourrait hériter par le fait de ma mort. J'exige qu'aussitôt l'acte lu, il soit déchu de ses fonctions et renvoyé de la Compagnie sans indemnités. Il ne doit pas emporter avec lui le moindre objet ou document. Les mêmes mesures doivent être appliquées à Mr. Sean Sanders, qui doit aussi, le jour même de la lecture du testament, quitter la Compagnie. J'institue comme mon héritier universel mon enfant ou, à défaut, la Fondation pour le Kenya à créer selon les dispositions annexées. Mes raisons : dès le début de notre mariage, Sanders a soutenu Éric Landler, il n'a pas hésité à vouloir exercer une pression morale sur moi pour que je change mon testament en faveur de Mr. Landler. Sean Sanders, que j'ai considéré comme un fidèle serviteur de mon père et ensuite le mien, a essayé – sans doute aurait-il pu y parvenir en accord avec Éric Landler –, de m'écarter du pouvoir et de tenter, associé à mon mari, une mainmise sur la Compagnie. Sanders était considéré par moi, à tort, comme un second père, et Landler comme un mari parfait; ils auraient donc pu à la longue me tromper et manigancer un complot pour s'approprier la société. J'accuse Sanders de trafic d'influence, il ne m'a pas seulement persuadée de changer mon testament, mais il a voulu me détourner de mes fondations. Il a vanté les mérites d'Éric Landler et l'a présenté sous un jour si favorable que, dans un moment de faiblesse et surtout dans les conditions physiques et morales très spéciales où je me trouvais, j'ai fait de lui mon légataire universel. Au début, Sanders était contre ce mariage, plus tard, il souhaitait qu'il dure, sans doute parce qu'il avait conclu un accord avec Éric. J'annule donc tout testament antérieur et je demande au conseil d'administration, au moment où mes volontés seront rendues publiques, d'écarter ces deux hommes de la Compagnie avec effet immédiat. Ceci est ma volonté. Fait le..., etc. Angie Landler-Ferguson. »

Sanders s'épongeait le front. Je lui demandai s'il voulait un verre d'eau, il fit non de la tête. Il était dix heures moins vingt. Il n'était pas concevable que nous fassions attendre un quart d'heure de plus le Conseil. Je sortis un document et le tendis à Sanders :

– Voilà ce que je propose. Selon cet accord, je reste le propriétaire de la compagnie Ferguson en acceptant ainsi les volontés de ma femme, mais pour des raisons personnelles, je vous cède pleins pouvoirs, excepté la possibilité d'une vente ou d'une liquidation quelconque. Écrasé de chagrin, je vais vivre en Afrique dans la maison de ma femme aimée. Selon son testament, le futur ensemble à créer doit avoir à sa disposition un capital de vingt millions de dollars, et la fondation en faveur de l'État kenyan quatre-vingts millions. Vous, vous aurez le pouvoir de m'enrichir, c'est vrai, mais aussi la satisfaction de me couper de la Compagnie et de me condamner à vivre en Afrique. Je vous tiens par le testament olographe et vous, par la cassette vidéo et le cadavre d'Angie. Si vous sortez la cassette, je sors le testament, nous serons dépouillés tous les deux de tout, et vous serez accusé de complicité. Le film que vous détenez aurait dû servir la justice, donc le District Attorney, et pas vous ! Je n'hésiterais pas une seconde à plonger pour vous faire tomber avec moi. Voulez-vous signer cet accord que nous proposerons dans quelques minutes au Conseil ?

– Laissez-moi réfléchir, dit Sanders. Laissez-moi réfléchir.

– Vous n'avez pas le temps. A votre place, je ne refuserais pas un verre d'eau. Et parce que les Ferguson ont toujours été compréhensifs avec leurs salariés, moi l'héritier universel, avant de partir pour l'Afrique, je vous accorderai une rallonge de salaire, cher Sean...

La presse était dithyrambique en étalant au grand jour notre superbe histoire. La décision d'Éric Landler, le Français, l'ingénieur qui, tout en étant propriétaire par héritage de la compagnie Ferguson, avait décidé de vivre dans la maison d'Afrique qu'aimait sa femme, cette *love story* posthume les enchantait. Un grand titre occupait la une de *People* : « Éric a choisi un pèlerinage quotidien à la source de ses amours avec Angie... » Toute la Californie nous appelait par nos prénoms.

Tout était confus, magnifique, déformé, sublimé, notre amour, notre rencontre, l'Afrique, Los Angeles, les amis... Et de ce magma pieux émergeait le noble profil de Sanders qui allait, malgré son âge, se sacrifier pour ce couple uni pour l'éternité. Il allait diriger de main de maître la Compagnie, pour me laisser me consacrer à mon tour à l'œuvre de ma femme... Son salaire était digne de la confiance qu'on lui accordait, et, grâce à l'autorisation spéciale d'Éric, ce Français si romantique, si sentimental, il allait pouvoir s'installer dans la maison rose d'Angie Ferguson.

Un éditorialiste de la rubrique « Société » a conclu quelque part : « Le grand amour existe, je l'ai rencontré, j'ai vu un Français devenir, par passion pour une Américaine, un mythe. »

Chapitre 32

Depuis bientôt deux ans, je vis dans la Maison des Lions. J'ai épousé Annie dans le plus grand secret, une fête discrète a eu lieu dans le pavillon de ses parents à Buffalo. J'ai été présenté à leurs amis, qui semblaient ignorer que j'étais le héros d'un fait divers retentissant. Buffalo n'est pas la porte à côté et nous n'avions pas été à la une de *US Today*.

Pour les amis des parents d'Annie, j'étais – un mensonge de plus – un agronome français qui avait hérité de terres en Afrique et qui allait s'y installer avec Annie. Quelqu'un m'avait demandé si la Grèce était proche de Paris et si la France avait eu dans le passé des liens coloniaux avec le Kenya. Mes réponses vagues contentaient tout le monde. A Buffalo, ce monde lointain se rétrécit, disparaît au bout de deux phrases.

Annie avait voulu un mariage classique. Ce jour-là, je portais un complet gris, et ma chemise blanche était agrémentée d'un petit nœud gris; la fiancée était en blanc. Derrière leur maison, à côté de la piscine dont l'eau dégageait une odeur de chlore, Mr. White avait installé le barbecue; j'offrais à boire aux amis d'Annie qui me regardaient avec une incontestable sympathie. De temps en temps, ma belle-mère s'approchait, se hissait sur la pointe des pieds, je devais me pencher pour qu'elle pût poser ses lèvres humides sur mes joues. Dorénavant, je serais leur fils, m'a-t-elle dit. J'ai écouté avec attention le sermon du prêtre, un vieil ami de la famille, il a débité un chapelet de belles paroles. Quelques heures après la cérémonie, j'ai annoncé mon mariage a Roy, qui m'a donné raison de vouloir vivre normalement. Kathy était compatissante, Judy me regrettait, mais elle ajouta qu'elle n'aurait pas supporté le climat africain. Elle m'annonça le retour de son mari. J'ai expliqué aux amis d'Angie, à toutes nos relations, aux gens qui m'avaient accepté auprès d'eux, que mon mariage était principalement une sorte d'association morale pour perpétuer le souvenir d'Angie, la trajectoire de ses rêves africains. Ils m'avaient tous promis de nous rendre visite, ils ne semblaient guère pressés. Ils m'aimaient bien maintenant, j'étais leur Latin bizarre, leur Français imprévisible comme le peuple dont il était issu. Roy m'a tapé une ultime fois dans le dos. « Je vous l'ai toujours dit : vous n'êtes pas fait pour la vie en Amérique. »

Mais oui, nous vivons dans les Loïta Plains depuis bientôt deux ans. La Maison des Lions est en travaux, elle le sera pendant longtemps. Au début, Ahmed aurait voulu tout commander, mais Annie se révéla rapidement assez autoritaire. D'ailleurs Ahmed, silencieux et secret, ne posa jamais aucune question. Après quelques luttes en sourdine, ils se sont arrangés en se faisant des concessions.

Je végète, je regarde de l'extérieur le couple que nous formons, parfois je déclare d'une manière assez solennelle que nous sommes des gens simples aux goûts simples, mais je sais que c'est faux, nous sommes des êtres infiniment comblés. Nous disposons d'un luxe fantastique : de l'espace, de l'horizon à l'infini, d'une nature dans sa plénitude, sous la coupole d'un ciel bleu pâle traversé ici et là de nuages pompons, de grosses touffes blanches, teintées d'ombres douces. La savane est l'éternité proche du regard, les animaux passent, selon l'heure, baignés dans une lumière cristalline dorée, ou se transforment en ombres chinoises projetées dans le halo rose crépusculaire.

Annie, de nature robuste, peu encline à se livrer aux états d'âme qui affaiblissent, n'a pris que quelques mois de convalescence morale, elle régente tout maintenant. Heureuse en apparence, énergique, elle commande, voit tout, et sa présence bénéfique est, à vrai dire, un peu envahissante. Je lutte pour me préserver un semblant de liberté de pensées et de mouvements; « mes espaces intérieurs », aurait dit Angie. Mon âme n'est plus une éponge à absorber les événements et à s'en accommoder. Humblement, je suis devenu exigeant, rigide avec moi-même, je me flagelle de nobles sentiments pour ne pas m'embourber dans les problèmes quotidiens. Peu à peu, à force de vivre près des gens hors de mon monde de jadis, je suis devenu ce qu'on appelle « un homme bien sous tous rapports ».

Collins, l'architecte de la Maison des Lions, s'était contenté de quelques explications vaseuses que nous lui avions fournies, en créant une confusion savante, entre la mort dramatique d'Angie et mon remariage consacré à son souvenir. Il a pris l'habitude de ma nouvelle femme qu'il jugeait aussi parfaite que la première.

– Vous êtes, même dans le malheur, un veinard, Mr. Landler. Vous avez rencontré deux femmes exceptionnelles. Déjà en avoir une seule dans sa vie, de la qualité d'Angie, est une faveur du destin. Et vous en avez eu deux de cette trempe. Bravo...

Imbibé de whisky et de son art, Collins a renoncé à trop réfléchir, on lui donnait de l'argent, il pouvait créer à sa guise, il n'en demandait pas plus. La seconde Mrs. Landler et les crédits à peine limités qu'elle lui accordait l'avaient satisfait.

Depuis le moment où la police kenyane, en accord avec les autorités de Los Angeles, avait classé le dossier du décès d'Angie Landler, née Ferguson, j'étais le veuf entouré de considération et remarié dans des délais moralement admissibles.

J'ai toujours mon passeport français; le fait que ma deuxième femme soit américaine me permettrait, si je le voulais, de demander la naturalisation. Mais je ne me suis jamais senti aussi français qu'ici, dans la savane. La mort d'Angie a éteint mes velléités de chanter « *America, America* » la main sur le cœur. A quoi bon? J'ai tué mon Amérique à moi

Il y a eu aussi la mort de Sanders. Il a succombé à une crise cardiaque dans son bureau de la tour Ferguson. J'ai presque eu de la compassion pour la vieille crapule qui n'avait pas pu supporter les chocs successifs, je le croyais solide, je l'imaginais solide, je m'étais trompé. Il était sans doute un grand sensible comme moi, et quand il a compris qu'il était passé à côté de l'affaire de sa vie, qu'il n'aurait jamais la satisfaction d'avoir la Compagnie, il a dû se ronger et mourir de honte d'avoir raté le chantage du siècle.

J'ai rendu visite à sa dépouille mortelle dans le salon d'exposition des corps d'un *funeral home* très chic. Conchita, vous vous en souvenez? La bonne pleurait devant le cercueil. Le patron de l'entreprise m'a présenté d'office ses condoléances. « Laissez-moi seul avec lui, ai-je dit. » On a évacué Conchita, qui est déjà venue sangloter la veille, je pus donc dévisager à mon aise Sanders. Vêtu d'un costume gris, la tête appuyée sur un coussinet en satin, légèrement maquillé, il avait presque bonne mine. « Mon beau salaud », je l'ai appelé ainsi dans un monologue intérieur – « mon beau salaud, tu vois, ce n'est pas la peine de trop demander au destin. Tu as raté ton coup, j'espère que tu auras quand même un peu de paix. » J'avais presque pitié de cette ordure, j'ai pensé qu'avec quelques années de plus, j'aurais pu crever moi aussi, comme lui, d'une crise cardiaque; d'ailleurs, ça peut m'arriver... J'avais pour lui plus de compassion que de haine, j'étais étonné, je devais donc avoir un bon fond. J'ai demandé ce qu'on avait fait de ses lunettes. L'élégant et obséquieux patron du *funeral home* me les a amenées dans un paquet fermé qui était marqué : « lunettes de Mr. Sanders ».

– Vous désirez les garder en souvenir, monsieur?

– Non. Vous pouvez les jeter.

Vingt-quatre heures après l'incinération de Sanders, j'ai déclaré devant le conseil d'administration que je persistais dans ma décision de rester vivre en Afrique. Je leur ai vaguement mentionné mon mariage, ils n'étaient pas étonnés, ils trouvaient normal que je me sois uni devant Dieu à une femme-consolation. Dieu comprend tout, surtout quand on se plie à la volonté céleste.

Il fallait trouver un successeur à Sanders, et savoir de quelle manière la bande vidéo, l'épée de Damoclès, pouvait un jour me trancher la tête.

Malgré l'insistance de Philip, que j'ai rencontré lors de la cérémonie d'incinération de Sanders, je n'ai pas voulu remettre les pieds dans la maison rose, j'ai pris une suite au Beverly Hills Hotel et j'ai appris, grâce à une enquête très rapide, que Sanders n'avait que des neveux et des nièces. Une femme d'une cinquantaine d'années, fortement maquillée, m'a demandé un rendez-vous. Elle venait de San Diego. Je l'ai reçue dans mon ancien bureau à la Tour, elle a déclaré avoir eu une longue liaison avec Sanders et elle espérait, sans l'ombre d'une exigence, avoir une petite somme, une aumône; elle n'insistait pas, elle n'avait aucun droit. Elle était la fille que Sanders avait sortie jadis du Radio City Music-Hall, et qu'il n'avait pas pu imposer à la société snob de Los Angeles. Elle s'appelait Gladys, elle était modeste. Je lui ai remis un chèque de dix mille dollars, à condition qu'elle ne donne plus jamais signe de vie. Elle est partie heureuse.

Ensuite, raide d'angoisse, j'assistai à l'ouverture officielle du coffre de Sanders. Ce farceur l'avait laissé vide. Je n'avais aucune idée de la façon dont il pourrait me frapper de l'au-delà. Je suis allé faire un tour dans sa maison, à Malibu. Conchita m'a accueilli, plus que maussade. Elle pleurait, ses larmes étaient intarissables, elle avait déjà appris que Sanders ne lui avait rien laissé et qu'elle allait être congédiée. J'ai joué quitte ou double. J'ai commencé par le « double ». Je lui ai dit en entrouvrant une enveloppe qui contenait une liasse de dollars :

– Sanders était comme un père pour moi et il vous aimait, mais comme souvent les gens qui ont très peur de la mort, il était superstitieux, il n'a pas laissé de testament...

Je lui ai montré l'enveloppe bourrée de billets.

– C'est une petite consolation, une avance sur une plus grande, éventuelle. Je voudrais jeter un coup d'œil sur les objets personnels de mon cher ami.

La Mexicaine a fait juste un mouvement de tête :

– Allez-y, en haut, à l'étage.

Elle a désigné l'enveloppe :

– Il y a combien dedans? demanda-t-elle.

– Cinq mille dollars, mais ça pourrait être dix, ou plus.

Je ne sais ce qu'elle pensait ou devinait. Elle avait servi Annie, qui avait vécu ici pendant un an. Elle m'a dit de la suivre. Nous sommes montés au premier étage; dans l'atelier, les volets étaient ouverts, j'ai revu les immenses photos d'Angie, ses yeux. Je me promenais dans le regard de la femme que j'avais tuée. D'un air neutre, j'ai passé en revue les étagères où se trouvait la collection d'appareils photo et de caméras de Sanders. Conchita m'a désigné une armoire :

– Je crois qu'il y a des choses personnelles dedans.

Elle m'a jeté un regard plat :

– Je voulais aller chez le District Attorney pour savoir ce que je devais en faire, mais je suis méfiante. Je ne veux pas m'embarquer dans une histoire. On pourrait m'accuser de vol. Je n'ai que des papiers provisoires pour rester en Amérique... Alors, je ne m'agite pas trop.

Elle s'est tournée vers moi :

– La fille qui était là pendant un an, où est-elle?

– Avec moi.

– Elle était votre maîtresse?

– Non, une vague connaissance. C'est une histoire compliquée.

– Elle ne disait jamais rien, Mr. Sanders n'était pas méchant avec elle. Il n'a jamais touché cette Annie. Elle vivait dans la petite chambre sous le toit, elle passait son temps à regarder la mer, elle descendait parfois sur la plage, Mr. Sanders n'avait pas peur qu'elle parte. Au début, pendant presque deux mois, elle n'a pas voulu se nourrir, Mr. Sanders a fait venir le médecin qui parlait de perfusion, alors elle a recommencé à manger pour qu'on ne lui mette pas une aiguille dans la veine.

– Ouvrez l'armoire, Conchita.

– Faites-le vous-même.

– Je ne suis pas chez moi.

– Moi non plus, dit-elle.

J'ai ouvert l'armoire, j'ai aperçu des enveloppes remplies de photos, partout des photos, des grandes enveloppes marron qui vomissaient des photos, Sanders vivait dans les images, il devait les étaler sur la table du billard, en bas, dans le living-room, il voulait retenir les images, les faire développer et les faire vivre. Un fou d'images.

Je tâtais les enveloppes, les photos dégringolaient de partout. Nous étions déjà jusqu'aux chevilles dans les images brillantes, quand ma main a heurté une enveloppe, celle-ci était fermée. Je la palpai discrètement pour ne pas trop susciter l'attention de la Mexicaine :

– Voilà, il y en a une qui n'est pas ouverte, voyons ce que c'est...

Une écriture grasse sur l'enveloppe : « Affaire Éric Landler ». J'étais persuadé que la cassette était à l'intérieur, l'enveloppe pesait le poids d'une condamnation à perpétuité. J'ai dit à Conchita :

– Voilà quelque chose qui m'appartient ! Si vous n'aviez pas eu cette conscience et cette honnêteté de conserver ses affaires...

– Qu'est-ce qu'il y a dedans ? demanda-t-elle. Vous savez ce qu'il y a dedans ?

– Sans doute des papiers qui concernent ma pauvre femme. Vous savez comme il adorait Angie, comme moi.

– Vous voulez la prendre ?

– Évidemment...

– Vous ne voulez pas regarder ce qu'il y a dedans ?

– Pas la peine de rouvrir d'anciennes blessures. A un moment donné, quand j'aurai moins de chagrin, je regarderai. C'est cruel de perdre sa femme et son meilleur ami, Mr. Sanders, à qui j'avais confié la Compagnie. Parfois, je me demande si je n'ai pas été à l'origine de sa crise cardiaque, mais j'ai une possibilité de me racheter moralement en comblant la femme qui a pris soin de lui pendant de longues années, vous.

Les traits de la Mexicaine se détendaient :

– Vous avez du cœur, monsieur... Emportez ce que vous voulez.

Elle a glissé la main derrière une rangée de dossiers.

– Il y a des bijoux ici...

Elle me tendit une sacoche, un coup d'œil m'a permis d'apercevoir la « ménagerie » en diamants d'Angie.

– C'est plus honnête de vous les rendre, dit Conchita. En tout cas, ils sont invendables. Ils appartenaient à votre femme, Mr. Sanders les étalait et les regardait souvent le soir, puis les remballait.

Je lui ai donné l'enveloppe avec les cinq mille dollars.

– La maison va être mise en vente, dit-elle.

Avec la sacoche et la bande, j'étais vraiment sauvé. Je savais que Sanders avait obligé Annie à prendre les bijoux dans ma valise pendant que je dormais. Il voulait créer une confusion dans mon esprit, et avoir une preuve de plus. J'étais dorénavant un homme libre et extrêmement riche. J'ai eu une idée que je trouvais à la fois utile et juste :

– La Compagnie va acheter cette maison et vous l'offrir en souvenir de vos fidèles services. Ici sur la plage, vous pourriez louer les pièces et vivre agréablement.

– C'est vrai? demanda-t-elle, fiévreuse. C'est vrai? Je pourrais faire venir mes enfants, mon mari du Mexique. Si je deviens propriétaire et peut-être un jour américaine, je pourrais leur offrir une existence, une vraie vie.

Elle a saisi mes mains, les embrassait, j'ai pu sauver l'enveloppe en la serrant sous mon bras, elle embrassait l'argent, elle embrassait le criminel malgré lui. J'étais confus et content. Je lui voulais du bien, je n'étais donc pas tout à fait pourri mais aussi je servais mes intérêts. Pourquoi tout se mélange-t-il sans cesse? Je n'ai ouvert l'enveloppe qu'à l'hôtel. C'était la bande enregistrée, l'addition signée par Annie et le rapport de l'agence de New York. Le cauchemar était fini. C'est ce que je croyais.

Le lendemain, j'ai fait venir Grosz dans mon bureau – vous vous souvenez de Grosz? – c'est le type que j'avais choisi d'instinct quand j'étais entré dans la Compagnie. Un petit Juif qui allait devenir un grand Juif, un cerveau. J'ai toujours présumé qu'il avait du génie, lui, un génie de cinq mille ans, et en plus, il était un bosseur forcené.

J'ai dit à Grosz que j'avais besoin de lui, il souriait, j'ai vu dans ses yeux les même feux d'ambition que j'ai dû avoir jadis dans les miens :

– Vous êtes marié?

– Non.

– Vous avez encore vos parents?

– Oui. Ma mère est le moteur de ma vie, de mes études; elle m'a toujours soutenu, elle a cru en moi; mon père s'occupe maintenant un peu moins des affaires, il a pris sa retraite pour étudier la Thora, il peut se le permettre, il a gagné assez d'argent, et si j'ai la situation importante que vous semblez vouloir m'offrir, il aura encore moins de soucis.

Il avait tout, Grosz, il avait des parents, une religion, il était américain, et avec ça, même honnête. J'avais envie de pleurer, tant je l'enviais. Et Dieu, dans tout cela, où était-il? Dans le Coran, dans la Thora, dans la Bible, derrière les statues peintes, derrière des étoiles filantes ou collées bêtement comme un décor de Radio City Music-Hall sur le fond noir du ciel? Je ne savais pas... Je voulais revenir vers Annie, vers l'Afrique, et vers la maison des lions. Pour quel destin?

De retour au Kenya, lorsque j'ai retrouvé Annie j'ai eu l'impression qu'elle s'était épaissie, je n'osais guère lui en faire la remarque. Qui aurait pu décemment refuser les plats onctueux de Naya? D'ailleurs, il faut le reconnaître, nous vivions dans une extrême sobriété de paroles et de gestes. Nous dormions côte à côte, sereins, juste quelques étreintes pour se sentir unis ou moins seuls. C'était tout. J'avais un sommeil opaque, parcouru de fleuves de rêves souterrains. Je n'étais pas malheureux, mais transparent; ma plénitude trop pesante me rendait digne. S'il est vrai que l'âge amène la sérénité, j'espérais vieillir rapidement.

Les journées d'Annie étaient chargées; elle pouvait tout diriger, commander, demander, exiger, sans bousculer ou froisser les employés. Ses qualités d'organisatrice se confirmaient.

– Alors? m'a-t-elle demandé le jour de mon arrivée.

Nous étions assis devant la cheminée d'une pièce monacale. On aimait regarder les flammes qui chauffaient davantage l'âme que l'épiderme. Il faisait frais par ici, le soir.

– Tout est arrangé.

– Tu as la bande?

– Je te l'ai apportée.

– Il faut la détruire, dit-elle.

– Fais-le... J'ai aussi les bijoux. Pour toi...

Elle prit la cassette de l'enveloppe, elle l'ouvrit, déroula la bande et la jeta dans le feu. Elle tira aussi d'une pochette les bijoux trouvés chez Sanders. A ce moment-là, son visage devint flou, j'ai cru à un trouble de ma vision. Je la voyais comme à travers un ruissellement d'eau. L'émotion certainement. C'est l'instant où la lutte avec Angie et avec l'Afrique s'est engagée. Et avec l'inconnue, la victime allemande, l'alibi de nous tous. L'apparente quiétude était cher payée. Très cher.

Rongé par tous les remords de la terre, je constatais que je devenais extrêmement vulnérable. Je me bagarrais avec le temps. Chaque minute était comme un obstacle à vaincre. J'aurais pu choisir la facilité, et devenir le double d'Annie, une vague silhouette. Je résistais. Animé par un instinct inattendu de survie, je voulais construire une vie à moi. Je m'imposais une grande discipline de réflexion et je bâtissais mes espaces, mon « chez moi ». Avec l'argent dont je disposais, j'aurais pu me faire bâtir un palais, n'importe quoi, mais je ne voulais qu'une grande pièce, des murs couverts de bibliothèques, une immense table, un univers de livres. Pas de tableaux, il suffisait de regarder par les fenêtres étroites pour avoir devant soi la plus magnifique fresque mouvante... Il me fallait des livres et de l'eau. Beaucoup d'eau. Je dépensais des fortunes en eau minérale. Pour la maison, on recueille la pluie dans des réservoirs et, lors des vagues de sécheresse, nous faisons venir des camions-citernes. Je crois que la découverte d'une source m'aurait rendu croyant. Collins a donc couvert mes murs de bibliothèques. J'ai fait venir des livres de Paris, de New York. Je renouvelle sans cesse les commandes. J'ai de plus en plus de livres, et dernièrement, je me suis abonné, avec un trac fou, car je ne crois pas encore à ma liberté, à des revues techniques et financières. Le premier journal de Wall Street qui m'est tombé dans les mains avait un mois. Je le tenais comme s'il avait la valeur d'un parchemin. Si je retournais à Los Angeles pour m'y installer, je serais sans doute perdu, le remords me pousserait vers la drogue, l'alcool, les putes et les bas-fonds de Downtown, je deviendrais clochard, ivrogne et ressassant des bribes de phrases, des souvenirs.

Je crains de plus en plus que la folie s'empare de moi. Cette angoisse même me rassure : ceux qui deviennent fous n'en sont pas conscients. J'ai peur, donc je raisonne, donc ça va...

Ah, oui, j'allais oublier de vous le raconter : j'ai mis en vente la maison d'Angie à Beverly Hills. Je demande un prix corsé, jusqu'à ce jour, il n'y a pas d'acquéreur. J'ai laissé la maison, jusqu'à sa vente hypothétique, à Philip qui avait hérité une cinquantaine de milliers de dollars, j'ai arrondi la somme à cent mille. Philip vit seul dans la maison avec le chien. Niel a une arthrose des hanches et commence à boiter. Quand je suis passé pour la dernière fois, il a eu un sale regard, il m'en veut encore. Il a raison.

Chaque matin, j'ouvre, ému, les paquets de livres qu'apporte l'avion-taxi de Nairobi. J'ai de plus en plus de livres. Je les hume, les caresse, et les lis avec un respect religieux. J'ai un besoin vital de Dostoïevski et d'autres Russes. Annie lit le Coran, moi, je bois et je mange, je respire les Russes. Je porte en moi *les Démons*, même quand je sors avec la jeep, comme ce matin. Mes démons me rongent, m'emplissent de peur. Je me crains. De quelles ténèbres avais-je surgi le jour où j'ai rencontré Angie?

Les jours se confondent comme les couleurs de l'arc-en-ciel, je m'enfuis de la maison, je chevauche la jeep; je suis un familier du terrain, je connais les cailloux, les taupes hagardes et les lézards, j'ai des amis lézards. J'arrête mon cheval, la jeep, je me penche et j'admire le sol, l'herbe jaune. Cette broussaille blonde qu'est la savane. Ce matin, un reptile ondoyant, vêtu d'une peau multicolore, est passé à travers les ronces comme une pensée fugitive, le serpent voyage en zigzag.

J'ai une passion pour les lézards, je contemple leurs petites mâchoires, la palpitation de leurs joues, la souplesse de leur corps. Quand j'étais enfant, oncle Jean m'avait raconté que l'on coupait la queue des lézards, mais qu'elle repoussait. Quelle horreur, rendre un lézard infirme! Je frissonne. Oui. Sans blague! De quel droit? Je suis un meurtrier.

Le lézard est un petit dieu doré; lors de la création du monde, un Dieu plus puissant que lui l'a condamné à vivre à ras de terre, mais il lui a laissé son agilité. Hier, j'ai pu en observer, sa vie palpitait dans son cou; le lézard est un battement de cœur échappé d'un humain.

Ce matin, avant de venir regarder la savane, j'ai reçu les œuvres complètes de Dickens, il comprenait les souffrances des gosses. J'étais un enfant de Dickens.

Le temps de m'égarer dans ces pensées, le lézard qui était là, calqué sur un petit rocher couleur sable, a disparu. Pourquoi m'a-t-il quitté?

Désemparé, je me tourne vers la maison. Je vois Annie d'ici, elle me fait des signes, sur la terrasse, je lui réponds aussi en balançant mon bras droit à droite et à gauche; apparemment, Annie désire me rejoindre, je suis au moins à deux kilomètres de notre forteresse en pierre jaune, qui abrite sept nids de cigognes. Souvent, Annie monte sur le toit plat pour leur rendre visite, ce sont ses dieux à elle. Les cigognes, le Coran et moi, et en plus le monde qu'elle crée, Annie est devenue la mère matrice, la mère de l'univers. Elle me dit que les Européens et les Américains veulent, en payant, avoir le droit de déposer leurs ordures chimiques en Afrique. « Ils veulent faire de ce continent la poubelle du monde. Nous, on les empêchera. Nous ferons de l'Afrique un sanctuaire. »

Un tout petit point, Annie. Je fais demi-tour avec la jeep pour avancer vers la colline. Du côté du lion aveugle, il y a maintenant des marches, Pour être plus proche du village qui se construit des deux côtés, Annie a fait ouvrir la terrasse comme Angie l'avait désiré.

Il y a partout des Kenyans qui circulent, je ne sais pas d'où ils viennent, c'est Annie qui les commande. Depuis quelques jours, il y a une flopée d'enfants dans la Maison des Lions. Elle les a casés dans des bâtiments en cours de réfection ; il y a une dizaine de gosses, ils sont tous beaux, bruyants, noirs, formidables... Donc, je vois Annie, elle vient vers moi, j'approche la jeep, il y a une flopée de gosses autour d'elle. Parmi eux, je distingue une tête blonde, ma respiration se bloque et mes larmes montent, j'ai envie de hurler : « Qu'est-ce que cette tête blonde cherche parmi les têtes noires? Est-ce l'enfant que j'ai tué dans le ventre de sa mère? » Le monde bascule. Nous avançons, moi dans la jeep et Annie entourée d'enfants, et puis soudain on se retrouve proches. Elle est là en ombre chinoise, le soleil m'aveugle, je me force à ouvrir les yeux, je descends de la jeep et l'entends crier :

– Qu'est-ce que tu as?

Je vois le visage d'Angie. J'abandonne la voiture, je commence à courir comme un fou, je jette même la clef, aveuglé de larmes je cours, les enfants courent après moi, Annie court aussi, tout le monde croit que je joue, Annie arrive à me saisir par les épaules :

– Qu'est-ce qui t'arrive?

Et je dis en bégayant, en déballant tout, je n'ai plus honte de le dire, c'est le moment de m'exprimer, d'avouer :

– Je deviens fou, je vois une tête blonde parmi les têtes noires, c'est l'enfant d'Angie, je te regarde, et c'est le visage d'Angie, il faut m'enfermer dans une clinique et me livrer à un psychiatre.

– Non, dit-elle.

Et d'un geste elle écarte les enfants, comme on écarte les mouches, les chiens, les anges, les rêves, les cauchemars, la foule, et elle me dit :

– Tu vas vivre, Éric. Regarde!

Elle montre sa tête et dit :

– Mes pensées sont pour toi et pour la vie que nous créons, notre sanctuaire africain.

Elle désigne son cœur :

– Il bat pour toi et pour tous ceux qui nous entourent.

Je fais deux pas en arrière, elle se redresse, le soleil coule sur ses cheveux, elle pose ses mains sur son ventre.

– Ton enfant est là, je suis enceinte depuis quatre mois...

Je m'approche d'elle, je veux la toucher :

– J'ai attendu d'être sûre avant de te l'annoncer, je voulais que l'enfant, ton enfant, ait bougé dans mon ventre. Je suis solide, je vais accoucher facilement; on va avoir des enfants, plein d'enfants. Des petits blonds, parmi les petits noirs. Et tu sais ce qui va arriver? Les petits noirs ne vont pas voir que les petits blonds sont blancs et les petits blonds ne verront pas que les petits noirs sont noirs, on va changer le monde.

Elle est là, la vie, Annie, puérile, fantasque, mère, fille, enfant, grand-mère, héroïne antique, femme quotidienne ou créature de légendes. Elle est la femme que j'aime. Je me sens plus léger. Annie me libère. C'est merveilleux d'avancer sous ce ciel en étain.

– Éric, dit-elle. Regarde qui tu vois? Crie-le!

J'ai le soleil dans les yeux. Je ne sais pas si je mens ou si je dis la vérité, je ne sais pas, mes yeux sont secs, le soleil frappe :

– C'est toi...

– ... Qui?

Je cours, la savane et le ciel se referment sur moi, je cours et soudain, des mains sur mes épaules, je m'arrête :

– C'est moi, dit-elle.

Je m'écroule, je cherche un refuge. Mon visage contre l'herbe sèche, je suis proche d'un lézard, et de son œil latéral me jette un regard doré. J'implore cette terre bénie. Annie me touche.

– Regarde-moi, dit-elle.

J'embrasse la terre. Une émotion infinie.

Je vais ressusciter.

Cet ouvrage a été réalisé sur
Système Cameron
par la SOCIÉTÉ NOUVELLE FIRMIN-DIDOT
Mesnil-sur-l'Estrée
pour le compte des Éditions Grasset
le 9 février 1989

Imprimé en France
Dépôt légal : février 1989
N° d'édition : 7837 – N° d'impression : 10168
ISBN : 2-246-41611-6